D1220795

STRAŻNIK
TESTAMENTU

ERIC VAN LUSTBADER

STRAŻNIK TESTAMENTU

Z angielskiego przełożyli
Maciejka Mazan
Jerzy Malinowski

Świat Książki

Tytuł oryginału
THE BRAVO TESTAMENT

Redaktor prowadzący
Ewa Niepokólczycka

Redakcja
Jacek Ring

Redakcja techniczna
Julita Czachorowska

Korekta
Dorota Wojciechowska
Jadwiga Piller

Świat Książki
Warszawa 2006
Bertelsmann Media Sp. z o.o.
ul. Rosoła 10, 02-786 Warszawa

Skład i łamanie
Piotr Trzebiecki

Druk i oprawa
GGP Media GmbH, Pössneck

ISBN 978-83-247-0329-6
ISBN 83-247-0329-2
Nr 5615

*Dla Wiktorii
i mojego Poonie*

Inspiracja pochodzi z wielu źródeł.

Szczególne podziękowania:
• serii książek *Niccolo* Dorothy Dunnett,
za wprowadzenie mnie w historię Trebizondy,
• miastu Wenecja,
• *Słownikowi terminów i wyrażeń średniowiecznych*,
autorstwa Christophera Coredona i Ann Williams.

PROLOG

SIERPIEŃ 1442

KLASZTOR SUMELA
TREBIZONDA

W jaskrawe, gorące późne popołudnie środka lata trzech franciszkańskich mnichów z zakonu gnostyckich obserwantów dokonywało codziennego obchodu. Byli wdzięczni za odrobinę cienia, który dawał zwarty szpaler drzew otaczających klasztor Sumela, gdzie obecnie się ukrywali. Monaster stanowił dla nich doskonałe schronienie po ucieczce przed prześladowcami – został zbudowany za panowania Teodozjusza I przez greckich ortodoksów, z którymi zakon łączyły silne i szczególne więzi.

Chociaż mężczyźni mieli na sobie proste, muślinowe habity, typowe dla ich ascetycznej reguły, na patrol wyruszali uzbrojeni w miecze, sztylety i łuki. Byli Strażnikami, wyszkolonymi we władaniu bronią i walce wręcz tak samo dobrze, jak w niesieniu słów Chrystusa i świętego Franciszka. Ich podstawowym, świętym obowiązkiem było chronienie pozostałych członków zgromadzenia, szczególnie tych z wewnętrznego kręgu, którzy rządzili zakonem, Haute Cour.

Okrutne słońce, w swej niespiesznej podróży ku horyzontowi, ogrzewało teraz chłodne górskie powietrze, tak że na habitach Strażników pojawiły się plamy potu płynącego spod pach i środkiem ich szerokich, muskularnych pleców. Gdy poruszali się w napięciu, czujnie wypatrując niebezpieczeństwa i ostrożnie stąpając po tym kawałku ziemi, który znalazł się pod ich jurysdykcją, robili to w sposób niemalże rytualny, podobnie jak pełne rytuału były ich modlitwy, odmawiane trzy razy dziennie.

Zbliżała się siódma i ostatnia już godzina ich zmiany. Bolały ich mięśnie, a kręgosłupy trzeszczały, gdy schylali się, żeby przyjrzeć się śladom na ziemi i upewnić, że były to tylko ślady zwierząt, a nie ludzi.

11

Wyszkolenie nauczyło ich czujności. Historia zakonu była pasmem zagrożeń i prześladowań ze strony papieża i jego stalowej pięści, Bractwa Rycerzy Świętego Klemensa od Świętej Krwi. Od czasów pierwszej wyprawy krzyżowej, którą podjęto w 1095 roku, członkowie bractwa uczynili z wyspy Rodos swoją bazę. Zakon, ukryty tak blisko Ziemi Świętej, gdzie roiło się od wrogów, znalazł się w wielkim niebezpieczeństwie. Na szczęście mnisi do perfekcji opanowali sztukę kamuflażu. Od półtora roku, kiedy zakon rezydował w Sumeli, żaden rycerz świętego Klemensa nie zbliżył się nawet do klasztoru. Zresztą to miejsce nie było ich dominium. Należało do cesarza Justyniana, a potem do Komnenów, dynastii panującej w Trebizondzie, i znajdowało się na południowo-zachodnim wybrzeżu Morza Czarnego, między Anatolią i przynoszącym wysokie dochody szlakiem wielbłądzim do Isfahanu.

Trzej Strażnicy zatrzymali się na skraju polany, sięgnęli po wodę i kawałek przaśnego chleba. Ale nawet w tej chwili pozornego spokoju żelazna dyscyplina zabraniała im jakichkolwiek rozmów, toteż tylko czujnie rozglądali się po okolicy. W trakcie jedzenia spod przymkniętych powiek patrzyli, jak czerwonawy blask słońca zalewa polanę.

Ptaki ćwierkały, owady monotonnie brzęczały, a motyle i pszczoły przelatywały wzdłuż i w poprzek polany. Nie czuło się najlżejszego powiewu wiatru. Słoneczny żar odbierał siły. W pewnej chwili uwagę strażników przykuł ledwie słyszalny szelest w zaroślach oddalonych jakieś pięćdziesiąt metrów. Zamarli w bezruchu, bacznie wpatrując się w krzaki, serca waliły im w piersiach, a pot spływał z karków po plecach. Szelest powtórzył się, tym razem nieco bliżej. Jeden z mnichów przykucnął, wziął do ręki strzałę, nałożył na cięciwę i czekał z uniesioną bronią.

Nagle coś niewielkiego ukazało się ich oczom. Łucznik szeroko się uśmiechnął z ulgą. To tylko jakieś małe zwierzę przedzierało się przez zarośla. Jeden ze Strażników zaśmiał się głośno, wyciągnął rękę w kierunku napiętego łuku swojego towarzysza, jakby chciał go skierować w dół.

Nie zdążył. Krótki złowieszczy świst przecinającej powietrze strzały zagłuszył senne bzyczenie owadów. Strzała utkwiła w policzku Strażnika, który z szeroko rozpostartymi ramionami runął do tyłu. Jego towarzysz, wciąż kucając, napiął ponownie łuk i gorączkowo szukał niewidocznego wroga, by pomścić śmierć towarzysza. Nie zdążył – kolejna strzała przeszyła jego szyję. Upadł na plecy, dłoń trzymająca napięty łuk rozwarła się i strzała pomknęła gdzieś wysoko w niebo.

Martin, zbryzgany krwią swoich towarzyszy, skrył się niezwłocznie i wyciągnął miecz; starał się zachować rozsądek i zimną krew. Jego towarzysze byli martwi, obaj zabici w ułamku sekundy przez skrytobójcę. Ale z położenia ich ciał odczytał istotną informację – gdzie ukrył się łucznik.

Musiał teraz podjąć ważną decyzję. Mógł pójść okrężną drogą, trzymając się w cieniu i omijając nieosłoniętą przestrzeń polany, zaatakować rycerzy i pomścić braci albo dyskretnie i szybko wycofać się do klasztoru, ostrzec opata i zebrać siły, by zapolować na wroga. Blask słońca, który tak doskonale czynił przeciwnika niewidocznym, przemawiał przeciwko bezpośredniemu starciu.

Jeżeli jednakże łucznik faktycznie był rycerzem świętego Klemensa, na pewno rozpoznał swoją ofiarę jako członka zakonu gnostyckich obserwantów. Gdyby zdołał uciec i powrócić na Rodos z informacją o zakonie, przeciwko mnichom zostałaby wystawiona liczna armia. Takiego zmasowanego ataku na pewno by nie przetrzymali. Nie, nie było czasu na szukanie posiłków w klasztorze – musiał odnaleźć wroga teraz, zidentyfikować go i zabić, nim ten zdoła zdradzić sekretną kryjówkę zakonu.

Martin doskonale znał otaczający go las, pamiętał, że tuż za polaną jest urwisty brzeg głębokiego wąwozu, strzeżonego ze wszystkich stron przez nagie skały i poszarpane głazy. Dnem wąwozu wił się szlak prowadzący do bogatej Trebizondy, leżącej na południowym wybrzeżu Morza Czarnego. Poszedł w lewo, zataczając szeroki łuk. Przez cały czas nie spuszczał oka z polany, z której bez przerwy dobiegały jakieś szelesty wywołane przez lekkie podmuchy wiatru. Mięśnie miał napięte, miecz trzymał w pogotowiu, poruszał się ostrożnie, bokiem jak krab.

Mały ptak usiadł na gałęzi tuż nad jego głową. Przekrzywiał śmiesznie łebek, gdy nieufnie przyglądał się mnichowi. W jednej chwili zerwał się z trzepotem skrzydeł i odfrunął. Martin przerzucił miecz do lewej ręki i zamachnął się, wściekle tnąc szerokim łukiem.

Stal zgrzytnęła, gdy natrafiła na kość. Nim zdążył spojrzeć i rozpoznać w przeciwniku rycerza świętego Klemensa, usłyszał przeraźliwy krzyk. Rycerz zachwiał się ugodzony mieczem, lecz już po chwili próbował roztrzaskać głowę Martina. Mnich chwycił rękę przeciwnika i wbił mu miecz w pierś. Wróg spojrzał na niego gasnącymi oczyma. Potem jego wargi rozchyliły się, odsłaniając zęby, i gdzieś z głębi wydobył się śmiech tuż przedtem, nim śmierć nim zawładnęła. Martin kopnął ciało na bok. Teraz już spokojniejszy ruszył wzdłuż grani. Nie mógł wykluczyć ewentualności, że w lesie mogą kryć się inni nieprzyjaciele. Nieważne, teraz on na nich zapoluje. Wszystkie jego zmysły wyostrzyły się do granic możliwości.

Niebawem dotarł do miejsca, gdzie podczas ostatniej burzy utworzyło się wielkie osuwisko. Jedno olbrzymie drzewo i kilka mniejszych leżały wyrwane z korzeniami, w czerwonej ziemi pozostawiły jamy ziejące jak otwarte rany. Dzięki osuwisku mógł teraz zrobić to, co dotychczas było niemożliwe – spojrzeć w głąb wąwozu, który był jedyną drogą do Sumeli.

Widok w dole zmroził mu krew w żyłach. Szeregi rycerzy świętego Klemensa maszerowały miarowo, kierując się ku klasztorowi – ostatniemu bastionowi zakonu.

Popełnił niewybaczalny błąd. Rycerz, który ich zaatakował, nie był sam. Wysłano go w awangardzie, by zabił Strażników. Takich zabójców musiało być więcej. Bez cienia wątpliwości rycerze podjęli atak na wielką skalę.

Gdy zawrócił z powrotem do klasztoru, strzała ugodziła go w ramię. Stracił równowagę i stoczył się na sam skraj osuwiska, zaplątał w gęstwinie korzeni i prawie stracił oddech. Był na tyle przytomny, aby szybko odsunąć się od głębokiej prawie na kilometr przepaści. Daleko w dole szeregi rycerzy kontynuowały marsz. Krew sączyła się z rany, a ból przeszywał mu rękę aż po bark.

Próbował się podnieść, ale to spowodowało, że otworzyła się rana na ramieniu. Wkrótce krew zacznie skapywać i zdradzi wrogom jego położenie.

Zaczął się modlić, próbując zrobić rachunek sumienia. Jego dusza przemawiała do Boga, lecz w pewnym momencie zauważył, że wielkie przewrócone drzewo nad nim zaczęło się zsuwać, najpierw powoli, potem coraz szybciej, aż w końcu runęło w dół na przerażone oddziały wroga.

Oniemiały ze zdumienia patrzył na chaos, jaki szerzył się w szeregach rycerzy.

– To boska interwencja – szepnął.

– Chyba tak.

Spojrzał w górę, szukając źródła dźwięku, ale przez pot zalewający mu oczy nie mógł niczego dostrzec. Początkowo był przekonany, że sam święty Franciszek przyszedł mu z pomocą, ale po chwili ukazała się znajoma twarz.

– Brat Leoni – szepnął Martin. – Dzięki Bogu.

Imię pasowało do postury Leoniego. Miał lwie rysy twarzy i gęstwę kręconych włosów czarnych jak smoła, a do tego błękitne oczy.

– Pospiesz się, póki tam jeszcze trwa zamieszanie. Nie ma czasu do stracenia. – Silna dłoń złapała go i uniosła.

Klasztor Sumela wyglądał jak wyrzeźbiony ze skały, na której został wzniesiony w niedostępnych Czarnych Górach, leżących pomiędzy Trebizondą a Armenią.

– Flota wenecka została zawrócona przez sułtana Murada II i jego osmańską flotę – mówił brat Prospero do zasępionych mnichów, zgromadzonych w refektarzu klasztornym wokół stołu z ciemnego drewna. – Każdego dnia można spodziewać się ataku na Trebizondę. Mimo doskonałego położenia, tym razem Złote Miasto upadnie, a co za tym idzie, osmańska horda będzie wyważać drzwi Sumeli.

– Czyha na nas większe zagrożenie.

Duchowni zakonu gnostyckich obserwantów obrócili się jednocześnie, by spojrzeć na zaplamioną krwią postać, która pojawiła się w wejściu. Strzeliste łukowe sklepienie wznosiło się nad ich głowami niczym potężnie umięśnione ramiona wielkiego wojownika.

Brat Prospero, *magister regens* zakonu, uniósł rękę z wnętrzem dłoni zwróconym ku niebu w tradycyjnym geście powitalnym, ale jego wielkie czarne oczy niosły inne przesłanie. Nie lubił, gdy mu przerywano.

– Wejdź, bracie Leoni, i oświeć nas. Cóż może być większym zagrożeniem niż barbarzyńscy Turcy otaczający nasz bastion Chrystusa na wybrzeżu Lewantu?

Brat Leoni sięgnął ręką w mrok korytarza i wyciągnął stamtąd rannego Martina. Dwaj mnisi podnieśli się i pędem ruszyli, by zabrać go do izby chorych.

– Co się stało? – zapytał brat Prospero.

– Zostaliśmy zaatakowani – wyjaśnił brat Leoni. – Rycerze świętego Klemensa znaleźli nas. Wylądowali ukradkiem w Sinopie pięć nocy temu. Ich główne siły są o godzinę drogi stąd.

Przy tej uwadze brat Leoni i *magister regens* wymienili porozumiewawcze spojrzenia, ale żaden z nich nie powiedział, o czym myśli.

Zamiast tego brat Prospero westchnął.

– Zaiste, ziściły się nasze najgorsze obawy. Żądza zdobycia władzy świeckiej podsunęła papieżowi pomysł sformowania oddziałów rycerzy świętego Klemensa – jego własnej prywatnej armii, używanej do niszczenia tych, którzy sprzeciwiają się woli Stolicy Apostolskiej. Trzy tygodnie temu kurier dostarczył rycerzom papieski rozkaz unicestwienia zakonu.

Był potężnym mężczyzną z okrągłą jak słonecznik, rumianą twarzą i bystrymi czarnymi oczami inkwizytora. Przemawiał barytonem, który z niezwykłą łatwością docierał do najdalszych zakamarków refektarza.

– Nasze nauczanie nie spodobało się papieżowi. Ale teraz kuria watykańska uznała to, co głosimy, za heretyckie bluźnierstwo, a nas za groźnych dla władzy papieskiej. Zostaliśmy przeznaczeni do likwidacji – a któż może lepiej wykonać to zadanie jak nie tak zwani Rycerze Chrystusa, Rycerze Świętego Klemensa od Świętej Krwi?

Duchowni popatrzyli po sobie ze strachem i konsternacją.

Brat Sento zmarszczył czoło.

– Dlaczego nie poinformowano nas wcześniej o tym haniebnym edykcie?

– Co by to dało? – powiedział *magister regens*. – Po cóż siać panikę?

Sento wstał, pochylił się do przodu, a pięści oparł na stole.

– Mogliśmy dać światu Testament i w ten sposób obnażyć fałszywość tego szalonego papieża.

Na wspomnienie Testamentu zapadła przeraźliwa cisza. Pogłębiające się cienie powoli stłumiły żar zachodzącego słońca.

Leoni postanowił działać, zanim słowa Senta z całą mocą dotrą do wszystkich zebranych.

– Czy już nie wyczerpaliśmy tej kwestii? – wtrącił. – Któż, jeśli nie Kościół, duchowieństwo i garstka uczniów może to przeczytać? Potęga Kościoła i jego wpływy są zbyt wielkie, by uwierzono w nasze odkrycie, a co dopiero by uznano je za tekst objawiony. Nie, zostalibyśmy zniszczeni, przepędzeni, ukamienowani przez wiernych – a sam Testament wpadłby w ręce naszych wrogów w łonie Kościoła, którzy prędzej by go zniszczyli, niż usiłowali poznać prawdę. Poza tym nie jest naszym obowiązkiem ani pragnieniem doprowadzić do upadku instytucję, której oddaliśmy nasze umysły, ciała i dusze.

Sento, wciąż z grymasem niezadowolenia na twarzy, skrzyżował ramiona na piersiach. Wiedział, że Leoni miał rację, ale nie mógł dostrzec niczego poza kiełkującym w nim strachem.

Magister regens podniósł się.

– Dobrze powiedziane, bracie Leoni, dziękuję. Wróg jest tuż obok. Musimy teraz przejść do praktycznej kwestii naszej obrony. Faktem jest, że przygotowywaliśmy się do tego dnia od chwili, gdy wybraliśmy Sumelę. Czy wydaje wam się, że moglibyśmy być lepiej przygotowani na to, co nieuniknione?

Popatrzył po zebranych.

– Czy ktoś ze zgromadzonych kwestionuje moją decyzję? – spytał, przeszywając wzrokiem Senta.

Brat Sento spuścił wzrok i powoli wyprostował ramiona. Jeszcze jedno ukradkowe spojrzenie na Prospera i Leoni posłusznie zajął swoje miejsce przy stole.

– Wszyscy spodziewaliśmy się, że papież znajdzie sposób, by wystąpić przeciwko nam – powiedział brat Kent. Miał obwisłe policzki, był wyższy od pozostałych, nigdy nie tracił rezonu i zawsze wyciągał pomocną dłoń do bliźnich. – Zbliża się godzina próby, najtrudniejszej próby. Najważniejsze w tej chwili jest wspólne działanie, jak jeden umysł, jedno mocno bijące serce.

Magister regens pokiwał lekko głową z aprobatą, rozglądając się po zebranych z surową miną.

– Ufam, że mogę liczyć na wszystkich i że każdy z was wypełni swoje zobowiązania i będzie bronić reguły naszego zakonu.

Wybuch powszechnej aprobaty wypełnił komnatę, nawet Sento dołączył do Kenta i pozostałych. *Magister regens* szeroko rozłożył ręce i gdy wszyscy tak stali, sformułował formalne oskarżenie:

– W naszych sercach nie braknie odwagi, wiara rozpala nasze dusze. My, którzy zostaliśmy naznaczeni przez świętego Franciszka, aby być jego nieprzemijającym głosem na ziemi, by nieść jego przesłanie nadchodzącym pokoleniom, teraz łączymy nasze siły. Nadciąga wojna, a przeciwnik zdołał nas odnaleźć, szykujmy się więc do boju. Obsadzić mury obronne od południa i wschodu, a także schody i podwórce, które będą teraz naszym domem. Ukarzcie wroga za jego nikczemny atak. Nadchodzi dzień gniewu, dzień zła, dzień smutku i bólu! Popłynie krew, zapanuje śmierć! Nim ten dzień się skończy, do nieba i piekła trafi wiele dusz!

Donośny, zmasowany okrzyk przetoczył się przez olbrzymią salę. Po chwili refektarz był już pusty. Tak jak Prospero mówił, jego mnisi byli doskonale wyszkoleni. Jednakże dopiero gdy został tylko z Leonim, wypowiedział z bólem dwa krótkie słowa, nieprzeznaczone dla uszu pozostałych braci:

– Oni wiedzą.

– I ja tak czuję – zgodził się Leoni. – Rycerze świętego Klemensa w jakiś sposób przeniknęli do zakonu.

Na twarzy Prospera malowała się boleść.

– Nie tylko do zakonu. Przeniknęli do Haute Cour – wewnętrznego kręgu, którego ty i ja jesteśmy częścią.

Olbrzymi kominek, do którego bez pochylania głowy wejść mógł nawet brat Kent, wydawał się czarny i opuszczony. Kamienna podłoga była bezlitośnie twarda pod ich stopami. Owładnięty nagle silnymi emocjami Prospero musiał się podeprzeć, wstając, gdyż bał się, że nie utrzyma równowagi. Podszedł do Leoniego i razem opuścili pomieszczenie, zamykając za sobą masywne drzwi.

W owych czasach klasztor Sumela był podzielony na trzy części. Niższą zbudowano wokół centralnego dziedzińca i poniżej wielkiej cysterny, w której gromadzono wodę z akweduktu. Część środkowa, zachodnia, gdzie mieszkali mnisi, składała się z kuchni, biblioteki, kaplicy i domu dla pielgrzymów. Nad wszystkim wznosił się kościół ze świętą ikoną Dziewicy Maryi.

Obaj członkowie Haute Cour razem przeszli korytarzem, stromymi kamiennymi schodami w górę i przez wąskie drewniane drzwi z wielkim żelaznym zamkiem wydostali się na szaniec. Odetchnęli ostrym górskim powietrzem przesyconym zapachami nadchodzącej nocy i oręża, a co za tym idzie – wojny. Wkrótce dotarli do celu i badawczo obserwowali głęboki wąwóz. Hen, za horyzontem, leżała Trebizonda, miasto, które tak nieodparcie przyciągało Greków, Genueńczyków,

Florentczyków, Wenecjan, węzeł handlowy pomiędzy wschodem a zachodem, gdzie rozładowywano karawany wielbłądów z głębi Armenii, by potem towary wysyłać do składów w Europie. Wąwóz był jeszcze pusty, ale wkrótce zapełni się rycerzami świętego Klemensa.

– Więc nawet tutaj nie jesteśmy bezpieczni – rzekł Leoni. – Oto ludzka zachłanność, bracie Prospero. Strzeżemy zbyt wielu tajemnic, zbyt cennych. Ludzie są przekupni i przez to zasługują na pogardę, gdyż łatwo popadają w grzech.

– To sprzeciwia się nauce świętego Franciszka.

– Nasz założyciel żył w innych czasach – gorzko zauważył Leoni. – Albo był ślepy.

– Nie pozwolę na bluźnierstwa! – *Magister regens* stracił nad sobą panowanie.

– Jeżeli prawda ma być bluźnierstwem, to niech będzie. – Leoni wytrzymał jego spojrzenie. – Papież uważa, że głosimy bluźnierstwa, więc czymże jest prawda, jeśli nie tym, co widzimy na własne oczy? Religia, tak jak filozofia, jest czymś żywym. Jeśli nie pozwolimy jej się zmieniać z upływem czasu, jeśli pozwolimy jej skostnieć, stanie się czymś nieistotnym.

Brat Prospero odwrócił wzrok i zagryzł wargi, by nie powiedzieć czegoś, czego z pewnością później by żałował.

– Wróćmy do tematu – rzekł Leoni. – Wiesz równie dobrze jak ja, że nie można pozwolić, by nasze tajemnice dostały się w ręce wrogów.

Wyciągnął dłoń.

– Wezmę twój klucz.

Krótki przebłysk strachu czy może wątpliwości zagościł przez chwilę na twarzy Prospera.

– Tak oceniasz nasze szanse?

Ich spojrzenia się spotkały.

– Chcesz, żebym przypomniał ci regułę naszego zakonu? W czasach kryzysu jest tylko jeden Klucznik.

Zapadła krótka, nieprzyjemna cisza. Słońce już znikało za horyzontem, gdy zerwał się wiatr i przemknął przez wąwóz, jakby przerażony tym, co kryło się w szybko zapadających ciemnościach. Brat Leoni wiedział, że nie udzielił odpowiedzi na pytanie.

– Oni przewyższają nas liczebnie, a ponieważ papież ma dostęp do wszystkiego, należy przyjąć, że są znacznie lepiej od nas wyekwipo-

19

wani. Możemy ich pokonać tylko przy użyciu rozumu i właściwej strategii. No i oczywiście mamy tę kamienną fortecę.

Przerwał nagle, obrócił głowę i jak zwierzę, które chłonie informacje niesione wiatrem, wysunął czubek języka.

– I? – zapytał brat Prospero.

Brat Leoni odwrócił się. Miał irytujący nawyk rzucania badawczego spojrzenia, każdemu rozmówcy, kimkolwiek by był.

– Wróg jest sprytny, znacznie sprytniejszy, niż przypuszczaliśmy. Bracie Prospero, bez wątpienia w naszym gronie znajduje się zdrajca. Jeśli nie dowiemy się, kto nim jest, i nie powstrzymamy go, Sumela stanie się raczej naszym grobem niż świątynią.

Oczy Prospera zaiskrzyły się, gdy potrząsnął głową.

– Wiesz dobrze, że nigdy nie podobał mi się pomysł, żeby był tylko jeden Klucznik.

– Ale teraz widzisz zalety tego pomysłu. Zdradził ktoś z Haute Cour. Siedmiu mnichów, włączając w to ciebie i mnie, wie o skrzyni tajemnic, ale tylko dwóch zna miejsce jej przechowywania i ma klucze. Gdyby nie to, tajemnicę bez wątpienia już dawno poznaliby rycerze świętego Klemensa. Chodźmy, zostało nam mało czasu.

Brat Prospero wciąż się wahał, lecz nagle z najwyższego szańca Sumeli rozległ się krzyk obserwatora, który zmroził krew brata Leoni.

– Nadchodzą! Rycerze już tu są!

Rzeczywiście, gdy obrócili się, zobaczyli zbrojnych i ich chorągiew z siedmiopunktowym purpurowym krzyżem łopoczącym obok chorągwi papieskiej. Siedzieli na końskich grzbietach tuż przed wrotami klasztoru, a ich broń błyszczała w słońcu.

Magister regens wychylił się, wbijając palce w brzeg muru.

– Atak frontalny – prychnął. – Wiele dni im to zajmie, a tymczasem możemy porozumieć się z Lorenzo Fornarinim, który tak wspaniałomyślnie wspomógł nas w Trebizondzie, a teraz…

Leoni nagle niegrzecznie go uciszył, mocno ściskając mu rękę. Przeliczył rycerzy i stwierdził, że jest ich zbyt mało. Istniało tylko jedno wyjaśnienie…

– Za późno, by Fornarini czy ktokolwiek inny przyszedł nam z pomocą.

Odciągnął Prospera od ściany w chwili, gdy pierwsze strzały przeszyły powietrze obok nich.

– Główne siły zaszły nas od tyłu i otoczyły.

Biegiem ruszyli schodami do wnętrza.

– Już są w środku, w przeciwnym razie ta grupa by się nam nie pokazała.

– Niemożliwe. Nie mogę w to uwierzyć...

– Prędko! Twój klucz! – Leoni pstryknął palcami.

Magister regens gmerał w zakamarkach habitu, Leoni wyrwał mu klucz z dłoni, zerwał go z łańcuszka, którym był przytwierdzony do drewnianego krucyfiksu. Teraz leżał w jego dłoni, niepodobny do innych, bezpieczny wraz z drugim kluczem, który on przechowywał. Klucz miał dziwne zakończenie i na całej długości siedem różnej wielkości i głębokości dziurek w kształcie gwiazdy.

Magister regens wpił palce w sutannę Leoniego.

– Twoja bezczelność kiedyś cię zgubi.

– Być może. Ale jeszcze nie dziś.

Nie odwracając wzroku, podniósł rękę i powoli uwolnił się z uścisku.

– Dzisiaj twoje żarliwe modlitwy się spełniły i odtąd ja jestem jedynym Klucznikiem, strażnikiem naszych tajemnic. Jeżeli zginę, zakon zginie wraz ze mną.

Z dołu dochodziły okrzyki, słychać było brzęk stali, wrzaski i przeraźliwe jęki.

– Oto dowód – krótko podsumował Leoni. – Ponownie zostaliśmy zdradzeni. Nasza cytadela już została zdobyta.

W oczach Prospera pojawił się cień strachu. Jego zarośnięta twarz lśniła, szybko wrócił do rozmowy. Ściszonym głosem powiedział:

– A ta jedna tajemnica – ta, która przyćmiewa wszystkie pozostałe, o której nie wiedzą napastnicy, o której nie ma nawet pojęcia ten, co ich przysłał. Czy będzie u ciebie bezpieczna?

– Dlatego właśnie zostałem mianowany Klucznikiem. Zaufanie jest rzeczą świętą, nie można go zawieść. Wszystkie tajemnice zabiorę do grobu, szczególnie jedną.

Brat Prospero przytaknął. Choć nie był zadowolony, przynajmniej czuł satysfakcję. Nie miał wyboru.

– Bóg z tobą, synu. W imię Chrystusa, idź bezpieczny.

– Jeżeli obaj przeżyjemy, wiemy, gdzie się spotkać.

– Tak. Za rok.

– Odnajdziemy się i dokończymy naszą dyskusję.

21

– Jak Bóg zechce – odparł Prospero.

Trzymając rąbek habitu w ręku, Leoni zszedł zachodnimi spiralnymi schodami. Tam gdzie krew zaschła, materiał stał się sztywny i ocierał ciało. Gdy mijał pierwszą linię okien, widział zasłonę ciemności zapadającą na kobaltowe sklepienie nieba. W zasięgu ręki miał krótki, pochyły pokryty dachówką dach kuchni, a dalej ciągnęły się tarasy. Błysk światła przykuł jego uwagę. Ktoś rozpalił ogień przy murach. Poniżej rozgorzała już zażarta walka. Widząc dwóch swoich braci zaatakowanych przez czterech rycerzy, dobył broń i ciął w plecy napastnika, który o mało nie przerąbał Benedetta na pół. Nie tym jednak powinien się teraz zajmować. Przede wszystkim musiał się uratować i dzięki temu ustrzec przed niebezpieczeństwem skrzynię tajemnic. Kłopot w tym, że nie mógł tego zrobić. Jego bracia byli w tragicznym położeniu. Jak mógł ich opuścić?

Słabo odparował cios, dając przeciwnikowi fałszywe pojęcie o swojej waleczności, i gdy rycerz lekkomyślnie próbował go pchnąć mieczem, wprawnie zbił uderzenie w bok, kierując swój miecz wprost w jego pierś. Drugi rycerz zaatakował z prawej strony, więc ciął go w nadgarstek. Lecz oto pojawiło się następnych sześciu, toteż musiał pozostawić obronę innym, a sam pobiegł schodami ku trójlistnemu oknu. Odparował pchnięcie rycerza, który oderwał się od grupy i próbował ściągnąć go w dół, a następnie uderzył płazem miecza. Dało to oczekiwany efekt, wróg stracił równowagę. W tej samej chwili Leoni kopnął go mocno w ramię. Rycerz zachwiał się, stopa ześlizgnęła mu się ze stopnia schodów i z hukiem spadł na swoich dwóch towarzyszy.

Leoni wykorzystał ten moment, wskoczył przez okno i wylądował na dachu kuchni. Widział stąd niższy dziedziniec, na którym roiło się od rycerzy świętego Klemensa. Miał przed oczyma mury okopcone przez saraceński ogień.

Zdradzeni. Zdradzeni przez najświętszy krąg, pomyślał z goryczą.

Nagle tuż obok jego głowy przeleciała strzała. Uchylił się i przywarł do dachówek. Gdy tylko uniósł się na łokciu, nadleciała następna, ale dostrzegł łucznika. Zresztą nie miało to większego znaczenia, przeciwnik był poza jego zasięgiem.

Rozpłaszczywszy się ponownie, zdołał podciągnąć się na dachu w górę. Chciał dotrzeć do kuchni poniżej, a stamtąd wejść w korytarz ciągnący się pod kamienną podłogą. Niestety, jedno spojrzenie na krwawą jatkę, w którą zamienił się dziedziniec, powiedziało mu, że nie zdoła tego dokonać. Pozostała kuchnia. Najpierw musiał dotrzeć do biblioteki. Zmienił kierunek i wdrapał się na szczyt dachu kuchni. Czyniło go to łatwym celem na trzy lub cztery sekundy, których potrzebował, by dźwignąć się, przejść nad gontem i przedostać się na drugą stronę wschodniego skrzydła klasztoru.

Nie było wyjścia. Tylko w ten sposób mógł dotrzeć do biblioteki. Musiał zwiększyć swoje szanse, uciec się do dywersji. Leżał na dachu, czekał, zbierał się w sobie, zwolnił oddech. Wolną ręką macał wokół siebie, aż znalazł obluzowaną dachówkę. Wyjął ją i rzucił wysoko w górę w kierunku przeciwnym do tego, w którym zamierzał się udać. Usłyszał, jak dachówka uderza o bruk dziedzińca, a chwilę później rozległy się ostrzegawcze krzyki rycerzy. Błyskawicznie przeturlał się przez gont na wschodnią stronę dachu. Nikt nie wystrzelił w jego kierunku żadnej strzały, więc bez chwili wytchnienia pobiegł, cały czas się kryjąc; na dłuższą chwilę zawisł nad tarasem biblioteki. Przy okazji strącił ptasie gniazdo i wiedząc, że nieprędko będzie miał okazję się posilić, zjadł trzy jajka. Zresztą jego zapach został na gnieździe, więc samica i tak nie chciałaby wysiadywać tych jaj. Wyrzuciłaby je z gniazda, tak jak Kościół wyrzucił poza nawias jego zakon.

Szybko przeszedł przez komnatę pełną półek z cennymi woluminami. Przerażała go myśl, że rycerze mogą spalić klasztor i cała ta bezcenna wiedza pójdzie z dymem.

Leoni ostrożnie przechodził przez kolejne pomieszczenia, posuwając się cały czas na wschód. Musiał dotrzeć do wschodniej ściany. Słyszał przerażające dźwięki bitwy – uderzenia stali o stal, zwierzęce wrzaski walczących, ordynarne przekleństwa, głębokie jęki i krzyki rannych i umierających.

W końcu w półmroku dotarł do celu, wschodniej ściany pokrytej kafelkami na oszałamiającą grecką modłę. Zgrubiałymi palcami szukał mechanizmu otwierającego przejście do ukrytych schodów – płytki piątej od podłogi, trzeciej od lewej – już miał ją nacisnąć, kiedy dobiegł go jakiś dźwięk. Zamarł w bezruchu i wytężył wszystkie zmysły. Początkowo nic nie słyszał, w końcu dobiegło go skrobanie stali o kamień. Ktoś oprócz niego był w komnacie. Ale zamiast zaatakować, patrzył i czekał.

Leoni z trudem powstrzymał się przed instynktownym otwarciem drzwi i ucieczką. Nie mógł wrogowi zdradzić tajnego przejścia. Gdyby to zrobił, rycerze ruszyliby za nim, a znając warunki panujące w Trebizondzie, mieście atakowanym przez flotę sułtana, nie mógłby liczyć na żadną pomoc.

Od niechcenia zdjął rękę ze ściany i odszedł. I wtedy zrobił rzecz, której jego wróg najmniej się spodziewał – ruszył wprost na niego, a raczej, ponieważ było ciemno, w kierunku, skąd wcześniej dobiegał dźwięk. Miał rację. Na jego twarzy pojawił się delikatny cień triumfalnego uśmiechu, kiedy ujrzał błysk unoszącej się stali. Ale natychmiast dostrzegł, że rycerz celuje w niego z arkebuza. Leoni skoczył do przodu w momencie, gdy wróg nacisnął spust. Odgłos wystrzału ogłuszył mnicha, który przez chwilę miał wrażenie, że ołowiany pocisk rozłupał mu czaszkę.

Doskoczył do rycerza, arkebuz upadł na posadzkę. Leoni bił początkowo pięścią, następnie sięgnął po broń. Rycerz i mnich skrzyżowali miecze.

Teraz, kiedy ich szanse się wyrównały, poczuł się lepiej, choć nieprzyjaciel serią silnych ciosów zmusił go do cofnięcia się. Leoni odpowiadał na atak w szczególny sposób – bronił się. Dzięki temu miał możność ocenić kunszt przeciwnika, nie zdradzając swoich umiejętności. Rycerz był potężniejszy i silniejszy, a także doskonale wyszkolony. Leoni pozwolił przeciwnikowi uwierzyć w swoją przewagę. Przedostatni cios, zadany oburącz, powalił mnicha na kolana. Rycerz z triumfalnym uśmiechem na twarzy podniósł miecz, by zadać śmiertelny cios, ale Leoni błyskawicznie wyciągnął sztylet i z całej siły ciął ścięgno Achillesa napastnika. Ten upadł, lecz nie wypuścił miecza z dłoni. Leoni wykopał mu broń z ręki, skoczył na bezbronnego już wroga i zatopił sztylet w jego gardle.

Ciężko dysząc, podniósł się, zatoczył, dotarł do ściany pokrytej kafelkami, nacisnął mechanizm i przez nikogo niewidziany zniknął w tajnym przejściu, zamykając za sobą drzwi.

W kompletnych ciemnościach schodził spiralnymi schodami. Obaj z bratem Prospero wielokrotnie przemierzali tę drogę, początkowo ze skwierczącymi pochodniami, kiedy zapamiętywali drogę, później w zupełnych ciemnościach, bo chcieli być gotowi na taki dzień jak dzisiejszy.

Bez problemów dotarł do końca schodów i skierował się do fundamentu wschodniej ściany. Odliczył od narożnika piętnaście stóp, poszukał mechanizmu otwierającego, umieszczonego w równej linii ze ścianą. Tutaj znajdowały się ukryte drzwi prowadzące do stromych żelaznych schodów, które wiodły wewnątrz grubych murów z ociosanego kamienia i kończyły się jakiś kilometr od klasztoru. Bez zwłoki ruszył podziemnym przejściem, śmierdzącym próchnicą i wodą kapiącą z kamiennych ścian. Starał się czynić jak najmniej hałasu, ale w tych warunkach trudno było zachować absolutną ciszę. Musiał się spieszyć. Wreszcie dotarł do końca tunelu. Jak ślepiec wyszedł i znalazł drabinę sznurową, prowadzącą do starej studni, która tak naprawdę nigdy nie była studnią, tylko drogą ucieczki przygotowaną na wypadek oblężenia klasztoru.

Wspinał się po drabinie, póki nie poczuł w nozdrzach zapachów lasu. Pojawił się jednak także inny zapach, dominujący nad pozostałymi, ostry, drażniący, dziwnie znajomy...

Silne ramię uchwyciło go, gdy wychodził ze studni.

– Nie ruszaj się i milcz – szepnął mu do ucha brat Kent.

– Jak zdołałeś...?

– Tędy – rzucił Kent, ignorując pytanie. – Zostałeś zdradzony. Nasi wrogowie już tam na ciebie czekają.

Faktycznie, dostrzegł teraz światła pochodni trzymanych przez szukających go ludzi.

Leoni podążył za swoim przewodnikiem; zagłębili się w las, aż migające światła prześladowców znikły z ich pola widzenia. Na niebie pojawił się księżyc. W jego świetle Leoni widział ostry i wyraźny zarys postaci duchownego. Poczuł radość, że przechytrzyli przeciwnika.

Leoni obrócił się ku niemu i w gorącym podziękowaniu mocno uścisnął jego ramię.

– Nie rozpaczaj. Udało nam się uciec, zakon przetrwa – powiedział Leoni.

Przez krótką chwilę myślał, że niebieskawe światło księżyca płata figle, ponieważ zdawało mu się, że radość na twarzy Kenta zamieniła się w coś demonicznego. Nagle Kent wbił mu ostrze sztyletu w ramię. Leoni szarpnął się do tyłu, palący ból rozdzierał mu ciało, a Kent znów się zbliżał.

– Co... co robisz?

Kent mocno nim potrząsnął. Na jego twarzy malowało się szaleństwo. Nie przejął się zdumieniem Leoniego. Pospiesznie przetrząsnął jego habit w poszukiwaniu kluczy.

W tej chwili Leoni otrząsnął się z szoku i zapomniał o bólu. Ponad wszelką wątpliwość Kent był zdrajcą. Zdradził zresztą wszystkich, nawet swoich nowych panów, rycerzy świętego Klemensa. Zachłanność wyzierająca z jego spojrzenia nie pozostawiała co do tego żadnych wątpliwości. Zamierzał wykraść skrzynię tajemnic dla siebie.

Leoni wyrwał się z uścisku i krzycząc z bólu, wyciągnął sztylet z ciała. Krew polała się obficie z rany. Zakręciło mu się w głowie. Kent skoczył na niego, wykopał mu z ręki sztylet. Leoni ułamek sekundy za późno wyciągnął ręce w górę. Potężny cios pięścią trafił go w policzek i zwalił z nóg.

W głowie rozjarzyły mu się światełka, ale po chwili zaczęła zapadać ciemność.

Słyszał odgłosy ptaków, gdzieś daleko pohukiwała sowa. A może to były krzyki wroga, który metodycznie mordował jego braci? Olbrzymim wysiłkiem woli otrząsnął się z zamroczenia, uchwycił ręce Kenta, a następnie wbił palce w jego tchawicę. Kent charczał straszliwie, usiłując wyrwać się z uścisku.

Leoni odepchnął go i na czworakach zaczął szukać sztyletu. W świetle księżyca dostrzegł broń, chwycił ją i zatopił w ciele zdrajcy.

Kent, który wciąż zanosił się kaszlem, złapał go za ramię, tyle że tym razem jego kciuk trafił prosto w ranę. Leoni zawył z bólu i upuścił sztylet.

Uśmiech rozjaśnił twarz Kenta. Powolnym ruchem ujął broń i skierował ostrze w stronę odsłoniętej szyi przeciwnika. W tym właśnie momencie pojawił się cień nad lasem i spadł na nich obu.

CZĘŚĆ PIERWSZA

OBECNIE

Nowy Jork,
Waszyngton

1

To był wyjątkowo gorący i wilgotny czwarty lipca. Dexter Shaw skręcił za róg i nagle wrócił do czasów swojej młodości. Wspomnienie pełnych zdarzeń dni i niespokojnych nocy zapewne przywołał widok ponętnej młodej kobiety w bluzce bez rękawów albo naćpanego młodego mężczyzny siedzącego w upalnym cieniu budynku z białej cegły, sennego psa u jego boku, kawałka kartonu między jego gruzłowatymi, pokrytymi parchami kolanami, na którym napisano: „Proszę o pomoc. Straciłem wszystko".

Może to było jednak coś zupełnie innego. Gdy patrzył na tłum przelewający się przez park Union Square, czuł się jak pływak, odległy od zaludnionego brzegu, prowadzony przez tylko dla niego dostrzegane wiatry i prądy morskie. Im bliżej się znajdował tej ludzkiej ciżby, tym silniej odczuwał swoją odrębność. Tajemnice, których był powiernikiem, czyniły go samotnym nawet w wiecznie spieszącym się tłumie. To prawda, im więcej sekretów, tym głębsza izolacja. Szepty zakochanych, pogaduszki przyjaciół, rozmowy biznesmenów przez komórkę, wszystko to było dla niego egzotyczne, tak bardzo odległe od jego życia. Żył co prawda w tym tumulcie od dziesięcioleci, ale dzisiaj strach, jak ostrze noża przytknięte do skóry, zwiastował niebezpieczeństwo.

Zwrócił uwagę na idącego w jego kierunku wysokiego, wychudzonego mężczyznę z rozczochraną brodą zasłaniającą większość twarzy.

– Jam jest żyjący. Byłem umarły, a oto jestem żyjący na wieki wieków i mam klucze śmierci i Otchłani* – krzyczał wprost do Shawa, cytując Apokalipsę. Jego głęboko osadzone oczy świdrowały, zmuszając

* Apokalipsa św. Jana 1,18. Biblia Tysiąclecia.

29

do uwagi. – Napisz więc to, co widziałeś, i to, co jest, i to, co potem musi się stać*.

Shaw odszedł, ale głos, przenikliwy i twardy jak beton, podążał za nim.

– Co do tajemnicy siedmiu gwiazd, które ujrzałeś w mojej prawej ręce, i co do siedmiu złotych świeczników: siedem gwiazd – to są Aniołowie siedmiu Kościołów, a siedem świeczników – to jest siedem Kościołów**.

To był głos wojny, herold zagłady. Od czasu gdy Shaw usłyszał o chorobie papieża, wiedział. Wiedział nawet, nim zaczęły się morderstwa. Czuł, jak jego ciało przenika lodowate zimno. Nie potrafił tego zatrzymać. Zaczął się Armagedon.

Przyprawiający o mdłości zapach śmierci wypełnił jego nozdrza, a w oczach miał widok przelanej krwi. Odrzucając wizje, przedarł się przez tłum na Greenmarket. Po chwili dostrzegł mężczyznę o słowiańskich rysach twarzy. To był rycerz od mokrej roboty – czyli zabijania wrogów swojej organizacji, takich jak Shaw. Chwilę później Dexter wmieszał się w tłum.

Shaw szybko opuścił plac i wszedł do jednego z licznych sklepów po południowej stronie Czternastej Ulicy. Spędził tam ze dwadzieścia minut, przechadzając się z wolna od stoiska do stoiska. Rycerz ponownie odnalazł go przy stoisku ze sprzętem gospodarstwa domowego, gdzie Shaw uważnie przyglądał się wystawie. Prześladowca był ostrożny i cierpliwy. Gdyby nie nabyte umiejętności i wzmożona czujność, Shaw pewnie by go nie zauważył. Rycerz wyglądał teraz inaczej. Pozbył się sportowej kurtki, a bluza w neutralnym kolorze nie rzucała się w oczy. Wydawał się zaabsorbowany widokiem kompletu pięknej porcelany. Nagle zniknął, by po chwili pojawić się w dziale z męską odzieżą sportową. Cały czas trzymał się z dala od Shawa. Starał się nie spoglądać na niego, nawet głowę trzymał odwróconą w przeciwnym kierunku. Był profesjonalistą.

Shaw wybrał kilka koszul i powędrował na tył sklepu, gdzie znajdowały się przymierzalnie. Rycerz ruszył za nim, wpatrzony w wyjście ewakuacyjne na końcu korytarza.

---

* Apokalipsa św. Jana 1,19.
** Apokalipsa św. Jana 1,20.

Trzy pierwsze przymierzalnie były zajęte, co bardzo Shawowi odpowiadało. Ze wzrokiem utkwionym w wyjście ewakuacyjne szedł dalej korytarzem. Rycerz podążał za nim, niepostrzeżenie zmniejszając dystans. Shaw czuł, że prześladowca zbliża się do niego, i przyspieszył kroku. Nagle Shaw obrócił się gwałtownie i rzucił ubrania prosto w twarz rycerza. Następnie obieraczką do warzyw, którą zabrał z wystawy sklepowej, przeciągnął po policzku prześladowcy. Złapał go za bluzę, wepchnął do pustej kabiny po prawej stronie i jednym kopnięciem zatrzasnął za sobą drzwi. Żaden z wrogów nie mógł go śledzić, gdy miał spotkać się z synem.

– Co to? – zapytał mężczyzna, przecierając policzek. – Sądzisz, że możesz nas powstrzymać? Za późno. Nic nas nie powstrzyma.

Shaw uderzył go w bok, tuż pod żebra. Rycerz skulił się, ale nie upadł. Zrobił półobrót i łokciem trafił Dextera w podbródek. Następnie sięgnął do jego gardła. Ledwie Shaw zdążył się usunąć, gdy silny ból eksplodował mu w głowie. To przeciwnik wykorzystał chwilę przewagi i uderzył go w nerki. Shaw odpowiedział ciosem w mostek.

Walczyli w milczeniu, oślepieni jaskrawym światłem, zadając kolejne ciosy jak mistrzowie sztuk walki, markowali ciosy i odparowywali te rzeczywiste. Ciasnota pomieszczenia wymuszała zadawanie krótkich, mocnych uderzeń. Wreszcie stanęli spleceni jak zakochana para.

– Już po tobie – wydyszał rycerz. – To koniec.

Shaw uwolnił z uścisku jedną rękę i wbił kciuk w to miękkie miejsce pod lewym uchem, gdzie pulsowała tętnica szyjna. Rycerz walczył jak oszalała bestia, widząc swój bliski koniec, ale Dexter nie ustępował. W końcu rycerz stracił przytomność i upadł na podłogę.

Shaw przez chwilę się wyciszał, poprawiając jednocześnie ubranie. Myślał o tym, co powiedział mu napastnik: „Za późno. Nic nas nie powstrzyma". Czy to mogła być prawda? Czy wrogowie byli bliżej, niż mu się zdawało? Te słowa zmroziły go do szpiku kości. Musiał natychmiast porozmawiać z Bravo. Wszelkie animozje trzeba teraz odsunąć na bok.

Żwawo wyszedł na korytarz. Rozglądając się uważnie wokół w poszukiwaniu następnych potencjalnych napastników, opuścił sklep wyjściem dla personelu i znalazł się na Trzynastej Ulicy.

Szybko skręcił na południe na University Place, potem na zachód w Jedenastą Ulicę. Wiedział już, że nikt go nie śledzi, lecz mimo to nie zwolnił kroku. Słabe dotychczas podmuchy wiatru zupełnie ustały. Mgiełka, często pojawiająca się tu latem, sprawiła, że błękit nieba był wyblakły.

Chociaż podjął tyle środków ostrożności, wiedzieli, gdzie jest. Nie był specjalnie zaskoczony. W ciągu ostatnich dwóch tygodni ataki się nasiliły, a punktem kulminacyjnym było złapanie Molka. Molko był torturowany, a gdy mimo to milczał, zabito go. Shaw nie zdążył zorganizować misji ratunkowej, zabrakło godziny.

Cholerny pech. On i Molko rozmawiali o sprawie przeszło sześć miesięcy przed pierwszym zabójstwem. Molko zaakceptował plan bez słowa protestu. Ale teraz on także został schwytany, torturowany i zamordowany. Shaw musiał przyjąć za pewnik, że wróg ma drugi klucz.

„Klucze śmierci i Otchłani".

Znalazł kawiarenkę, którą Bravo zaproponował na miejsce spotkania. Wszedł do środka. Jego syn jeszcze się nie pojawił. Usiadł na zewnątrz, przy małym metalowym stoliku skąpanym w promieniach słonecznych. Zamówił *café au lait* i pomyślał o rycerzu i o przepowiedniach Apokalipsy. Wiedział dużo o przepowiedniach, więcej niż przeciętni ludzie. „...to, co widziałeś, i to, co jest, i to, co potem musi się stać". Wyobraził sobie, że słowa wypowiedziane przez fanatyka religijnego odnosiły się do wojny o to, co on, Dexter Shaw, znalazł.

Podano kawę, rozerwał trzy torebki z cukrem. Ujął dłońmi zbyt dużą filiżankę, upił łyk i pomyślał: Cholerna francuska kawa. Gdzie jest stara dobra Maxwell House, gdy jej potrzebujesz?

– To typowe dla Bravo, by wybrać takie miejsce – mruknął.

Syn spędził ostatnie trzy lata w Paryżu, ku niezadowoleniu ojca. Tymi uprzedzeniami do wszystkiego co francuskie musiałem się zarazić od któregoś z kolegów, pomyślał.

Odsunął filiżankę z kawą na bok i spojrzał na zegarek. Gdzie on jest? Dwadzieścia minut spóźnienia. W porządku, przylatuje z Brukseli. Dzięki Bogu, że mimo wszystko postanowił przyjechać na zjazd rodzinny. Jordan Muhlmann, prezes Lusignan et Cie, wysłał go do Brukseli na ważną konferencję o zarządzaniu ryzykiem. Shaw musiał prosić syna, by przyleciał.

– Wolałbym nie mówić tego Jordanowi – powiedział Bravo z odległej Brukseli. – On nie lubi zmian.

– Nie dziwi mnie to – mruknął Shaw.

– Co? Tato, mów głośniej. Nie słyszę cię.

– Powiedziałem, że postępujesz właściwie. Emma byłaby niepocieszona. Wsiadaj do najbliższego samolotu i po prostu tu przyleć. Prawdę powiedziawszy, Bravo chciał to zrobić. Odkąd poinformował ojca, że znalazł pracę w międzynarodowej firmie konsultingowej Lusignan et Cie, wystąpił między nimi rozdźwięk. Nie można tego było nazwać wojną, ale w ich stosunkach zapanował chłód, rozmowy telefoniczne były coraz krótsze, spotkania coraz rzadsze. Nie tego Shaw pragnął, na pewno nie tego. Ale doświadczenie pokazało mu, że jego syn jest tak samo uparty jak on. Mimo że stanowczo upierał się, by Bravo kontynuował studia nad religią w średniowieczu, ten przyjął lukratywną ofertę Muhlmanna. Na szczęście pod naciskiem ojca Bravo kontynuował rygorystyczny program treningu psychicznego.

Tak czy inaczej od chwili, gdy Bravo poznał Muhlmanna, Shaw wietrzył zdradę. Ponieważ nigdy nie przestał kochać syna, oszukiwał go, lecz ten szybko zdał sobie z tego sprawę. Z kolei Bravo nie znał prawdziwej przyczyny, dla której ojciec tak naciskał na kontynuowanie studiów.

Shaw w napięciu patrzył na kelnerkę, która wdzięcznie lawirowała pomiędzy stolikami, kręcąc wąskimi biodrami. Zapytała, czy chce coś zamówić, ale odparł, że jeszcze nie.

Bardziej niż czegokolwiek innego Shaw pragnął poprawy stosunków z synem. Rozdźwięk, jaki między nimi zaistniał, był dla niego bardzo bolesny, choć tego nie pokazywał. Sądził, że dzisiaj jest właściwy moment, by coś z tym zrobić. Tradycję dorocznych zjazdów rodzinnych czwartego lipca, zapoczątkowaną przez żonę Dextera, Steffi, kontynuowała ich córka, starsza siostra Bravo – Emma – w ich rodzinnym domu, w którym nadal mieszkała. Bardzo pragnął ponownego zbliżenia z synem. Ale zostało tak mało czasu. Okoliczności, na które nie miał wpływu, spowodowały, że musiał z nim porozmawiać, i to jak najszybciej.

Wbrew pozorom zrobił wiele, by przygotować syna na tę chwilę. Nieoczekiwanie jednak pojawił się na horyzoncie Jordan Muhlmann i wszystko uległo zmianie. Został nie tylko szefem Bravo, ale i jego najlepszym przyjacielem. Zresztą nieważne. Bravo miał przyjechać i w kilka chwil ich życie diametralnie się odmieni. Jeśli nawet Shawa trapiły jakieś wątpliwości dotyczące syna, zepchnął je w najgłębsze zakamarki swojego uporządkowanego umysłu.

Wierzył, że Bravo dorósł do zadania, które go czekało. Nie mogło być inaczej. Kiedy kelnerka zniknęła mu z oczu, dostrzegł mężczyznę przechodzącego przez ulicę, który kierował się w jego stronę. Shaw poczuł, jak napinają mu się mięśnie. Mężczyzna uniósł rękę w powitalnym geście, szybko wyminął Shawa i uśmiechając się serdecznie, uściskał kobietę, która rzuciła mu się w ramiona. Tak kiedyś Steffi obejmowała jego.

Przestań, upomniał sam siebie w duchu. Ale ona już tu była, widział ją oczyma wyobraźni. Leżała w szpitalnym łóżku, niewiele więcej niż szkielet. Patrzył na nią bezradny. Czym jest życie, kiedy czekasz na śmierć?

„Jam jest żyjący. Byłem umarły, a oto jestem żyjący na wieki wieków..."*.

Słowa wróciły do niego jak bumerang. Gdyby Steffi nie umarła, gdyby... Kiedy jego żona leżała umierająca, jego serce pękło.

„Klucze śmierci i Otchłani...".

Potem zobaczył Bravo idącego ku niemu i serce zabiło mu mocniej. Był pewien, że to, co zrobił, i to, co zamierzał zrobić, jest właściwe.

„Napisz więc to, co widziałeś, i to, co jest, i to, co potem musi się stać".

Już to zrobił. W sposób, który on i Bravo doskonale znali.

Gdy Braverman Shaw zobaczył ojca siedzącego w kawiarni, targnęły nim sprzeczne uczucia. Mały chłopiec, którym ciągle po części był, pragnął podbiec z szeroko otwartymi ramionami, nastolatek chciał podziękować ojcu za wyznaczenie ścieżki, którą kroczył. Bravo nie zapomniał niczego ze swoich studiów nad średniowieczną religią, nie stracił też tej pasji, która narodziła się w chwili, gdy ojciec sięgnął po grubą, ilustrowaną księgę, zawsze leżącą na nocnym stoliku, i wprowadził syna w świat tajemnic, które pochłonęły go na lata. Ale dorosły Bravo czuł, że manipulowano nim, dostrzegał w ojcu przede wszystkim te cechy, których tak nienawidził. Dlatego właśnie ich spotkanie nie było spotkaniem ojca z synem, lecz raczej niepohamowanej siły i nieruchomego obiektu. Tak, wyrażenie „nieruchomy

---

* Apokalipsa św. Jana 1,18.

obiekt" było odpowiednie do opisania człowieka, którego całe życie i motywy, jakimi się kierował, były tak zagadkowe.

– Tato.

Dexter Shaw wstał.

– Dobrze cię znowu widzieć, Bravo.

Uścisnęli dłonie, raczej oficjalnie i z zakłopotaniem, i usiedli.

Trzydziestoletni Braverman Shaw był o głowę wyższy od ojca, szczuplejszy, choć ramiona miał szerokie, a nogi długie i silne jak u pływaka. Włosy miał czarne i kręcone, a oczy intensywnie niebieskie. Patrzył raczej jak naukowiec, a nie doradca kapitałowy. Emma przezwała go Bravo, kiedy miała sześć lat, a on raptem cztery. I tak już pozostało.

Bravo zerknął na nietkniętą filiżankę kawy.

– Zbyt aromatyczna, tato?

Wypowiedział te słowa żartobliwym tonem, czy to w formie samoobrony, czy też próbując przełamać niezręczne milczenie.

Tak czy owak, zabolało to Shawa, który natychmiast się zirytował.

– Dlaczego mi to robisz?

Bravo przywołał kelnera.

– Co?

– Dlaczego mnie prowokujesz?

Bravo zamówił podwójne espresso. Do rozmowy wrócił dopiero wówczas, gdy oddalił się kelner.

– Miałem wrażenie, że prowokowaliśmy się nawzajem.

Patrzył teraz ojcu prosto w oczy.

– Nie podoba ci się taka gra?

– Jeśli mam być szczery, to nie.

Pojawiła się kawa. Nie widzieli się pół roku. Ich rozmowę przesycały podteksty i skrywany żal. Uszczypliwe uwagi nie poprawiały sytuacji. Było to starcie dwóch mężczyzn zbyt do siebie podobnych. Od chwili gdy dziesięć lat temu zmarła matka Bravo, która zawsze łagodziła sytuację, wciąż iskrzyło między nimi. Gdy pojawił się Jordan Muhlmann, ich stosunki stały się jeszcze bardziej napięte. Być może dlatego, że Muhlmann był Francuzem, a ojciec, o czym Bravo doskonale wiedział, nie znosił Francuzów.

Obaj jesteśmy uparci. A prócz tego pewni siebie, silni i stanowczy, pomyślał.

Dexter uniósł się na krześle.

– Chcę porozmawiać o twojej przyszłości.

– Pracujesz teraz w Departamencie Stanu?

– Rząd nic do tego nie ma. – Dexter wychylił się w przód i niecierpliwie spytał: – Pamiętasz jeszcze coś ze swojego treningu?

Bravo bezwiednie zerknął na zegarek.

– Jesteśmy spóźnieni, tato. Emma będzie się o nas niepokoić. Poza tym przyjechałem tu prosto z lotniska. Nie zdążyłem kupić jej prezentu.

Dexter usiadł głębiej i posłał synowi spojrzenie bazyliszka.

– Wiesz, co myślę? Że Muhlmann wysłał cię do Brukseli celowo.

Bravo uniósł głowę.

– Nie zaczynaj...

– Muhlmann doskonale wie o naszym dorocznym zjeździe rodzinnym.

– No chyba nie sądzisz, że specjalnie zorganizował konferencję międzynarodową, żeby... – Bravo się zaśmiał.

– Nie żartuj. Ale mógł posłać kogoś innego.

– Jordan ma do mnie zaufanie, tato.

Zapadła cisza, ciężka od obopólnych zarzutów. Słychać było tylko klakson, gdy jakiś wóz próbował włączyć się do ruchu, i metaliczny szczęk otwieranych drzwi ciężarówki.

Dexter westchnął.

– Bravo, czy możemy zawrzeć rozejm? Musimy pilnie porozmawiać. W ciągu ostatniego tygodnia świat uległ zmianie...

– Po obiedzie.

– To bardzo ważne.

– Nie jestem głuchy, tato.

– Nie chcę, żeby Emma...

– Wiem, przypadkiem usłyszała... Jasne. Pójdziemy na spacer i będziesz mógł sobie pogadać.

Dexter potrząsnął głową.

– To nie pogaduszki. Bravo, zrozum...

– Jest już późno. Bardzo późno.

Bravo wstał i położył pieniądze na stoliku.

– Idź do Emmy, a ja poszukam jakiegoś prezentu.

– Pójdę z tobą.

– I co, obaj ją zlekceważymy? – Bravo energicznie potrząsnął głową. – Idź do niej, tato.

Gdy Bravo się odwrócił, Dexter chwycił go za rękę. Miał mu tyle do powiedzenia, tyle do przekazania, powinni się do siebie zbliżyć. Tymczasem pomiędzy nimi zionęła otchłań chłodu. Co gorsza, miał wrażenie, że głównie to on zawinił. Próbował uchronić syna od strasznej odpowiedzialności tak długo, jak tylko mógł. Efekt był jednak taki, że Bravo czuł, iż ojciec mu nie ufa, a może wręcz nim manipuluje z jakichś nieznanych powodów. Tajemnice, kłamstwa czy prawda – czasem trudno jest dokonać właściwego wyboru.

On wyboru dokonał już dawno, ale aż do dzisiaj nie uświadamiał sobie, jak ogromny wówczas błąd popełnił. Steffi ostrzegała go, że może to się tak skończyć. Cóż, znała ich obu dużo lepiej niż ktokolwiek inny. Błagała Dextera, by nie wciągał Bravo w swoje mroczne tajemnice. Ciskała gromy, płakała, wrzeszczała na niego, lecz on nie słuchał.

Kochana Steffi, gdziekolwiek teraz jesteś, wybacz mi, pomyślał.

Oczywiście, że go za to nienawidziła, tak samo mocno, jak go kochała – całym sercem i duszą. Bała się go – tego drugiego Dextera Shawa, sztywnego, zasadniczego, nieustępliwego, znikającego na całe dni, a nawet tygodnie w jakimś innym świecie, o którym miała jedynie mgliste pojęcie.

Wreszcie, pewnego dnia, wyczerpana i pokonana powiedziała mu: „Jesteście jak skała, wy wszyscy – bez emocji, bez uczuć, bez nadziei na zmianę. Na takie życie zamierzasz skazać naszego syna".

W kącikach jego oczu pojawiły się łzy, nagły przypływ nieznanych mu dotąd uczuć spowodował, że nie mógł wykrztusić słowa.

Miał teraz szansę wszystko zmienić. Ale nie, już za późno. Kości zostały rzucone, zniknął wszelki wybór. Dostrzegł to teraz, nagle. Steffi nigdy tego nie rozumiała, a on nie potrafił jej wyjaśnić. W jego świecie wybór był niczym więcej jak tylko niebezpieczną iluzją, oferowaną przez przebiegłego szatana.

– Cholera, synu.

Bravo był wstrząśnięty – ojciec nigdy nie przeklinał. O cokolwiek mu chodziło, musiało to być coś bardzo ważnego – tyle wiedział. Ale teraz naprawdę brakowało czasu. Postarał się z całych sił, by jego głos zabrzmiał ciepło i pojednawczo.

– Zaraz wrócę i pójdziemy pogadać. Obiecuję.

Dexter Shaw zawahał się, wreszcie zrezygnowany skinął głową, odwrócił się i ruszył w stronę krawężnika. Bravo patrzył chwilę, jak przechodzi przez ulicę, i w końcu sam ruszył na południe. Ale dokąd iść? Zdał sobie sprawę, że zupełnie nie ma pomysłu na prezent dla Emmy. To ojciec zawsze wiedział, czego pragną jego dzieci. Niechętnie przyznając się przed samym sobą, że znów musi prosić o radę ojca, ruszył biegiem przez Szóstą Aleję. Gdy dotarł na zachodnią stronę alei, Dexter wchodził po schodach kamienicy. Bravo zawołał, lecz ojciec już przekraczał próg. Ruszył więc szybciej w nadziei, że złapie ojca, nim Emma otworzy mu drzwi. Właśnie biegł po schodach, gdy potężna eksplozja wywaliła okna z futrynami. Ciężkie frontowe drzwi, wyrwane z zawiasów, spadły na Bravo, strącając go ze schodów na bruk.

Zgrzyt hamulców, podniesione głosy, przeraźliwe krzyki – tego wszystkiego Bravo już nie słyszał. Nieprzytomny, nie zdawał sobie sprawy z rosnącego wokół chaosu.

– Nie – powtórzył ojciec.
Bravo uniósł zmierzwioną czuprynę. Oczy dziewięciolatka, intensywnie niebieskie, bacznie się wpatrywały w ojca.
– Gdzie popełniłem błąd?
– Tu nie chodzi o błąd. – Dexter ukłęknął przy nim. – Posłuchaj. Chcę, żebyś użył nie tylko rozumu, ale i duszy. Intelektualne pasje zaprowadzą cię daleko w życiu, każda życiowa lekcja wiąże się z pewną stratą.
Spojrzał na puzzle leżące przed chłopcem.
– Błąd to coś mechanicznego – zły sposób działania, manewrowania, myślenia. Błąd to rzecz powierzchowna. Pod powierzchnią – gdzie unaocznia się strata – tam właśnie powinieneś zacząć.
Mimo że Bravo nie rozumiał tych słów, to pojmował ich znaczenie i intencję ojca. „Objawia się" – te słowa uparcie krążyły w jego myślach. Były dziwne i piękne, jak kamień szlachetny, który widział kiedyś na wystawie sklepowej. Lśniący głębokimi kolorami, na swój sposób tajemniczy. Czuł, co ojciec miał na myśli – żywą rzecz, namacalną i bliską jak bicie serca. Wiedział, czego pragnie dla niego, i on również tego pragnął.
Chcę się pewnego dnia objawić, pomyślał i pilnie zabrał się do układania puzzli.

Nagle przeszył go gwałtowny ból i porwał gdzieś daleko. Walczył z tym ze wszystkich sił, bo najbardziej na świecie pragnął teraz być u boku ojca i dokończyć układanie puzzli. Kolejny atak bólu zasnuł mgłą twarz ojca, teraz wokół niego zaczęły rozbrzmiewać głosy, coraz liczniejsze i wyraźniejsze. Czy to stado wron?

– Nareszcie. Odzyskuje przytomność.

– Najwyższy czas.

Bravo słyszał te głosy jak zza ściany. Poczuł woń wody kolońskiej, przebijającą się przez inne dziwne, słodkawe zapachy. Zrobiło mu się niedobrze, dotknęły go czyjeś silne ręce, chciał je odtrącić, ale nie miał sił. Nie mógł zebrać myśli.

Kiedy otworzył oczy, ujrzał dwa niewyraźne kształty. Dopiero po chwili wzrok wyostrzył mu się na tyle, że rozpoznał w nich stojących nad nim mężczyzn. Starszy był raczej drobny, miał bardzo ciemną skórę i indiańskie rysy. Ubrany był w biały fartuch lekarski. Drugi, młodszy o jakieś dziesięć lat, miał twarz równie zmiętą jak garnitur. Bravo zauważył, że jeden mankiet był zupełnie wystrzępiony. Z daleka dolatywał od niego silny zapach wody kolońskiej.

– Jak się pan czuje? – zapytał lekarz ze śpiewnym akcentem.

Podrapał się po głowie. Przyglądał się odczytom aparatury rozmieszczonej nad głową Bravo.

– Panie Shaw, jeżeli pan mnie słyszy, proszę coś powiedzieć.

Dźwięk jego nazwiska podziałał na Bravo jak kubeł zimnej wody.

– Gdzie ja jestem? – Własny głos wydał mu się słaby i dziwny.

– W szpitalu Świętego Wincentego – odparł lekarz. – Ma pan sporo poważnych stłuczeń, zadrapań i oparzeń. Poza tym wstrząśnienie mózgu. Ale na szczęście nic nie jest złamane.

– Jak długo tu leżę?

Lekarz spojrzał na zegarek.

– Mijają dwa dni od chwili, gdy pana tu przywieźli – odparł lekarz.

– Dwa dni! – Bravo podniósł rękę do ucha, ale ciemna, szczupła dłoń doktora powstrzymała go.

– Dźwięki są przytłumione. Czy dzwoni panu w uszach? Był pan tak blisko, że wybuch spowodował chwilowe pogorszenie słuchu. Zapewniam, że to zupełnie naturalne zjawisko. Natomiast odetchnąłem z ulgą, gdy odzyskał pan przytomność. Nie ukrywam, że było z panem kiepsko.

– Te cholerne drzwi uratowały panu życie, panie Shaw – młodszy z mężczyzn odezwał się z ciężkim akcentem typowym dla nowojorczyków.

Nagle wszystko powróciło – bieg za ojcem, schody kamienicy, potworny hałas i... nic więcej. Wszystko teraz wydawało się nijakie, bezbarwne. Czuł w sobie pustkę, jakby w czasie gdy był nieprzytomny, jakaś olbrzymia ręka wyrwała z niego wnętrzności.

Lekarz zmarszczył czoło.

– Panie Shaw, czy pan mnie słyszy? Powiedziałem, że w ciągu kilku dni wróci panu słuch.

– Tak, słyszałem.

Bravo przyjął tę wiadomość ze stoickim spokojem.

– A mój ojciec?

– Nie przeżył – rzekł drugi mężczyzna. – Przykro mi.

Bravo zamknął oczy. Pokój zaczął wirować, a on z trudem oddychał.

– Uprzedzałem, że to zbyt wcześnie – powiedział lekarz.

Bravo poczuł wypełniające go ciepło, jakiś rodzaj wyciszenia.

– Niech pan odpocznie, panie Shaw. Dam panu teraz środek uspokajający.

Chciał zaprotestować. Łzy, które wypłynęły spod powiek i ciekły teraz po policzkach, upokarzały go.

Chryste, nie chcę się uspokoić, pomyślał.

– Moja siostra... Czy Emma żyje?

– Jest w pokoju na końcu korytarza. – Facet w zmiętej marynarce odłożył notes i ołówek. Nie miał nawet palmtopa.

– Proszę się o nią nie martwić. Proszę się w ogóle o nic nie martwić – dodał uspokajająco lekarz.

– Muszę z nim porozmawiać – szorstko przerwał drugi.

Wybuchła mała sprzeczka, która ledwie docierała do świadomości Bravo. Kiedy ponownie otworzył oczy, napotkał przenikliwe spojrzenie gliniarza. Ramiona jego marynarki usiane były łupieżem.

– Jestem detektyw Splayne, panie Shaw. Z policji nowojorskiej – powiedział i machnął legitymacją.

Za drzwiami toczyła się jakaś rozmowa. Dominował czyjś starczy i płaczliwy głos. Po chwili dało się słyszeć skrzypienie gumowych kółek wózka i zapadła cisza, którą Bravo pragnąłby przedłużyć w nieskończoność.

– Jest pan pewien co do mojego ojca? Nie myli się pan?

Detektyw wyjął dwa zdjęcia i pokazał je Bravo.

– On najbardziej ucierpiał w wybuchu – odparł łagodnie.

Bravo spojrzał na fotografie ojca, a właściwie tego, co z niego pozostało. Drugie zdjęcie, odrażające – przedstawiało zbliżenie twarzy. Wszystko to było nierzeczywiste, jak makabryczny żart na Halloween. Poczuł zawroty głowy. Ponownie ogarnęła go rozpacz, powróciły wspomnienia i łzy napłynęły mu do oczu.

– Przykro mi, ale muszę zapytać. Czy to jest pański ojciec? Dexter Shaw?

– Tak. – Długą chwilę milczał, nim potwierdzenie przeszło mu przez ściśnięte gardło.

Splayne kiwnął głową, schował zdjęcia do kieszeni, wstał i podszedł w milczeniu do okna.

Bravo przetarł wierzchem dłoni oczy mokre od łez.

– Jak… Jak się czuje Emma? – zapytał ze strachem.

– Lekarz mówi, że wyszła na prostą.

Słowa Splayne'a chwilowo go uspokoiły, nim prawda o śmierci ojca dotarła w końcu do jego świadomości. Ledwie zwrócił uwagę na skrzypnięcie krzesła. Kiedy otworzył oczy, Splayne siedział przy łóżku, cierpliwie się w niego wpatrując.

– Wiem, że to dla pana trudne, panie Shaw, ale jest pan naocznym świadkiem.

– A moja siostra?

– Już powiedziałem.

– Wyszła na prostą. Co to ma znaczyć?

Splayne westchnął i przeciągnął ręką po pobrużdżonej twarzy.

– Proszę mi powiedzieć, co pan pamięta.

Siedział nieruchomo, zgarbiony, kierując całą uwagę na mężczyznę leżącego na szpitalnym łóżku.

– Najpierw Emma.

– Jezu, trudno się z panem rozmawia. – Splayne nabrał powietrza. – Straciła wzrok.

Bravo był zaszokowany.

– Lekarze zrobili, co mogli. Teraz trzeba czekać. Albo wzrok powróci po jednym czy dwóch tygodniach, albo ślepota będzie trwała.

– Boże!

– Chciałem tego uniknąć. Chyba pan nie zemdleje?

Dłonią przekręcił głowę Bravo w swoją stronę i spojrzał mu głęboko w oczy. Lewe oko lekko zezowało, jakby coś strasznego stało się tej części twarzy. Bravo wyczuł napięcie detektywa i spróbował zapanować nad paniką i rozpaczą. Ojciec nie żyje, Emma oślepła – tak wiele się wydarzyło w jednej krótkiej chwili. To zbyt wiele, by się z tym pogodzić. Gdzieś musi istnieć inna rzeczywistość – taka, w której jego ojciec ocalał, a Emma nie straciła wzroku. Gdyby tylko mógł ją znaleźć.

– Panie Shaw, musi mi pan powiedzieć, co się stało. To bardzo ważne.

– Tak. Rozumiem – wyszeptał Bravo.

Opowiedział wszystko, co zapamiętał ze zdarzeń poprzedzających eksplozję.

Kiedy skończył, detektyw spojrzał na niego uważnie.

– Szczerze mówiąc, nie spodziewałem się wiele więcej.

– To dlaczego pan tak nalegał na rozmowę ze mną?

– Muszę zamknąć tę sprawę, bo inaczej będę odwalał cholerną papierkową robotę do usranej śmierci.

Bravo poczuł przypływ złości.

– Wie pan już, co spowodowało wybuch?

– Ulatniający się gaz w piwnicy. To była stara kamienica, system grzewczy wymagał naprawy. Na miejscu są teraz strażacy.

Pióro detektywa zawisło nad kartką w notesie.

– Jeszcze jedno, kto to jest Jordan – szybkie spojrzenie do notatek – Muhlmann? Dwukrotnie dzwonił dzisiaj, by zapytać o pańskie zdrowie.

– To mój szef i zarazem przyjaciel.

– Tak właśnie mi powiedział. Coś jeszcze?

Bravo pokręcił głową.

– A więc tutaj skończyłem swoją robotę. – Splayne zamknął notes. – Niech pan szybko wraca do zdrowia, panie Shaw.

– To wszystko? To już koniec śledztwa?

Splayne wzruszył ramionami.

– Szczerze mówiąc, panie Shaw, tak właśnie kończy się większość śledztw. Nowy Jork jest wielki, miliony ludzi wędrujących w cieniu, uciekających od światła, taplających się w szambie jak robaki. To właśnie z takimi nędznymi robakami muszę spędzać większość czasu, dzień po dniu. Wybuch gazu to czysta sprawa w porównaniu z gównem, którym zajmuję się na co dzień. Takie coś największego optymistę może zamienić w cynika. Przykro mi z powodu tego, co pana spotkało, ale czas już, żebym udał się tam, gdzie jestem naprawdę potrzebny.

Bravo, walcząc wciąż z efektem działania środków uspokajających, przekręcił się na bok. Chciał zadać jeszcze jedno pytanie. Tylko jakie?

– Proszę poczekać. Rozmawiał pan z moją siostrą? Ale Splayne już zniknął.

Bravo leżał przez chwilę bez ruchu. Gdy zamknął oczy, ponownie pojawił się jego ojciec. „Wszystkie wielkie życiowe lekcje wiążą się z pewną stratą – powiedział i położył rękę na wilgotnym czole syna. – Nie zapomnij tego, czego cię nauczyłem".

Wyrwał z ramienia wenflon, przez który podawano mu środek uspokajający, i odłączył wszystkie czujniki. Usiadł i zwiesił nogi z łóżka. Podłoga była zimna jak lód. Gdy na niej stanął, musiał uchwycić mocno pościel, żeby się nie przewrócić. Serce waliło mu młotem, a nogi miał jak z waty. Można by przypuszczać, że w ciągu tych czterdziestu ośmiu godzin, kiedy leżał nieprzytomny, zanikły mu wszystkie mięśnie.

Musiał przejść przez cały pokój, by dotrzeć do drzwi. Kiedy je w końcu otworzył, natknął się na groźnie wyglądającą pielęgniarkę, gdaczącą jak rozgniewana kwoka. Miała szeroki nos, wydatną szczękę i karnację koloru kawy z mlekiem.

– Co pan wyprawia, panie Shaw? Proszę natychmiast wracać do łóżka.

Wyciągnęła rękę, by go zawrócić, ale Bravo zaoponował.

– Chcę zobaczyć siostrę.

– Obawiam się, że to niemożli….

– Muszę!

Wpatrywał się tak intensywnie w jej oczy, aż w końcu pojęła, że nie nakłoni go do powrotu.

– Proszę na siebie spojrzeć, jest pan słaby jak noworodek, nie może pan chodzić.

Pod wpływem jego spojrzenia wreszcie skapitulowała, przyprowadziła wózek i usadowiła go na nim, a następnie powiozła naprzód. Przed pokojem Emmy uniósł rękę.

– Nie na wózku. Wejdę o własnych siłach.

Pielęgniarka westchnęła.

– Ona nie dostrzeże różnicy, panie Shaw.

– Być może, ale mnie na tym zależy.

Uchwycił poręcze i podniósł się. Pielęgniarka stała z założonymi rękami i przyglądała się, jak opierając się o futrynę drzwi, powoli wchodzi do pokoju.

Emma na wpół leżała na łóżku; wyglądała marnie. Nie tylko oczy, ale całą górną połowę twarzy spowijały bandaże. Usiadł na brzegu łóżka. Oblewał go pot, a serce waliło tak mocno, jakby miało za chwilę wyskoczyć z piersi.

– Bravo. – Głos Emmy był melodyjny, bogaty, jego tembr się zmieniał. Jedno słowo zabrzmiało jak cała pieśń.

– Jestem tutaj, Emmo.

– Dzięki Bogu, żyjesz. – Odszukała jego dłoń i uścisnęła. – Bardzo jesteś pokiereszowany?

– Drobiazg w porównaniu... – Za późno ugryzł się w język.

– Chcesz powiedzieć, w porównaniu ze mną.

– Emma...

– Przestań, nie rozczulaj się nade mną.

– To nie rozczulanie.

– Czyżby?! – odparła ostro.

– Emmo, masz prawo...

– Daj spokój. – Odwróciła się od niego. – Na kogo powinnam być wściekła? Kto mi to zrobił?

Potrząsnęła głową.

– Mam tego dość. Wystarczy strachu, złości i rozczulania się nad sobą.

Nadzwyczajnym wysiłkiem woli zdołała się uśmiechnąć i w świetle słońca zalewającym pokój zobaczył ją taką, jaka była zawsze – wyprostowana, usta szeroko otwarte, miodowe włosy rozwiane przez wiatr, wielkie szmaragdowe oczy, mocno zarysowane kości policzkowe, pełne wargi zupełnie takie jak u matki, jedna ręka uniesiona – gdy śpiewała wspaniałą arię Pucciniego.

– Czekałam dwa przeraźliwie długie dni, by cię poczuć, usłyszeć.

Ponownie chwyciła go za rękę.

– Jestem teraz szczęśliwa. Skończyła się wreszcie noc. Nawet w najstraszniejszych dla mnie chwilach miałam dość sił, by wznieść się ponad słabość i rozpacz i modlić się o twoje uzdrowienie. Bóg mnie wysłuchał, jesteś cały i zdrowy. – Uśmiechnęła się szerzej. – Teraz od ciebie wymagam tego samego. Wznieś się ponad urazy, złość i litość. Chcę, żeby była w tobie wiara. Zrób to, jeśli nie dla siebie, to dla mnie. Wiara? Wiara w co? – zapytał się w duchu. Ojciec koniecznie chciał mu coś powiedzieć, ale on się złościł, gdyż nie mógł wybaczyć manipulacji, jakiej był poddawany. Nigdy nie dowie się, co było aż tak ważne dla ojca. Zacisnął zęby. Czy przebaczenie nie jest najważniejszym fundamentem wiary?

– Emmo, tata nie żyje, a ty... – W gardle czuł gorycz żółci.

Emma ujęła w dłonie jego twarz, tak jak to czyniła niegdyś w dzieciństwie, kiedy był zmartwiony. Przycisnęła czoło do jego czoła.

– Przestań już i posłuchaj. Jestem pewna, że Bóg ma swój plan wobec nas, ale jeśli pełno będzie w tobie złości i użalania się nad sobą, nie zdołasz go poznać.

Uczucia, które go przepełniały, ścisnęły mu krtań.

– Emmo, co się wydarzyło?

– Nie wiem. Naprawdę nie pamiętam. – Wzruszyła ramionami. – Może to błogosławieństwo losu?

– A ja chciałbym coś pamiętać. Cokolwiek.

– Ponoć gaz się ulatniał. Tak powiedział detektyw. Daj już temu spokój, Bravo.

Ale on nie mógł tak tego zostawić. I nie mógł wyjawić jej dlaczego.

– A teraz pomóż mi pójść do łazienki – powiedziała, przerywając jego rozmyślania.

Bravo wstał. Poczuł się silniejszy. Bez kłopotów dotarli do drzwi łazienki. Emma wydawała mu się silna mimo tych wszystkich przejść. Czy pomagała jej w tym wiara, głęboka i potężna jak strumień po pierwszych wiosennych roztopach?

– Wejdź ze mną. – Wepchnęła go do środka, nim zdążył zaprotestować. Zamknęła drzwi, otworzyła dłoń i jego oczom ukazała się paczka papierosów i mała zapalniczka.

– Przekupiłam Marthę.

Martha była jej asystentką.

Usiadła na sedesie i zapaliła, głęboko się zaciągając.

– Wreszcie poznałeś mój sekret. To dzięki papierosom mój głos jest tak głęboki. Gdyby nie one, nigdy nie miałabym tak entuzjastycznych recenzji – rzekła ze śmiechem, wypuszczając dym. – Bóg działa w nieodgadniony sposób.

– Co ma do tego Bóg?

Emma pospiesznie wstała.

– Bravo, słyszę w twoim głosie złość, nie potrafisz jej ukryć. Nawet nie masz pojęcia, jak to okropnie brzmi, jak okalecza twój piękny tenor.

– To twój głos jest piękny, Emmo.

Pogłaskała jego policzek opuszkami palców.

– W obojgu nas jest coś z mamy, tylko we mnie może odrobinę więcej.

– Zawsze uważałaś, że ojciec mnie kocha bardziej – wyrwało mu się, gdyż ta myśl nie dawała mu spokoju.

– Nie, Bravo. Wiem, że mnie też kochał, tylko... Tylko między tobą a nim była jakaś – nie wiem, jak to wyrazić – dziwna więź. Bolało mnie, gdy widziałam, do jakich nieporozumień między wami dochodzi. Płakałeś, Bravo? Wiem, że płakałeś. Zazdroszczę ci tego, że mogłeś płakać. – Przeciągnęła palcami po bandażach skrywających oczy.

– Och, Emmo.

– W pierwszej chwili, gdy dotarło do mnie, co się stało i co straciłam, wpadłam w rozpacz. Ale wiara jest jak drzewo, nawet podczas burzy wypuszcza nowe gałęzie. Aż wreszcie, gdy nadejdzie właściwy czas, na tych gałęziach pojawią się owoce. To wiara podtrzymuje mnie na duchu, nadaje sens wszystkiemu wbrew przeciwnościom, nie pozwala światu pogrążyć się w chaosie. Chciałabym, żebyś to zrozumiał. Kiedy jest w tobie wiara, rozpacz cię nie dosięgnie. Rozpaczam po stracie ojca. Jestem zdruzgotana, bo jakaś cząstka mnie odeszła i nigdy już nie wróci. To rozumiesz. Ale wiem także, że ta śmierć,utrata wzroku, nieważne chwilowa czy stała, miała jakąś przyczynę. Bravo, Bóg ma wobec nas jakiś plan. Wiara mi to podpowiada, nie potrzebuję do tego oczu.

– Bóg miał plan, żeby tata zginął w wybuchu, a mama umarła?

– Tak – odparła powoli i wyraźnie. – Niezależnie od tego, czy to zaakceptujesz, czy nie.

– Nie rozumiem, skąd w tobie ta pewność. Nigdy taka nie byłaś, Emmo. A jeżeli twoja wiara jest tylko iluzją, a jeżeli nie ma żadnego planu? Znaczyłoby to, że nie było też celu.

– Żadnego celu, który możemy dostrzec.

– Wiara. Ślepa wiara jest tak samo fałszywa jak wszystko, czym się odgradzasz. – Bravo pomyślał o tym, co powiedział detektyw Splayne i jego pięści bezwiednie się zacisnęły. – Jak możesz egzystować w takim świecie i nie być cyniczna?

– Wiem, że twój cynizm jest tylko fasadą, bo cynizm to tylko inny sposób wyrażenia frustracji – rzekła łagodnie Emma. – Tracimy niepotrzebnie tyle czasu, by utrzymać kontrolę nad tym wszystkim, co rządzi naszym życiem. Bo tak naprawdę, czy mamy jakąś kontrolę? Prawie żadnej. A mimo to wciąż szukamy niemożliwego. Co może zapełnić pustkę? Powiedz mi. Nie wiesz. A ja – kiedy idę na żywioł, kiedy śpiewam – wiem to.

Papieros zaczął parzyć ją w palce, wrzuciła go więc do sedesu. Z głośnym sykiem zgasł.

– Bravo, eksplozja odebrała mi wzrok, ale cudownym zrządzeniem losu nie uszkodziła tego, co mam najcenniejsze – głosu.

Objął ją i mocno przytulił.

– Chciałbym mieć twoją wiarę.

– Wiary trzeba się nauczyć, tak jak wszystkiego w życiu – szepnęła mu do ucha. – Będę się modliła, byś pewnego dnia odnalazł swoją wiarę.

A do drugiego ucha szeptał zmarły ojciec. „Pod powierzchnią – gdzie objawia się strata – tam musisz rozpocząć".

2

– Dzięki Bogu, że się odezwałeś – powiedział Jordan Muhlmann, gdy Bravo w końcu oddzwonił. – Od wieków nie miałem od ciebie wiadomości. Bardzo się martwiłem.

– Wybacz, to przez ten wstrząs mózgu.

– Jasne. Ale już wszystko w porządku?

– Tak.

Szedł ulicą w stronę swojego banku. Wydobrzał na tyle, że wypisano go ze szpitala i mógł już wyjechać z Nowego Jorku. Pozostała mu tylko jedna rzecz do wyjaśnienia.

– Chyba za wcześnie. Nie jesteś jeszcze w pełni sił.

– Pewnie masz rację.

– Nie tylko o tym mówię, *mon ami*. Ja to czuję. Jesteś bardzo związany z rodziną. Sam wiesz.

Jordan to rozumiał. Choć był o sześć lat młodszy, szybko nawiązali kontakt. Wystarczył jeden zakrapiany wypad do baru w Rzymie, by zdradzili sobie wszystkie sekrety. Jordan stracił ojca, gdy był jeszcze dzieckiem, i do tej pory go opłakiwał. Znał wartość rodziny i wiedział, co to strata. Spędzili ze sobą mnóstwo czasu w ciągu ostatnich czterech lat. Byli jak rodzina. Bravo brakowało teraz Jordana, brakowało mu ich paryskiego życia.

Na rogu policjant oparty o samochód popijał kawę z tekturowego kubka. Na chodniku podskakiwała radośnie mała dziewczynka idąca z psem na smyczy obok matki. Tuż za nimi kroczyła wolno jakaś para, trzymając się za ręce. Oboje byli młodzi, niebieskoocy, mieli jasne włosy. On miał na sobie spodnie i bluzę, ona – krótką spódnicę i bluzkę bez rękawów.

– Posłuchaj – kontynuował Bravo. – Za kilka dni będę w domu. Chcę już wracać do pracy.

– *Non*, masz teraz ważniejsze sprawy na głowie.

Czara się przepełniła. Oczy Bravo gwałtownie zaszły łzami.

– Ojciec nie żyje, siostra oślepła… Jordan, to jest jakiś koszmar.

– Rozumiem cię, *mon ami*. Sercem jestem z tobą, Camille też. – Camille Muhlmann, matka Jordana, była ich doradcą i ważną personą w Lusignan et Cie. – Prosi, żeby ci przekazać, że jest jej niewypowiedzianie przykro.

– To bardzo miłe. Podziękuj jej ode mnie.

– Trzymaj się. Rób, co musisz. I pamiętaj, że zawsze możesz na mnie liczyć. Powiedz tylko słowo.

Kobieta roześmiała się, gdy partner szepnął jej coś do ucha, i zerknęła na Bravo. Miała twarz wygłodniałego kota.

– Dziękuję, Jordan. Dziękuję… za wszystko.

– Chciałbym móc zrobić dla ciebie więcej.

Para zatrzymała się i zaczęła pogawędkę z policjantem, ale oczy kobiety skierowane były w stronę Bravo. Za plecami swojego partnera przesłała mu tajemniczy uśmiech.

– Wystraszyłeś mnie jak cholera, wiesz? Mogłeś zginąć. Co ja bym bez ciebie począł?

Para ruszyła dalej, ale w umyśle Bravo pozostało wspomnienie dwuznacznego uśmiechu.

– Posłuchaj mnie, *mon ami*. Potrzebny ci czas, żeby uporządkować sprawy twojego ojca. My sobie tu bez ciebie poradzimy. I jeszcze raz powtarzam: jeżeli tylko mógłbym w czymś pomóc, po prostu dzwoń. Stanął przed wejściem do banku.

– *Merci*, Jordan. To, że mogłem z tobą pogadać... Bardzo mi pomogło.

– Cieszę się. *Bon, a bientôt, mon ami*.

Bravo schował telefon i wszedł przez przeszklone drzwi do wnętrza. Krocząc po marmurowej posadzce, przypominał sobie, że gdy miał może z osiem lat, przyprowadził go tu ojciec. Dobrze pamiętał, jak bezpiecznie się czuł, trzymając go za rękę. Dexter założył mu wówczas konto bankowe, a gdy Bravo skończył osiemnaście lat, stał się właścicielem skrytki depozytowej. Chociaż mieszkał teraz na innym kontynencie, nie zlikwidował rachunku. Miał do niego sentyment. Zresztą gdziekolwiek by go los rzucił, jakaś jego część pozostała na zawsze w Nowym Jorku.

Poprosił o rozmowę z kierownikiem i już po chwili kobieta w średnim wieku ubrana w elegancki kostium prowadziła go po schodach do pomieszczenia w podziemiach, gdzie znajdowały się skrytki depozytowe. Ściany połyskiwały stalą, a atmosfera była duszna jak w mauzoleum.

Usiadł w maleńkim pomieszczeniu, czekając, aż kobieta przyniesie skrzynkę. Zdawał sobie sprawę z tego, że jest szczęściarzem, mając takiego przyjaciela jak Jordan. Spotkali się po raz pierwszy w Rzymie pięć lat temu, kiedy to Muhlmann pojawił się na uniwersytecie, na którym pracował wówczas Bravo. Zajmował wówczas wysokie stanowisko w katedrze religii średniowiecza. Nie oczekiwano od niego, by uczył studentów, miał się zajmować nierozszyfrowanymi od stuleci zagadkami. Choć niedawno dopiero skończył dwadzieścia lat, cieszył się już opinią dobrego naukowca i kryptologa. Jordana zafascynowała praca Bravermana, cierpliwie więc przyglądał się, jak ten odczytuje średniowieczne teksty i rozwiązuje kolejne, wydawałoby się nierozwiązywalne zagadki.

Jordan przebywał w Rzymie sześć tygodni. W tym czasie zdążyli się zaprzyjaźnić. Łączyły ich wspólne zainteresowania i podobne poglą-

49

dy. Razem pracowali, jadali kolacje, pili doskonałe wina, prowadzili fascynujące dyskusje. Wreszcie Jordan zaproponował, by Bravo przyjął pracę w Lusignan et Cie. Ten początkowo odmówił, ale Jordan nalegał i w końcu go przekonał.

Kierowniczka działu depozytów wróciła wreszcie z długim stalowym pudłem w rękach. Postawiła je na stole i dyskretnie wyszła. Wziął do ręki klucz i otworzył skrytkę. W środku znalazł sporą stertę banknotów. Pieniądze były owinięte banderolą i tworzyły pokaźną paczkę. Tej sztuczki nauczył go ojciec. W rzeczywistości były to połączone ze sobą dwie warstwy banknotów. Bravo rozdzielił je i wyjął ukryty klucz, który ojciec dał mu pół roku temu. Ich ówczesne spotkanie było również krótkie, jak niespodziewane. Dexter przyleciał do Paryża, a zrobił to chyba po raz pierwszy w życiu. Nie usiedli nigdzie, tylko za radą ojca spacerowali wzdłuż Sekwany, przeszli przez most Pont d'Iéna i zapuścili się w mało malownicze rejony Quai de Grenelle. Poranek był nadspodziewanie ciepły jak na tę porę roku. Mimo że był luty, przechodnie porozpinali zimowe płaszcze lub wręcz przewiesili je przez ramię. Kiedy minęli hotel Nikko, ludzi na ulicy wyraźnie ubyło. Wtedy to właśnie Dexter wręczył synowi klucz, stary i dziwny.

– Gdyby coś mi się stało, będzie ci potrzebny.

– Co miałoby się stać? Tato, o czym ty mówisz?

Kolejna mroczna i niezgłębiona tajemnica, kolejny cios prosto w serce.

Niebo miało kolor torfu. Ciepłe powietrze spowodowało, że nad rzeką unosiła się mgła, rozmywając kontury budynków na przeciwległym brzegu. Nieoczekiwanie rozległ się dźwięk syreny – to barka z wolna przepływała obok nich. Nabrzeżem biegł z wywieszonym językiem pies. Liście kasztanowca drżały jak w febrze.

– Posłuchaj Bravo. Starannie ukryj ten klucz, obiecujesz? Jeśli coś mi się stanie, idź do mojego mieszkania. – Dexter uśmiechnął się i poklepał syna po ramieniu. – Nie przejmuj się. Może nigdy nie będzie to potrzebne.

I stało się. Detektyw Splayne był przekonany, że wybuch spowodował ulatnianie się gazu. Straż pożarna oficjalnie potwierdziła tę wersję. Bravo siedział teraz ze wzrokiem utkwionym w klucz z zaokrąglonym końcem i siedmioma wgłębieniami w kształcie gwiazdy i nie mógł pozbyć się natrętnej myśli: a jeżeli Splayne i strażacy się mylą? Sześć miesięcy wcześniej Dexter Shaw przyleciał do Paryża, którego nie znosił, bo przeczuwał nieuchronnie zbliżającą się śmierć. Mimo że w swoich badaniach Bravo codziennie ocierał się o prawdziwe tajemnice religii, nigdy nie zajmował się wiedzą tajemną. Ojciec nie był szaleńcem, pomyślał, on wiedział, miał głębokie przeświadczenie, że nadchodzi kres jego życia.

Bravo odpędził od siebie wspomnienia, schował do kieszeni klucz i zwitki banknotów, zamknął skrzynkę, wyszedł z gabinetu i oddał ją cierpliwie czekającej kobiecie.

Nie po raz pierwszy przeczucie mu podpowiadało, że praca ojca w Departamencie Stanu była tylko przykrywką i że tak naprawdę Dexter Shaw zajmował się wywiadem.

– On jest czarujący – powiedziała kobieta o kocich rysach twarzy.

Rossi wyjął papierosa i zapalił.

– Donatella, zaskakujesz mnie. Trochę więcej dystansu.

– Kochanie, nie bądź zazdrosny. – Musnęła palcami jego muskularne ramiona. – Nie zamierzam cię rzucić dla Bravermana Shawa.

– Ale jedna noc to jeszcze nie zdrada, co?

Poczuł przez cienki materiał koszuli, jak jej paznokcie wbijają mu się w ciało.

– Pamiętasz naszą pierwszą randkę?

– Jakże mógłbym zapomnieć? – odpowiedział Rossi, uważnie obserwując wejście do banku.

Siedzieli w kafejce naprzeciwko budynku, w którym jakieś dziesięć minut wcześniej zniknął Bravo. Zajęli miejsce przy stoliku w głębi sali. Dzięki temu mogli obserwować ulicę, sami pozostając niewidoczni. Rossi i Donatella mówili nienaganną angielszczyzną, bez żadnych naleciałości, ale ich sposób wyrażania się, zbyt sztywny i formalny, zdradzał, że nie jest to ich ojczysty język.

Rossi mocno ścisnął delikatny przegub dłoni kobiety.

– To boli! – syknęła, lecz on nie zwolnił uścisku. Niespiesznie zmusił ją do otwarcia dłoni, w której spoczywał naszyjnik.

– Mówiłem ci! Pamiętasz, co mówiłem?!

Donatella wydęła usta, a opuszkami palców delikatnie gładziła purpurowy krzyż.

– Jest taki piękny.

51

– Tym bardziej nie wolno go pokazywać. – Nie spuszczając wzroku z jej twarzy, rozplótł palce i naszyjnik zniknął pod jego koszulą. – Jak sądzisz, co by się stało, gdyby nasz pan Shaw go zobaczył?

Donatella raptownie odwróciła głowę w stronę ulicy.

– Zrozumiałby. Wszystko by zrozumiał.

W drzwiach Bravo poczuł gwałtowne uderzenie fali gorąca. Chłodny półmrok wnętrza banku zastąpił teraz oślepiający blask słońca. Dostrzegł po przeciwnej stronie ulicy mężczyznę, który wydał mu się znajomy, choć nie mógł sobie przypomnieć, skąd go zna.

Bravo wyszedł na ulicę, a mężczyzna podążył za nim. Gdy skręcili, Bravo dostrzegł odbicie jego postaci w szybie wystawowej sklepu z marokańskimi i tureckimi pamiątkami. Zdradził go chód. Przypomniał sobie koci uśmiech kobiety. Zdał sobie sprawę, że nawiązała z nim wówczas kontakt wzrokowy po to, by odwrócić uwagę od swojego partnera, który teraz go śledził.

A może tylko sobie to wszystko wyobraził? Nie był paranoikiem, nie był też szpiegiem. Jego ojciec pewnie też nie. Z drugiej strony, mając ten przedziwny klucz w kieszeni, przyłączył się do gry. Tylko jakie w niej obowiązują reguły?

Na czas remontu kamienicy Emma wynajęła pokój w małym eleganckim hotelu niedaleko St. Vincent. Twarzy nie miała już tak szczelnie zabandażowanej. Dzięki temu dostrzegł, że zaczęły już odrastać jej włosy. Drzwi otworzyła mu Martha, która oderwała się na chwilę od przyrządzania lunchu.

Wcześniej Bravo przez kwadrans spacerował w okolicy hotelu i odwiedzał okoliczne sklepy, aż wreszcie uznał, że nikt, ani kobieta, ani jej partner, go nie śledzi. Dopiero wtedy wszedł do hotelu.

– Jak się masz? – zapytał, całując siostrę na powitanie w policzek.

– Lepiej. A ty?

– Gotów do wyjazdu.

– Odniosłam wrażenie, że chciałeś mi coś powiedzieć. Może powinieneś to zrobić teraz?

Obejrzał się, ale Martha ich nie słyszała, gdyż nuciła jakąś melodię.

– Chodzi o tatę...

Potrząsnęła głową.

– Bravo, tu jestem.

Usiadła na sofie i westchnęła. Zajął miejsce obok niej.

– W porządku. Cokolwiek mi teraz powiesz, tak będzie lepiej. Gdzie twoja wiara?

Potarł oczy. Czuł, jak rośnie w nim napięcie.

– Tego dnia ojciec chciał mi coś powiedzieć. To było ważne, przynajmniej dla niego. A ja nie słuchałem. Odparłem, że porozmawiamy po obiedzie.

Powróciły wspomnienia, zawładnęły jego umysłem, kazały zamilknąć.

– Może to, co chciał powiedzieć, było ważne, a może nie... Mniejsza z tym. Powinieneś żyć dalej, nie oglądać się na przeszłość. Musisz sam sobie wybaczyć.

Emma objęła go.

– Myślisz, że ci się uda?

Bravo milczał. Wiedział, że Emma nie oczekuje odpowiedzi. Słuchał i poddawał się sugestii jej słów. Choć w dzieciństwie często dochodziło między nimi do utarczek, to jednak zawsze podziwiał i szanował siostrę za wrodzoną inteligencję.

– Nim postanowiłeś wykorzystać swoje zdolności w ocenie i zarządzaniu ryzykiem, byłeś naukowcem. Jesteś nim nadal, tak jak ja nadal jestem śpiewaczką. Jesteśmy tym, co zostało nam zapisane w momencie urodzin. Przez Boga? Tak! Przez Boga, dzięki genom. Specjalista od zarządzania ryzykiem to twój zawód, ale nie twoja natura. Ojciec zdawał sobie z tego sprawę, nawet wtedy gdy ty sam już nie wiedziałeś, kim jesteś.

Kiedy wychodził z hotelu, pewny był już tylko jednego – siostra miała rację.

3

Bravo uważnie obserwował twarze i zachowanie współpasażerów zarówno na lotnisku, jak i na pokładzie samolotu lecącego do Waszyngtonu. Nie miał żadnego bagażu. Tylko dwa klucze – siedmiogwiazdkowy, jak go nazwał, i drugi – do mieszkania ojca. Prócz tego jego kieszenie wypełniała gotówka, którą zabrał ze skrytki depozytowej. Sam nie wiedział, po co ją wziął, może dlatego, że przywoływała wspomnienie spotkania w Paryżu na Quai de Grenelle.

53

Wilgotne powietrze napływające od zatoki Chesapeake otumaniło go, gdy opuszczał budynek lotniska. W połowie drogi do postoju taksówek zatrzymał się nagle, niepewny, co począć dalej. Niebo było białe z lekką domieszką błękitu. Słabe podmuchy wiatru wprawiały w ruch leżące na chodniku śmieci. Bravo nieoczekiwanie odwrócił się i ruszył z powrotem w stronę terminalu. Gdy znalazł się w środku, zaczął bacznie obserwować przelewający się tłum pasażerów. Nie wiedział, kogo ani czego szuka, reagował jak zwierzę instynktownie wietrzące niebezpieczeństwo. Czuł absurdalność takiego zachowania, ale jakiś wewnętrzny głos kazał mu zachować czujność.

Nie dostrzegłszy niczego niepokojącego, uspokojony wrócił na postój taksówek.

Dexter Shaw mieszkał w skromnym apartamencie w dzielnicy Foggy Bottom, leżącej dokładnie pomiędzy Białym Domem a Georgetown. Jeszcze sto lat wcześniej ta bagnista okolica nad Potomakiem była zupełnym odludziem. Mgły nadciągające znad rzeki mieszały się z wyziewami okolicznych fabryk, tworząc smog do złudzenia przypominający ten londyński. Obecnie mieszkali tu liczni urzędnicy państwowi i parlamentarzyści.

Apartament ojca mieścił się w olbrzymim budynku z czerwonej cegły o nowoczesnej, prostej konstrukcji, pozbawionej jakichkolwiek ornamentów – typowym dla architektury postmodernistycznej.

Bravo pokazał portierowi dokumenty, wsiadł do windy, wjechał na dwunaste piętro i ruszył szerokim korytarzem wyłożonym niebieską wykładziną. Gdy znalazł się przed drzwiami, włożył klucz do zamka i próbował go przekręcić. Bez rezultatu. Spróbował ponownie, tym razem wkładając klucz tylko do połowy głębokości.

Podjąłby pewnie trzecią próbę, lecz usłyszał za plecami głos. Zbliżał się do niego niski mężczyzna o ciemnej twarzy.

– Jestem Manny, administrator. Johnny, portier, zadzwonił do mnie. Pan Shaw, prawda? – Wyciągnął rękę na powitanie. – Wstrząsnęła nami wiadomość o śmierci pańskiego ojca. Wszyscy bardzo go tu lubili. Cenił samotność, ale mogliśmy na niego liczyć.

Mój ojciec zawsze dbał o swój wizerunek, pomyślał Bravo, dziękując za kondolencje.

– Dostałem od niego klucz do mieszkania, lecz nie pasuje.

– Proszę się nie martwić. – Administrator wyjął pęk kluczy, znalazł właściwy i już po chwili drzwi stały otworem. Cofnął się, by przepuścić Bravo.

– Niech pan się rozejrzy. Niestety muszę panu towarzyszyć, takie przepisy.

Weszli do środka i Bravo oniemiał. Mieszkanie było puste. Zajrzał do wszystkich pomieszczeń, ale nie znalazł ani jednego mebla, ani jednego ubrania, niczego, co świadczyłoby o tym, że ktokolwiek tu mieszkał.

Z wyrazem osłupienia na twarzy odwrócił się do administratora.

– Nie rozumiem. Gdzie są rzeczy ojca?

Administrator wydął wargi. Cuchnęło od niego tytoniem i potem.

– Myślałem, że pan wie. Kilka dni temu wszystko wywieźli.

– Kto? Kto wywiózł?

Administrator wzruszył ramionami.

– Ludzie z Departamentu Stanu. Pokazali mi dokumenty. Szuka pan tu czegoś konkretnego?

Bravo potrząsnął tylko głową. Nie mógł wydusić z siebie słowa.

Administrator spojrzał na niego ze współczuciem i powiedział, że w tych okolicznościach może chyba zrobić wyjątek i zostawić go samego w mieszkaniu. Bravo z wdzięcznością skinął głową i odprowadził wzrokiem wychodzącego mężczyznę. Zamknął oczy i głęboko oddychał. Następnie ruszył od pokoju do pokoju w nadziei, że coś wcześniej przeoczył. Zajrzał do szafy, łazienki, kuchni. Nic. Zniknęły wszystkie rzeczy. Co więcej, mieszkanie było skrupulatnie wysprzątane. Zdezynfekowane. Słyszał już kiedyś to słowo z ust ojca. To było wtedy, gdy musiał opuścić ambasadę w Nairobi.

Wziął do ręki telefon i zadzwonił do biura ojca w Departamencie Stanu. Po kilku minutach połączono go z Tedem Coffeyem, starszym analitykiem, którego miał okazję kilka lat temu poznać.

– Jezu, Braverman, tak mi przykro. Jak się trzymasz?

– Staram się.

– A Emma?

– Tak samo.

– Bardzo go nam wszystkim brakuje, ale szczególnie mnie. Pracowaliśmy razem ponad dwadzieścia lat. Nie mogę w to uwierzyć. Szczerze mówiąc, nie wiem, jak sobie poradzę bez jego ekspertyz. Nic nie zastąpi jego analitycznego umysłu. Wszyscy tutaj zdajemy sobie z tego sprawę.

– Dziękuję. To dla mnie dużo znaczy. – Bravo zaczął wędrować w kółko po sypialni. – Posłuchaj, Ted. Co wasi chłopcy zrobili z rzeczami ojca?

W słuchawce zapadła cisza.

– Nie rozumiem.

– Jestem teraz w jego mieszkaniu na Foggy Bottom. Zniknęły meble i ubrania. Wszystko zostało wyczyszczone.

– To nikt od nas.

– Administrator powiedział, że to byli ludzie z Departamentu Stanu. Pokazali mu dokumenty.

– Co on chrzani. Nikt nie kazał opróżniać mieszkania Dexa. Jestem tego pewny. Zresztą byłoby to niezgodne z przepisami.

Bravo stał bez ruchu w cichym, opustoszałym mieszkaniu. Na próżno usiłował sobie wyobrazić ojca w tym miejscu. Podziękował Coffeyowi za szczere kondolencje i rozłączył się.

Zerknął na klucz, który nie pasował do drzwi wejściowych. Próbował przypomnieć sobie szczegóły ich rozmowy prowadzonej na nabrzeżu w Paryżu. Co dokładnie ojciec wtedy mówił? „Jeśli coś mi się stanie, weź ten klucz i idź do mojego mieszkania". Nie powiedział, że to jest klucz do mieszkania. Bravo obracał go w ręku z namysłem. Co on miał na myśli?

Jeśli chciał, żeby przyszedł do jego mieszkania, to dlaczego tu nic nie ma? Znowu poczuł nieprzyjemne ukłucie w piersiach. Może to jakieś ostrzeżenie? Przypomniał sobie parę ludzi śledzących go w Nowym Jorku. Czego oni chcieli?

Myśli kłębiły mu się w głowie. Oglądał klucz ze wszystkich stron i nagle dostrzegł coś, na co wcześniej nie zwrócił uwagi. Podszedł do okna i w świetle słonecznym zobaczył na kluczu wygrawerowany ciąg szesnastu maleńkich liter, które tworzyły nieznane mu słowo.

Przebiegł go dreszcz emocji. Przypomniał sobie wspólne zabawy z ojcem, zaszyfrowane wiadomości, które doprowadzały do pasji matkę, bo nie potrafiła ich rozczytać.

To był prosty szyfr podstawieniowy, w którym znaki tekstu zaszyfrowanego określają jakąś literę tekstu jawnego. Bravo wziął do ręki notes i długopis, usiadł na podłodze, opierając się plecami o kaloryfer, i wpisał cały ciąg liter. Był mile zaskoczony tym, że tyle jeszcze pamiętał z kryptografii. Wystarczyło pięć minut i tekst był rozszyfrowany. Było to słowo „trap".

Wiedział oczywiście, co znaczy słowo „trap", ale nie miał pojęcia, o co chodziło ojcu ani po co właściwie je zaszyfrował. Światło słońca wpadało przez brudne szyby, rysując na podłodze i pustych ścianach skomplikowane wzory. Wszystko to podkreślało jeszcze pustkę, jaka panowała wokół.

Bravo krążył niespokojnie po mieszkaniu, usiłując przypomnieć sobie, czy ojciec kiedykolwiek użył przy nim słowa „trap". Niełatwo było mu opuścić to mieszkanie. Wróciły wspomnienia matki, złożonej chorobą, tych chwil, kiedy opuszczał ją, gdy wychodził ze szpitala. Ona leżała tam, zdradzona przez swoje ciało, więzień nieuleczalnej choroby, podczas gdy on młody i zdrowy mógł tak po prostu wyjść na ulicę.

Kiedy stał już przy windzie, obrócił się i spojrzał jeszcze raz na drzwi. Gdyby chociaż mógł zabrać rzeczy ojca.

Wychodząc z budynku, zapytał portiera o kafejkę internetową. Dowiedział się, że najbliższa jest przy Siedemnastej Zachodniej, w połowie drogi między Dupont Circle i Scott Circle. Czekał chwilę w holu, nim przy krawężniku zatrzymała się wezwana taksówka.

Dziesięć minut później siedział przed monitorem komputera. Obok postawił kubek z mrożoną kawą i hamburgera. Szukał słowa „trap". Wyszukiwarka zaproponowała tysiące odniesień, a on nie miał pojęcia, jak zawęzić kryteria.

Wreszcie między jednym kęsem a drugim przyszła mu do głowy pewna myśl. Ojciec miał dewizę, że najlepiej jest ukryć coś w najbardziej widocznym miejscu. Tylko dlaczego zadał sobie tyle trudu, by zaszyfrować to słowo? Odłożył kanapkę, skoncentrował się, przestał słyszeć panujący wokół gwar. Jeśli ojciec chciał ukryć to słowo, musiało ono być dobrze znane i rozpoznawalne. Wiedział już, że się nie myli.

Palce powędrowały na klawiaturę. Wszedł na jedną ze stron Waszyngtonu i wpisał słowo „trap". Bingo! Tak nazywał się port jachtowy oddalony ledwie o kilkaset metrów od pomnika Waszyngtona i Kapitolu.

*

W kapitanacie portu siwowłosy starszy mężczyzna trzymający papierosa w zębach powiedział mu, że żadna łódź nie została zarejestrowana na Dextera Shawa.

Bravo podziękował za informacje i wyszedł na zewnątrz. Dzień był pochmurny i mglisty. Głęboko zaczerpnął powietrza przesiąkniętego zapachem wody. Idąc pomostem, mijał kolejne łódki. Nie wiedział jeszcze, czego szuka, ale musiał to znaleźć. Przesłanie ojca było zbyt wyraźne. W końcu ją zobaczył. Granatowo-biała łódź z dużym napisem na burcie: *Steffi*. Tak pieszczotliwie zwracał się ojciec do matki. Stał urzeczony. To nie mógł być zbieg okoliczności.

Spojrzał ponownie na klucz. Teraz stało się jasne, że wziąwszy pod uwagę to, co stało się z rzeczami osobistymi ojca w mieszkaniu, nie mógł zarejestrować łodzi na swoje nazwisko. Ta łódź musiała mieć jakieś znaczenie, nieść jakieś ważne przesłanie, inaczej ojciec nie nazwałby jej *Steffi* i nie ukrył tak, że tylko Bravo mógł ją odnaleźć.

Stał na drewnianym pomoście wpatrzony w ten jedyny ślad, jaki pozostał po ojcu. Dzięki łodzi nawiązali ponownie kontakt, połączyła ich niczym pępowina.

Wszedł szybko na pokład. Rozglądał się za czymś, co musiał pozostawić ojciec – skomplikowanym systemem wskazówek i kodów, które doprowadzą go do celu. Zastanowił się przez chwilę. A jeżeli jeszcze ktoś inny próbuje wydrzeć tajemnicę jego ojca, co wtedy? Ktoś, kogo ojciec się obawiał? Przypomniał sobie parę z Nowego Jorku, jego dziwaczne buty, jej koci uśmiech, który teraz wydał mu się nie zapowiedzią flirtu, ale tajemnicy, którą ona znała, a on nie.

Znów poczuł znajome ukłucie w piersiach, ostrożność kazała mu się rozejrzeć dokładnie dokoła, czy aby niefrasobliwie nie ściąga na siebie jakiegoś nieszczęścia. Przecież mogli tu być, obserwować go, tak jak w Nowym Jorku. Na szczęście nie dostrzegł nikogo podejrzanego. Port był zupełnie wyludniony. Każdy, kto próbowałby go śledzić, byłby widoczny jak na dłoni. W oddali majaczyły jednak zarysy wieżowców. W którymś z okien mógł stać człowiek z lornetką i obserwować każdy jego ruch.

Z przykrym poczuciem bezradności odwrócił się i na poły zrezygnowany, na poły zdeterminowany zajął się tym, co miał do zrobienia. Zaczął od owalnej, bogato wyposażonej kabiny. Przeszukał wszystkie schowki, obejrzał dokładnie siedziska w kolorze kremowym, ale niczego nie znalazł. Wrócił na pokład. Jego uwagę zwróciły drzwiczki znajdujące się na lewo od koła sterowego. Z bijącym sercem włożył klucz i przekręcił. Drzwiczki się otworzyły.

W środku znalazł notes z adresami, parę złotych spinek do mankietów, miniaturkę amerykańskiej flagi z emalii z igłą do wpięcia w klapę marynarki, okulary, dwie paczki papierosów i metalową zapalniczkę Zippo. I nic więcej. Zabrał wszystkie drobiazgi i wrócił do kabiny. Wyjął papierosy z pudełek, rozerwał bibułkę, wysypał tytoń, ale niczego w środku nie znalazł. Na otwartej dłoni położył spinki i patrząc na nie, przez krótką chwilę czuł obecność ojca. Zapalił zapalniczkę – działała. Założył okulary i aż rozbolały go oczy. Widział w nich zupełnie nieostro. To nie były zwykłe okulary do czytania, jakie można kupić w każdym supermarkecie. Miały szkła korekcyjne i kupowało się je na receptę.

Przyglądał się okularom ze zdziwieniem. Dexter Shaw słynął ze świetnego wzroku, nie potrzebował ich. Choć może się mylił. Może to była jeszcze jedna rzecz, którą ojciec trzymał przed nim w tajemnicy. Był tylko jeden sposób, by to sprawdzić. Przekartkował notes z adresami, znalazł telefon do lekarza ojca i pospiesznie wykręcił numer. Doktor był zajęty, ale gdy Bravo przedstawił się recepcjonistce, ta szybko odnalazła kartę Dextera.

– Okulary? – zapytała zdziwiona. – Po co doktor Miller miałby przepisywać pańskiemu ojcu okulary? On miał znakomity wzrok. Nie potrzebował żadnych okularów, nawet takich do czytania.

Co zatem robiły okulary w schowku na łodzi? Kolejna wskazówka? No bo cóż innego? Postanowił ruszyć tym tropem. Przyjrzał się im teraz dokładniej. Na wewnętrznej stronie oprawki z jednej strony była nazwa producenta i model, a z drugiej nazwa i adres zakładu optycznego. Wezwał przez telefon taksówkę, zebrał starannie wszystkie znalezione rzeczy i opuścił łódź.

Kiedy pospiesznie szedł po pomoście w kierunku wyjścia z portu, rozglądał się nerwowo wokół, szukając wzrokiem ludzi wałęsających się bez celu lub udających, że pracują. Dwóch nastolatków przemknęło przed nim na rowerach, jakiś mężczyzna w średnim wieku z olbrzymim brzuchem i sześciopakiem piwa w ręku wszedł na pomost i skierował się do łodzi o bezpretensjonalnej nazwie *Czas mija*. Bravo prawie biegiem wypadł na ulicę, gdzie z włączonym silnikiem czekała już czerwono-biała taksówka. Wsiadł do środka i podał kierowcy adres w Georgtown.

Po dwunastu minutach znalazł się przed eleganckim budynkiem hotelu Four Seasons przy Pennsylvania Avenue. Nie oglądając się za siebie, wszedł do holu, skręcił w prawo i zatrzymał się przy filarze. Stąd przez olbrzymie okno wyjrzał na ulicę. W hotelu panował przyjemny chłód i było cicho. Idealne miejsce do obserwacji i rozmyślań. Sam już nie wiedział, czy to, co robi, to zwykła ostrożność, czy paranoja. Patrzył, jak z podjeżdżających taksówek wysiadają elegancko ubrane kobiety, w szpilkach, z misternymi fryzurami, obładowane zakupami. Dwóch biznesmenów zatrzymało się na chwilę, zapalili papierosy, coś powiedzieli do siebie szeptem i zaraz poszli dalej. Nie dostrzegł nikogo podejrzanego, choć przecież nie wiedział, jak ktoś taki powinien wyglądać.

Opuścił hotel bocznym wyjściem, przeszedł ulicą wzdłuż kilku wieżowców, skręcił w przecznicę i znalazł się przed zakładem optycznym. Nazwisko właściciela było wypisane wielkimi złotymi literami na szybie wystawowej – Terrence Markand. Wnętrze było jasne i schludne. Sprzedawca za ladą pokazywał klientce okulary przeciwsłoneczne, a Bravo w tym czasie oglądał na wystawie modne i zabójczo drogie oprawki. Sprzedawca był wysokim, chorobliwie chudym mężczyzną, miał zapadnięte policzki i cerę koloru awokado. Gdy klientka wyszła, obdarzył potencjalnego klienta powściągliwym uśmiechem.

– W czym mogę pomóc?

– Czy pan Markand?

– Tak, to ja. – Uśmiechnął się szerzej.

– Nazywam się Braverman Shaw. Znalazłem to w rzeczach mojego ojca. Na oprawce widnieje nazwa pańskiej firmy, więc to pewnie pan robił te okulary.

– Pan jest synem Dextera Shawa? – zapytał optyk słabym głosem. – Czytałem o tym, co się stało. Proszę przyjąć wyrazy współczucia.

Widać było, że chciał dodać coś jeszcze, lecz po chwili wahania zacisnął usta i milczał.

Bravo skinieniem głowy podziękował za kondolencje.

– Czy może mi pan coś powiedzieć o tych okularach?

– Co chciałby pan wiedzieć?

– Chodzi mi o receptę.

– Nie pomogę panu. To nie ja je robiłem. Pan Shaw załatwiał to z moim technikiem.

Bravo zabrał okulary z rąk Markanda.

– Chciałbym z nim porozmawiać.

– Z nią. To kobieta. Niestety już tu nie pracuje.

– Rozumiem. Co się stało? Zwolnił ją pan?

Markand popatrzył na niego dłuższą chwilę w milczeniu.

– Nie, nie zwolniłem. Po prostu porzuciła pracę. Wyszła i więcej nie wróciła. Młodzi ludzie zupełnie nie potrafią się zachować. A była, do cholery, najlepszym technikiem, jaki kiedykolwiek u mnie pracował, a zajmuję się tym już trzydzieści lat.

– Kiedy odeszła?

– Dokładnie dziesięć dni temu. Nawet nie odebrała zaległej pensji.

Dziesięć dni temu. Dzień po śmierci ojca, pomyślał.

Markand zmarszczył brwi i położył dłonie na ladzie.

– Pozostawiła tylko kopertę. Prosiła, żeby ją panu oddać. Przepraszam, ale czy mógłby pan pokazać mi jakiś dokument? Chciałbym mieć pewność, że oddaję kopertę właściwej osobie.

Bravo wyciągnął z portfela prawo jazdy. Optyk skinął głową, sięgnął do szuflady i wyjął ciężką, dużą kopertę z papieru welinowego, opieczętowaną czerwonym woskiem. W środku była tylko niewielka kartka papieru z wypisanym kobiecym charakterem pisma adresem. Zerknął na Markanda, który z napięciem go obserwował.

– Dobre wiadomości?

– To się okaże – odparł Bravo, chowając kartkę z powrotem do koperty.

– Cóż, pozostaje mi życzyć panu miłego dnia.

W tej samej chwili, gdy Bravo wychodził ze sklepu Markanda, starszy pan obrócił się i z uczuciem dławiącego strachu wyszedł na zaplecze. Siedząca na obrotowym krześle za biurkiem Donatella obdarzyła optyka lekkim, niepokojącym uśmiechem, od którego serce zaczęło mu łomotać w piersi.

– Dobrze pan to załatwił. Faktycznie, pojawił się.

– Moja wnuczka. Oddajcie mi ją.

61

– W swoim czasie.

– Jeśli jej coś zrobicie…

– To co? – Oczy Donatelli roziskrzyły się, gdy poderwała się z krzesła, okrążyła biurko i podeszła do mężczyzny. – Co zrobisz, Markand? Wybuchła śmiechem i poklepała mężczyznę po policzku. Ten próbował się cofnąć, ale wtedy Donatella złapała go za głowę, przyciągnęła do siebie i syknęła:

– Masz powody do zmartwienia, Markand. Jeszcze z tobą nie skończyliśmy.

Zamknął oczy i zakwilił jak dziecko.

Donatella potrząsnęła nim, aż w końcu spojrzał na nią szeroko otwartymi oczami, w których czaił się strach. Widok jego przerażonej twarzy sprawił jej wyraźną satysfakcję.

– Chyba zdajesz sobie sprawę, że życie Angeli jest teraz w twoich rękach.

Zadrżał, owładnęła nim fala mdłości. W głosie tej odstręczającej kobiety, gdy wymawiała imię jego jedynej wnuczki, czuł nutę niewypowiedzianego, odrażającego zła. Miał do czynienia z bestią. Ona i jej partner wkradli się w jego życie i na dodatek wzięli zakładnika. Przeszkolenie, które kiedyś przeszedł, na nic się teraz nie zdało. Ważne było tylko życie Angeli. Gotów był znieść każde upokorzenie, zaprzedać diabłu duszę swoją i wszystkich naokoło, byle tylko ocalić wnuczkę.

– Co mam robić? – zapytał zachrypniętym głosem.

Donatella wetknęła mu w drżącą dłoń telefon komórkowy.

– Dzwoń!

Markand wykręcił numer.

– Właśnie wyszedł – powiedział do słuchawki, gdy usłyszał z drugiej strony głos Rossiego. – Wiem, dokąd pójdzie, już wam to mówiłem. Tak, jestem pewien.

Bravo, zatopiony w myślach, wrócił do hotelu Four Seasons. Tam wsiadł do taksówki i kazał kierowcy zawieźć się do Falls Church. Pod adresem z kartki znalazł stary dom z kamienia ze skośnym dachem, położony przy cichej, wysadzanej drzewami ulicy. Wysokie krzewy róż piły się po parkanie od frontu. Przed domem rosły dwa stare, rozłożyste drzewa. Z jednej strony grusza, z drugiej klon. Przy samej ścianie posadzono wąski ligustrowy żywopłot. Omszała ścieżka wytyczona pomiędzy szeregami przyciętych azalii prowadziła wprost ku krwisto-czerwonym drzwiom wejściowym.

Nim zdążył zadzwonić, drzwi się otworzyły i w progu stanęła szczupła, zgrabna młoda kobieta z jasnymi włosami związanymi w koński ogon. Spojrzała na niego szarymi, lekko skośnymi oczami i zmysłowym głosem zapytała:

– Słucham pana?

– Nazywam się Bravo Shaw.

– Dlaczego tak późno? – Zrobiła krok do tyłu, robiąc mu przejście.

Spodziewał się, że wewnątrz owionie go chłodne powietrze, ale nic takiego nie nastąpiło. Mimo kamiennych ścian w środku było raczej ciepło. Zwrócił uwagę na wypolerowaną drewnianą podłogę, na której nie leżał żaden dywan, na sofę i dwa fotele pokryte ciemnoczerwoną tkaniną, mały szklany stolik do kawy z wkręcanymi nogami z brązu i olbrzymi kamienny kominek. Przy ścianie stał zabytkowy kredens z drewna orzechowego, a w nim, za przeszklonymi drzwiczkami, piękna zastawa stołowa. Na przeciwległej ścianie wisiał olbrzymi obraz w ciemnych, ponurych barwach – portret siedzącej kobiety, młodej i intrygującej, z rękami złożonymi na kolanach, głową odrzuconą do tyłu w geście sprzeciwu i oczami intensywnie wpatrzonymi w dal. W jej postaci wyczuwało się napięcie i zapowiedź gwałtownego ruchu, jakby miała za chwilę wstać i przebiec przez pokój.

– Czy pani...

– Jenny Logan. To ja zrobiłam okulary dla pańskiego ojca.

Błyszcząca szara bluzka i obcisłe dżinsy podkreślały jej figurę, zgrabne nogi, silne, opalone ramiona i długą szyję.

– Po co? I dlaczego ojciec chciał, żebym panią poznał?

Miała właśnie odpowiedzieć, lecz zamiast tego gwałtownie obróciła głowę i zamarła w bezruchu. Bravo też usłyszał dźwięk, który ją zaniepokoił, i pospieszył do drzwi wejściowych. Jenny zatrzymała go w pół drogi i wskazała ręką dwóch mężczyzn, którzy właśnie wysiedli z ciemnego sedana i biegli teraz pochyleni w kierunku domu. W tej samej chwili potężny huk przetoczył się przez cały dom. Ktoś wyważył drzwi z tyłu domu.

4

Jenny chwyciła Bravo za rękę i pociągnęła za sobą. Przebiegli przez salon, kierując się na tył budynku. W przedpokoju nieoczekiwanie zatrzymała się i odsunęła dywan, pod którym znajdowała się ukryta w podłodze klapa. Uniosła ją szybko. Do ich uszu dobiegły głośne, ponaglające nawoływania intruzów. Potem słyszeli już tylko odgłosy kroków. Dom był otoczony. Bravo nie miał zielonego pojęcia, kim są napastnicy, a okoliczności nie sprzyjały zadawaniu pytań. W pośpiechu przeskoczył trzy pierwsze stopnie metalowych stromych schodów, nadwerężając ramię. Z trudem utrzymał na dole równowagę. Jenny schodziła tuż za nim, zamknąwszy uprzednio klapę i zabezpieczywszy ją przed otwarciem grubym metalowym bolcem.

Rossi, z odbezpieczonym pistoletem, biegł za dwoma mężczyznami w kierunku domu Jenny. Gdy dał im znak, rzucili taran, którym wyważyli drzwi, sięgnęli po broń i wpadli do holu. Rossi wbiegł na górę, skacząc po trzy stopnie. Metodycznie przeszukał piętro, zaglądając do wszystkich pomieszczeń. Był mistrzem precyzji, nigdy nie postępował jak ktoś, kto pochopnie wyciąga broń i strzela na oślep, licząc na to, że przypadkiem trafi przeciwnika. Nie podobało mu się zadanie, które miał wykonać. Nie podobała mu się Ameryka. Tęsknił za Rzymem, ulicami tonącymi w słońcu, głośnymi rozmowami znajomych i sąsiadów, atmosferą wielowiekowej tradycji. Tutaj wszystko było jasne, błyszczące i nowe, pełne przepychu i brzydkie. Kiedy lustrował kolejną już łazienkę, przyszła mu do głowy myśl, że Amerykanom wszystkiego jest mało. Z wrażliwością typową dla ludzi ze starego kontynentu dostrzegał w nich ten swoisty rodzaj histerii, który nie pozwalał na żadne kompromisy. Ech, znaleźć się znowu na Via dell'Orso pełnej zapachów rozgrzanej cegły i świeżo pieczonego chleba, ukradkiem spoglądać na młode kobiety o szerokich biodrach, dużych piersiach i błyszczących oczach.

W łazience dołączyło do niego dwóch mężczyzn, którzy wcześniej wyważyli drzwi. Pokiwali przecząco głowami. Rossi zerwał z wściekłością zasłonę prysznica, zaczął butem tupać w terakotę, a ręką opukiwać ściany w poszukiwaniu jakiegoś ukrytego przejścia. Nie miał wątpliwości, że to nie był zwykły dom. Kobieta, która tu mieszkała, nie była zwyczajną obywatelką. Z pewnością od wielu miesięcy przygotowywała się na taką chwilę.

– Oni gdzieś tu są, albo na poddaszu, albo w piwnicy – powiedział, wychodząc z drugiej łazienki. – Przeszukajcie strych, ja idę do piwnicy.

Przez chwilę panowały zupełne ciemności. Bravo słyszał oddech Jenny, czuł zapach jej ciała. Z góry dobiegały ich przytłumione odgłosy tego, co działo się w mieszkaniu. Ilu mogło być intruzów? Dwóch widział na własne oczy na trawniku od frontu, chyba dwóch z tyłu. A może było ich znacznie więcej?

Bardzo chciał porozmawiać z Jenny, ale znów ujęła jego dłoń i pewnym krokiem prowadziła przez piwnicę pachnącą starym drewnem, kamieniem i farbą. Bez trudu orientowała się w ciemnościach. Doszedł do wniosku, że nie po raz pierwszy pokonuje tę przestrzeń w takich warunkach. Dlaczego? Czy spodziewała się tego najścia?

Nie ulegało wątpliwości, że jego ojciec był zaangażowany w coś sekretnego, tak bardzo, że jego rodzina nie miała o tym zielonego pojęcia. Dlaczego prowadził podwójne życie? Dlaczego miał przed nimi tajemnice? Czemu przez tyle lat ich oszukiwał? Kim w takim razie był?

Setki podobnych myśli kłębiły się w jego głowie i raniły jak ciernie. Zatrzymali się nieoczekiwanie przed czymś, co w dotyku przypominało solidną kamienną ścianę. Nagle ciszę przerwał huk wystrzału. Oblał go zimny pot, twarz wykrzywił grymas. Na moment wróciło wspomnienie tamtej, potężniejszej eksplozji. Z zamyślenia wyrwał go odgłos kroków na betonowej posadzce piwnicy. A więc już tu są.

Poczuł na ramieniu dłoń Jenny. Ruszył pospiesznie za nią w kierunku czegoś, co wydawało mu się początkowo jedynie zagłębieniem w ścianie. Dopiero gdy znalazł się w środku, poczuł strumień wilgotnego, ciepłego powietrza. Zadarł głowę i ujrzał nad sobą maleńki prostokąt czystego nieba otoczony czarną ramką – abstrakcyjne wyobrażenie zewnętrznego świata. Więc to był komin, a właściwie tunel ukryty za kominem. W nikłym świetle sączącym się z góry zdołał dostrzec, jak Jenny napiera na kamienną ścianę w miejscu, gdzie – jak się po chwili okazało – znajdują się małe kwadratowe drzwiczki zamontowane na rolkach, tak idealnie przylegające do ściany, że znalezienie ich graniczyło z cudem.

Jenny obróciła się w ciemnej przestrzeni i trzymając w ręku puszkę farby, uchwyconej w szalonym biegu przez piwnicę, zaczęła wspinać się po rozmieszczonych w regularnych odstępach stopniach. Bez wahania podążył za nią.

Zamek drzwi do piwnicy otworzył się z lekkim zgrzytem. Gdy Rossi zbiegał po schodach wraz ze swoimi dwoma pomocnikami, ogarnęło go znajome wrażenie. Krew zaczęła żywiej krążyć w żyłach, ciepła fala dotarła do koniuszków palców, czuł się coraz silniejszy, potężniejszy, nieśmiertelny. Poruszał nozdrzami jak drapieżnik węszący za zdobyczą na polowaniu. Byli tu – wyczuwał ledwie uchwytne ślady ich zapachu. Uniósł lewą rękę, jego kompani zapalili reflektory i w jednej chwili wszystko stało się oczywiste. Nie było gdzie się ukryć, żadnej wnęki czy szczeliny, żadnych zacienionych zakątków.

Zaczęli od ścian. Kolbami ostukali je dokładnie, następnie zajrzeli za każdy karton i pudełko, których sporo walało się na podłodze. Rossi był pewien, że musi istnieć jakieś ukryte wyjście z piwnicy, w przeciwnym razie ta kobieta nie zaciągnęłaby do niej Shawa. Rozejrzał się uważnie dookoła. Niewiele tu było do oglądania: bojler, piec centralnego ogrzewania, prostokątny, wymurowany z cegieł komin. Żadnych kratek wentylacyjnych czy klimatyzacji. Bojler i piec stały w pewnej odległości od ściany, więc nie interesowały Rossiego. Jego uwagę przykuł komin. Po co został poprowadzony aż do piwnicy? Nie było żadnej racjonalnej przyczyny, dla której ten komin miałby się tutaj znajdować.

Położył dłoń na ceglanym murze i zamknął oczy. Jeden z mężczyzn zaczął coś mówić.

– Zamknij się! – warknął.

Martwa cisza. I wtedy...

Poczuł – albo wydawało mu się, że poczuł – lekką wibrację dochodzącą zza muru, z wnętrza komina.

A jeśli jest tam przejście prowadzące na zewnątrz?

Ruchem ręki przywołał swoich towarzyszy.

Dobiegły ich odgłosy z piwnicy. Bravo starał się nie myśleć o zagrożeniu. Podążał za Jenny, wspinając się w ciasnym tunelu. Dotarli już na poziom parteru. Nie było tu otworu kominka i dopiero teraz sobie uświadomił, że ta sekretna droga ucieczki została zbudowana obok właściwego komina.

Jenny wspinała się jednostajnym rytmem. Minęli piętro, poddasze, wreszcie ukazała się linia dachu. Powietrze stawało się coraz bardziej gorące i wilgotne. Skrawek nieba nad jego głową rósł z każdą chwilą, aż w pewnym momencie zapanowała ciemność. To Jenny swoim ciałem zasłoniła wylot komina. W następnej chwili zobaczył jej głowę zaglądającą do środka. Dziewczyna była już na zewnątrz.

– Szybciej – ponagliła go. – Ruszaj się!

Wystawił głowę z czeluści komina i szybko zmrużył oczy oślepiony blaskiem słońca. Po chwili leżał już obok Jenny rozciągnięty na chropowatych dachówkach. Dach był tak stromy, że widział ulicę przed domem. Na rogu stał czarny lincoln z szeroko otwartymi drzwiami. Za kierownicą siedział jakiś mężczyzna i palił papierosa. Obejmował kierownicę ręką, w której trzymał pistolet. Drugi opierał się o błotnik samochodu i nie spuszczał oczu z drzwi wejściowych. Jeżeli miał przy sobie broń, to dobrze ją schował.

Bravo poczuł na ramieniu dłoń Jenny. W nozdrzach poczuł jej zapach – lawendowo-cytrusowy. W blasku słońca włosy dziewczyny nabrały miedzianego połysku. Ruchem ręki wskazała na siebie i zaczęła ześlizgiwać się po dachu. Podążył za nią, ale obejrzała się za siebie i zmarszczyła brwi.

– Zostań. Czekaj tu na mnie – wyszeptała.

Kiwnął głową na znak, że zrozumiał. Obserwował, jak zbliża się do krawędzi dachu i otwiera puszkę farby. Następnie przekręciła się na bok, sprawnym ruchem wyjęła z kieszeni zapalniczkę i przytknęła ją do zawartości puszki. Popchnęła puszkę jednym gwałtownym ruchem i już po chwili znalazła się obok Bravo. W tym samym momencie dało się słyszeć ciche uderzenie, następnie pojedynczy krzyk, a potem już cały chór podniesionych głosów. Obłok gęstego, oleistego dymu szybko przesłonił czerwony jęzor ognia.

Jenny i Bravo wczołgali się pospiesznie na szczyt dachu, skąd mogli obserwować okolicę. Samochód był pusty, obaj mężczyźni pobiegli w kierunku domu, gdzie trwało teraz wielkie zamieszanie. Jenny przetoczyła się przez gont i wylądowała w gęstym ligustrowym żywopłocie. Bravo skoczył tuż za nią. Pod jego ciężarem gałęzie połamały się, w kilku miejscach rozdarł koszulę. Na ramionach i plecach poczuł bolesne ukłucia.

Dziewczyna pomogła mu wydostać się z żywopłotu i bez chwili zastanowienia pobiegli chodnikiem w kierunku lincolna. Jenny wepchnęła Bravo do środka, a sama usiadła za kierownicą. Kluczyk znajdował się w stacyjce, napastnicy byli przygotowani do szybkiej ucieczki. Silnik zapalił od razu. Gdy ruszyli z miejsca, Bravo zerknął w lusterko wsteczne i zobaczył kilka biegnących postaci. Zmrużył oczy i obrócił się w fotelu. Czy ten człowiek na przedzie to ten sam, który obserwował go przed bankiem w Nowym Jorku? Jeden z biegnących podniósł broń i wycelował w stronę samochodu. Bravo krzyknął ostrzegawczo do Jenny. Dałby słowo, że nim zniknęli za rogiem, widział, jak jego prześladowca gwałtownym ruchem uderza w rękę strzelca, kierując wylot lufy ku trotuarowi.

– Czemu się oglądasz? – zapytała Jenny, biorąc kolejny zakręt.

– Chyba kogoś rozpoznałem.

– Chyba czy na pewno? – Przy akompaniamencie wyjących klaksonów z piskiem opon skręciła w lewo.

– Jezu, wolniej.

– Przecież to ty krzyczałeś, że do nas strzelają – powiedziała spokojnie, nie odrywając nawet na sekundę wzroku od drogi. – Myślisz, że nie ruszyli za nami w pościg?

Wyprzedziła wlokącą się ospale ciężarówkę i dodała gazu. Z położenia słońca na niebie wynikało, że kierują się na południowy wschód.

– Nie odpowiedziałeś na pytanie. Rozpoznałeś któregoś?

– Tak – odparł po chwili. Szorstki ton jej głosu drażnił go, ale z drugiej strony zdawał sobie sprawę, że to jego ścigano i Jenny miała prawo być wściekła. – Widziałem faceta wcześniej w Nowym Jorku.

– Jesteś pewien?

Energicznie skinął głową.

– Tak. Śledził mnie.

– Był z kobietą?

– Co?

– Młodą, wpadającą w oko...

Bravo gwałtownie zwrócił się w jej stronę.

– Skąd wiesz?

– Po prostu zgadłam. – Posłała mu uśmiech, jednocześnie ostro skręcając w prawo w Lee Highway przy akompaniamencie klaksonów.
– Ten facet nazywa się Rossi. Ivo Rossi. Zwykle pracuje z kobietą – Donatellą Orsoni.
– Sprawiali wrażenie zakochanej pary.
– Zwierzęcy magnetyzm – rzuciła oschle. – Nie chciałabym być kochanką żadnego z nich.
Skręciła w prawo w Jackson Street i jechała dalej małymi osiedlowymi uliczkami w kierunku rosnącego w oczach pasa zieleni.
– Kim oni są? – zapytał.
– Członkami starego tajnego bractwa znanego jako rycerze świętego Klemensa.
Powiedziała to tak lekko, że ledwie dotarło do niego następne zdanie.
– Uczyłeś się o nich, prawda?
Rzeczywiście, przeczytał chyba wszystko, co na ich temat napisano.
– Rycerze nieśli Słowo Boże do Ziemi Świętej przed wyprawami krzyżowymi i później.
Jenny przytaknęła, marszcząc brwi.
– Nazywano ich pięścią papieża, skierowaną zarówno przeciw muzułmanom, jak i tym sektom chrześcijańskim, które papież wraz ze swą marionetkową kurią uznał za heretyckie. Rossi i Donatella noszą tytuł rycerza polowego. Tak nazywano braci-rycerzy wysyłanych do Ziemi Świętej w czasie wypraw krzyżowych. Ci ludzie są wyszkoleni w zabijaniu.
– Skąd tyle o nich wiesz?
Spojrzała na niego przelotnie.
– Jestem ich śmiertelnym wrogiem, członkinią zakonu gnostyckich obserwantów.
– Ponoć rycerze świętego Klemensa starli z powierzchni ziemi resztki zakonu pod koniec osiemnastego wieku.
– Pamiętaj, że jest historia powszechna, ale jest też tajna historia świata.
– To znaczy?
– Faktycznie rycerze próbowali nas zniszczyć, ale nigdy im się to nie udało. Zawsze, kiedy następował ich atak, my kryliśmy się głębiej pod ziemią.

– A więc i zakon, i bractwo nadal istnieją.

– Osobiście widziałeś dwoje przedstawicieli bractwa. Wszystko się układa w logiczną całość w ostatnich dniach. Zresztą nie tylko teraz, całe twoje życie jest przecież podporządkowane sprawie.

– Nie rozumiem...

– Twoje studia nad religią, twoje treningi psychiki, niewyjaśnione i tajemnicze zniknięcia ojca.

Bravo poczuł ucisk w żołądku. Wszystkie jego dramatyczne przeżycia, wszystkie przypuszczenia, niedające się wcześniej połączyć fragmenty układanki teraz zaczęły tworzyć jedną logiczną całość. Uczucia, które nim miotały, wyraźnie malowały się na jego twarzy.

– Teraz już rozumiesz? Być może gdzieś tam, w głębi podświadomości, wiedziałeś to zawsze. Tak, twój ojciec był gnostyckim obserwantem.

Bravo czuł w skroniach ucisk. Z trudem oddychał. Patrzył przez przednią szybę auta, szukając ukojenia w widoku okolicy, ale gdy zbliżyli się do ściany drzew, dostrzegł pomiędzy nimi pomniki z piaskowca i granitu. Przywiozła go na cmentarz.

Na ten obraz nałożył się inny – twarz ojca i słowa przez niego wypowiedziane: „Choćbyś próbował ze wszystkich sił, nie możesz zmienić przyszłości".

Ivo Rossi pędził potężnym motocyklem BMW. Na drodze numer 7 dogonił ciężarówkę prowadzoną przez Donatellę. Dziewczyna kierowała trzytonowym pojazdem z taką łatwością, jakby to była honda accord. Rozmawiali ze sobą przez telefon komórkowy, rzucając do słuchawki krótkie, urywane zdania.

– GPS lincolna wskazuje, że jadą prosto na zachód. Są teraz na wysokości Bimber Lane – powiedział Rossi.

– Cmentarz. – Donatella zawsze wyprzedzała go w wyciąganiu wniosków. Dlatego była tak cennym współpracownikiem. Znali się od dziecka, razem przemierzali rzymskie zaułki, razem odkrywali tajemniczy i fascynujący świat seksu. Bezwzględni i oportunistyczni żyli nieszczęściem innych ludzi. Co więcej, nieszczęścia te sami na nich sprowadzali.

Ich pierwsze spotkanie na zawsze zapadło mu w pamięć. Wysportowana, niewiarygodnie szczupła biegła boczną uliczką, podczas gdy on przymierzał się do włamania do małego sklepu. Jej sylwetkę rozświetlały światła jadącego za nią samochodu. Miała szeroko otwarte i błyszczące oczy, z trudem łapała powietrze. Wystarczyło jedno spojrzenie na pełen desperacji wyraz jej twarzy, by zrozumieć, że to już koniec. Wziął w rękę łom i gdy samochód się zbliżył, z całej siły uderzył w przednią szybę. Silne szarpnięcie, nagły skręt. Błotnik ociera o ścianę, sypiąc gradem iskier. Kierowca wyskakuje w biegu. Jest ubrany w długi skórzany płaszcz. W dłoni trzyma rewolwer. Rossi podnosi jeszcze raz łom i roztrzaskuje kości nadgarstka napastnika. Rewolwer zatacza łuk w powietrzu, mężczyzna pięścią z całej siły uderza w brzuch Rossiego, który zgina się wpół, rozpaczliwie łapiąc powietrze. Mężczyzna bez trudu wyjmuje z jego dłoni łom, cofa się o krok, i zamierza uderzyć go w głowę. W tym samym czasie Donatella podnosi z ziemi rewolwer i opróżnia cały magazynek.

Od tej chwili byli nierozłączni, razem zostali zwerbowani do bractwa rycerzy świętego Klemensa, razem byli szkoleni. Rozumieli się bez słów, ten sam tok myślenia, ta sama motywacja. Szerzyli wiarę, przenikali do organizacji i instytucji, gdy im wydano takie polecenie. Robili to, co im kazano, chętnie, bez słowa sprzeciwu, z neofickim zapałem. Bractwo zastąpiło im rodziców.

– Bez sensu – powiedział Rossi, skręcając na zachód. Autostrada była kompletnie zakorkowana przez sznur pojazdów, ale jemu to nie przeszkadzało. Świadomość tego, jak zmieniło się jego życie dzięki Voire Dei, wprawiła go w stan euforii. Usankcjonowała jego naturalne instynkty. Zamiast uciekać przed prawem, zarówno on, jak i Donatella znaleźli się ponad nim. Tylko inny członek Voire Dei mógł zrozumieć, kim był, i przeciwstawić mu się, ale od śmierci Dextera Shawa nie bał się już nikogo, a na pewno nie tego Strażnika.

– Czego się mogliśmy po niej spodziewać? Czy braliśmy pod uwagę, co jej chodzi po głowie?

– To jest ich słabość – odparła Donatella, zmieniając bieg i przyspieszając. Podczas wykonywania zadania była szczęśliwa; gdy brakło zleceń, unikała seksu, cierpiała na bezsenność i obgryzała do krwi paznokcie. Dominującym odczuciem był ból, niewyobrażalny, dojmujący. Teraz miała cel, nie odczuwała bólu, nic nie mogło jej powstrzymać.

*

71

Jenny i Bravo znaleźli się na cmentarzu – w rozległym, cichym, spokojnym mieście umarłych, porośniętym bujną zieloną roślinnością, pachnącym świeżo skoszoną trawą. Chwilę wytchnienia można było znaleźć w cieniu starych dębów, sosen i krzewów głogu. Zewsząd dał się słyszeć świergot ptaków i bzyczenie owadów. Za ich plecami znajdowało się wejście na Cmentarz Miamonides, a po lewej, na południe, na większy, imponujący Cmentarz Narodowy. Jenny poprowadziła go aleją biegnącą pomiędzy rzędami kamiennych grobowców.

Nagle zatrzymała się, obróciła w jego stronę i spojrzała mu w oczy.

– Posłuchaj, Bravo, muszę ci coś powiedzieć. Twój ojciec został zabity.

Poczuł bolesny ucisk w piersiach.

– Ale policja twierdzi, że to była nieszczelna instalacja gazowa. Powiedzieli, że to nieszczęśliwy wypadek.

– Bo mieliście w to wierzyć, i ty, i policja. – Jenny utkwiła w nim nieruchome spojrzenie. – Wierz mi, to nie był wypadek. Dexter Shaw został zamordowany.

– Skąd to wiesz? – Jego głos zabrzmiał hardo, zaczepnie. Nie mógł, nie chciał jej uwierzyć.

– Dexter Shaw był członkiem Haute Cour – wewnętrznego kręgu, najwyższej władzy zakonu. W ciągu ostatnich dwóch tygodni już pięciu członków Haute Cour zostało zabitych – jeden udławił się ością, drugi został potrącony przez samochód. Trzeci spadł, czy raczej został wypchnięty, z balkonu na dwudziestym piętrze, czwarty utonął. Twój ojciec był piąty.

Bravo słuchał tej wyliczanki z rosnącym przerażeniem. Przypomniały mu się słowa ojca: „Chcę porozmawiać o twojej przyszłości. Pamiętasz jeszcze coś ze swojego treningu?". Ten fragment ostatniej rozmowy z ojcem utkwił mu w pamięci. Ona miała rację, teraz to do niego dotarło. Zrozumiał i zaakceptował fakt, że kolejne tragiczne wydarzenia – śmierć ojca, kalectwo siostry – spowodowały, iż rozbudził się w nim utajony dotąd instynkt – zmysł konspiracji, tajemniczości, zmysł związany z sekretnym światem.

Ruszył dalej, ponaglany przez Jenny. Wiedziała, że potrzebny mu teraz ruch, działanie. Najgorsza byłaby bezczynność.

– Oddychaj – poradziła łagodnie. – Poczujesz się lepiej, jak będziesz głęboko oddychał.

Posłuchał tej rady, choć przez to odniósł wrażenie, że jest w jej rękach. Nie było to wcale nieprzyjemne. Tak więc w chwili, gdy obudził się w szpitalu, jego życie uległo radykalnej zmianie. Samotnie wkroczył na nieznane obszary i nie znał żadnych reguł rządzących tym tajemniczym światem.

– Mam kilka pytań. Wiem, że gnostyccy obserwanci byli heretyckim odłamem obserwantów franciszkańskich, którzy zerwali zarówno z tradycjonalistami, jak i z reformatorami. To jest nadal zakon? A ty? Wydawało mi się, że to był męski zakon.

– Tak, był – odpowiedziała Jenny. – Wierz mi, jest jeszcze wielu w zakonie, którzy nie chcą zmian i zarzucają mi złą wolę. Jeszcze do tego wrócimy, ale najpierw odpowiedź na pierwsze pytanie. Zakon stał się odszczepieńcem, odszedł od zagadnień czysto religijnych.

– Dlaczego?

– Kiedyś religia była prawem, najwyższą władzą. Stopniowo ta jej rola się zmniejszała. Władzę scedowano na królów, parlamenty, prezydentów. Zakon szedł z duchem czasu, zajął się światem świeckim. Zostaliśmy biznesmenami, politykami. Cały czas patrzyliśmy na ręce bractwu, którego misją było skupienie władzy w jednych rękach – cesarza, Hitlera, Mussoliniego i tak dalej.

– Chcesz powiedzieć, że rycerze świętego Klemensa stali za…

– Oni mieli swoje zadanie, a zakon robił wszystko, by im przeszkodzić, by zdemokratyzować władzę. Taka jest kwintesencja tajemnego świata, do dziś określanego przez nas starą nazwą Voire Dei – Boża Prawda.

– Skoro zakon przestał pełnić misję religijną, czym jest w tej chwili?

– W latach czterdziestych dwudziestego wieku podtykaliśmy Hitlerowi przepowiednie astrologiczne, dzięki którym podejmował błędne decyzje, na przykład wdał się w wojnę na dwa fronty. Utrzymaliśmy w tajemnicy przed hitlerowcami Projekt Manhattan, mimo że Werner Heisenberg był dyrektorem Instytutu Fizyki Cesarza Wilhelma w Berlinie. W tysiąc dziewięćset czterdziestym piątym roku członkowie zakonu rozmawiali z Harrym Trumanem o przerwaniu bombardowań atomowych po Hiroszimie i Nagasaki. Od tego czasu dążyliśmy do ograniczenia rozprzestrzeniania broni atomowej. W tysiąc dziewięćset sześćdziesiątym drugim roku jeden z nas spotkał się z Nikitą Chruszczowem w daczy pod Moskwą i skłonił go do wycofania rakiet z Kuby.

W dziedzinie ekonomii całą dekadę zajęło nam przygotowanie upadku komunizmu i rozpadu Związku Radzieckiego. W tej chwili pracujemy nad ograniczeniem rozprzestrzeniania się chorób w Afryce, ustanowieniem stabilnych rządów w Europie Wschodniej, zasymilowaniem muzułmanów na Zachodzie. Ekstremizm pojawia się wtedy, gdy gaśnie wszelka nadzieja, kiedy człowiek zostanie pozbawiony wszystkiego i pozostaje mu tylko nienawiść. Robimy to wszystko po cichu, w przeciwnym razie narazilibyśmy się na bezpośredni atak bractwa. Czasami ponosimy porażkę, czasami nasz sukces jest tylko połowiczny. Wszystko dzieje się tak szybko, trudno nadążyć za biegiem wydarzeń. Ale przesłaniem świętego Franciszka było: wędruj przez świat i nieś dobro, nie zostawiaj sobie niczego. Temu przesłaniu byliśmy wierni aż do tej chwili. Teraz cały świat jest zagrożony, w każdej chwili rycerze świętego Klemensa mogą przejąć nad nim panowanie.

Odwróciła się i pospiesznie ruszyli wąską ścieżką prowadzącą pomiędzy granitowymi nagrobkami i marmurowymi ścianami mauzoleum.

– Tajemnice ukryte w skrzyni stanowią o naszej potędze – kontynuowała. – Najpierw były to knute przez królów i kardynałów plany zabicia rywali, zmonopolizowania holenderskiego rynku towarowego, który to właśnie my stworzyliśmy w siedemnastym wieku. Później spiski rządów: obalić jednego dyktatora, zamordować innego, rozpętać wojnę, a potem zdobyć korzystne kontrakty na odbudowę zniszczonej infrastruktury dla firm, które cię poprą w wyborach. Zakulisowa polityka dystrybucji pomocy humanitarnej, która zamiast trafić do biednych, potrzebujących jej krajów, trafia w ręce polityków. Defraudacje, wymuszenia, zdrady, mam kontynuować? Transakcje pod stołem, rugowanie konkurencji, sprzeniewierzanie kapitału, naruszanie funduszy powierniczych, korupcja na najwyższych szczeblach władzy. Wszelkie nieprawości, jakich człowiek może się dopuścić.

Nasza wiedza, roztropnie wykorzystana, daje nam wyjątkowe możliwości, otwiera drzwi zamknięte dla innych. Pozwala wpływać na przywódców, polityków, biznesmenów, tak by decyzje przez nich podejmowane były korzystne dla całego świata i zachowania pokoju.

– A rycerze chcą wojny?

– Przede wszystkim chcą naszej wiedzy – naszej siły. Zapewniam cię, oni nie użyliby jej tak roztropnie. Szukają sposobu na umocnienie swojej potęgi i uwolnienie się z jarzma narzuconego przez Watykan. Chcą mieć wpływ na politykę i gospodarkę tylko dla własnych korzyści.

Wszystko to brzmiało dość osobliwie, choć zawsze podejrzewał, że historia to znacznie więcej niż to, co można znaleźć w bibliotece czy w rozprawach doktorskich. Ojciec nauczył go intuicyjnego pojmowania natury tajemnicy i nie tylko akceptowania jej istnienia, ale też wydobycia na światło dzienne i rozwikłania.

– Sekretna historia świata – powtórzył za Jenny.

– Do tej pory udawało nam się pokrzyżować im szyki. Rozumiesz teraz, o jaką stawkę tu chodzi. To, co wydarzy się w przyszłym tygodniu, będzie decydujące nie tylko dla przyszłości zakonu, ale dla całego świata.

– Dlaczego właśnie teraz? Rycerze próbowali zdobyć skrzynię od stuleci.

– Papież jest śmiertelnie chory.

– Nic się o tym nie mówi...

– Oczywiście, że nie. Watykan o to zadbał. Ale jego choroba wywołała chaos – szczególnie w szeregach tych kardynałów, którzy stoją za bractwem. W tym zamieszaniu rycerze wykorzystują potęgę sprzyjających im kardynałów do własnych rozgrywek i zaczęli polowanie na naszych ludzi na niespotykaną skalę. To ostatnia rozgrywka. Albo przeżyjemy, albo już po nas.

– Ilu was jest?

– Pięćset osób, mniej więcej.

– Nie za wiele.

– Jesteśmy porozrzucani po całym globie, nasz przedstawiciel znajduje się w każdym większym państwie świata. Ale takich jak ja jest tylko około pięćdziesięciu. Jestem Strażnikiem. Znalazłeś kiedykolwiek jakąś wzmiankę o nas?

Bravo przecząco pokręcił głową.

– Wcale się nie dziwię. Istnienie Strażników zawsze było trzymane w najgłębszej tajemnicy. Naszym zadaniem jest zapewnienie bezpieczeństwa innym, szczególnie członkom Haute Cour.

Poczuł wzbierającą w nim złość.

– I pozwoliliście zabić pięciu z nich? Gdzie byłaś, kiedy ginął mój ojciec?!

– Pamiętasz, mówiłam ci, że jeden z nich utonął w czasie rejsu. To był mój ojciec. Szukałam jego ciała na środku zatoki Chesapeake, kiedy zabito twojego ojca.

Te słowa ostudziły jego emocje.

– Znalazłaś go?

– Nie. Prądy tam są zbyt silne, a dwudniowy sztorm zmącił wodę. Nic nie było widać.

– Przykro mi.

– Mnie też.

Teraz gniew dał o sobie ponownie znać.

– Kto w takim razie był wyznaczony do ochrony mojego ojca?

Ostry ton jego głosu dotknął Jenny do żywego.

– Szukasz zemsty? Radzę ci mścić się na tych, którzy go zamordowali.

Udręczony własną tragedią nie miał dla niej litości.

– Nie odpowiedziałaś na moje pytanie!

Doszli prawie do końca cmentarza. Tu były już tylko nieliczne grobowce. Stali i patrzyli sobie w oczy.

– Twój ojciec zgubił swojego Strażnika na krótko przed spotkaniem z tobą. Zdołał też unieszkodliwić rycerza, który go śledził. On naprawdę był mistrzem we wtapianiu się w tłum. Wszystko wskazuje na to, że chciał być z tobą zupełnie sam.

Bravo ruszył dalej ścieżką. Chwilę zajęło mu przetrawienie tego wszystkiego, co usłyszał.

– Wygląda na to, że znasz odpowiedzi na wszystkie pytania. Czy właśnie dlatego ojciec skierował mnie do ciebie?

– Chciałabym znać wszystkie odpowiedzi. – Potrząsnęła głową. – Dlaczego urwał się swojemu Strażnikowi? Dlaczego chciał być z tobą sam na sam?

„Chcę ci coś zaproponować. Pamiętasz jeszcze coś ze swojego treningu?".

– Nie wiem – odparł spokojnie, choć miał w tej chwili ochotę z całych sił tłuc pięściami mur. – Nie wiem – powtórzył. Zapytał mnie, czy pamiętam swój trening. Chciał mnie przygotować do wstąpienia w szeregi zakonu.

Jenny przez chwilę milczała, rozglądając się po okolicy. Od momentu ucieczki jej zmysły się wyostrzyły, stała się bardzo czujna. Sądząc po datach na nagrobkach, znaleźli się w najstarszej części cmentarza, wszystkie pochodziły z osiemnastego wieku.

– Wcale mnie to nie dziwi.

– Naprawdę?

– Twój ojciec był kimś wyjątkowym, kimś więcej niż tylko członkiem Haute Cour – wypowiedziała te słowa wolno i z namysłem. – Ale muszę zacząć od początku. Jak wiesz, gnostyccy obserwanci wyodrębnili się z franciszkanów. Zakon franciszkanów powstał w trzynastym wieku z inicjatywy następców świętego Franciszka z Asyżu. Tuż po jego śmierci znaleźli się bracia, którzy postanowili żyć w ubóstwie. Rozgniewało to papieża, bo to przecież Kościół był właścicielem wszelkich dóbr gromadzonych przez zakony. W tysiąc pięćset siedemnastym roku, prawie trzysta lat po śmierci świętego Franciszka, zakon formalnie podzielił się na dwa odłamy, franciszkanów konwentualnych, którzy postanowili tkwić w swoich klasztorach, i obserwantów, którzy byli przekonani, że założyciel zakonu chciał, żeby stali się wędrownymi kaznodziejami. Przemierzali zatem świat, docierając do najodleglejszych krain i niosąc Słowo Boże tym, którzy go potrzebowali. Część obserwantów poddała się woli papieża i pełniła funkcję jego wysłanników na Bliskim Wschodzie. Gromadzili dla papiestwa żołnierzy i fundusze na wyprawy krzyżowe przeciwko coraz bardziej agresywnemu Imperium Osmańskiemu. Potężna flota turecka zdobywała jedną po drugiej kolejne wyspy na wschodzie Morza Śródziemnego, aż w końcu zagroziła nawet Republice Weneckiej. Gnostyccy obserwanci nie uznali papieskiego edyktu znoszącego obowiązek ubóstwa. By uniknąć prześladowań, zeszli do podziemia. Niezadowolony z obrotu spraw papież posłał przeciwko nim jeden ze swych zakonów rycerskich – Bractwo Rycerzy Świętego Klemensa od Świętej Krwi z wyspy Rodos, który miał raz na zawsze rzucić na kolana i podporządkować papiestwu odszczepieńczy zakon. Tyle historia powszechna. W ogólnym zarysie jest to prawda, ale szczegóły były nieco inne. Na długo przed datą schizmy, o której mówi oficjalna wersja historii, w łonie zakonu trwały wewnętrzne spory czy wręcz boje. Doprowadziły one do podziału zakonu, do sekretnej schizmy. Dominikanie i benedyktyni stanęli przeciwko nam.

– Dlaczego?

– Z tej samej przyczyny, dla której ja trafiłam do zakonu – odparła.

Przez gęstą zasłonę liści przedzierały się tylko małe plamki słonecznego światła, tworząc na ścieżce wzorzystą mozaikę. Po dłuższej chwili Jenny podjęła ponownie temat.

– Nasz zakon powstał dużo później niż pozostałe. Skorzystaliśmy ze spuścizny Williama Ockhama.

– Brzytwa Ockhama.

– Tak. Teoria wywiedziona z myśli Arystotelesa, odmienna od tego, co proponował Tomasz z Akwinu. Tomasz przeinaczył Arystotelesa, twierdząc, że kiedy zrozumiemy prawa rządzące naturą, uświadomimy sobie reguły bożego planu. Ockham dowodził, że Tomasz się mylił, upierając się, że rozum jest jedynym sposobem odkrycia boskich intencji i samego Boga. Zakon za Ockhamem twierdził, że istnieje wyraźne rozgraniczenie pomiędzy wiarą i rozumem, doktryną religijną a naukowym badaniem. Jak astronom mógłby z obserwacji ruchu planet wywieść szczegóły boskiego planu? Jak człowiek mógłby, używając pojęć stworzonych przez własny umysł, poznać wolę Stwórcy?

Ścieżka u swego końca łagodnie schodziła w dół ku małemu placykowi z niewielką sadzawką pośrodku. Tuż za nią wyrastał wysoki mur ogradzający cmentarz. Nagrobki były w tej części małe i wąskie. Na omszałych kamieniach inskrypcje dawno już stały się nieczytelne. Pod cmentarnym murem, na końcu ścieżki stał niewielki, prosty grobowiec. Lewy bok przecinała głęboka szczelina. Kamień pod wpływem czasu i wody stał się chropowaty. Korzenie rosnącej w pobliżu wierzby z wolna i nieustępliwie podważały fundament, tak jakby natura chciała pokazać swoją przewagę nad dziełem człowieka.

Nad małymi, ciemnobrązowymi drzwiami widniał szeroki fronton, poczerniały ze starości, pośrodku którego wyryto napis MARCUS.

Stali dłuższą chwilę, wpatrując się w tajemniczą inskrypcję. Wreszcie Jenny przerwała ciszę.

– Wyobraź sobie, że rozłam w zakonie został przepowiedziany przez dwunastowiecznego opata Joachima z Fiore. Napisał on kilka ważnych apokaliptycznych traktatów, w których ogłaszał nadejście ery Ducha Świętego, kiedy to Kościół miał zostać odnowiony przez dwa zakony, w tym jeden żyjący w apostolskim ubóstwie. Pomiędzy tysiąc dwieście czterdziestym siódmym i tysiąc dwieście pięćdziesiątym siódmym rokiem ministrem generalnym targanego niepokojami zakonu był Giovanni Burelli z Parmy. W końcu został pozbawiony stanowiska z powodu zbyt bliskich związków ze spirytuałami, sektą w łonie franciszkanów opowiadającą się za absolutnym ubóstwem. Spirytuałowie byli spadkobiercami Joachima z Fiore, którego pisma znalazły odzwierciedlenie w ich doktrynie. Stąd nazywano ich czasem joachimitami. W tysiąc dwieście pięćdziesiątym siódmym roku papież wymusił rezygnację Giovanniego i zesłał go do klasztoru w Greccio.

– To wiem – przytaknął Bravo. – Został wysłany do La Cerceri, franciszkańskiej pustelni na Monte Subasio koło Asyżu. Był tam więziony do końca życia.

– Tak przynajmniej powiedziano papieżowi. – Jenny wyjęła klucz i przekręciła go w zamku drzwi. – Tu właśnie kończy się twoja wiedza, a zaczyna historia sekretna.

Otworzyła drzwi, weszli do środka. Przywitał ich zapach stęchlizny tak intensywny, jakby powietrze w środku miało tyle lat co sam grobowiec. Początkowo myślał, że wnętrze jest wyłożone płytami z marmuru, lecz gdy przyjrzał się bliżej, dostrzegł, że jest to tylko bardzo zręcznie pomalowany tynk. Drzwi do krypty były długie i wąskie, tak by zmieściła się w nich trumna ze szczątkami. Na ścianach wisiały kinkiety z kutego żelaza, z kilku z nich zwisały nędzne resztki maków i irysów.

– W rzeczywistości Giovanni nigdy nie był więźniem – ciągnęła Jenny, zapalając światło. – Gdy to się działo, wielu braci w La Cerceri było spirytuałami. Nie tylko mu współczuli, ale zdołali uczynić go *magister regens* zakonu.

Bravo zaprotestował ruchem ręki.

– Przecież to jest cmentarz żydowski, a ten grobowiec należy do rodziny Marcusów.

Jenny uśmiechnęła się, odsłaniając równe białe zęby.

– Giovanni z Parmy miał siostrę, Marcellę. Zakochała się w malarzu Paolo di Clone. Dopiero po ślubie odważył się jej powiedzieć, że jest włoskim żydem, a jego prawdziwe nazwisko brzmi Marcus.

Oparła się dłonią o ścianę.

– Widzisz, Bravo, papież był rozwścieczony nie dlatego, że zakon upierał się przy zasadzie ubóstwa. Zakon skrywał tajemnicę – tak ważną, tak potencjalnie niebezpieczną, że o jej istnieniu wiedzieli tylko członkowie Haute Cour.

Zwróć uwagę na logikę zdarzeń. Zakon złożył śluby ubóstwa, więc w przeciwieństwie do innych zakonów nie mógł mieć niczego na własność. Jak zatem mieliśmy ocaleć? Rozwiązanie znalazła Marcella, siostra Giovanniego z Parmy. Tak się złożyło, że papież pozwolił Giovanniemu, nim usunął go ze stanowiska, wyznaczyć swego następcę. Tym następcą został Bonaventura Fidanza. Uważano, że Giovanni wybrał tego profesora uniwersytetu paryskiego, ponieważ byli przyjaciółmi. W rzeczywistości Marcella wiedziała, że Bonaventura złamał śluby czystości i ma z jej kuzynką potomka. Tym sekretem Marcella podzieliła się z bratem i tak przeróżne większe lub mniejsze tajemnice stały się kartą przetargową, dzięki której zakon mógł dalej istnieć. W końcu skrzynia stała się diabelską litanią. Dzięki wszystkim sekretom możemy wpływać na królów, generałów, wszystkich wielkich tego świata i jeśli robimy to umiejętnie i rozsądnie, udaje nam się zmieniać koleje losu. Chroniliśmy przed więzieniem, spaleniem na stosie, biczowaniem czy powieszeniem naukowców i pisarzy, niezależnych myślicieli, tych, którzy wyprzedzali swoją epokę. Ukrywaliśmy podżegaczy, łowców skandali i informatorów, by mogli odsłaniać kulisy brudnej polityki, wydobywać na światło dzienne machinacje i skandale. Oczywiście nie zawsze nam się udawało, ale staraliśmy się działać dla dobra ludzkości. Watykan, pełen tajemnic, obłudy i represji, obłożył nas klątwą.

Twarz Jenny skrywał półmrok. Tęczówki jej dużych szarych oczu miały maleńkie plamki tego samego koloru co drobne piegi na nosie.

– A potem naszą własnością stała się rzecz tak cenna, że Haute Cour został zmuszony do przeniesienia całej skrzyni, do pilniejszego jej strzeżenia. Zgodnie z tradycją dwóch ludzi miało klucz do skrzyni i tylko oni wiedzieli, gdzie ona się znajduje: *magister regens* i jeden spośród Haute Cour, nazywany Klucznikiem.

Jenny wprawnym ruchem założyła za ucho kilka kosmyków lśniących miedzianym blaskiem, które opadły na policzek.

– Klucznik to ktoś wyjątkowy. Od dziesięcioleci stanowisko *magister regens* jest nieobsadzone. Zakonem rządzi teraz Haute Cour. Klucznik oczywiście ma klucz. Drugi klucz przechowuje jeden z członków Haute Cour.

– Powiedziałaś „przechowuje".

– Ten drugi klucz miał Jon Molko. On pierwszy został schwytany i torturowany przez rycerzy. Nie chciał mówić, więc zabili go chwilę przedtem, nim znalazł go twój ojciec.

– Co stało się z jego kluczem?

– Nie wiadomo.

Bravo sięgnął do kieszeni i wyjął dziwny klucz, który ojciec dał mu pół roku wcześniej w Paryżu. Klucz ojca. A co z kluczem Molka? Zabrali go rycerze?

– Nasza skrzynia. Jej zawartość zapewnia nam siłę. Wszystko jest w rękach Klucznika. Ta nadzwyczajna odpowiedzialność była przekazywana z rąk do rąk w wyniku skrupulatnej selekcji.

Odchyliła do tyłu głowę, czerwonawe światło rozświetliło jej skórę, której nadało blask mosiądzu. Szkarłatne wargi były lekko rozchylone, a głos brzmiał głęboko i tajemniczo.

– Bravo, to twój ojciec był Klucznikiem.

Cmentarz był jedynym miejscem, w którym Donatella potrafiła się wyciszyć. Dlatego znała cmentarze we wszystkich miastach, które kiedykolwiek odwiedziła, nie wyłączając oczywiście Waszyngtonu. Choć było ich tu co niemiara, poznała wszystkie. Przychodziła w dzień i w nocy, w deszczu, śnieżycy czy mgle. Najbardziej polubiła Cmentarz Miamonides. Od dawna podejrzewała, że grobowiec Marcusa skrywa jakąś ważną tajemnicę gnostyckich obserwantów. Był to w końcu grób wyświęconego brata Leoniego, miejsce ważne dla każdego członka zakonu, choć żaden ze złapanych przez nią i Rossiego członków Haute Cour nie chciał tego potwierdzić. Z pewnością atak na to święte dla braciszków miejsce byłby świetną zagrywką psychologiczną, po której zakon mógłby się już nie podnieść.

Teraz, kiedy wiedziała, dokąd Strażnik zabrał Bravermana Shawa, przeszył ją dreszcz podniecenia. Razem z Rossim krążyła między grobowcami, zdążając w tym samym kierunku co ich tropione ofiary. Musieli zachować daleko posuniętą ostrożność, gdyż Jenny była bardzo czujna i choć Rossi zdawał się jej nie doceniać, to Donatella wiedziała, że dziewczyny nie można lekceważyć.

Rossi nie tolerował żadnych oznak słabości. Miał do Donatelli absolutne zaufanie, choć według niego inne kobiety na nie nie zasługiwały. Ona z kolei wychodziła z siebie, żeby tego zaufania nie zawieść.

Kiedy zobaczyła, jak Jenny prowadzi Bravermana do grobowca Marcusa, z trudem pohamowała emocje. Rossi wyczuł jej podekscytowanie, podszedł, mocno zacisnął palce na ramieniu partnerki i spokojnym, ale zdecydowanym głosem powiedział po włosku:

– Panuj nad sobą.

Zobaczyła w jego oczach wspomnienie wszystkich chwil spędzonych razem, pełnych bólu, rozpaczy, przelanej krwi. On w jej z kolei widział uwielbienie i oddanie.

– Mamy wyraźne rozkazy i musimy się ich trzymać, jasne?

Skinęła głową, choć czuła pulsowanie krwi w żyłach, a usta miała spierzchnięte.

– Zwykle tak się zachowujesz, gdy mamy pójść do łóżka – powiedział Rossi. – Twoje oczy zmieniają kolor, inaczej pachniesz i wtedy wiem, że jesteś gotowa. – Zbliżył się do niej i szepnął: – Wiesz co? Ciekaw jestem, jakim zmianom ulega wówczas twoje wnętrze.

W milczeniu sięgnęła do kieszeni, wyjęła mały czarny matowy pojemnik i trzymając go w palcach niczym prestidigitator, skierowała w stronę osoby najbliższej jej sercu.

„Wiara jest jak drzewo, nawet podczas burzy wypuszcza nowe gałęzie w obliczu burzy. Bóg ma wobec nas jakiś plan". To były słowa Emmy. Bravo zastanawiał się teraz, czy nie myliła się, czy wszystko to nie było złudzeniem?

Coraz lepiej rozumiał postępowanie ojca: namówienie go do studiowania mediewistyki, niezadowolenie, gdy ją porzucił, niechęć wobec Jordana Muhlmanna, którego obwiniał o sprowadzenie syna z właściwej drogi. Jeśli chodzi o Jordana, było to absolutne nieporozumienie. Bravo chciałby, żeby ojciec był teraz przy nim, żeby mógł mu wytłumaczyć naturę tej głębokiej, trwałej przyjaźni, jaka łączyła go z Muhlmannem.

– Powiedziałaś, że istnieje jedna tajemnica dużo ważniejsza od wszystkich pozostałych. Co to takiego?

– Nie wiem – odparła z ujmującą szczerością.

Nie dowierzał jej, ale może miała ważne powody, by kłamać. Wciąż dzieliła ich bariera nieufności.

– Nadal mi nie powiedziałaś, po co tutaj przyszliśmy. – Spokojnym tonem głosu próbował ją nakłonić do mówienia. – Historię zakonu mogłaś mi opowiedzieć gdziekolwiek.

– To prawda. – Opuszkami palców delikatnie przeciągnęła po powierzchni ściany, tak jak kasiarz głaszcze sejf, nim się do niego włamie. – Ale takie są wymogi inicjacji.

– Inicjacji?

– Moje gratulacje. Jesteś teraz najważniejszym człowiekiem na świecie.

Patrzył na nią, nie mogąc wykrztusić słowa ani zebrać myśli. Jenny odwróciła się w jego stronę. Jej oczy lśniły nieziemsko w półmroku grobowca, a spojrzenie i postawa mówiły, że coś ich połączyło. Zamknięci w grobowcu, jednomyślni i nierozłączni, brali udział nie tylko w jakimś pradawnym rytuale zakonu, ale łączyli się duchowo z Dexterem Shawem i jego tajemniczym życiem. Do oczu napłynęły mu łzy, jego ojciec był tu z nimi. Pochyliła głowę i niesforny, ognisty kosmyk włosów znów spadł na czoło. Wyciągnęła rękę, próbując podzielić się z Bravo tą niewzruszoną pewnością, jaka nią owładnęła. On zamiast spokoju i ukojenia odczuł gwałtowne drżenie, krew szybciej zaczęła mu krążyć w żyłach.

– Mamy mnóstwo do zrobienia, a czasu bardzo mało.

Jakby dla podkreślenia jej słów dał się słyszeć przytłumiony odgłos uderzenia o kamienną posadzkę. Mały, matowy pojemnik z wolna toczył się w ich kierunku. W tej samej chwili wejście do grobowca zatrzasnęło się z hukiem.

Bravo podbiegł do drzwi. Ktoś zaryglował je od zewnątrz. Za sobą usłyszał świst, obejrzał się i zobaczył, jak z pojemnika wydobywa się chmura gazu łzawiącego, który pomału wypełnia wnętrze.

5

Donatella i Rossi odczekali trzy minuty. Ich twarze w srebrno-czarnych maskach gazowych wyglądały upiornie. Z trudem otworzyli ciężkie drzwi grobowca. Z bronią gotową do strzału wpadli do środka i zajęli pozycje: Rossi tuż za drzwiami, Donatella w zachodnim narożniku.

Grobowiec wyglądał jak po pożarze. Gaz zasnuł wszystkie zakamarki i wisiał teraz w powietrzu jak przemysłowy smog. A jednak bez żadnej wątpliwości byli jedynymi ludźmi w grobowcu. Popatrzyli na siebie z konsternacją i złością.

– Są tutaj – rzekł Rossi stłumionym głosem.

Donatella ruszyła wzdłuż zachodniej ściany, dokładnie przypatrując się tynkowi pełnemu marmuropodobnych żłobkowań.

– Zakon zawsze wynajduje jakieś tajemne drogi ucieczki. Wiesz, co teraz robić – odparła Donatella, odwracając się do Rossiego, którego oświetlał popołudniowy czerwonawy blask słońca.

– Przede wszystkim nie chcę cię opuszczać.

– Tracisz tylko czas. – Donatella znaczącym gestem zaczęła opukiwać kolbą pistoletu ścianę.

Rossi odburknął coś niezrozumiale i zniknął za drzwiami.

– A teraz, moje kochane karaluszki, powiedzcie mi, gdzieście się podziały – rzekła łagodnie Donatella.

Gdy pojemnik z gazem uderzył o podłogę, Jenny i Bravo instynktownie wstrzymali oddech. Mimo to oczy zaczęły im natychmiast łzawić, a śluzówki nosa boleśnie obrzmiały. Jenny gwałtownie podbiegła do niższych drzwiczek krypty, rozwarła szeroko ramiona i nacisnęła parę niewidocznych na pierwszy rzut oka zatrzasków.

Drzwi otworzyły się, odsłaniając nie mahoniową trumnę, jak spodziewał się Bravo, lecz nieprzeniknioną ciemność. Kłujący ból w płucach domagających się powietrza stawał się nieznośny. Nie mógł dłużej tego wytrzymać, czuł, że musi zaczerpnąć powietrza. Jenny ponaglająco machnęła ręką. Zanurkował w ciemną otchłań, uważając, by nie uderzyć się w głowę. Wyciągniętą ręką badał przestrzeń przed sobą, walcząc z narastającym uczuciem klaustrofobii. Poczuł się lepiej, gdy zorientował się, że Jenny podąża tuż za nim, i śmielej ruszył naprzód. W słabej poświacie dostrzegł, jak jego towarzyszka manipuluje przy jakimś niewidocznym mechanizmie i już po chwili drzwi zamknęły się z głuchym trzaskiem. Rozległ się także inny, świszczący dźwięk, podobny do tego, który towarzyszy powietrzu uchodzącemu z przebitej opony. Zdał sobie w końcu sprawę, że drzwi były zaopatrzone w uszczelkę skutecznie oddzielającą świat umarłych od żywych. Ogarnęła go panika. Na szczęście Jenny włączyła maleńką latarkę. Na jej twarzy zagościł chytry uśmiech. No tak, szczelne drzwi odgrodziły ich od chmury gazu łzawiącego. Tutaj byli bezpieczni.

Ruszyli, gdy za drzwiami rozległ się potężny huk. Bravo czuł na swojej skórze strużki potu i suchość w ustach. Przypomniał sobie straszne opowieści ojca o chwilach tuż przed ewakuacją ambasady w Nairobi. „Cały się spociłem, choć w ustach miałem sucho. To ze strachu, Bravo. Ale ocalałem. Wierz mi, ten, kto się nie bał – zginął".

Donatella przyglądała się z bliska dwóm parom drzwiczek do sarkofagów, opukiwała je to tu, to tam, lekko, delikatnie, rytmicznie. Pochylona nasłuchiwała odgłosów, które powracały do niej echem. W pewnej chwili rozszerzyły jej się źrenice i szybko sięgnęła do kieszeni po pasek czegoś, co przypominało konsystencją kit. Bez pośpiechu przymocowała plastyczny materiał do zawiasów niższych drzwiczek. Przytknęła zapalniczkę do jednego końca i trzymała ją tak długo, aż materiał zaczął się palić jasnym płomieniem, wydzielając przy tym ogromne ilości ciepła.

– Teraz wam pokażę. – Uśmiechnęła się z ponurą satysfakcją.

Dobiegł ich kolejny odgłos, przedziwny, przypominający syczenie węża. Następnie pojawiła się fala gorąca i oślepiający błysk.

Jenny spokojnie, lecz stanowczo ponagliła go.

– Topią zawiasy drzwi. Pospiesz się! Prędko!

W słabym świetle latarki zobaczył, jak palcem wskazuje kierunek. Ruszył do przodu, zadając sobie w duchu pytanie: dokąd idziemy?

Jenny poświeciła przed siebie, jakby chciała zaspokoić jego ciekawość. Gdy odwrócił głowę, zobaczył wyłaniające się z ciemności przejście wiodące stopniowo w dół, przypuszczalnie pod fundamentami grobowca. Był szczerze zdumiony pomysłowością budowniczych. Ta droga ucieczki musiała powstać w tym samym czasie co grobowiec.

Przedzierał się przez mrok, otoczony ze wszystkich stron odgłosami zbliżającej się nagonki. Zapach wilgoci i odór rozkładających się ciał tworzyły razem przedziwną mieszaninę. Było to coś podobnego do świeżo skopanej ziemi, zgniłych liści i popiołu. Tunel zwężał się, Bravo z trudem się przez niego przeciskał. Choć czuł obecność Jenny za plecami, wyobraźnia zaczęła mu podsuwać przerażającą wizję tego, że utknie w tym tunelu i nie da rady ani iść dalej, ani się wycofać.

– Co jest? – szepnęła mu do ucha. – Dlaczego się zatrzymałeś?

Bravo nie odpowiedział. Nie mógł się poruszyć.

Dotarła do nich fala ciepła. Przysiągłby, że dostrzegł pierwsze przebłyski światła. To by znaczyło, że zawiasy drzwiczek ustąpiły.

– Połóż się płasko na plecach – powiedziała Jenny do wciąż sparaliżowanego strachem Bravo. Wślizgnęła się na niego, piersi musnęły jego tors, na policzku czuł jej przyspieszony oddech, ich serca biły zgodnym rytmem. Nie mógł się poruszyć. Walczył z przerażeniem, prymitywnym i obezwładniającym, czuł się słaby i bezradny.

– Bravo!

Pojawił się promień światła ostrego jak nóż. I nieoczekiwanie usłyszał kobiecy głos, bez wątpienia Donatelli. Nuciła melodyjnym altem: „Przyjdź tu, przyjdź, gdziekolwiek jesteś...".

Jenny z zaciśniętymi zębami świdrowała go wzrokiem, dając do zrozumienia, że ma robić to, co każe. Intuicyjnie wyczuwając jej zamiary, wypuścił powietrze z płuc. Po chwili poczuł przesuwające się po nim ciało: ramiona, brzuch, biodra.

Gdy znalazła się już przed nim, wzięła go za rękę i mocno ścisnęła.

– Tam dalej jest już szerzej.

Faktycznie sklepienie tunelu było tu nieco wyższe. Jednocześnie nachylenie zwiększało się tak, że raczej się ześlizgiwali, niż schodzili, obcierając sobie przy tym łokcie i obijając biodra. Bravo był w ponurym nastroju. Niczym zaszczute zwierzę czuł wyraźnie, że jest ścigany, i zdawał sobie sprawę, co by się stało, gdyby ich schwytano.

W tunelu było już na tyle dużo miejsca, że mogli posuwać się na czworakach, choć co chwila jakiś występ sklepienia rozdzierał mu ubranie na plecach. Z trudem opanowywał chęć obejrzenia się, oznaczałoby to bowiem konieczność zatrzymania się. Poza tym w tunelu było zbyt mało miejsca, by zerknąć przez ramię za siebie.

Tunel kończył się betonową ścianą, po której sączyły się strużki wody. Do ściany zamocowano metalową drabinę, prowadzącą pionowo w górę i ginącą gdzieś w mroku spowitej mgłą nieskończoności.

Jenny bez wahania uchwyciła się szczebli drabiny i rozpoczęła wspinaczkę. Bravo podążył w jej ślady. W tej samej chwili w głębi tunelu dostrzegł snop światła.

Jenny wspinała się szybko i pewnie i wkrótce dotarła do czegoś, co wyglądało na zwieńczenie okrągłej studni. W ułamku sekundy wydostali się na zewnątrz. Wokół rosły gęste zarośla, a pośrodku dwie ogromne wierzby płaczące, których opadające gałęzie tworzyły rodzaj altany. Przez tę gęstwinę z trudem docierał blask słoneczny, a z zewnątrz z pewnością nikt nie mógł dostrzec studni.

Teren był nierówny. Po lewej schodził w dół, po prawej wznosił się ku płaskowyżowi, skąd widać było najstarszą część cmentarza. Jenny dodała mu uśmiechem odwagi i ruszyła w kierunku grobowców. Po lewej coś zaszeleściło i zza pnia wierzby wyłoniła się sylwetka Rossiego, który w wyciągniętej ręce trzymał pistolet. Bravo ostrzegawczo krzyknął. Jenny właśnie się obracała, gdy padł strzał. Zastygła w bezruchu, w jej szeroko otwartych oczach Bravo dostrzegł jedynie pustkę. Ugięły się pod nią kolana i runęła na trawnik. Teraz Rossi zwrócił się ku niemu, a on w okamgnieniu pobiegł zygzakiem w kierunku drugiej wierzby, szukając za jej pniem schronienia. Usłyszał świst pocisku przelatującego obok głowy, potknął się o wystający korzeń i stoczył ze skarpy.

Za plecami słyszał straszliwy łoskot, jakby goniło go rozjuszone zwierzę. To Rossi pokonywał biegiem zbocze, z tułowiem odchylonym do tyłu dla utrzymania równowagi. W takiej sytuacji nie mógł celnie strzelić.

Bravo, patrząc to przed siebie, to oglądając się na ścigającego go mężczyznę, poślizgnął się na omszałym kamieniu. Upadając, poczuł przeszywający ból w wyciągniętej ręce. Znalazł się nad grząskim, stromym brzegiem stawu. Rossi deptał mu po piętach.

Instynkt samozachowawczy podpowiedział Bravo, by wysunąć przed siebie nogę. Rossi, rozpędzony, z trudem utrzymujący równowagę, nie zdołał jej ominąć. W jednej chwili Bravo zwalił się na leżącego przeciwnika. Przekoziołkowali po trawie, aż w końcu Bravo złapał zabójcę za rękę trzymającą broń. Zwarci w śmiertelnym uścisku toczyli się dalej.

Z zaciśniętymi zębami i sercem łomoczącym w piersiach szarpali się i kopali zaciekle, aż spod ich nóg pryskało błoto. Wyglądali jak dwie wściekłe bestie zażarcie walczące o terytorium albo o względy samicy. Zaciśnięte pięści, napięte mięśnie – to nie była walka o zdobycie i utrzymanie przewagi, tylko bój na śmierć i życie. Logiczne myślenie zostało wyparte przez pierwotne instynkty. W ferworze walki obaj wpadli do stawu i zniknęli pod wodą, która spowolniła ich ruchy, opłątała ciała i zaczęła wciągać w swą otchłań.

Z trudem łapiąc powietrze, wyskoczyli na brzeg, rozbryzgując kaskady wody. Wciąż zwarci, ślizgali się na błotnistym podłożu. Gdy upadli, Rossi z całych sił wyrżnął czołem w grzbiet nosa Bravo, któremu oczy zaszły mgłą. Musiał stracić na chwilę przytomność, gdyż za jakiś czas się zorientował, że znów jest w stawie. Próbował zaczerpnąć powietrza, lecz zamiast tego nałykał się wody.

Rossi wykorzystał ten moment i zacisnął ręce na jego szyi. Kolanami przygniótł go do dna i zaczął dusić. Bravo szamotał się rozpaczliwie, przez warstwę wzburzonej wody nie widział nawet wyraźnie przeciwnika. Desperacko próbował uwolnić się z uścisku, ale dłonie Rossiego były chyba z żelaza.

Najpierw białe, potem czarne plamki zaczęły wirować mu przed oczami, świadomość umykała i wracała na przemian, kończyny stały się ciężkie. Umysł podszeptywał: Niech tak będzie. Zamknij oczy i zaśnij. Odrzucił ramiona na boki. Wiedział już, że umiera. Resztką sił, ostatnim wysiłkiem woli zanurzył palce w dennym mule, w którym zabójca zamierzał go pogrzebać. Minęła dłuższa chwila, nim sygnał wysłany z opuszek palców lewej ręki dotarł do odrętwiałego mózgu. Po następnej chwili nadeszła odpowiedź. Palce zacisnęły się na twardym przedmiocie leżącym na dnie, ręka uniosła się nieco i zatoczywszy szeroki łuk, trafiła prosto w łuk brwiowy przeciwnika.

Rossi, zamroczony bólem, rozluźnił uścisk. Bravo z najwyższym trudem podniósł się z dna stawu, łapczywie wciągając do płuc powietrze. W ręku trzymał pistolet zdobyty wcześniej w walce. Bez wahania przytknął go do głowy prześladowcy, tuż nad uchem.

Rossi upadł na kolana, lecz jedną ręką zdołał uchwycić przemoczoną koszulę przeciwnika, i wnet obaj ponownie znaleźli się pod wodą. Rossi tłukł pięściami na oślep, trafiając to w twarz, to znów w plecy. Bravo zatoczył się, poczuł silne zawroty głowy. Rossi obrócił się i znowu to on był na górze. Bravo zdał sobie sprawę, że już po nim. Słabł. Jedną ręką chwycił wroga za włosy i kilkakrotnie uderzył go mocno kolbą pistoletu. Zabójca znieruchomiał.

Bravo marzył tylko o tym, by zaczerpnąć głęboko powietrza. Próbował się podnieść, ale palce nieboszczyka nadal kurczowo trzymały jego koszulę. Usiłował się uwolnić z uścisku, a gdy to się nie udało, zaczął zdzierać z siebie koszulę. Tymczasem w płucach nie było już ani odrobiny tlenu. Miał wrażenie, że muliste dno zaczyna go wciągać.

W ostatniej chwili czyjeś ręce zanurzyły się w mętnej wodzie, złapały go i wprawnie zaczęły wyciągać na powierzchnię. Donatella go znalazła. Teraz, kiedy zabił jej przyjaciela, nic nie mogło go już uratować.

6

Miał broń i zamierzał jej użyć. Był jednak tak osłabiony, że pistolet stał się ciężki i nieporęczny jak lodówka. Wystarczyło jedno niezbyt silne uderzenie w nadgarstek, by uświadomić mu, że strzelanie nie jest najlepszym pomysłem.

– Bravo... Gdzie jest Rossi?

Kobiecy głos. Głos Donatelli. Oczywiście chciała wiedzieć, co się stało z przyjacielem. Jeśli jej powie... Zaczął się szarpać, lecz ona szybko przywołała go do porządku. Ten głos brzmiał znajomo – czyżby już wcześniej go słyszał? Nie mógł sobie przypomnieć, choć wiedział, że to ważne. Potrząsała nim teraz energicznie. Chciał zobaczyć jej twarz, spojrzeć w oczy kobiecie, która zamierzała go zabić, ale strugi wody spływające po twarzy, a także resztki mułu i wodorostów skutecznie mu to uniemożliwiały. Wciąż próbował się oswobodzić, była to jedyna rzecz, o której teraz myślał.

– Rossi! Bravo, gdzie on jest?!

Kobieta przetarła mu twarz wierzchem dłoni. Teraz ją ujrzał. I ten głos – znajomy, oczywiście, że znajomy. Patrzył ze zdumieniem na twarz równie znajomą jak głos.

– Jenny? Przecież ty nie żyjesz. – Siedziała na nim okrakiem, mocno przyciskając nadgarstki do ziemi. – Widziałem, jak Rossi strzelał do ciebie. Upadłaś i...

Odchyliła głowę do tyłu, oczy jej błyszczały.

– Bravo, gdzie jest Rossi?

– Nie żyje. Rossi nie żyje. Ale ty...

– Jak widzisz, jestem cała i zdrowa.

Obserwował szeroko otwartymi ze zdumienia oczami, jak odchyla połę bluzy, pod którą w okolicy obojczyka widniał olbrzymi siniak.

– Nie rozumiem. Pocisk powinien cię zabić.

Wyjęła mu z ręki pistolet Rossiego, opróżniła magazynek i pokazała na wyciągniętej ręce kule.

– Ale nie gumowy.

Gdy w końcu zeszła z niego, usiadł nieporadnie i zaczął kasłać. Wziął do ręki jedną z kul, obrócił ją w palcach, jakby zmysł dotyku mógł mu pomóc w zrozumieniu tego wszystkiego.

– Dlaczego Rossi używał gumowych pocisków?

– Nie wiem, ale nie czas teraz na takie rozważania. Jesteśmy tu zbyt widoczni, a Donatella znajduje się pewnie gdzieś niedaleko.

No tak, Donatella! Rozejrzał się dookoła. Promienie słońca przedzierały się przez gęstwinę liści wierzby. Spojrzał w górę na szczyt wzniesienia, tam gdzie znajdował się grobowiec, niewidoczny teraz zza drzew i krzewów. Donatella mogła się w każdej chwili pojawić. To cud, że jeszcze jej tu nie było. Skinął głową i pozwolił się poprowadzić Jenny wzdłuż północnego brzegu stawu, przez niewielki bukowy zagajnik, aż do niskiego muru z kamienia, który z łatwością przeskoczyli. Czuł się tak, jakby głowa miała mu za chwilę eksplodować; wszystkie ciosy, jakie zadał mu Rossi, dawały znać o sobie przy każdym kroku.

Za murem rósł rząd klonów. Pomiędzy drzewami widać było dwupasmową jezdnię pełną samochodów. Hałas dochodzący stamtąd przypomniał im o realnym świecie. Bravo oparł się plecami o mur. Czuł wyraźnie kształty starych kamieni, wsłuchiwał się w historię, jaką milcząco opowiadały.

– Musimy iść dalej – ponagliła Jenny.

Wiedział, że muszą, mimo to stał w miejscu. Musiał najpierw odzyskać wewnętrzną równowagę. A na razie ogarnęła go rozpacz. Właśnie pozbawił życia człowieka. Nie ulegało żadnej wątpliwości, że ten człowiek chciał ich zabić. Dotarło do niego, że przekroczył jakąś istotną granicę moralną i teraz poniewczasie zastanawiał się, czy jego ojciec też musiał zabijać rycerzy świętego Klemensa, by chronić siebie i skrzynię tajemnic. Myśl, że mogło tak się zdarzyć, nie wydawała mu się wcale nieprawdopodobna. W istocie była bardzo prawdopodobna i w jakimś sensie tchnęła nieco optymizmu w pogrążonego w rozpaczy Bravo. To wniknięcie do pełnego tajemnic świata, w którym żył ojciec, było niczym rzucone koło ratunkowe. Gdy je uchwycił, odzyskał równowagę ducha. Po chwili podążał już za Jenny, przedzierając się przez chaszcze ku poboczu drogi.

Donatella wreszcie wydostała się ze studni. Mechanizm szczelnie zamykający wnętrze krypty sprawił, że pokonanie małych drzwiczek zajęło dużo więcej czasu, niż się spodziewała. Cennego czasu, trzeba dodać, bo wtedy właśnie jej niedoszła zdobycz oddalała się w szybkim tempie. Pocieszała się tym, że każdy krok zbliżał ich do oczekującego z drugiej strony Rossiego. Ale prawdę mówiąc, wcale nie chciała, żeby to on ich pierwszy dopadł. W końcu zasługiwała na nagrodę. Czekała na tę chwilę od czasu, gdy po raz pierwszy zalotnie spojrzała na Bravermana Shawa na ulicy Nowego Jorku. Zwrócenie na siebie jego uwagi było idiotycznym pomysłem, ale nie mogła się pohamować. Instynktownie wyczuła w nim coś głęboko ukrytego, coś zwierzęcego z natury. Coś wyjątkowo intymnego, pierwotnego. Oboje byli jak dzikie zwierzęta obwąchujące się nawzajem. Nosiła to wspomnienie w sercu, jak nosi się zdjęcie ukochanej osoby, zamknięte w medalionie.

Tak samo nosiła zawsze w sercu obraz Ivo Rossiego. Wyobcowanie sprawiało, że Rossi był jej tak bliski. Liczył się tylko on i oczywiście ich zdobycz. Donatella i Ivo poświęcali się dla siebie, opiekowali sobą, gdy jedno z nich było chore, razem zabijali, żarliwie uprawiali seks.

Na ścieżce prowadzącej w dół ku wierzbom i dalej na brzeg stawu widoczne były ślady stóp trzech osób. Tropy ofiar i myśliwego. Podążyła w dół zbocza, aż nagle zatrzymała się zaskoczona. Przykucnęła, ręką dotknęła gliniastego podłoża, gdzie bez wątpienia stoczono walkę. Szybko uniosła głowę i nerwowo rozejrzała się wokół. Wyjęła broń, wstała i ruszyła w kierunku stawu.

Stała na brzegu, woda obmywała jej buty. Sielski widok. Para kaczek przyfrunęła właśnie z południowego zachodu i wylądowała z cichym chlupotem na wodzie, tuż obok sporego stadka innych. Rozległo się głośne kwakanie, po czym nastąpiła cisza. Ostatnie promienie zachodzącego słońca odbijały się w tafli wody, nadając jej czerwonawy odcień.

W miejscu, gdzie woda miała najbardziej czerwoną barwę, nastąpiło nagle jakieś poruszenie. Nieruchoma gładź zmarszczyła się, jakby tuż pod powierzchnią przepływała jakaś duża ryba. Chwilę później coś zaczęło wyłaniać się z wody. Najpierw typowo rzymski, lekko garbaty nos, potem usta, policzki.

Donatella stała oniemiała, choć serce mało nie wyskoczyło jej z piersi. Nie, to niemożliwe, pomyślała. Patrzyły na nią oczy bez wyrazu, puste, martwe. Bez zastanowienia rzuciła się do wody. Muł zalegający dno spowalniał ruchy, wciągał, zmuszał wszystkie mięśnie do intensywnej pracy. Gdy dotarła do topielca, ujęła w dłonie posiniaczoną głowę i złożyła pocałunek na zimnych wargach.

Otworzyła usta, odrzuciła głowę do tyłu, nabrała powietrza w płuca i wykrzyczała na cały głos jego imię.

– Ivo!!!

Ból po śmierci przyjaciela mogła ukoić tylko krwawa zemsta.

Bravo i Jenny, zbliżając się do budynku administracji cmentarza, usłyszeli donośny, zwierzęcy skowyt, który zmroził im krew w żyłach. Popatrzyli po sobie znacząco, chociaż żadne z nich nie wspomniało o Donatelli.

Bez przeszkód dotarli do sali konsolacyjnej. Bravo pozostał na zewnątrz i obserwował teren, a Jenny weszła do środka na rekonesans. Oparł się plecami o olbrzymi pień orzecha. Pomimo upału miał dreszcze. Szok już mijał, ale pozostał ból: przeszywający, narastający, pulsujący w rytm uderzeń serca. Nie potrafił wyrzucić z pamięci widoku pełnej przerażenia twarzy Rossiego. Nigdy wcześniej nie spotkał nikogo, kto chciałby zabić drugiego człowieka. Ten obraz będzie mu towarzyszył do samej śmierci.

Gwałtownie podniósł głowę na dźwięk zbliżającego się pojazdu. Wielki karawan z donośnym warkotem zmierzał w jego kierunku. Odruchowo cofnął się o krok. Kierowcą, który wyjrzał przez uchyloną boczną szybę, okazała się Jenny. Karawan zwolnił, Bravo otworzył drzwi i usiadł na fotelu obok dziewczyny. Gdy zamykał drzwi, wóz ruszył z piskiem opon.

Jenny wyjechała poza teren cmentarza. Nie spytał, jak udało jej się ukraść ten pojazd. Nie chciał wiedzieć, a zresztą niewiele go to obchodziło. Ważne było tylko, że po raz kolejny znalazła sposób kontynuowania ucieczki.

– Powiedziałeś, że Rossi nie żyje. Co się stało po tym, jak do mnie strzelił?

– Uciekałem – odparł. – Uciekałem i przewróciłem się jak ostatni kretyn. Biegł tuż za mną, więc podstawiłem mu nogę. Wpadliśmy do wody. Chciał mnie zabić, widziałem to w jego oczach, czułem przy każdym jego uderzeniu.

– Rossi to maszyna do zabijania. A ty żyjesz.

– Może miałem szczęście, nie wiem. To ja go zabiłem, możesz mi wierzyć.

– Zrobiłeś to, co należało. Ojciec dobrze cię wyszkolił.

Podziw, jaki dostrzegł w jej oczach, przyprawił go o mdłości, więc czym prędzej odwrócił się i zaczął obserwować przez przyciemnianą szybę mijaną okolicę. Co on tutaj robi? Był ścigany, bity, zamordował człowieka. Dlaczego? To nie była jego wojna. Dlaczego ojciec go w to wplątał? Mógłby przecież teraz kupić nowe ubranie, polecieć do Paryża, wrócić do swoich zajęć jak gdyby nigdy nic. Ciekaw był, czy ojciec też doświadczał takiego poczucia osamotnienia. Pojawiło się po raz pierwszy, gdy zrozumiał, że wydarzyło się coś bardzo znaczącego nie tylko dla ojca, ale także dla niego. To dziwne, ale nie był już tym samym Bravermanem, który spotkał się z własnym ojcem przy kawie.

„To bardzo ważne".

„Nie jestem głuchy, tato".

Słyszał, ale nie słuchał. A teraz ojciec, już zza grobu, ponownie do niego przemawia.

– Pierwszy raz jest zawsze najtrudniejszy – rzuciła Jenny, źle interpretując jego przeciągłe milczenie. Zesztywniał.

– Nie chcę, by zdarzyło się to po raz drugi.

– Wzruszający sentymentalizm. Przecież nie miałeś wyboru.

– Okoliczności były nadzwyczajne. Ale nie przewiduję...

– Nikt o zdrowych zmysłach nie przewiduje, że będzie musiał zamordować. – Utkwiła wzrok w drodze. – Ale ty musisz się z tym liczyć. W normalnym świecie nie byłoby w ogóle o czym rozmawiać. Tyle tylko że ty już nie należysz do normalnego świata. Należysz teraz do Voire Dei, na dobre i na złe. Wierz mi, im szybciej to sobie uświadomisz, tym większe masz szanse na przeżycie.

Beznamiętnie patrzył na mijany krajobraz. Nie chciał teraz o tym myśleć, nie potrafił na razie spokojnie tego przeanalizować. Tak jak miał to w zwyczaju robić, kiedy był w podłym nastroju, zajął się roztrząsaniem ważnej kwestii: dlaczego Rossi załadował broń gumowymi kulami? Niemal natychmiast wróciło ulotne wspomnienie, kiedy to Rossi podbił rękę swojego kompana, który do nich celował. To było podczas ucieczki z domu Jenny. Więc nie chciał ich zabić. I jeszcze ten grymas na jego twarzy, gdy mocowali się w wodzie – czy Bravo doprowadził go do ostateczności?

Oblizał zaschnięte wargi.

– Myślę, że Rossi i Donatella nie mieli nas zabić.

Te słowa wyraźnie zainteresowały Jenny.

– Dlaczego tak sądzisz?

– Przede wszystkim gumowe kule – odrzekł i opowiedział Jenny, co zaobserwował, gdy uciekali z jej domu.

– No jasne. Wydaje im się, że wiesz tak samo dużo jak twój ojciec. Chcą cię złapać i wyciągnąć z ciebie informacje.

– Ale ja nie znam żadnych informacji.

– To wiesz tylko ty i ja. Oni sądzą inaczej.

– No to musimy im to jakoś uświadomić.

Jenny roześmiała się i potrząsnęła głową.

– Słyszałeś ryk Donatelli? Sądzisz, że ci uwierzy?

– Ale to prawda!

Jenny zmierzyła go surowym wzrokiem.

– W Voire Dei prawda nie istnieje, Bravo. Jest tylko percepcja. Donatella i ci, którzy kierują jej wolą, uwierzą tylko w to, w co będą chcieli uwierzyć, w to, co najbardziej przystaje do ich postrzegania rzeczywistości.

Zastanawiał się, czy zdoła się z tego jakoś wyplątać. Czy też jest skazany na tkwienie w tym koszmarze.

Nie należę już do normalnego świata.

To zdanie uporczywie kołatało mu w głowie.

– Jak długo można to znosić? – zapytał po długiej przerwie.

Doskonale rozumiała, co miał na myśli.

– Niektórym to się podoba. Voire Dei jest jedynym miejscem, gdzie czują się bezpieczni. Część się tym upaja. Tak naprawdę nie znają innego sposobu na życie. Według nich społeczeństwo jest blade, niewyraźne, nieciekawe. Należąc do Voire Dei, czują się uprzywilejowani.

– A co ty czujesz?

Daleko w tyle zostawili już Falls Church. Jenny skręciła w lewo i znaleźli się w dzielnicy olbrzymich, luksusowych rezydencji. Karawan posuwał się pełną zakrętów drogą, prowadzącą ku szczytowi wzniesienia. Po przejechaniu kilometra skręcili w prawo w jedną z szerokich ulic zabudowanych kolonialnymi domami pokrytymi dachówką, otoczonymi ogrodami w stylu angielskim z nienagannie przystrzyżonym trawnikiem. Skręciła na podjazd przed dwupiętrowym domem o kremowych ścianach, frontonem z dwoma kolumnami po bokach i imponującym *porte cochère*. Z jednej strony budynku znajdował się garaż dla trzech samochodów, a z drugiej niewielka komórka na narzędzia ogrodnicze. Zatrzymała samochód przed garażem i wysiadła. Na murze zamocowano małą plastikową skrzynkę. Otworzyła ją, wstukała kod i otworzyły się jedne drzwi. Wróciła za kierownicę, wprowadziła karawan do garażu i zamknęła drzwi. Obok stał mercedes kabriolet.

– To dom mojego ojca – powiedziała, prowadząc go do środka.

– Nie boisz się, że tu właśnie będzie nas szukać Donatella?

– Okolica jest strzeżona. Wszyscy ochroniarze to byli policjanci. Znają mieszkańców. Nikt obcy się nie prześlizgnie.

Bravo był zaskoczony.

– Chyba nie sądzisz, że to ją powstrzyma.

Wyczuła w jego głosie napięcie.

– Nie ty będziesz decydował.

– Po tym, co przeszliśmy, nie pozwoliłbym sobie na takie ryzyko na twoim miejscu. Do cholery, zjeżdżajmy stąd.

Włożyła klucz do zamka i otworzyła drzwi.

– Jestem Strażnikiem i moim obowiązkiem jest chronić zakon i członków Haute Cour.

Wkroczyli do pogrążonego w ciemnościach pokoju. Jenny odwróciła się do niego i powiedziała:

– Przyrzekłam twojemu ojcu, że będę cię chronić, ale jeśli wyrzekniesz się zakonu, wyrzekniesz się roli, do której ojciec cię przygotowywał, to moje zadanie się skończy.

Oślepiający blask światła padł na jej twarz, nadając rysom ostry, wręcz drapieżny wygląd. Stanowcze spojrzenie i wyważone gesty wskazywały na to, że nie blefuje. Odwrócił się. Chciał się przekonać, jak daleko może się posunąć.

– Zapomniałeś już o okularach ojca? Jeśli teraz odejdziesz, od kogo się dowiesz, co jeszcze ci pozostawił?

– Gdzie jest zakon, teraz kiedy go potrzebujemy? Muszą być jakieś bezpieczne schronienia na wypadek zagrożenia.

– Nie kłopocz się tym – odparła chłodno. – Zostaw to mnie.

– Gdybym pozostawił tobie Rossiego, byłbym już martwy – odciął się.

– No to w takim razie nie jestem ci do niczego potrzebna. – Odwróciła się szybko, ale zdążył dostrzec, jak bardzo ją zranił. Poczekał, aż zniknie w ciemnościach.

– Dlaczego nie odpowiadasz na moje pytania? – zawołał.

– A jak sądzisz?

Mógł się teraz odwrócić i odejść, ale czy potrafiłby zapomnieć o śmierci Rossiego? Stało się. Czasu nie da się cofnąć. Wrócić do Paryża, do dawnego życia, przecież to takie proste. Nie. To wcale nie było proste. Czuł się związany z tym miejscem, tą sytuacją. Myślami był przy ojcu. Rozpamiętywał, jak niesprawiedliwie go osądzał. Dał się zaślepić własnym uczuciom. A przecież ojciec był zaangażowany w tak ważne dzieło. Największym błędem byłoby jednak walczenie metodami ojca. W końcu dla niego skończyło się to śmiercią. Nie do końca zdając sobie sprawę z tego, co robi, przekroczył próg i zniknął w mroku.

Po omacku przeszedł przez niewielki przedpokój. Na licznych wieszakach wisiała cała kolekcja kapeluszy, czapek, swetrów i kurtek. Dalej była kuchnia, przestronna, urządzona w stylu rustykalnym. Pod ścianami stały liczne kredensy. Dzienne światło zapewniało niewielkie okno wykuszowe. Pośrodku znajdowała się wykonana z drewna klonowego i jasnego granitu wyspa – centrum dowodzenia. Tu właśnie przygotowywało się posiłki. Stali teraz oboje w ciemnościach, nasłuchując cichych trzasków i skrzypnięć wydobywających się z rur i przewodów w całym domu.

Za oknem zapadł już zmierzch. Światło lamp, które właśnie się zapaliły, było zamazane i nieostre z powodu gęstej mgły unoszącej się jak widmo tuż nad ziemią. Gdzieś niedaleko zaszczekał pies, rozbłysły reflektory samochodu przejeżdżającego opodal. Grały cykady.

Przyglądał się, w jak profesjonalny sposób Jenny obserwuje otoczenie. Szczególnie interesował ją ruch uliczny. Jak wytrawny brydżysta nie zajmowała się tylko kartami, które są na stole, ale starała się przewidzieć ruch przeciwnika.

– Jesteś głodny? – zapytała po dłuższej chwili.

– Tak, ale najpierw prysznic. – Starał się, by jego głos zabrzmiał szorstko, ale wypowiadając te słowa, zrozumiał, że są one oznaką kapitulacji.

Zaprowadziła go do drzwi, za którymi były zwykłe drewniane schody prowadzące do piwnicy. Zapaliła światło. W dole z mroku wyłonił się fragment turkusowego dywanu, poręcz skórzanej sofy, kawałek seledynowej ściany. Gdy był już na dole, stwierdził, że pomieszczenie jest nieskazitelnie czyste – owszem, niektóre meble nie pasowały do koloru ścian, chłodziarka i oddzielna zamrażarka, czteropalnikowa kuchnia, duży zlewozmywak, szafka z całym szeregiem szuflad – wszystko to było bardzo ascetyczne i bezosobowe, bardziej przypominało poczekalnię w szpitalu niż mieszkanie. Nie było tu żadnych okien, tylko metalowe kratki wentylacyjne. Zimne, sztuczne światło pozbawiało barwy ciepła.

Jenny wskazała mu małą łazienkę o metalowych ścianach. Zdjął ubranie – brudne i postrzępione. Zamierzał właśnie odkręcić wodę pod prysznicem, gdy zobaczył swoje odbicie w lustrze. Widok był przerażający. Twarz miał pokaleczoną, pełną siniaków i nienaturalnie czerwoną, ciało opuchnięte, poobcierane i przebarwione w wielu miejscach. Z trudem się rozpoznawał, i to nie tylko z powodu odniesionych ran. Było coś szczególnego w jego spojrzeniu, jakiś przedziwny wyraz – dokładnie taki sam, jaki dostrzegał u ojca, kiedy ten wyruszał w jedną ze swoich tajemniczych zagranicznych podróży. Kiedy był dzieckiem, grymas ów wydawał mu się po prostu tajemniczy, ale teraz rozumiał, co oznaczał – ojciec odwracał się od społeczeństwa – wracał do Voire Dei.

Krzywiąc się z bólu, wszedł pod prysznic. Strumień ciepłej wody nie przyniósł ukojenia ciału. Kiedy wyszedł, znalazł na taborecie starannie złożone ubranie. Pewnie jej ojca, pomyślał. Otworzył apteczkę i znalazł w niej maść antybiotykową i bandaż, ale nie mógł sam posmarować obolałych pleców. Włożył spodnie koloru khaki, a potem otworzył drzwi łazienki.

Jenny też musiała wziąć prysznic w innej części domu, bo miała na sobie czyste ubranie – czarne dżinsy, bluzkę i skórzane buty na niskim obcasie. Wyszorowała twarz i umyła włosy, które zaczesane teraz do tyłu spadały kaskadą na plecy. Wciąż były wilgotne, połyskiwały brązem. Silny podbródek nadawał jej siły i był dopełnieniem niepospolitej urody, obok której nie mógł przejść obojętnie. Faktem jest, że gdyby spotkał ją na jakimś przyjęciu, nie odmówiłby sobie przyjemności porozmawiania z nią. Ale przecież prawie jej nie znał, nie wiedział, czy może jej ufać. Ojciec jej zaufał i jak to się skończyło?

Zrobiła kanapki, przyniosła dzbanek schłodzonej wody i dwa czerwone plastikowe kubki. Wszystko to postawiła na małym, składanym stoliku brydżowym. Z kuchni przyniosła jeszcze dwa składane metalowe krzesła.

Nie miał ochoty z nią rozmawiać. Wydawała mu się zbyt... uparta i zbyt realistyczna. Nagle zdał sobie sprawę, że takimi właśnie słowami ojciec często określał jego charakter. Wahał się chwilę, nie wiedząc, co począć. W kiepskim oświetleniu śniada cera dziewczyny stała się ziemista, szare oczy wydawały się mniejsze, szerokie usta nie niosły żadnej obietnicy. Jak długo może się na nią wściekać? Poczuł się nagle wyczerpany, złość zniknęła jak zdmuchnięty płomień świecy.

Pokazał swoje plecy.

– Potrzebuję twojej pomocy.

Zawahała się przez chwilę, po czym bez słowa wyjęła mu z ręki tubkę z maścią. Usiadł okrakiem na sedesie i pochylił tułów do przodu. Po chwili poczuł na plecach delikatne muśnięcia palców.

– Spokojnie, zaraz przestanie boleć.

– Nigdy mi nie mówiłaś, jak ty się czujesz w Voire Dei.

Usłyszał, jak głośno wypuszcza powietrze. Wyglądało na to, że wolałaby milczeć.

– W ogóle o tym nie myślę. A na pewno nie w takich kategoriach, jak to sobie wyobrażasz. Voire Dei to mój dom, tak samo jak był domem dla mojego ojca i... będzie dla ciebie.

– Jeżeli ma to oznaczać kolejne morderstwa, to nie wiem, czy jeszcze chcę brać w tym udział.

– Pytanie za sto punktów, prawda? – Głos Jenny stał się ponownie oschły, ale ręce zdradzały dręczący ją niepokój. – Musisz wiedzieć, że są w zakonie ludzie przekonani, że nie skrewisz, że masz to zapisane w genach.

– Naprawdę?

– Nie ruszaj się – powiedziała stanowczym tonem, zakładając bandaż. – Mnie nie lubią, a tobie nie ufają.

– Ty też mi nie ufasz.

– Powiedzmy, że oboje mamy do siebie ograniczone zaufanie.

Dłuższą chwilę zastanawiał się nad sensem jej słów.

– Czy właśnie dlatego zakon nie udzieli nam pomocy?

– Twój ojciec był Klucznikiem. Jednym z jego obowiązków było znalezienie i wyszkolenie następcy.

W tej chwili nie oczekiwał innej odpowiedzi. Miał cztery lata, gdy ojciec zaczął go szkolić, a sześć, kiedy zaczął mu czytać średniowieczne traktaty teologiczne.

– Wybrał mnie.

– To prawda. – Jenny odłożyła tubkę z maścią i bandaże i umyła ręce. – Możesz się ubrać.

Wyszła z łazienki, nim zdążył powiedzieć choć słowo.

Usiedli przy kiwającym się stole i w niczym niezmąconej ciszy zjedli kanapki. Bravo wytarł ręce w papierowy ręcznik i położył przed sobą okulary, które znalazł na pokładzie *Steffi*. Leżały teraz pomiędzy nimi, dzieląc ich i łącząc jednocześnie.

– Powiedz...

– Nie mogę. Nie mogę, dopóki się nie zdecydujesz... – Potrząsnęła głową. – To nie sztuka obwiniać mnie czy innych Strażników o błędy, które popełniliśmy. Nadeszła chwila, kiedy trzeba się zdecydować – idziemy dalej czy rezygnujemy. Jeśli się poddamy – wszystko stracone. Moje słowa mogą brzmieć dla ciebie zbyt melodramatycznie, ale staram się wyrazić to jak najprościej. Dalsze istnienie zakonu, chronienie tajemnic, które nam powierzono wieki temu, spoczywa w twoich rękach. Tylko ty możesz odnaleźć skrzynię. Twój ojciec był tego pewien.

Wzięła głęboki oddech i dokończyła tyradę.

– Wszystko sprowadza się do tego, czy twój ojciec miał rację, czy się mylił.

W uszach ponownie zadźwięczały mu słowa wypowiedziane przez ojca: „Błąd to coś mechanicznego – zły sposób działania, manewrowania, myślenia. Błąd to rzecz powierzchowna. Pod powierzchnią – gdzie unaocznia się strata – tam właśnie powinieneś zacząć".

Zerknął na okulary, usiłując uporządkować myśli i zapanować nad uczuciami. Jak postronny obserwator patrzył na swoją rękę, która sięga po okulary i waży je w dłoni.

– Jenny, powiedz mi... – zaczął – ...dlaczego postanowiłaś wstąpić do zakonu? Czy to twój ojciec...

– Ojciec?! – odparła posępnym głosem. – On robił wszystko, co mógł, by mnie odwieść od tego pomysłu. Byłam jego ukochaną córeczką. Znalazł mi nawet kandydata na męża, przystojnego nudziarza z dobrej rodziny. Jak w średniowieczu, co?

Nerwowym ruchem odgarnęła włosy z twarzy.

– Kiedy zrozumiał, że nie zmienię zdania, postarał się, żeby nie było mi łatwo. Niejeden mężczyzna nie wytrzymałby takiego szkolenia,

jakie przeszłam. Dwukrotne złamanie lewej ręki, pęknięcie prawej kości piszczelowej, o siniakach nie wspomnę. To była tortura.
– Jak to wytrzymałaś? Na przekór ojcu?
Roześmiała się.
– Nie. Nie tylko.
– Co w takim razie?
– Moja wiara w to, czym jest sam zakon – grupą ludzi o zdrowych zmysłach działających w świecie, który oszalał. I wszystko to dla dobra ludzkości. Ale pewnie cię to nie obchodzi.
– Owszem, obchodzi, ale brzmi zbyt idealistycznie.
– Bo takie jest. – Potrząsnęła głową. – Nie znam cię dobrze, Bravo. Ale muszę w coś wierzyć. Muszę wierzyć, że dzięki temu, co robię, ten świat stanie się choć odrobinę lepszy.
A więc wszystko sprowadzało się do wiary.
Czuł na sobie jej uważne spojrzenie. W jej głosie słyszał napięcie, jakieś wewnętrzne drżenie, płynące wprost z serca. Wierzyła święcie w to wszystko, co mówiła. Teraz on musi posiąść tę wiarę. Był pewien, że ojciec, pomimo przeciwności, chciał naprawiać ten świat. Zdał sobie sprawę, że wszystko, czego wcześniej doświadczył, było tylko preludium.
Odłożył okulary na stół.
– Mówiłaś coś o inicjacji. Chyba porą ją zacząć.

– Wiesz, co to jest stawianie baniek?
– Oczywiście. W średniowieczu wierzono, że choroby, czy jak je wtedy zwano „humory", gnieździły się w ciele. Gdy się je wydobyło na powierzchnię, choroba ustępowała.
Jenny kiwnęła głową. Siedzieli na rozkładanych krzesłach, które razem z małym stolikiem brydżowym przynieśli z kuchni. Na kuchence stał garnek z wrzącą wodą.
– Połóż prawą rękę na stole, wewnętrzną częścią do góry.
Gdy zrobił, o co go prosiła, wzięła do ręki długie metalowe szczypce, zanurzyła je w wodzie, wyjęła trzy szklane naczynia przypominające kształtem kieliszki do jajek na miękko i położyła je na rozłożonym papierowym ręczniku.
– Autoklaw nie byłby lepszy? – zapytał.

100

Jenny uśmiechnęła się.

– Tradycyjne metody są najlepsze. – Przeniosła naczynka na stół.

– Gotowy?

Bravo przytaknął.

Zapaliła zapałkę i przyłożyła jedną z baniek do jego ramienia. Ciepło wydobywające się z wnętrza naczynia spowodowało, że skóra natychmiast się zaczerwieniła.

– To nie „humory" chcemy wydobyć z twojego ciała w trakcie inicjacji, ale zobowiązanie. Gdy staniesz się jednym z nas, nie ma już odwrotu. Żadnych zmian, żadnego wycofywania się. Do końca życia pozostaniesz częścią zakonu.

Wstała, wysunęła szufladę i wyjęła z niej ołowianą fiolkę. Ze środka wysypała na jego dłoń trzy ziarna.

– To są nasiona trzech wiecznie zielonych drzew – cyprysu, cedru i sosny. Symbolizują życie wieczne.

Jedno po drugim wkładała mu nasiona do ust.

– Kiedy Adam leżał na łożu śmierci, jego syn Set położył mu na języku nasiona cyprysu, cedru i sosny, które otrzymał od anioła. Pogryź je i połknij. Podobno z drewna tych trzech gatunków wykonano krzyż, na którym umarł Chrystus. Nasi członkowie mają na to dowody. To jest pierwszy z trzech obrzędów. Symbolizuje twoją śmierć, twoje oddalenie się od społeczeństwa, od świata, który znałeś dotychczas. Czy przysięgasz, że nigdy nie opuścisz Voire Dei?

– Przysięgam. – Bravo poczuł, jak przenika go dreszcz.

Jednym energicznym ruchem Jenny oderwała bańkę od obolałego ramienia. Po chwili przytknęła drugą kilka centymetrów wyżej. Gdy skóra się zaczerwieniła, powiedziała:

– W Apokalipsie świętego Jana napisano: „...z więzienia swego szatan zostanie zwolniony. I wyjdzie, by omamić narody z czterech narożników ziemi, Goga i Magoga, by ich zgromadzić na bój, a liczba ich jak piasek morski"*. Średniowieczna mapa świata, znaleziona w katedrze Hereford, przedstawia świat jako idealne koło z Jerozolimą umieszczoną pośrodku. W rogu mapy zapisano legendę, wedle której Aleksander Wielki w czasie swych wypraw zmierzył się z siłami

---

* Apokalipsa św. Jana, 20, 7-8.

Goga i Magoga. Pokonał je, ale ich nie unicestwił. Zamknął tylko pod kluczem gdzieś w górach Kaukazu.

Ręka Bravo już nabrzmiała, a Jenny wciąż nie odrywała od niej bańki. To naczynie było trzykrotnie większe od poprzedniego.

– Ta druga część obrzędu symbolizuje Zmartwychwstanie. Ślubujemy, że gdy nadejdzie dzień Zmartwychwstania, staniemy pomiędzy ludzkością a hordami szatana. Czy przysięgasz tak uczynić?

– Przysięgam.

I znów dreszcz przebiegł mu po plecach. Zaczął czuć się jak jeden z dwunastowiecznych mnichów, którzy upuszczali sobie krew.

Nareszcie Jenny zabrała drugą bańkę i zaraz obok przystawiła kolejną. Z innej szuflady wyjęła kamienny moździerz z tłuczkiem i trzy małe szklane fiolki, w których były odpowiednio: białe kryształki, żółty proszek i jakiś srebrzysty płyn. Zawartość fiolek powędrowała do moździerza.

– Sól, siarka i rtęć – powiedziała, ucierając starannie składniki. – Trzy podstawowe składniki alchemii, a także przejścia w nowe życie.

Utartą masę przełożyła do puzderka w kształcie miecza. Spojrzała głęboko w oczy Bravo.

– Czy jesteś gotów poświęcić swoją pracę, przyjaciół, rodzinę dla wyższych celów, dla dobra bliźnich?

– Jestem.

Uderzyła puzderkiem w jego lewe ramię.

– Czy przysięgasz, że jesteś gotów poświęcić życie w obronie tajemnic zakonu?

– Przysięgam.

Tym razem uderzyła w prawe ramię.

– Czy przysięgasz zwalczać wrogów à outrance?

À outrance. Dawno nie słyszał tego zwrotu. Znaczył on ni mniej, ni więcej jak śmiertelną walkę na kopie. Zamknięty w ciemnym pomieszczeniu, które przypominało mu wnętrze grobowca, stwierdził, że te słowa nabrały takiego samego złowrogiego sensu, jaki miały przed wiekami.

– Przysięgam.

Puzderko powędrowało tym razem do czoła. Jenny zabrała ostatnią bańkę i poważnym tonem powiedziała:

– Dokonało się. Sercem, ciałem i duszą jesteś teraz jednym z nas.

7

Donatella straciła poczucie czasu. Nie potrafiła powiedzieć, jak długo klęczała w wodzie. Głowa Iva, którą cały czas tuliła do piersi, stawała się coraz cięższa, jakby była z ołowiu. Wszystko wydawało się tak nierealne. Zdawało się jej, że trzyma w ramionach lalkę, a nie martwego człowieka. Jak przez mgłę docierały do niej oznaki toczącego się wokół życia. Czuła mdłości, chciała umrzeć, natychmiast. Ciało ją zdradziło, nie umierało, nadal oddychała, z głębi piersi dochodził urywany szloch, rozpacz ściskała za gardło, wstrząsały nią dreszcze. Twarz płonęła, choć poza tym była lodowato zimna. Zupełnie jak zwłoki Iva.

Uświadomiła sobie, że ktoś stojący z tyłu położył jej ręce na ramionach, delikatnie próbując uciszyć rozpacz. Czuła ciepło. Odprężona, oparła się plecami o jego kolana.

– Nie sądziłem, że ten dzień kiedyś nadejdzie. Nie sądziłem, że to się stanie w taki sposób. – Niski męski głos zabrzmiał w jej uszach jak pomruk nadciągającej burzy.

– Pamiętam dzień, w którym do nas przyszliście. Miałaś zapadnięte policzki, byłaś wychudzona, brudna i śmierdząca. Ale w twoich oczach dostrzegłem coś niezwykłego.

Wpił palce w jej ramiona, przekazując w ten sposób swoją siłę.

– Nawet nie wiesz, że chcieli was wyrzucić. Powstrzymałem ich. Nie byli zadowoleni, powiedzieli, że muszę wziąć za was odpowiedzialność. Miałem was przeszkolić. Po miesiącu, gdybyście nie przeszli pomyślnie testu, wylądowalibyście z powrotem na ulicy, a mnie spotkałaby surowa kara. Roześmiałem się wtedy i przyjąłem ich warunki. Jak wiesz, uwielbiam wyzwania.

Donatella, chłonąca słowa mężczyzny, wróciła wspomnieniami do ich pierwszych chwil spędzonych pomiędzy rycerzami świętego Klemensa.

– Dałem wam porządny wycisk. Byłem bezlitosny, a mimo to nigdy nie usłyszałem z waszych ust słowa skargi. Pracowaliście bardzo ciężko, spaliście na stojąco, jedliście w biegu i z zapałem wracaliście do zajęć.

– Pokazałeś nam cel w życiu – niewyraźnie szepnęła Donatella. – To był jedyny prezent, jaki kiedykolwiek w życiu otrzymaliśmy.

Jedną ręką zaczął gładzić ją po włosach.

- Pewnego dnia przyszedł do mnie Ivo. Miał serdecznie dość wszystkiego. Jak on to powiedział? Ach, tak. Miał dosyć robienia za małpę w cyrku. Twierdził, że jest jak strzała, której grot naostrzono, lecz której nigdy nie nałożono na cięciwę. I wiesz co, Donatello? On miał rację. Tak właśnie zrodziła się wasza pierwsza misja. Pamiętasz ją?

- Tak – wyszeptała.

Pogłaskał ją czule.

- Jakbyś mogła zapomnieć? O mało nie zginęłaś, a mnie chciał przywieść do zguby zdrajca z naszych szeregów. Ivo nas wtedy oboje uratował, prawda? Nigdy nie zapomnę tego, co dla mnie zrobił. Czas spłacić dług.

Delikatnie, lecz stanowczo podniósł ją z kolan i obrócił do siebie twarzą.

- Zostaw Iva mnie. Pochowam go ze wszystkimi honorami, na jakie sobie zasłużył. Nie, nie. – Potrząsnął nią lekko, gdy zaczęła mu się wyrywać. – Posłuchaj. Masz do wykonania zadanie. Musisz pomścić jego śmierć.

Spojrzała w oczy, których blask tak dobrze znała.

- Mieliśmy złapać Bravermana Shawa, a nie zabijać go. Powiedziałeś to bardzo wyraźnie.

- Sytuacja uległa zmianie. On zamordował Iva.

Na jego twarzy pojawił się chłodny uśmiech.

- Idź już. I stocz z naszym wrogiem walkę *à outrance*.

„Długo na to czekałem – powiedział Dexter Shaw. – Ale nigdy nie wątpiłem, że ta chwila nadejdzie".

Wydał się Bravermanowi starszy, brodę przyprószyła mu siwizna, zmarszczki pogłębiły się, za to Bravo znów był ośmio- czy dziewięcioletnim dzieckiem. Ojciec i syn siedzieli na ganku krytego gontem domu. To magiczne miejsce występowało tylko w jego marzeniach. Była późna jesień, powietrze czyste i rześkie, a on, o dziwo, nie czuł chłodu. Dalej, za drzewami, unosiła się gęsta mgła, skutecznie przesłaniając widok. Bravo nie wiedział, czy gdzieś tam na horyzoncie są domy, pola, strumienie czy góry. Nie widział nawet obłoków na niebie.

- Zabiłem człowieka, tato. Nie miałem innego wyjścia.

- Więc czemu się obwiniasz? – odpowiedział Dexter Shaw.

– W końcu odebrałem komuś życie...

– Tak myślisz czy sądzisz, że powinieneś tak myśleć?

– A ma to jakiekolwiek znaczenie?

– Ogromne. Uczyłem cię przecież, żebyś się nie oszukiwał. To jest wojna, Bravo. Takie jest Voire Dei, zawsze takie było. Na wojnie są zwycięzcy i pokonani, nie wolno się wahać. Uwierz mi, zabawa słowami zawsze rodzi wątpliwości, a ty nie możesz mieć żadnych.

Bravo spojrzał ponuro na postać stojącą przed nim.

– Przecież mój ojciec nie żyje – powiedział do siebie. – Co ja tu robię? Stoję w tym dziwnym miejscu i rozmawiam z nim.

– Teraz jesteś jednym z nas, Bravo. Od chwili twojego poczęcia było wiadomo, że tak się stanie. Twoja matka też to wiedziała, choć ją to przerażało. Odsunęliśmy się od siebie, a ja nie potrafiłem zmniejszyć dzielącego nas dystansu. Ona nigdy nie chciała, żebyś został członkiem zakonu. Mawiała: „To jest tylko twoja wiara, Dex, tylko twoja głupia, niezachwiana wiara. Jeśli mnie kochasz, obiecaj, że nic złego nie przydarzy się naszemu dziecku". Cokolwiek bym powiedział, nie potrafiła zrozumieć, że nie ma znaczenia, czego ona czy ja chcemy. Nigdy mi tego nie wybaczyła. Nigdy.

– Zrobiłeś tylko to, co musiałeś, tato. Ona o tym wiedziała. I robiliście razem wszystko, żeby mnie ochronić. Szkolenie, któremu mnie poddałeś, jest mi teraz bardzo potrzebne.

Dexter Shaw westchnął.

– Nie mogłem ci nic powiedzieć aż do dzisiaj. Popełniłem w życiu wiele błędów, wielu czynów żałuję. Ale mam w sobie wiarę. Wiem, że w tobie znajdę odkupienie...

Z pochyloną głową, zgarbiony Bravo wsłuchiwał się z drżeniem w milknące echo głosu ojca. Było mu słabo, o mało nie upadł.

– Osłabienie i zawroty głowy zaraz miną – powiedziała Jenny.

Gdy sprzątała ze stołu swoje akcesoria, Bravo zapytał:

– Powiesz mi teraz, po co zrobiłaś ojcu te okulary?

Poczuł się już lepiej, umysł zaczął jasno pracować. Jenny usiadła obok niego na krześle.

– Na prawym szkle zostało wytrawione coś bardzo ważnego. – Wzięła do ręki okulary z takim namaszczeniem, jakby były bezcenną biżuterią. – To właśnie z ich powodu ryzykowaliśmy przyjście tutaj.

Wstała bez słowa i ruszyła ku drzwiom, których Bravo wcześniej nie zauważył. Gdy je otworzyła, znaleźli się w ciasnym pomieszczeniu, które bez wątpienia pełniło funkcję jakiegoś laboratorium. Pełno tu było przedziwnych urządzeń, a ich przeznaczenia Bravo nawet się nie domyślał.

– To tutaj szlifowałaś szkła?

Potwierdziła skinieniem głowy i usiadła na niewielkim stołku.

– Żaden zakład optyczny nie ma takich urządzeń.

Zapaliła dużą lampę na wysięgniku. Jaskrawe światło zalało pomieszczenie. Ręką wskazała przyrząd, który Bravo kojarzył się wyłącznie z maszynką do mielenia mięsa.

– Takiej szlifierki do szkieł nigdzie nie znajdziesz. Sama ją skonstruowałam.

– Nie rozumiem. Skoro sama szlifowałaś te szkła, to czemu mi po prostu nie powiesz, co tam wyryłaś?

Przez jej oblicze przemknął przebiegły uśmiech.

– Ja je tylko szlifowałam. Rył ktoś inny. Twój ojciec.

– To on tu był? Sam to robił?

– Po krótkim szkoleniu. Bardzo szybko się uczył.

– To prawda. Miał takie zdolności. – Bravo pomyślał o ganku, na którym siedzieli z ojcem we śnie.

– Kiedy już zrobił to, co chciał, pokryłam szkła specjalną warstwą ochronną.

– A więc napis będzie widoczny tylko w określonych warunkach?

– Otóż to.

Jenny wyłączyła lampę, skierowała ją na pustą ścianę i włączyła ponownie, ale tym razem innym przyciskiem. Ściana rozświetliła się upiornym zielonkawym blaskiem.

– Proszę bardzo – powiedziała, umieszczając prawe szkło okularów pomiędzy lampą a ścianą.

– Nic.

Przesunęła szkło nieco w bok. Na ścianie pojawił się ciąg cyfr.

– Cuda! – Roześmiała się i spojrzała na Bravo, który już uważnie przyglądał się cyfrom.

– Są pogrupowane. Wygląda mi to jakoś znajomo, ale nie mam pojęcia, co mogą oznaczać.

– Jakiś wzór matematyczny?

– Być może. – Chwycił ze stołu notatnik i długopis i przepisał wszystko, dbając o to, by dokładnie odwzorować odstępy pomiędzy cyframi. – Wzory matematyczne są trudne do rozszyfrowania. Brakuje w tej chwili czasu, by się tym zająć. Więc jeżeli nie pozostało tu już nic do zrobienia, to znikajmy.

– Masz rację. – Jenny zgasiła lampę, wręczyła mu okulary i szybko wstała.

Wrócili na piętro. Mrok rozjaśniał tylko blask wpadających przez okna świateł. Jenny podeszła do okna, stanęła nieruchomo i wyjrzała na ulicę.

– Na co czekamy? – zapytał Bravo.

W odpowiedzi uniosła w ostrzegawczym geście rękę, po czym powoli wycofała się w głąb mrocznego pokoju, pociągając go za sobą.

– Nie możemy wyjść – szepnęła – nie tędy i nie tak, jak stoimy.

– Donatella?

– Furgon na ulicy.

– I co z tego?

– Gdyby przyjechał z jakąś dostawą, miałby włączone światła, prawda?

Przyjrzał się pojazdowi. Czyżby czekała tam na nich Donatella? Ta myśl wywołała w nim nieprzyjemny dreszcz.

– Cholera, mogę się założyć, że...

– Widziałam ten wóz, kiedy jechaliśmy na cmentarz.

– I co robimy? Przecież nie możemy tu zostać.

– Nie. Nie możemy. Wiejemy. Tylko najpierw musimy się przebrać. – Teraz ona odwróciła się do niego plecami. – No! Pomóż mi!

Udzieliła mu krótkiego instruktażu, jak zebrać i spiąć włosy, które były długie, błyszczące i spadały kaskadą na plecy. Poprosiła go o dokonanie najprostszej pod słońcem czynności, ale dla niego była ona wręcz erotycznym przeżyciem. Gdy już – z żalem – skończył, zastanawiał się, czy z jej strony była to swoista próba pojednania, czy może nawiązania bliższej znajomości.

Pobiegli w kierunku garażu. W przedsionku Jenny złapała jedną z bejsbolówek i szybko nałożyła ją na głowę. Na ramiona narzuciła wiatrówkę ojca, a Bravo rzuciła rozpinany wełniany sweter.

Przebiegli przez garaż, mijając kabriolet. W szopie na narzędzia stał przy ścianie składany wózek inwalidzki. Rozłożyła go.

– Siadaj! – nakazała głosem nieznoszącym sprzeciwu.

Bravo spojrzał na nią ze zdumieniem, lecz po chwili zrozumiał jej intencje i tylko parsknął śmiechem. Kiwając z uznaniem głową dla pomysłowości Jenny, rozsiadł się wygodnie.

– Musisz być bardziej zgarbiony. Schowaj głowę w ramionach – instruowała go, wkładając rękawiczki bez palców. – Teraz dobrze. Wyobraź sobie, że jesteś bardzo stary.

Jak na zawołanie, jego ręce oparte na poręczach wózka zaczęły drżeć.

– Super! – powiedziała, okrywając mu kolana kocem. – Jedziemy.

Donatella siedziała nieruchomo za kierownicą furgonetki. Była pewna, że nie zapalą światła; szukała śladu ruchów. Twarz, przesłonięta grubymi soczewkami noktowizora, bardziej przypominała oblicze jakiegoś monstrualnego zwierzęcia niż człowieka. Choć podczerwień nie mogła przeniknąć ścian, to doskonale reagowała na wszelki ruch. Kiedy kalibrowała sprzęt, coś nagle pojawiło się w zasięgu wzroku – zapewne kot albo szop pracz. Teraz nie było śladu człowieka. To oczywiście wcale nie oznaczało, że nie ma tu Bravermana Shawa i jego opiekunki. W końcu dokąd mieli się udać?

Powód, dla którego to właśnie ta kobieta miała ochraniać młodego Shawa, pozostawał dla Donatelli zagadką. A ona nie przepadała za zagadkami, szczególnie jeśli dotyczyły Dextera Shawa, uchodzącego za mistrza kamuflażu. Odkąd została przyjęta w poczet rycerzy świętego Klemensa, trzykrotnie próbowano go uśmiercić, zawsze bez powodzenia. Ta ostatnia, skuteczna próba była przygotowywana od wielu miesięcy, może nawet lat – na długo przedtem, nim kryzys osiągnął apogeum. Niespodziewany pośpiech doprowadził do tego, że zaczęli ginąć ludzie z niższego szczebla hierarchii. To z kolei prowadziło do wielu nieporozumień. Donatella była pewna, że kobieta, która chroniła Bravermana Shawa, zdawała sobie sprawę, że śmierć pięciu członków Haute Cour w ostatnich dniach była zaplanowanym atakiem na heretycki zakon, mającym doprowadzić do przejęcia tajemnic.

Uniosła głowę i teraz obserwowała inną część domu. Mimo że stały po przeciwnych stronach barykady, Donatella czuła jakąś szczególną tajemną więź z dziewczyną, która była Strażnikiem Bravermana Shawa. Nie miało to nic wspólnego z filozofią, opierało się na związku płci. Ivo, choć rycerz świętego Klemensa, myślał tymi samymi kategoriami co większość mężczyzn w zakonie gnostyckich obserwantów. Funkcja Strażnika, sprawowana przez kobietę? Zawiść najłatwiej jest ukryć pod drwiną, okrutną i niesprawiedliwą. W rezultacie Ivo nie doceniał zdolności i przebiegłości Jenny.

Czujnik podczerwieni wykrył jakiś ruch na prawo od niej. Gwałtownie obróciła się w tamtym kierunku, jak pies myśliwski, który zwietrzył ofiarę, i włączyła funkcję zwykłego noktowizora. Teraz widziała wyraźnie. To jakiś staruszek na wózku inwalidzkim, pchanym przez młodego, szczupłego chłopaka – może syna – ubranego w wiatrówkę, z bejsbolówką na głowie. A może nie?! Otworzyła klapkę telefonu komórkowego i nacisnęła klawisz szybkiego wybierania. Gdy usłyszała w słuchawce męski głos, poprosiła o listę wszystkich mieszkańców tej ulicy. Wywiad bractwa był wyjątkowo skuteczny i dobrze poinformowany.

– Szukam inwalidy, około siedemdziesiątki lub starszego.

Już po kilkudziesięciu sekundach oczekiwania otrzymała odpowiedź. Jej podejrzenia okazały się uzasadnione. Wyjęła broń i uruchomiła silnik samochodu.

– Widzisz tego lexusa? – spytała Jenny, pchając cierpliwie wózek po chodniku. – Należał do mojego ojca. Stał tu od zawsze, na wypadek gdyby trzeba było uciekać. Teraz to jest nasz bilet do wolności.

W rzęsistym deszczu domy były ciemne i ponure. Kątem oka dostrzegł jakiś ruch. Znajdowali się jakieś sto metrów od lexusa, gdy Bravo usłyszał kaszlnięcie silnika furgonetki.

Jenny też to usłyszała i gwałtownie popchnęła wózek. Dobiegła do samochodu i odblokowała zamki. Nim wózek dotoczył się do błotnika, Bravo i Jenny już siedzieli w środku.

Wrzuciła bieg i wcisnęła pedał gazu do oporu. Lexus z piskiem opon ruszył z miejsca. Tuż za nim pędziła furgonetka.

Nim weszli w pierwszy zakręt, usłyszeli strzał. Mimo silnego wiatru i strumieni wody zalewającej przednią szybę, z każdą chwilą zwiększali prędkość.

Jenny prowadziła lexusa nisko pochylona nad kierownicą. Przed nimi majaczyły kontury stromego wzgórza, na którego szczyt droga wiodła serpentynami. Mijali duże rezydencje, łąki, ogrody pełne kwiatów.

– Obejrzyj się! – Jenny próbowała przekrzyczeć narastający z tyłu hałas.

Bravo spojrzał przez ramię.

– Furgon! Próbuje nas staranować!

Jenny miała jeszcze inne powody do zmartwienia. Na tym odcinku droga wiodła stromo w dół, asfalt był śliski, widoczność niemal zerowa. Warunki wymagały od niej maksymalnej koncentracji. Wystarczyłaby jedna chwila nieuwagi, by samochód wypadł z drogi i dachował. Kilka razy już niebezpiecznie zbliżała się do pobocza. W takich chwilach Bravo czuł, jak serce podchodzi mu do gardła ze strachu, ale Jenny reagowała szybko. Jeden zdecydowany manewr i wóz z powrotem jechał środkiem opustoszałej o tej porze drogi.

Donośny odgłos silnika furgonetki odbijał się echem od fasad mijanych domów. Bravo widział, jak niebezpiecznie zbliża się do nich. Była już tak blisko, że w świetle ulicznych latarni mignęła mu przez chwilę twarz kierowcy. Donatella! To była ona! Na szczęście nie próbowała więcej strzelać. Starała się za to zmniejszyć dystans dzielący oba pojazdy. Ryk silnika stał się ogłuszający. Bravo miał wrażenie, że czuje na plecach gorący oddech goniącego ich drapieżnego potwora.

Nie mylił się. W następnej chwili przedni zderzak furgonetki z impetem uderzył w tył ich samochodu. Lexus wpadł w poślizg i sunął w kierunku pobocza. Jenny gwałtownie kręciła kierownicą, próbując odzyskać kontrolę nad pojazdem. Bez rezultatu. Gdy wydawało się, że już nic ich nie uratuje, koła nagle odzyskały przyczepność, Jenny skręciła ostro w lewo i lexus ponownie sunął środkiem drogi. Silnik furgonetki wył ze zdwojoną siłą. Donatella była zdesperowana – zamierzała ich zabić.

Z naprzeciwka zbliżało się bmw z włączonymi tylko światłami pozycyjnymi. Z wnętrza, przez otwarte okno dobiegała głośna muzyka. Dzieciak za kierownicą, otumaniony muzyką i wypitym wcześniej piwem, jechał stanowczo zbyt szybko jak na panujące na drodze warunki. Z zaciśniętymi ustami i szeroko otwartymi oczami niedoświadczony kierowca usiłował zapanować nad samochodem, którego koła co chwila wpadały w poślizg na warstwie mokrych liści pokrywającej asfalt. Efekt był taki, że wozem rzucało na wszystkie strony. Było więcej niż pewne, że jeszcze nie dostrzegł pędzącego lexusa i furgonetki.

Jenny, gdy przekonała się, że prócz bmw żaden inny pojazd nie nadjeżdża z naprzeciwka, skręciła kierownicę i jechała teraz wprost na nie. Chłopak dostrzegł wreszcie reflektory lexusa, wcisnął z całych sił pedał hamulca i gwałtownie skręcił. Bmw wpadło w niekontrolowany poślizg, przemknęło obok lexusa i odbiło się od błotnika furgonetki.

Donatella, zamiast zahamować, dodała gazu i bez trudu zepchnęła poobijany wóz na pobocze. Chłopak zdołał jeszcze wychylić się przez otwarte okno i obrzucić ją stekiem przekleństw.

– Znów jest za nami! – wrzasnął Bravo.

Z ust Jenny padła soczysta odpowiedź. Ryk silnika wypełniał ciszę nocy.

– Jest tuż za nami!

W ostatniej chwili Jenny postanowiła skręcić na wysoki podjazd. Przejechała przez świeżo skoszony trawnik, a potem wpadła na szeroki pas niezagospodarowanej działki. Samochód podskakiwał na wybojach ze sto pięćdziesiąt metrów. Donatella z impetem wpadła na krawężnik i pognała za nimi.

– O Boże! – wrzasnęła Jenny.

Zatrzymali się nad urwiskiem. Skrywały ich gęste konary drzew. Nie było czasu na żadne manewry, nie było nawet czasu na zastanawianie się. Jenny ruszyła ostro z miejsca. Samochód runął w dół, odbił się i wylądował na boku.

– Jenny? Jesteś cała?

– Tak. A ty?

– Wstrząśnięty – zażartował.

Próbował otworzyć okno, bezskutecznie. Z całych sił uderzył obcasem w szybę. Klejone szkło popękało, ale nie ustąpiło. Kopnął ponownie i wreszcie pojawiła się dziura. Jeszcze kilka uderzeń i droga na wolność stała otworem. Wydostał się z samochodu, po czym pomógł wyjść Jenny.

Leżeli na ziemi. Uspokojenie oddechu było dużo łatwiejsze niż odzyskanie panowania nad sobą. W górze pojawiły się światła reflektorów furgonetki, próbujące wyłowić ich z mroku. Bravo jęknął, przewrócił się na bok i oparł na łokciu. Wtedy zobaczył jeszcze jedno światło, migoczące i chybotliwe, metodycznie błądzące po okolicy. To była Donatella z latarką.

Jenny poderwała się i bez słowa pociągnęła go za sobą w kierunku gęstych zarośli. Deszcz w dalszym ciągu lał się strumieniami, ułatwiając im ucieczkę.

– Wszystko w porządku? – zapytała szeptem.

– Tak. A z tobą?

– Chce mi się tylko spać.

Zbliżyła swoją twarz do jego i posłała mu ten swój charakterystyczny uśmiech.

– Chodźmy.

Ostrożnie przedzierali się przez zarośla w kierunku szosy. Gdy do niej dotarli, ruszyli poboczem, oddalając się od miejsca wypadku. Uszli nie więcej niż sto metrów, gdy zza zakrętu wyłonił się stary lincoln. Jenny pociągnęła Bravo w zarośla porastające pobocze.

Usłyszeli, jak wóz zwalnia, potem się zatrzymał. Wczołgali się głębiej w gęstwinę. Teraz słyszeli tylko własny oddech.

– Nie martw się, nie znajdzie nas – szepnęła Jenny.

Nagle tuż za ich plecami rozległ się głośny szelest. Gdy się obrócili w popłochu, ujrzeli zbliżającego się człowieka.

Metalicznie połyskujący przedmiot wyglądał na pistolet. Męski głos, z silnym brytyjskim akcentem wypowiedział tylko jedno zdanie.

– Nie liczyłbym na to.

8

– Wiedziałem. Wiedziałem, że prędzej czy później wpakujesz się po same uszy w kłopoty.

– Kavanaugh! – krzyknęła Jenny. – Co ty tutaj, do jasnej cholery, robisz?!

– A jak myślisz? – odparł. – Ratuję twoją żałosną dupę.

Bravo spoglądał to na mężczyznę, to na Jenny, nic nie pojmując.

– Znasz go? – zwrócił się do dziewczyny.

– Braverman Shaw, Ronnie Kavanaugh – przedstawiła ich sobie.

– Biedaczysko! Ale nie przejmuj się, zjawił się wujek Ronnie. Koniec waszych kłopotów.

Jenny sięgnęła ręką do tyłu i rozpięła kok, który Bravo tak misternie układał.

– Kavanaugh jest Strażnikiem, tak jak ja.

– Nie jak ty, księżniczko – odparł ze śmiertelną powagą. – Znam swoją wartość.

– Czy to ten sukinsyn miał chronić mojego ojca?

– Chyba nie mówisz o mnie? – Na twarzy Kavanaugh pojawił się zimny, szyderczy uśmieszek. – Nie możesz być tak głupi.

– On nie był przydzielony do twojego ojca – wyjaśniła Jenny. – Dexter Shaw nie tolerował jego luzactwa.

Bravo zadarł głowę i spojrzał na szczyt urwiska. Ciemność i cisza. Gdzie się podziała Donatella? Poderwał się na nogi i podał rękę Jenny, lecz go zignorowała.

Kavanaugh wytwornym gestem zaprosił ich na spacer.

Ruszyli za nim w kierunku rosnących opodal niskich zarośli. Rozgarnęli rękoma łodygi dzikiej róży i brnęli z chlupotem przez bagniste podłoże. Jenny opowiedziała mu o Donatelli.

– Zdołałem ją zauważyć – odparł Kavanaugh – ale gdzie jest Rossi?

– Bravo go zabił.

Kavanaugh uniósł brwi ze zdziwieniem.

– Naprawdę to zrobił?

– Utopił go w cmentarnym stawie.

– Cóż za nowatorski sposób eliminacji. I bardzo dobrze, jednego skurwiela mniej. Ale teraz ta jego suka jest żądna krwi, co?

Był przystojnym facetem i mimo nieodłącznego okrutnego uśmiechu błądzącego na jego wargach, wyglądał jednocześnie na szorstkiego i wytwornego. Łatwo było go sobie wyobrazić w smokingu z Saville Row, ze szklaneczką najdroższej whisky w ręku, zabawiającego damy w jakimś ekskluzywnym londyńskim kasynie.

– Tu jest tylko jedna droga. – Kavanaugh wskazał na mgliście jarzące się lampy. – Zaparkowałem w cieniu, tam, na prawo.

Gdy znajdowali się jakieś sto metrów od samochodu, wręczył Jenny kluczyki.

– Wiesz, co masz robić, księżniczko? Weź Shawa, wsiadajcie do samochodu i zróbcie rundę honorową.

– Zwariowałeś? Przecież ona tylko na to czeka.

Kavanaugh wyszczerzył zęby w uśmiechu.

– Zgadza się. Jest tak wściekła, że bez namysłu ruszy za wami.
– Na pewno tak zrobi – rzucił Bravo, któremu, podobnie jak Jenny, ten pomysł wcale nie przypadł do gustu.
– A kiedy tak zrobi – Kavanaugh wolno cedził słowa – ja będę tam już na nią czekał.
Jenny pokręciła głową.
– Chcesz użyć Bravo jako przynęty. To zbyt ryzykowne.
– Silne emocje, a szczególnie gniew, powodują, że zaczynamy postępować nieracjonalnie. Obrócę gniew Donatelli przeciwko niej samej. Macie lepszą propozycję?
Zapadła cisza. Kavanaugh wyjął pistolet.
– Tak myślałem. Jazda. Do roboty.

Duży, stary lincoln stał dokładnie tam, gdzie powiedział Kavanaugh. Jenny okrążyła go, przesuwając palcami po lakierze.
– No dobrze. – Skinęła głową. – Wsiadamy.
– Zbyt łatwo uległaś – rzekł Bravo, sadowiąc się na fotelu pasażera.
– Co ty o tym wiesz? – odparła zaczepnie.
– Naprawdę myślisz, że się uda?
Jenny włożyła kluczyk do stacyjki.
– To jest dobry plan. Ale jak się przed nim wygadasz, że tak uważam, to będę zaprzeczać. Nie znoszę, kiedy jest taki zadowolony z siebie.
Bravo zamyślił się. Coś nie dawało mu spokoju.
– Coś jest między wami, prawda?
– Co? Zwariowałeś?! – żachnęła się.
– Zaczerwieniłaś się… księżniczko.
– Odwal się.
Uruchomiła silnik, wrzuciła bieg i wyjechała na drogę. Po prawej stronie wyrastała naga skała urwiska, po lewej ciągnęły się zarośla, z których wyłaniały się co chwila kępy jesionów, olch i klonów. Kierowali się na północ.
– Widzisz coś? – zapytał Bravo.
– Więcej niż ty – odburknęła.
Deszcz osłabł, za to mgła tak zgęstniała, że ledwie dostrzegali drogę. Mijali właśnie uliczną latarnię, gdy nagle z mgły wyłonił się duży furgon.

– To ona! To jej wóz! – krzyknął Bravo.

– Kavanaugh, draniu, gdzie jesteś? – powiedziała Jenny, skręcając ostro kierownicę w prawo i zdejmując nogę z pedału gazu.

Donatella jechała wprost na nich. Bravo obejrzał się nerwowo i ujrzał sylwetkę barczystego Kavanaugh, stojącego w świetle latarni, z szeroko rozstawionymi nogami: broń trzymał oburącz, wycelowaną wprost w kierowcę furgonetki. Padły strzały. Trzy, cztery, pięć. Wszystkie celne. Z przedniej szyby pozostały tylko okruchy.

Bravo był pod wrażeniem umiejętności strzeleckich Kavanaugh. Wszystkie pociski trafiły dokładnie w ten sam punkt.

– O, Boże. Nikogo nie ma za kierownicą – wyjęczała Jenny.

– Ona nie żyje. Zobacz, gdzie on strzelał. Na pewno ją zabił.

Jenny ponownie skręciła, wymijając furgon, który z całym pędem uderzył w słup. Latarnia runęła na ziemię, gołe przewody spadły na jezdnię i rozsiewały naokoło snop iskier.

Kavanaugh ruszył w kierunku samochodu, chcąc zobaczyć efekty swojej roboty, kiedy nieoczekiwanie pocisk ugodził go w klatkę piersiową. Siła uderzenia obróciła go, otworzył ze zdumieniem usta, jakby chciał coś powiedzieć, i w tym momencie kolejna kula roztrzaskała mu głowę.

– Ktoś stamtąd strzela! Tam, z tej kępy jesionów! Z drugiej strony drogi! – krzyknął Bravo. – Widziałem błysk.

– Ta suka wyskoczyła z samochodu. Położyła cegłę na pedale gazu i wyskoczyła. To dlatego furgon jechał cały czas prosto.

Nacisnęła hamulec i zatrzymała się w miejscu, gdzie nie dochodziło światło latarni. Nim Bravo zdążył cokolwiek powiedzieć, otworzyła drzwiczki samochodu i zniknęła w mroku.

Donatella, klęcząc pomiędzy drzewami, beznamiętnie przypatrywała się, jak drugi wystrzelony przez nią pocisk rozwala głowę wroga. Udało się. Bez pośpiechu przewiesiła przez ramię karabin snajperski Dragunow.

Sprawiedliwości stało się zadość. Nareszcie korzystny obrót sytuacji, pomyślała, chowając się głębiej pomiędzy drzewami. Tylko ona i Ivo mogli dostrzec ten specyficzny rodzaj piękna, jaki towarzyszył zabijaniu. Bezszelestnie skręciła w prawo. Ivo ostrzegał ją, że zakon nie pozostawi Bravermana Shawa pod opieką tylko jednej kobiety. Począstkowo brała jego słowa za przejaw wrodzonego szowinizmu, ale teraz musiała przyznać mu rację. Zakon posłał za nimi jeszcze jednego Strażnika. Zresztą nie miało to już większego znaczenia. Doskonale wiedziała, jak poradzić sobie ze Strażnikiem bez względu na to, czy była nim kobieta, czy mężczyzna.

Przedzierając się w ciemnościach, uśmiechała się do siebie z determinacją. Trzymała w rękach karzący miecz sprawiedliwości. Samochód zostawiła kilkaset metrów stąd przy bocznej drodze, do której dojechała ze zgaszonymi światłami. Całe sześć minut zajęło jej przygotowanie furgonu do jazdy bez kierowcy. Stanowczo zbyt dużo, ale w panujących ciemnościach nie mogła zrobić tego szybciej, a włączenie choć na chwilę latarki nie wchodziło w rachubę. Straciłaby przewagę, zdradzając swoje położenie.

Bez trudności znalazła zdezelowanego chryslera PT cruisera. Stał dokładnie tam, gdzie jej powiedziano. Wsiadła, karabin położyła tuż przy nodze, a pistolet na siedzeniu obok. Ruszyła powoli, jak poprzednio, ze zgaszonymi światłami w kierunku miejsca, gdzie mogłaby zawrócić.

Znajdowała się teraz nieco na południe od uciekinierów. Zamierzała jechać na północ, zaskoczyć ich z tyłu, podczas gdy oni będą jej szukali z przeciwnej strony lub jeśli byli wystarczająco spostrzegawczy i zauważyli, skąd padały strzały, w kępie drzew na poboczu. Właśnie zawracała, gdy poczuła, że jeden bok samochodu stał się cięższy. Bez wahania sięgnęła po broń i trzykrotnie wystrzeliła przez boczne okno. Chwilę potem szyba rozprysła się na tysiące drobnych kawałków i coś złapało ją za gardło.

Po części szczęśliwy traf, a po części intuicja sprawiły, że Jenny po wyjściu z samochodu skierowała się właśnie na południe. Wiedziała, że poszukiwanie Donatelli w zaroślach, z których padły strzały, mijało się z celem. Nie ulegało wątpliwości, że gdy tylko przekonała się, że Kavanaugh nie żyje, natychmiast stamtąd uciekła. Donatella stała się teraz ruchomym celem. Należało natychmiast wykorzystać tę sytuację. Snajper tuż po oddaniu strzału jest bezbronny. Jenny musiała zacząć myśleć jak jej przeciwniczka. Co w takiej sytuacji zrobiłby rycerz bractwa? Dokąd by poszedł? Donatella musiała się spieszyć, by wykorzystać element zaskoczenia. To oznaczało, że nie będzie poruszać się pieszo.

Jenny rozejrzała się wokół, ale nie dostrzegła żadnego pojazdu. I wtedy usłyszała narastający dźwięk pracującego silnika. Jej oczom ukazał się wolno sunący chrysler. Skoczyła i uczepiła się jego boku. Przez szybę zobaczyła, jak Donatella sięga po broń. Ledwie zdążyła się uchylić, gdy nad głową usłyszała świst pocisków. Łokciem wybiła pozostałości przestrzelonej szyby, złapała za klamkę i używając jej jako punktu podparcia, wślizgnęła się do wnętrza, uderzając nogą w głowę Donatelli. Donatella odruchowo wygięła tułów, próbując ponownie nacisnąć spust. Jenny nie dała się zaskoczyć, złapała przeciwniczkę za nadgarstek i wykręciła jej rękę. Pistolet upadł na siedzenie fotela. Jenny zacisnęła kolana na szyi Donatelli. Donatella krzyknęła, próbowała sięgnąć po broń, lecz gdy Jenny wzmocniła uścisk, zaczęła omdlewać.

Głowa i ramiona Jenny nadal znajdowały się na zewnątrz pojazdu. Noga Donatelli wciąż cisnęła pedał gazu, tak że samochód powoli toczył się po żwirowym poboczu. Na wybojach Jenny co chwila boleśnie uderzała głową o ramę okna, lecz mimo to nie zwalniała uścisku.

Pobocze po jej stronie było wąskie. Tuż za nim wznosiło się prawie pionowe urwisko, z którego nieco wcześniej spadli razem z Bravo. Donatella, oprzytomniawszy nieco, skręciła kierownicę w prawą stronę. Samochód zaczął niebezpiecznie zbliżać się do skały. Snop iskier, jakie posypały się z przedniego zderzaka chryslera, ocierającego o wystające kamienie, był dla Jenny sygnałem do natychmiastowego ukrycia się we wnętrzu pojazdu. Wykonując pospiesznie ten manewr, zmniejszyła nieco uścisk kolan. To wystarczyło, by Donatella jednym gwałtownym szarpnięciem wyswobodziła się i jednocześnie sięgnęła po leżącą na siedzeniu broń.

Jenny kopnęła ją w klatkę piersiową z taką siłą, że zabójczyni puściła kierownicę. Samochód potoczył się w kierunku skały, odbił się od niej błotnikiem, ruszył dalej naprzód, ponownie uderzył, obrócił się dwukrotnie w miejscu, zahaczając o skalny występ, przewrócił na bok i z piekielnym zgrzytem miażdżonej blachy wypadł z powrotem na szosę. Sunął na boku jeszcze ze sto metrów, nim wreszcie zatrzymał się na leżącej w poprzek drogi latarni.

Obie pasażerki ani na chwilę nie zaprzestały walki. Okładały się bezładnie pięściami, a kiedy samochód w końcu stanął, Donatella złapała Jenny za koszulę, pchnęła z całych sił na drzwi i zadała trzy silne ciosy pięścią.

Gwałtowny ból przeszył głowę Jenny, przed oczami zobaczyła gwiazdy. Próbowała uderzyć przeciwniczkę, ale najwyraźniej zabrakło jej sił. Czuła za to, jak w Donatelli wzbiera energia, i przeraziła ją wizja kolejnego ciosu. Desperacko zaczęła szukać za plecami klamki. Gdy Donatella uniosła kolejny raz pięść, drzwiczki otworzyły się i Jenny wypadła na zewnątrz, boleśnie uderzając plecami o asfalt. Przez moment leżała rozciągnięta jak długa na drodze. Po chwili krople deszczu ocuciły ją i czując przypływ sił, zdołała się podnieść. Nogi miała jak z waty, cała drżała, a kiedy pomasowała tył głowy, na rękach zobaczyła krew.

Tymczasem Donatella uniosła broń.

Bravo czekał, aż chrysler zatrzyma się w swoim szaleńczym ślizgu. W słabym, zamglonym świetle okolicznych latarni zdołał dostrzec tylko, że Jenny ma kłopoty. Biegł w gęstniejącej z każdą minutą mgle w kierunku samochodu, pamiętając o tym, by szerokim łukiem ominąć leżący na ziemi, sypiący iskrami kabel zasilający latarnię. Chwilami tracił z oczu cel, nie wiedział już, czy biegnie na północ czy na południe.

Gdy doarł do samochodu, obie kobiety stały już na drodze. Donatella trzymała w dłoni pistolet. W tym samym momencie zauważył leżący w środku karabin. Sięgnął po niego bez wahania.

Jenny znajdowała się na przegranej pozycji. Kiedy zobaczyła niewyraźną sylwetkę zbliżającego się Bravo, zorientowała się, co musi zrobić, by zyskać choćby cień szansy. Zaczęła biec, upadła, podniosła się szybko i ruszyła dalej na niepewnych jeszcze nogach.

Donatella, obserwując jej poczynania, w lot zrozumiała, co Jenny chce osiągnąć. Jeszcze chwila i rozpłynie się we mgle. Nie zniosłaby utraty okazji do pomszczenia śmierci Iva. Bez zwłoki ruszyła za nią.

Przez zasłonę gęstej mgły widziała tylko ruch, lecz po chwili ukazała się cała sylwetka – sprężysta i szczupła. Wycelowała i strzeliła, nie zatrzymując się ani na moment. Podmuch wiatru poruszył mglisty obłok i Jenny znów była dobrze widoczna. Donatella ponownie wycelowała, lecz nim zdążyła nacisnąć spust, usłyszała za plecami czyjś głos.

– Rzuć broń!

Obejrzała się i dostrzegła przy przewróconym samochodzie Bravermana Shawa z karabinem snajperskim wycelowanym wprost w nią. Roześmiała się w głos, widząc, jak nieporadnie trzyma broń w dłoniach. Nawet gdyby nie było mgły, nie miał szansy trafić. To ona mogła go teraz zabić jednym precyzyjnym strzałem w głowę. Niczego bardziej właśnie teraz nie pragnęła. Stanęła i skierowała wylot lufy w jego kierunku. Miała wrażenie, że obok niej stoi Ivo. Szeptem mówiła mu, że za chwilę zostanie pomszczony.

– Słyszałaś?! Rzuć to, bo...

Nacisnęła spust.

Jenny biegła zbyt wolno. Donatella już raz strzeliła, kula przeszyła powietrze tuż obok niej. Teraz, gdy mgła się rozrzedziła, obie widziały się nawzajem. Jenny potrzebowała jeszcze tylko chwili, by poczuć się bezpiecznie. Niestety, tej chwili zabrakło. Wstrzymała oddech, czekając na spotkanie ze śmiercią.

I wtedy Bravo krzyknął, a Donatella odwróciła się w jego stronę. Jenny pochyliła się, wzięła do ręki leżący na ziemi koniec zerwanego przewodu. Nadal sypały się z niego iskry i wydobywał dźwięk przypominający bzyczenie roju pszczół. Była tak osłabiona i roztrzęsiona, że mało nie upadła. Bolała ją głowa, a serce tłukło się w piersiach. Ruszyła do przodu, trzymając w wyciągniętej ręce koniec kabla. Przytknęła go do pleców Donatelli w momencie, gdy ta naciskała spust pistoletu. Zabójczyni zadrżała spazmatycznie. Swąd palonego ciała i włosów przyprawił Jenny o mdłości.

Ostatnią rzeczą, jaką Bravo widział, była wycelowana w jego kierunku broń. Potem mgła przesłoniła wszystko. Bez namysłu rzucił się do ucieczki, zostawiając daleko w tyle pogruchotany samochód.

Znalazł Jenny, zakrwawioną, ciężko dyszącą, stojącą nad zwłokami Donatelli. Chciał zapytać, skąd wziął się ten odrażający odór, ale zrozumiał wszystko, gdy zobaczył przewód trzymany przez Jenny.

– Rzuć to – powiedział do niej łagodnym tonem. – Rzuć to i chodźmy stąd.

Długą chwilę stała w bezruchu, potem powoli uniosła głowę i spojrzała na niego.

– Jenny...

Położył na ziemi karabin, podszedł do niej, bardzo ostrożnie chwycił kabel jedną ręką, a drugą rozprostował jej palce.

– Już po wszystkim – rzekł, pociągając ją za sobą w kierunku gęstniejącej mgły.

9

To wcale nie był koniec.

– Muszę wrócić – powiedziała Jenny.

– Wrócić? Dokąd?

– Zobaczyć, co z Kavanaugh.

– Jenny, trzeba stąd uciekać. Nie ma czasu.

– Zawsze jest czas na pożegnanie.

Zawróciła na pięcie i ruszyła z powrotem przez zarośla. Bravo podążył za nią.

Usiłował wyobrazić sobie uczucia Jenny patrzącej na to, co pociski
zrobiły z głową i tułowiem Kavanaugh. Zwłoki nie przypominały już
tego dawnego twardziela.

Po dłuższej chwili Bravo się poruszył.

– Jenny, proszę, chodźmy już stąd. W każdej chwili może się tu pojawić policja albo jakiś przypadkowy kierowca. Zostaniemy wplątani
w dwa okrutne zabójstwa.

Ociągała się jeszcze dłuższą chwilę, bezgłośnie poruszając ustami.
W końcu skinęła głową.

– No dobrze. Idziemy.

W pośpiechu wrócili do lincolna Kavanaugh. Instynktownie zaproponował, że to on poprowadzi. O dziwo, Jenny nie zaoponowała.

Dłuższą chwilę zawracał na wąskiej drodze i w końcu skierował się
na południe, uważając, by nie przekroczyć dozwolonej prędkości.
Wkrótce zwykła, lokalna droga przeistoczyła się w szeroką dwupasmową arterię. Po przejechaniu kilku następnych kilometrów zjechał na autostradę. Lincoln był bardzo wygodny i, co najważniejsze,
świetnie się go prowadziło. Kavanaugh nafaszerował swój wóz wszel-

kimi możliwymi gadżetami. Było tu radio satelitarne, czujniki cofania i GPS.

Po przejechaniu ośmiu kilometrów zatrzymali się na stacji benzynowej. W dawno niesprzątanej łazience opłukali się nieco i wrócili do lincolna. Jenny udało się zmyć z włosów zakrzepłą krew. Bravo obrócił ją w stronę lampy sodowej oświetlającej stację i delikatnie odgarnął jej włosy. Rana okazała się tylko mocnym otarciem i przestała już krwawić.

– I jak? W porządku? – zapytał.

Nagle w jej oczach pojawił się błysk, a głos stał się twardy i stanowczy.

– Zapamiętaj sobie raz na zawsze: to ja ochraniam ciebie.

Lekki podmuch wiatru rozwiał włosy i odsłonił kark dziewczyny, skórę koloru karmelu, łagodnie wygiętą linię pleców. Działając pod wpływem impulsu, objął ją mocno ramionami i przytulił. Gdy wreszcie zwolnił uścisk, Jenny, unikając jego wzroku, bez słowa zajęła miejsce w samochodzie.

Kiedy dojechali do przedmieść Waszyngtonu, przystanęli obok przydrożnego zajazdu, jedynego w okolicy czynnego o tej porze. Bravo rozejrzał się po sali i działając instynktownie, poprowadził Jenny do stolika w głębi, skąd mieli doskonały widok na drzwi wejściowe i parking przed zajazdem. Jenny usiadła i zaczęła wyglądać przez okno. Kiedy pojawił się kelner, Bravo zamówił dla obojga kawę, jajka na bekonie, tosty pszenne i dla siebie dodatkowo frytki.

Kiedy posiłek pojawił się na stole, Jenny, wyrwana z zamyślenia, oświadczyła:

– Nie lubię bekonu.

Nie namyślając się długo, przełożył bekon na swój talerz.

– Jajka lubisz?

Popatrzyła tylko na niego i nie odezwała się słowem.

– Chcesz coś do tego?

– Ziemniaki.

Tym razem jego frytki wylądowały na talerzu Jenny. Uśmiechnął się do niej przyjaźnie i zabrał do jedzenia.

Para niemłodych już ludzi płaciła właśnie rachunek i zbierała się do wyjścia. Mężczyzna w średnim wieku z wielkim trzęsącym się brzuszyskiem otworzył drzwi, wszedł, usiadł przy kontuarze i zamówił stek z frytkami. Był tak gruby, że pośladki smętnie zwisały mu po bokach krzesła barowego. Na parkingu przed wejściem młoda, mocno umalowana kobieta z burzą włosów na głowie paliła papierosa. Głębokie wycięcie w skórzanej spódnicy odsłaniało całe udo. Podjechał jakiś samochód. Bravo zmartwiał. Wymalowana kobieta rzuciła niedopałek na ziemię i ostrożnie stąpając w wysokich szpilkach, podeszła do wozu, otworzyła drzwi i wystudiowanym, płynnym ruchem wślizgnęła się do środka. Samochód natychmiast odjechał. Bravo odetchnął z ulgą i wrócił do jedzenia. W lokalu było jeszcze pół tuzina innych gości. Nikt tu nie zwracał uwagi na pozostałych.

– Jenny, porozmawiaj ze mną – odezwał się wreszcie.

Metodycznie przełykała kolejne kęsy, jedząc tylko z rozsądku, gdyż wcale nie czuła smaku. Spoglądała w przestrzeń niewidzącym wzrokiem.

Zagarnęła z talerza ostatni kawałek jajecznicy i wreszcie się odezwała:

– Nawet go nie pochowaliśmy.

– To byłoby nierozsądne.

– Taki jesteś mądry? – Odrzuciła widelec i odsunęła talerz z wyrazem niesmaku na twarzy. – Śmierdzi zjełczałym tłuszczem.

– Musimy się kłócić?

Popatrzyła na niego przeciągle w milczeniu.

– Jest mi przykro, że zginął. Nie wiem, jak wiele dla ciebie znaczył, ale...

– Ty idioto! – krzyknęła z furią. – Myślisz, że zjadłeś wszystkie rozumy. Nieprawda. Nic nie pojmujesz!

Zapadła grobowa cisza. Oboje byli gotowi do upadłego bronić swoich racji. W końcu Bravo nie wytrzymał i wyciągnął rękę na zgodę.

– Zawrzyjmy pakt o nieagresji. Odrzućmy złość i uprzedzenia, dobrze?

Nie zareagowała. Tylko wyraz jej oczu świadczył o tym, że zastanawia się, dlaczego nagle stał się taki skory do kompromisu.

Wyprostowała się i spojrzała na niego wyzywająco.

– Ale nie próbuj nic kombinować. Zapomnij o tym, jasne?

Roześmiał się zaskoczony, może nieco rozczarowany.

– Mówię serio.

– W porządku – odparł.

Uścisnęła jego dłoń z oczyma pełnymi łez.

– Pakt zawarty.

Kiedy znaleźli się z powrotem w samochodzie, Bravo wyjął z kieszeni kartkę z ciągiem cyfr, które jego ojciec wytrawił na szkłach okularów.

– Muszę się nad tym zastanowić. Chociaż wydaje mi się, że wiem, co to jest.

– Zdążyłeś już to rozpracować? – zapytała Jenny.

– To nie było trudne. – Uniósł kartkę, tak by mogli ją zobaczyć w lusterku wstecznym. – Tej sztuczki nauczył mnie ojciec, kiedy byłem jeszcze dzieckiem. Należy spojrzeć na lustrzane odbicie wewnętrznego ciągu liter, a tu, w tym wypadku, cyfr. Osoba niewtajemniczona nadal nic nie rozumie z tego, co widzi w lustrze.

Ze schowka wygrzebał notes i długopis. Jenny trzymała uniesioną kartkę, a on zapisał w notesie cyfry odbite w lusterku. Teraz były to trzy ciągi sześciocyfrowe i jeden czterocyfrowy.

Jenny przeniosła wzrok z kartki na twarz Bravo, próbując wyczytać z niej odpowiedź.

– No i...?

Sięgnął ręką po GPS, wyjął go z uchwytu i wstukał cyfry zapisane na kartce.

Jenny osłupiała.

– To jest lokalizacja?

– Trzy szeregi sześciocyfrowe to długość i szerokość geograficzna z dokładnością do jednej minuty.

– A ten ostatni, czterocyfrowy ciąg?

– Jeszcze nie wiem.

Wskazał ruchem głowy migający ekran wyświetlacza.

– Saint-Malo. To we Francji?

– Dokładnie rzecz biorąc, w Bretanii.

– Jedziemy tam?

– Tak – odparł Bravo, sięgając po telefon komórkowy. – Ale nie sami.

*

123

W Paryżu było wczesne przedpołudnie i Jordan Muhlmann znajdował się w swoim biurze w Lusignan et Cie. Był wysokim, szczupłym brunetem o ciemnych, głęboko osadzonych oczach i wyraźnie zarysowanej szczęce. Na twarzy o władczych rysach malował się wyraz udręki. Rozmawiał z kobietą. Zbliżała się do pięćdziesiątki, lecz czas był dla niej wyjątkowo łaskawy. Miała na sobie szykowny czarny kostium od Lagerfelda i jedwabną kremową bluzkę. Jej szyję zdobił pojedynczy sznur pereł, na palcu nosiła złoty pierścień z wygrawerowaną podobizną kobiecej głowy. Siedziała spokojnie z rękami skrzyżowanymi na kolanach.

Za oknem wyrastały olbrzymie marmurowe ściany Wielkiego Łuku. Ten symbol dzielnicy biznesu, La Defense, nie był właściwie łukiem, lecz wydrążonym sześcianem. Pasował do otoczenia strzelistych biurowców ze stali i szkła. Daleko w tyle rysowała się sylwetka potężnego klasycznego Łuku Triumfalnego, wzniesionego ku chwale zwycięstw armii napoleońskiej.

Dzień był pogodny, jedynie daleko na horyzoncie pojawiło się kilka niewielkich obłoków. Na ulicach roiło się od ludzi. Choć pochodzili z przeróżnych stron świata, nie byli sobie obcy. Mówili tym samym językiem, modlili się do tego samego Boga, mieli podobne marzenia. Tu rządził biznes. Euro, bezosobowe elektroniczne przelewy, przejęcia i przekształcenia firm, wielkie interesy... Gdzie podział się dawny czar tego miejsca? Co stało się z Paryżem?

Fasada siedziby Lusignan et Cie nie różniła się niczym od swojego otoczenia. Wszystko w tej dzielnicy było jednakowo lśniące, zimne i bezosobowe. Zupełnie pozbawione duszy. Dopiero wnętrze wyglądało inaczej. Pełne uroku, nawiązywało do stylu art nouveau. Żadnych ostrych krawędzi, same krągłości i wypukłe reliefy. Na półkach dzieła sztuki z poprzednich stuleci – francuska i niemiecka rzeźba z lat dwudziestych wieku dwudziestego, dziewiętnastowieczna ceramika, fragmenty starożytnych zwojów, rękojeść miecza z czasów wypraw krzyżowych – pozostałości minionych dziejów. To właśnie fascynacja historią, kulturą i religią tak bardzo zbliżyła do siebie Bravo i Jordana.

Zadźwięczał interkom.

– Pan Shaw na linii. Mówi, że to pilne – usłyszał głos sekretarki.

Jordan wcisnął przycisk i podniósł słuchawkę.

– Bravo! Próbowałem się do ciebie dodzwonić. – W jego głosie słychać było napięcie. – Wszystko w porządku?

– Teraz już tak.

– Co za ulga!

– Wracam do Paryża. Natychmiast. Samolot ląduje jutro rano. Jest ze mną przyjaciółka, Jenny Logan. Potrzebny mi będzie transport.

– Jasne. Masz to załatwione. *Alors*, musisz mi opowiedzieć o tej Jenny Logan. To ci niespodzianka. Znalazłeś sobie, jak to wy Amerykanie mówicie – dziewczynę?

Bravo roześmiał się.

– Dziewczynę. No nie do końca. Słuchaj, Jordan. Muszę ci powiedzieć, że sprawy tutaj przybrały bardzo nieprzyjemny obrót.

– *Mon ami*, co ty opowiadasz?

– To nie jest rozmowa na telefon. Proszę cię tylko, przyślij na lotnisko kogoś zaufanego.

Kobieta siedząca dotychczas w bezruchu wstała i podeszła do biurka Jordana. Jej ruchy były pełne gracji, a oblicze, dumne i bezwzględne, nie pozostawiało żadnych wątpliwości, że to ona panuje nad wszystkim. Wystarczyło jedno spojrzenie, by każdy uwierzył, że sprzeciwianie się jej woli byłoby co najmniej nierozsądne.

– Bravo, *un moment, s'il vous plait*. – Jordan wcisnął przycisk i wyczekująco spojrzał jej w oczy.

Kobieta otworzyła usta i łagodnym tonem powiedziała:

– Jordan, mój skarbie, pozwól, że ja to zrobię.

Jordan przecząco pokręcił głową.

– Nie. To zbyt niebezpieczne. Po tym, co przytrafiło się Dexterowi...

– Uspokój się. Będę ostrożna – szepnęła i jej twarz rozjaśnił uśmiech.

– Jordan! Słyszysz mnie? – powtórzył Bravo.

Zwolnił przycisk i rzucił do słuchawki:

– *Mon ami*, martwię się o ciebie. Jesteś bardzo spięty.

– Więc rozumiesz.

– Oczywiście – odparł. – Sam po was przyjadę.

– W tym tygodniu jest chyba kwartalna narada dyrektorów, prawda?

– Tak, jutro. Poza tym przylecieli Holendrzy. Chcą wreszcie sfinalizować umowę, nad którą razem od roku pracowaliśmy.

– A co z braćmi Wassersturm?

– Nic z tego nie wyszło.

– Przecież strasznie naciskali.

– Zajmę się tym, *mon ami*.

– Jordan, nie ma mowy. Masz dosyć roboty w firmie.

– Ale ty jesteś moim przyjacielem. Więcej niż przyjacielem.

– Wiem i doceniam to, ale przyślij kogoś innego. Proszę cię.

Jordan zastanawiał się chwilę nad odpowiedzią, po czym skinął głową stojącej obok kobiecie.

– Nie martw się – powiedział do słuchawki. – Przyjedzie ktoś, kogo znasz i komu ufasz.

– Dziękuję, Jordan – odparł z ulgą Bravo. – Nie zapomnę ci tego.

W samolocie panował mrok. Był środek nocy, lecieli na wysokości dziesięciu kilometrów nad powierzchnią czarnego, bezkresnego Atlantyku. Większość pasażerów klasy biznesowej spała, nieliczni oglądali film na przenośnych odtwarzaczach DVD, które wcześniej rozdała stewardesa. Bravo i Jenny byli zbyt utrudzeni, by zasnąć.

Oświetleni jedynie przez małe lampki na suficie, rozmawiali szeptem. W obojgu zrodziła się nagła, nieprzeparta chęć bliższego poznania. Wyszli cało z kilku zaciętych batalii, ratując się nawzajem od niechybnej śmierci. Jak żołnierzy walczących ramię w ramię w tej przedziwnej, sekretnej wojnie określanej jako Voire Dei, połączyła ich więź bliższa i nawet bardziej intymna niż seks. Mimo to nadal pozostawali sobie obcy.

– Jedynymi osobami, które wierzyły we mnie, był mój ojciec, twój, no i oczywiście Paolo Zorzi, mój instruktor – opowiadała Jenny. – Pozostali byli przeciwni przyjęciu mnie do zakonu, a tym bardziej temu, bym objęła funkcję Strażnika.

Jej cera znów stała się śniada i tylko w pionowo padającym snopie światła dostrzec można było liczne zadrapania i skaleczenia na skórze.

– Twój ojciec był wszechwładny – ciągnęła. – Niemal nikt z Haute Cour nie ośmielił się mu sprzeciwić.

Stewardesa, pchając przed sobą wózek, proponowała pasażerom wodę, kawę, herbatę i soki, ale oni grzecznie odmówili. Większość lampek nocnych już zgaszono. W kabinie panował mrok. Według jego obliczeń minęła połowa podróży, byli bliżej Paryża niż Waszyngtonu.

– Twoja inicjacja wyglądała podobnie jak moja? – zapytał.

Ironiczny uśmieszek momentalnie zniknął z jej ust.

– Jestem kobietą. Przebiegała zupełnie inaczej.

– Ale mówiłaś, że nasi ojcowie i Paolo Zorzi wierzyli w ciebie.

Jenny skinęła głową.

– Tak, ale jest tradycja, której nawet oni nie mogli zignorować. Musiałam włożyć prostą, czarną szatę. Zaprowadzono mnie do ciemnego pomieszczenia bez okien. W mosiężnych świecznikach paliły się tylko cztery długie świece. Wyglądało to jak więzienna cela, a właściwie jak cela śmierci. Było bardzo zimno. Kazano mi położyć się na brzuchu i całować kamienie posadzki. Okryto mnie czarnym całunem. Przez prześwitujący materiał widziałam, jak obok moich ramion i stóp postawiono świeczniki. Wypowiedziałam słowa przysięgi. Ślubowałam oddać serce, umysł i duszę zakonowi. Twój ojciec i Paolo Zorzi zaintonowali modlitwę w jakimś przedziwnym języku.

– Pamiętasz słowa tej modlitwy?

Jenny zamknęła oczy i zmarszczyła brwi. Z trudem wymówiła trzy słowa, tak jak je zapamiętała.

Bravo zrozumiał.

– To język plemienia Jagbu, z którego wywodzą się Seldżucy, najpotężniejsi z władców w trzynastowiecznej Turcji. Dwukrotnie udało im się zdobyć Trebizondę, wspaniałe miasto założone przez Greków na południowym wybrzeżu Morza Czarnego. Trebizonda leżała na skrzyżowaniu szlaków handlowych i zaopatrywała całą Europę w jedwab, przyprawy i – co najważniejsze – w ałun, który służył do produkcji barwników.

Jenny poprosiła, żeby ponownie wypowiedział te trzy słowa, które zapamiętała.

– Opowiedz mi, jak dalej przebiegała twoja inicjacja.

Jenny westchnęła głęboko.

– Zorzi wbił palce w okolicy krzyża i przycisnął tak mocno, że ból stawał się nie do zniesienia. Krzyczałam i płakałam z bólu. Potem twój ojciec zapytał mnie po łacinie: „Czy ty, podobnie jak inne twoje siostry, masz wolę w bólu i cierpieniu stać się częścią zakonu?".

– Brzmi to podejrzanie znajomo. Taką formułkę wymawiano przy składaniu ślubów zakonnych w średniowieczu.

– Bingo – odparła Jenny. – Rytuał został wprost zapożyczony z obrzędu, jakiemu poddawano kobiety weneckie w szesnastym wieku.

Nim stały się zakonnicami, były świadkami swojego symbolicznego pogrzebu.

– To znaczy, że na przestrzeni wieków zakon przyjmował w swoje szeregi kobiety – zauważył Bravo.

– Na to wygląda, choć wiesz równie dobrze jak ja, że przekazy historyczne mówią coś innego.

Pomyślał o niesprawiedliwym traktowaniu kobiet. Po chwili pochylił się ku niej i powiedział:

– Coś mi nie daje spokoju.

Podobał mu się zapach jej perfum. Przyprawiał go o zawrót głowy.

– Ani razu nie próbowałaś się skontaktować z kimkolwiek z zakonu i poprosić o pomoc. Zawsze odpowiadałaś mi wymijająco. Dlaczego?

Milczała, lecz skupienie malujące się na jej twarzy świadczyło, że próbuje znaleźć właściwe uzasadnienie swojego postępowania. W końcu zdecydowała się mówić.

– Twój ojciec był przekonany, mój zresztą też, że w wewnętrznym kręgu, w Haute Cour, jest zdrajca. Można by powiedzieć – uśpiony agent.

– I ty też w to wierzysz?

– Byłam pewna, że nasi ludzie są absolutnie bezpieczni, że nic złego nie może ich spotkać. Teoria o zdrajcy świetnie tłumaczy nagłą śmierć pięciu członków Haute Cour, w tym twojego ojca.

– Krótko mówiąc, nie możemy na nikim polegać? Jesteśmy zdani na siebie?

– Do tego się to sprowadza. – Jenny przymknęła oczy.

– Jest coś jeszcze, prawda?

– Tak. Dexter był tak pewien, iż zdrajca rzeczywiście istnieje, że sam, nie informując o tym nikogo, przeniósł skrzynię tajemnic w inne miejsce.

– To do niego podobne. – Bravo oparł się o zagłówek fotela. Jego wzrok błądził bez celu po ścianach kabiny samolotu. – Brakuje mi go. – Potrząsnął głową, odganiając smutne myśli. – To dziwne, patrząc wstecz, widzę, jak... jak trudny był nasz związek.

– Dlaczego?

– Bardzo dużo ode mnie wymagał, a ja nie potrafiłem zrozumieć, co nim kieruje.

Wahał się odrobinę za długo. Czy powinien jej jeszcze coś powiedzieć? Trudno chyba byłoby czymkolwiek zaskoczyć Jenny. Za to ona nie zdradziła mu prawie nic na swój temat.

– Opowiadałaś o swoim ojcu – zaczął. – A co z matką? Nie widziałem w waszym domu żadnych śladów jej obecności.

Jenny spojrzała w dal, jak miała w zwyczaju, gdy zadawał jej jakieś szczególnie drażliwe pytanie. Nabrała powietrza i cichym, spokojnym głosem rozpoczęła opowieść.

– Matka odeszła jakiś czas temu. Mieszka teraz w Taos i zajmuje się garncarstwem. Jej nauczycielem jest Indianin z plemienia Nawahów. Podejrzewam, że jest nie tylko jej nauczycielem, ale i kochankiem.

– Chce rozmawiać ze swoim facetem w jego ojczystym języku?

– Potrafisz być cholernie romantyczny. – Uśmiechnęła się z goryczą. – Niestety nie. Po prostu ten język jest diabelnie trudny, a ona wyznacza sobie kolejne cele w życiu, traktując je jak wyzwanie.

– Twój ojciec źle zniósł jej odejście?

– Tak, choć prawdę mówiąc, nie jestem pewna dlaczego. Nie wiem, czy ją kochał, czy tylko dawała mu wsparcie. Wiesz, jacy są mężczyźni. W interesach mogą osiągnąć wszystko, ale gdy wracają do domu, stają się zupełnie bezradni. Ojciec nie potrafił zaparzyć sobie herbaty, nie mówiąc o uruchomieniu zmywarki do naczyń... Tydzień po odejściu matki musiałam usuwać tony piany, bo nasypał do zmywarki proszku do prania. – Uniosła się nieco, przyjmując w fotelu wygodniejszą pozycję. Zdjęła buty i usiadła po turecku. – Oczywiście wkrótce kogoś poznał, choć bardzo go ta sytuacja krępowała. Nie potrafił być sam, a ja nie mogłam go wiecznie niańczyć.

– Twoi rodzice... lubili się chociaż? – zapytał.

– Kto wie. Ojciec żył w swoim świecie, a matka... Opowiem ci jedną historię. Kiedy miałam szesnaście lat, zakochałam się nieprzytomnie w jednym chłopaku. Mieszkaliśmy wtedy w San Diego. On był studentem pierwszego roku college'u, starszym ode mnie o dwa lata i absolutnie słodkim. Na dodatek Latynosem. Matka się o wszystkim dowiedziała i szybko doprowadziła do zerwania tej znajomości.

– Jak?

– Wysłała mnie na drugi koniec Stanów do szkoły z internatem, do New Hampshire. Spędziłam tam dwa lata. Nauczyłam się jeździć na nartach i nienawidzić chłopców. Kiedy wróciłam do domu, było zbyt późno. On wyjechał.

– Nie pisałaś do niego?

Obdarzyła go cierpkim uśmiechem.

– Nie znasz mojej matki.

Rozbłysło polecenie zapięcia pasów. Stewardesa, która krążyła pomiędzy fotelami, poprosiła Jenny o opuszczenie nóg na podłogę.

– Masz zaufanie do człowieka, z którym rozmawiałeś? – zapytała Jenny.

– Do Jordana? Absolutne. Jesteśmy jak bracia, nawet więcej, bo nigdy nie musieliśmy ze sobą rywalizować.

Jenny pokiwała głową ze zrozumieniem.

– Wiem, co masz na myśli. Moja siostra Rebecca i ja zawsze ze sobą toczyłyśmy wojnę. Zawsze byłyśmy bardzo do siebie podobne. Nie potrafię zliczyć, ile razy podrywałyśmy sobie nawzajem chłopaków, ale kiedy trzeba było sprzeciwić się rodzicom, natychmiast tworzyłyśmy wspólny front. W szczególny sposób dotyczyło to matki – ona zawsze próbowała nas skłócić. – Westchnęła. – Brakuje mi siostry. Brakowało mi jej, gdy byłam w New Hampshire. Matka postąpiła okrutnie, rozdzielając nas. Becca mieszka teraz w Seattle ze swoim facetem i dwójką dzieci. Rzadko się widujemy, zbyt rzadko. – Odwróciła się do niego. – A jak Emma? Była ranna, prawda?

– Tak. Straciła wzrok – odparł krótko Bravo. – Chyba u niej wszystko w porządku, ale kto wie?

– Nie żyją?! Oboje?! – krzyknął Jordan. – Nie jestem zaskoczony. Podejrzewałem, że tak się stanie.

Stał ze słuchawką przy uchu i przyglądał się niewielkiemu średniowiecznemu obrazowi, przedstawiającemu Madonnę z Dzieciątkiem. Obraz był namalowany z taką pasją, że emanowała z niego nieziemska siła.

– Nie pojmuję tylko, dlaczego nie poinformowałaś mnie wcześniej.

W pokoju rozległ się przytłumiony dźwięk dzwonka, a na konsoli zapaliła się lampka. Jordan podszedł szybko do biurka. To była linia kodowana. Tylko jedna osoba mogła z niej korzystać. Teraz była to ostatnia osoba, z którą Jordan miałby ochotę rozmawiać. Tak czy owak, nie miał wyjścia, musiał odebrać to połączenie.

– Gruntowne sprzątanie? – powiedział w pośpiechu, próbując jak najszybciej zakończyć poprzednią rozmowę. – Tak, tak. Oczywiście. Za wszelką cenę musimy uniknąć wmieszania się w tę sprawę policji. Masz natychmiast wyjechać z Waszyngtonu. Wracaj tutaj. – Popatrzył nerwowo na migające światełko. Nie może mu kazać tak długo czekać. – Mam dla ciebie nowe zadania. Przepraszam, ale ktoś dzwoni. Odezwij się, jak wrócisz.

Odłożył pospiesznie słuchawkę i natychmiast odebrał telefon na kodowanej linii.

– Kardynale Canesi, proszę mi wybaczyć. – Felice Canesi był prawą ręką papieża. – Miałem pilny telefon z Pekinu. Wasza ekscelencja wie, jacy są Chińczycy, zawsze piętrzą trudności.

– Jestem światowcem, Jordan, rozumiem zawiłości dyplomacji – rzekł kardynał swoim głębokim stentorowym głosem. – Ale nienawidzę, gdy się nie podnosi słuchawki, kiedy dzwonię. Nie mówmy już o tym.

Jordan przyjął wymówkę ze stoickim spokojem.

– Od trzech dni czekam na telefon od waszej ekscelencji. Proszę powiedzieć, jak się czuje papież?

– Dotarliśmy do sedna sprawy. – Czy to z powodu wieloletniej izolacji za murami Watykanu, czy może zwykłej pompatyczności, każde wypowiedziane przez niego zdanie było nienaturalnie oficjalne. – Jak zapewne wiesz, Jego Świątobliwość od dziesięciu dni jest w stanie krytycznym, ale to się wkrótce zmieni.

– Dobra wiadomość.

– Wcale nie – powiedział Canesi grobowym głosem. – Stan jego zdrowia stale się pogarsza. Mówiąc szczerze, i jest to wiadomość przeznaczona tylko dla twoich uszu – papież umiera. Nie pomogą już ani modlitwy, ani wiedza medyczna. – Jak stary, doświadczony aktor zawiesił głos, by nadać następnym słowom większą wagę. – Tylko ta...

– Proszę! – ostro przerwał Jordan.

– Tak, tak. Oczywiście – zmitygował się kardynał, przypomniawszy sobie o środkach bezpieczeństwa. – W każdym razie bez tego, co nam obiecałeś, nie ma dla niego ratunku. Musimy to dostać w ciągu tygodnia.

– Proszę się nie martwić – odparł pogodnie Jordan. – Dostaniecie. Papież będzie żył.

– Dałeś słowo, Jordan. To jest sprawa najwyższej wagi. Watykan przez stulecia był pełen troski, czy ta najcenniejsza rzecz, która wywodzi się z Kościoła, wróci na jego łono. Kolejni papieże nadaremno poświęcali całe swe życie odzyskaniu tego, co ci odszczepieńcy gnostycy nam skradli. I tak fakty przeistoczyły się w legendę. Muszę cię ostrzec, że sporo jest osób w rzymskiej kurii, które nie wierzą, że ta... substancja istnieje.

– Istnieje, wasza ekscelencjo. Proszę się nie obawiać.

– To nie ja będę się obawiał, jeśli wam się nie powiedzie – rzekł ostrzegawczym tonem Canesi. – Stoimy na rozdrożu. Właśnie dlatego użyliśmy wszystkich naszych wpływów, by wesprzeć waszą uświęconą misję. Ale posłuchaj: dużo ryzykujemy. Jego Świątobliwość nigdy nie wskazał swojego następcy. Kolegium kardynalskie jest skłócone, pełne starych hierarchów o przeroście ambicji. Każdy z nich ma własną wizję przewodzenia Kościołowi. I znowu powiem ci coś w najgłębszej tajemnicy: albo Jego Świątobliwość wydobrzeje, albo dzięki swoim kardynałom Kościół pogrąży się w kompletnej anarchii.

Jordan rozumiał, co to oznacza: koniec Canesiego, koniec całej tej kliki, koniec cichego wsparcia.

– Nie zawiedź nas, Jordan. Pamiętaj, tydzień, nie więcej.

Umysł Jordana pracował teraz na najwyższych obrotach. Kiedy odłożył słuchawkę, natychmiast zaczął słowo po słowie analizować to, czego dowiedział się od kardynała. Znał go lepiej, niż ten mógł przypuszczać. Jego ekscelencja był szefem tajnej koterii wysokich rangą hierarchów watykańskich, którzy otaczali papieża troską i opieką, a w ramach wdzięczności byli obdarzani przez niego przywilejami, pozwalającymi prowadzić własną politykę. Canesi miał powody do strachu. Śmierć papieża byłaby dla niego ciosem. Koteria potrzebowała tego papieża. Przez lata metodycznie skupiali w swych rękach coraz większą władzę, przejmowali panowanie nad Kościołem, a niczego nieświadomy papież wspierał ich działania. Oni z kolei popierali Jordana i jego plan, który miał być realizowany powoli, stopniowo, przez lata. A teraz panika Canesiego wszystko przyspieszyła.

Zatroskany Jordan potarł policzek. Chwycił komórkę i wystukał numer.

– Dzwonił ekscelencja. Obawiam się, że mamy mniej czasu, niż przypuszczaliśmy. Najwyżej tydzień, tak powiedział. Na szczęście, tak jak planowaliśmy, teraz Bravo ma klucz w ręku. Czas na następny krok. Dodam, że ryzykowny.

– Ryzyko jest nieodłączną częścią tej gry, mój drogi – odezwał się głos z drugiej strony słuchawki.

– Donatella i Ivo też podjęli ryzyko – powiedział z goryczą – i jak to się dla nich skończyło?

– Mam plan. Zapędź Bravermana Shawa i jego anioła stróża do narożnika, rozdziel ich i doprowadź do ostateczności.

Jordan siedział wyprostowany jak struna, ze ściśniętym gardłem.

– I co wtedy?

– Ona nie ma dla nas żadnego znaczenia. A on, kiedy już doprowadzi nas do celu, musi zginąć.

Jordan odwrócił się do okna i spokojnie odrzekł:

– Tak jak od początku planowaliśmy.

CZĘŚĆ DRUGA

OBECNIE

PARYŻ
SAINT-MALO
WENECJA
RZYM

10

Camille Muhlmann, równie piękna i intrygująca jak zawsze, czekała na Bravo i Jenny na lotnisku Charles'a de Gaulle'a. Miała na sobie kostium od Lagerfelda, ale tym razem, przez wzgląd na letni upał, był wykonany z lekkiego, przewiewnego materiału, podobnie jak jej bluzka, przez którą kusząco prześwitywały koronki stanika. Pomachała ręką, kiedy w drzwiach pojawił się Bravo, podbiegła, objęła go i czule ucałowała w oba policzki.

– *Mon Dieu, quel choc!* – powiedziała łagodnym tonem, nie wypuszczając go z objęć. – Bravo, biedaku. Twój ojciec odszedł stanowczo zbyt wcześnie.

Bravo odwzajemnił pocałunek i odsunął się nieco; niezbyt pospiesznie, jak oceniła to Jenny. Na dodatek, nim zdołał się całkowicie oswobodzić, Camille ujęła jego głowę w dłonie.

– Co się stało? Wpadłeś w jakieś okropne tarapaty? – zapytała z wyraźnie odczuwalnym niepokojem, który zaczął już denerwować Jenny.

– Nie tutaj, nie teraz – odparł szorstko Bravo.

Nie zważając na urażoną minę Camille, postanowił dokonać prezentacji.

– Jenny Logan, Camille Muhlmann, matka Jordana.

– Więc ty jesteś jego nową dziewczyną – rzekła Camille.

Bravo zmarszczył brwi.

– Camille, mówiłem już Jordanowi...

Camille wyciągnęła rękę na przywitanie, przyglądając się badawczo twarzy Jenny.

– Miło mi cię poznać. Musimy szybko zająć się twoimi ranami, skarbie, *n'est-ce pas?* – powiedziała i ze zdumiewającą czułością uścisnęła jej dłoń. Po chwili zwróciła się do Bravo: – Ona mi się podoba, mój drogi.

Roześmiała się, obejmując Bravo ramieniem.

– Nie miej mi tego za złe, Jenny, ale jeśli chodzi o niego, zawsze byłam nadopiekuńcza. Nic na to nie poradzę. On jest najlepszym przyjacielem mojego syna. Należy do rodziny, musisz to zrozumieć.

– Oczywiście, rozumiem, madame Muhlmann.

– Droga Jenny, sądzę, że powinnyśmy ułatwić sobie porozumienie. *Alors*, mów mi po imieniu, Camille.

Jenny uśmiechnęła się z zaciśniętymi zębami. Widać było wyraźnie, że Camille robi wszystko, by sprawić Bravo przyjemność. Najbardziej denerwujące było to, że podobało mu się to jej zainteresowanie.

– A bagaż? Nic? – Camille pogładziła palcami policzek Bravo. – Uciekaliście z Waszyngtonu w takim pośpiechu. To cud, że nie zapomnieliście o paszportach.

– Nigdy się z nimi nie rozstajemy – odparła Jenny.

Camille odwróciła się do niej z uśmiechem na ustach.

– Czym się właściwie zajmujesz, Jenny?

– Jestem konsultantką firm inwestujących w krajach rozwijających się – odparła, nie tracąc rezonu. – Pomagam im dostosować się do standardów narzuconych przez Bank Światowy i Światową Organizację Handlu.

– Dlaczego więc znalazłaś się tutaj, razem z Bravo?

– Przyjaźń jest dla mnie równie ważna jak dla pani, madame Muhlmann.

– Mów mi po imieniu, proszę – przypomniała Camille, ujmując w wyjątkowo czuły sposób dłonie Jenny.

Dotarli wreszcie do parkingu. Nad Paryżem płynęły szaroniebieskie chmury, a wczesny poranek, był gorący i parny. Mimo hałasu czynionego przez przejeżdżające samochody, z oddali dobiegały pomruki nadciągającej burzy.

– No, dobrze, Bravo. Musisz mi teraz powiedzieć, o czym nie chciałeś rozmawiać z Jordanem przez telefon. Co takiego wydarzyło się w Ameryce, że musieliście oboje tak nagle wracać?

Przystanęła przy swoim samochodzie – nowiutkim, szarym citroenie C5.

– Nie wynajęłaś dla nas samochodu? – zapytał zaskoczony Bravo.

– Sama was zawiozę. Kiedy Bravo zaczął protestować, wyciągnęła ku niemu rękę.

– To polecenie Jordana, skarbie. Zrozum. Dokądkolwiek chciałbyś się udać, ja zawiozę cię tam szybciej i bezpieczniej. Samochód z wypożyczalni łatwo rozpoznać po tablicach rejestracyjnych, *n'est-ce pas*? Zwracałbyś tylko na siebie niepotrzebnie uwagę, a przecież chyba ci na tym nie zależy, prawda?

Spojrzał na Jenny i udając, że nie widzi jej przeczącego kiwania głową, odparł:

– Dziękujemy ci, Camille. To bardzo uprzejme z twojej strony.

– *Bon*, a więc ustalone. – Otworzyła drzwi. – Musicie umierać z głodu. Poza tym kupimy wam nowe ubrania. Te, które macie na sobie, już się nie nadają do noszenia. – Gestem ręki zaprosiła Bravo do środka. – Opowiesz mi wszystko po drodze.

Bravo otworzył tylne drzwi.

– Nie, skarbie. Chcę, żebyś usiadł koło mnie. – Odwróciła się. – Oczywiście, jeżeli Jenny nie ma nic przeciwko temu.

– Ależ nie. – Jenny przywołała na twarz słaby uśmiech. Camille zadała to pytanie w taki sposób, że odmowa zabrzmiałaby niestosownie.

Camille ujęła Bravo pod rękę i głęboko spojrzała mu w oczy. Ciekawe, czy ich biodra się stykają? – pomyślała Jenny. Czuła emanującą od tej kobiety uwodzicielską seksualność. Patrzyła na nią i ogarniało ją uczucie zazdrości. Wabiący zapach Camille oplatał Bravo niczym wężowe włosy Meduzy.

Jenny usiadła z tyłu citroena i uważnie spojrzała na Bravo. Wzrok miał nieobecny, ogarnął go nagły przypływ melancholii. Rozejrzał się wokół i zdał sobie sprawę, że ojciec już nigdy nie odwiedzi go w tym miejscu, że przytłumione światła latarni ulicznych nad Sekwaną nie rozświetlą twarzy Dextera Shawa, tak jak podczas ich ostatniej przechadzki.

Kiedy samochód prowadzony przez Camille oddalił się od lotniska, Bravo w dużym skrócie opowiedział jej, co działo się z nim od momentu opuszczenia szpitala. Camille nie przerywała mu, kiedy opowiadał o tym, jak wydostali się z domu Jenny i umykali pogoni.

Bravo nie wymienił imion Iva i Donatelli. Jenny opisał jako przyjaciółkę z dzieciństwa, z czasów, kiedy mieszkał z rodzicami w Nowym Jorku.

– Moja siostra zaprosiła ją na świąteczny obiad. Spóźniła się i dotarła na miejsce tuż po eksplozji. Była pierwszą osobą, którą zobaczyłem, kiedy otworzyłem wreszcie oczy w szpitalu.

– Szczęściara z ciebie – rzuciła Camille, kiedy jej oczy napotkały wzrok Jenny w lusterku wstecznym.

– Cóż mam powiedzieć? – odpowiedziała Jenny, zdając sobie sprawę, że uśmiech, który ma przyklejony do warg od momentu spotkania z Camille Muhlmann, jest nie tylko sztuczny, ale też lodowaty i upiorny. – Urodziłam się pod szczęśliwą gwiazdą.

Camille skręciła na autostradę A 11 i skierowała na północ w kierunku Rouen.

– No dobrze, skarbie, ale kim byli ci wasi prześladowcy i czego właściwie chcieli? – Camille zjechała na lewy pas i dodała gazu. – Muszę ci powiedzieć, że Jordan ma swoją teorię. Jest przekonany, że za tym wszystkim stoją bracia Wassersturm.

– Wassersturm? – powtórzyła Jenny.

– Konkurencja w interesie, którym się zajmowałem przez ostatnie pół roku. – Bravo odwrócił się do niej. – Chcieliśmy kupić pewną firmę w Budapeszcie. Problem w tym, że takie same plany miała firma z Kolonii, której właścicielami są bracia Wassersturm. Przeprowadziłem małe śledztwo, które wykazało, że bracia, wykorzystując cały łańcuszek firm pośredniczących, zaopatrują w broń rosyjską mafię. Pokazałem dowody zarządowi firmy z Budapesztu. Tydzień później to my podpisaliśmy umowę.

– Zemsta. – Camille wściekle wcisnęła klakson i ominęła z prawej strony pojazd, który jechał zdecydowanie zbyt wolno jak na jej gust. Kiedy znalazła się z powrotem na najszybszym pasie ruchu, dodała gwałtownie gazu. – Bracia Wassersturm byli wściekli, kiedy się dowiedzieli, że odrzucono ich ofertę. Jordan obawiał się, że będą próbowali się mścić. Pojechał nawet do Monachium i spędził tam trzy dni, próbując ubić z nimi jakiś interes. Wszystko po to, by ich uspokoić.

Bravo zmarszczył brwi.

– Nie powinien tego robić. Nie są godni zaufania.

Camille roześmiała się.

– Znasz Jordana. Jeżeli jego warunki są przyjęte, jest gotów robić interesy choćby z diabłem.

– Nie sądzę, żeby teoria Jordana była prawdziwa. Bracia mogli pokrzykiwać, ale szczerze wątpię, żeby posunęli się do aktu agresji.

– Rozumiem, że masz własną teorię – powiedziała Camille.

– Wydaje mi się, że te ataki mają coś wspólnego ze śmiercią mojego ojca – rzekł po chwili wahania.

Camille zaryzykowała spojrzenie w jego kierunku.

– *Je ne comprends pas*. Czego ci ludzie od ciebie chcą?

– Nie mam pojęcia – odparł powoli. – Widziałem się z ojcem na krótko przed jego śmiercią. Nalegał na to spotkanie. Chciał mi powiedzieć wówczas coś, co było dla niego bardzo ważne, ale ja byłem wściekły i zbyłem go.

– Och, Bravo! – Camille włączyła kierunkowskaz i zjechała na prawy pas autostrady. – I w takiej chwili los odebrał ci ojca. *Quel dommage!*

Nowoczesne szare bryły biurowców na północnych obrzeżach Paryża sąsiadowały z zielonymi plamami pól i wyrastającymi gdzieniegdzie osiedlami brzydkich domów mieszkalnych.

Zjechali z autostrady na drogę prowadzącą do Magny-en-Vexin, wysadzaną po obu stronach szpalerem dorodnych grabów, których gałęzie pokryte liśćmi tworzyły nad nimi baldachim przesłaniający niebo. Kiedy dotarli do miasteczka, starówka przywitała ich grzmotem zbliżającej się burzy, a niebo rozświetlały co chwila błyskawice.

Bistro du Nord, mała przytulna restauracyjka, do której schodziło się po schodach w dół, znajdowała się przy rue de la Halle. Pomieszczenie było długie i wąskie, z pomalowanymi na biało ścianami i belkami sufitowymi z ciemnych drewnianych bali. Wnętrze do złudzenia przypominało tradycyjną francuską wiejską chatę. Na ścianach wisiały naiwne i kolorowe pejzaże, oprawione w proste ramy.

Młoda kobieta wskazała im stolik w głębi sali tuż obok wygaszonego masywnego kominka. Chcąc nie chcąc, Bravo przypomniał sobie palenisko w domu Jenny, za którym znajdowało się sekretne przejście. Tamtędy zdołali umknąć przed Ivo Rossim.

Kiedy Camille poszła się odświeżyć, Jenny pochyliła się nad stolikiem i wyszeptała:

– Co ty właściwie wyprawiasz?

– O co ci chodzi? – zapytał.

– Nie powinniśmy zabierać jej ani nikogo innego do Saint-Malo.

– Słyszałaś, co powiedziała. Miała rację. Wypożyczenie samochodu mogłoby zwrócić na nas uwagę.

– Po drogach Francji jeździ milion samochodów z wypożyczalni – rzekła z pasją. – Poza tym bardzo wątpię, czy twój ojciec zaakceptowałby włączenie tej kobiety w twoje poszukiwanie prawdy.

– Dlaczego tak uważasz?

– Po prostu wydaje mi się, że...

– Wiesz, że zarumieniły ci się policzki?

– Po prostu wydaje mi się – ciągnęła Jenny – że twój ojciec wolałby zaryzykować i pożyczyć samochód, niż wciągać w to tę kobietę.

– I to wszystko? Na pewno?

Wzięła do ręki menu, podniosła je na wysokość oczu i mruknęła:

– Drań.

Bravo uchwycił brzeg karty i odsłonił twarz Jenny. Uśmiechał się przy tym z triumfem. Jenny wcale nie wyglądała na zadowoloną.

– Dlaczego uparłeś się, żeby drwić ze mnie?

– Bo cię lubię.

Prychnęła i już szykowała się do riposty, kiedy z łazienki wróciła Camille.

– Nie przeszkadzam? Czyżby mała sprzeczka zakochanych?

– Wcale nie – odparła Jenny i zajęła się studiowaniem jadłospisu.

Camille westchnęła.

– Zakochani mają prawo się kłócić, pod warunkiem że kłótnia nie trwa zbyt długo. *Alors*, macie się szybko pocałować i przestać dąsać.

– O nie! – wyrwało się Jenny.

– Nic nas nie łączy – niemal w tej samej chwili uzupełnił Bravo.

– Ależ oczywiście, że nie. – Zarówno ton głosu, jak i jej mina zdradzały, że Camille nie wierzy w tę deklarację. Ujęła ich za ręce. – Moi drodzy, życie jest zbyt krótkie, by marnować je na dąsy. Posłuchajcie, żądam, żebyście się pocałowali na zgodę. Chcę być pewna, że wszystko jest już w porządku. – Ścisnęła ich dłonie. – No już! Dosyć smutnych chwil ostatnio przeżyliście.

W oczach Jenny pojawił się strach. Najgorsze było to, że nie wiedziała, jakie myśli kłębią się teraz w głowie Bravo. Tak czy inaczej, oboje doskonale rozumieli, że nie uda się w żaden sposób uniknąć tej chwili. Pod czujnym spojrzeniem Camille na ich ustach wykwitł uśmiech równie tajemniczy jak Mony Lizy. Oboje podnieśli się z krzeseł, Bravo odsunął swoje na bok, i niepewnie pochylili się ku sobie. Mimo to ich ciała nadal dzielił dystans.

W końcu wziął ją w ramiona i przycisnął swoje usta do jej. Ku swojemu zaskoczeniu, wbrew sobie rozchyliła wargi i poczuła jego język w ustach. Wstrzymała oddech, serce zamarło jej w piersiach. Po chwili stali już obok siebie, rozdzieleni, nie dotykając się. Powoli puls Jenny wracał do normy.

– No i co, tak nie jest lepiej? – spytała Camille z tajemniczym uśmiechem.

Kiedy z powrotem usiedli przy stoliku, Camille dyskretnym gestem przywołała kelnera i złożyli zamówienie.

Bravo ponownie zajął się rozmową z Camille, wyjaśniając jej, dokąd muszą się udać, choć nie wyjawiając celu. Jenny uznała tę nieoczekiwaną dyskrecję Bravo za swój mały sukces.

Zastanawiali się wspólnie, która droga będzie najlepsza. Bravo zapowiedział Camille, że kiedy dotrą do Saint-Malo, ma ich tam zostawić. Matka Jordana upierała się, by zaczekać, lecz Bravo się nie zgodził. Nie wiadomo przecież, jak długo on i Jenny będą musieli tam pozostawać i dokąd udadzą się później. W tym czasie kelner przyniósł zamówione dania.

– Jesteś cholernie tajemniczy – powiedziała Camille pomiędzy jednym a drugim kęsem surowych małży.

Jenny, która pałała awersją do wszelkich ostryg, małży i innych owoców morza, niezależnie od sposobu ich przyrządzania, walczyła z opanowującymi ją mdłościami.

– Nie robię ci wyrzutów – kontynuowała Camille – ale martwię się, czy nie jesteś w większych tarapatach, niż mi powiedziałeś. To dlatego nie chcesz, żebym została z wami w Saint-Malo, prawda?

– Szczerze mówiąc, tak – odrzekł, odkładając widelec na talerz. – I tak zrobiłaś już dla nas więcej, niż mogliśmy oczekiwać. Nie chcę cię narażać na niebezpieczeństwo.

– Ależ, skarbie, to jest moja decyzja...

– Nie, Camille. Nalegam. Zawieziesz nas tylko do Saint-Malo. To i tak więcej, niż moglibyśmy oczekiwać. I na tym koniec, jasne?

Camille patrzyła na niego dłuższą chwilę, wreszcie westchnęła i zwróciła się do Jenny:

– Deser, moja droga? Polecam *tarte Tatin*, jest naprawdę wyśmienita.

Po lunchu Camille zabrała ich do apteki, o której wcześniej wspominała, i zaopatrzyła w przeróżne maści i kremy mające uleczyć liczne otarcia i rany. Następnie udali się na zakupy. Kiedy wybrali już nowe ubrania, stare, obszarpane i podarte, trafiły do pobliskiego kosza na śmieci.

Gdy tylko znaleźli się z powrotem w samochodzie, Camille z dużą prędkością ruszyła w kierunku Saint-Malo, omijając Rouen obwodnicą. Początkowo jechali drogą E 1, kierując się na zachód. Następnie wjechali na EB 1. Posuwając się wzdłuż wybrzeża, minęli Honfleur, gdzie w dziewiętnastym wieku niepodzielnie panowali impresjoniści, a następnie ekskluzywne nadmorskie kurorty Deauville i Trouville. Dwadzieścia kilometrów za Caen niebo, już wcześniej przesłonięte ciężkimi deszczowymi chmurami, pociemniało jeszcze bardziej. Budynki po obu stronach drogi i szpaler krzaków głogu pokrył mrok. Horyzont w oddali zniknął za zasłoną strug deszczu. Po chwili wielkie krople uderzyły z impetem o dach citroena. Wycieraczki mozolnie rozgarniały wodę na boki, a światła reflektorów usiłowały przebić się przez panujące wokół ciemności.

Po godzinie dotarli do drogi A 11. Deszcz nie padał już tak intensywnie, z prawdziwej nawałnicy przekształcił się w mżawkę, a świat wokół rozjaśnił się kolorami jakby wprost spod pędzla impresjonistów. Dojeżdżali właśnie do Avranches, kiedy Jenny zaczęła się uskarżać na silne skurcze żołądka. Gdy Bravo obejrzał się przez ramię, zauważył, że jej cera jest ziemista, a czoło pokrywają krople potu. Chwilę później dostrzegł jedną z tych typowo europejskich przydrożnych restauracji wybudowanych w formie wiaduktu nad autostradą. Obok były toalety, a kilkaset metrów dalej stacja benzynowa.

Zjechali na pobocze i Bravo pomógł Jenny wysiąść z samochodu. Camille chwyciła w pośpiechu płaszcz przeciwdeszczowy i trzymając go nad głową Jenny, nalegała, by pójść z nią. Jenny nie miała sił oponować i obie ruszyły w stronę niskiego, przysadzistego budynku. Bravo przesiadł się na fotel kierowcy, stąd mógł lepiej obserwować okolicę. Niewielki deszcz działał na niego kojąco. Wyciągnął z kieszeni telefon komórkowy i wybrał numer.

W Nowym Jorku panowała w tej chwili noc, światła miasta skutecznie przyćmiewały blask gwiazd na niebie. Szczyty wieżowców tonęły w gęstych obłokach okrywających miasto.

Emma podniosła słuchawkę już po pierwszym dzwonku, tak jakby czekała na ten telefon.

– Bravo, gdzie jesteś?

– We Francji – odparł. – Jadę właśnie do Bretanii.

– Co tam robisz?

– Muszę załatwić pewną sprawę ojca. Powiedział mi o tym tuż przed... nim to się stało.

Zapadła krępująca cisza.

– Jak się miewasz, Emmo?

– U mnie wszystko w porządku. Znowu śpiewam, dopiero co wyszedł mój nauczyciel.

– To wspaniale. A oczy? Jest jakaś poprawa?

– Jeszcze za wcześnie. Nieważne, martwię się o ciebie.

– O mnie?

– Słyszę ton twojego głosu.

– I co?

– Kłopoty. Nie wiem, o co prosił cię ojciec, ale oznacza to kłopoty, prawda?

– Dlaczego uważasz...

– Bo nie jestem idiotką i nie pozwolę, żebyś tak mnie traktował. Wynajęłam firmę budowlaną. Jej szef sporządził raport. Instalacja gazowa nie była wadliwa. Ktoś ją celowo uszkodził.

Rozejrzał się wokół, lecz obie jego towarzyszki podróży jeszcze nie wracały.

– Jak słyszę, niespecjalnie cię to zdziwiło.

– Bravo, ojciec miał niebezpieczne zajęcie. Myślisz, że o tym nie wiedziałam? Miał do mnie zaufanie.

– Co takiego?

– Tak. Od czasu do czasu mu pomagałam. Zarówno on, jak i ja doskonale zdawaliśmy sobie sprawę, z jak wielkim ryzykiem wiąże się zajmowanie sprawami gnostyckich obserwantów.

Zapadła cisza. Emma przełknęła – pewnie herbatę. Z trudem przychodziło mu pogodzić się z tym, co właśnie od niej usłyszał.

– Teraz, kiedy podjąłeś się tej misji – kontynuowała Emma – pamiętaj, że mogę ci się przydać.

– Emmo...

– Pewnie myślisz, że moja ślepota stanowi jakąś przeszkodę. Nieprawda. Potrafię zadbać o siebie, mogę też zatroszczyć się o brata.

– Chyba nie rozumiem.

– Jak sądzisz, kto miał cię na oku i przekazywał wszystko ojcu w czasach, gdy w ogóle ze sobą nie rozmawialiście? On nie chciał żadnej separacji.

– Chcesz powiedzieć, że mnie szpiegowałaś?

– Daj spokój, Bravo! Robiłam to, co uważałam za korzystne dla nas. Dla ciebie także. Jeszcze teraz wydaje ci się, że ojciec miał jakieś złe zamiary wobec ciebie? Martwił się. Wierz mi, nie próbuję go usprawiedliwiać. Zachowywałeś się jak szczeniak, traktowałeś go jak wroga, a on tylko próbował...

Bravo odsunął słuchawkę od ucha i przerwał połączenie. Ciężko opadł na fotel. Czuł się otępiały, odgłosy autostrady przypominały mu senne brzęczenie owadów. Obok zatrzymał się samochód. Wyskoczyła z niego para turystów z dwójką rozwydrzonych dzieciaków i wszyscy pobiegli w kierunku niskiego budyneczku. Potężna ciężarówka wytaczała się z hałasem ze stacji benzynowej na autostradę. Obserwował wszystkie zdarzenia wokół siebie z dystansem godnym widza śledzącego akcję przedstawienia teatralnego.

Z odrętwienia wyrwał go dzwonek telefonu.

– Nie waż się traktować mnie tak, jak traktowałeś ojca. – Głos Emmy brzmiał bardzo stanowczo. – I nie rozłączaj się w ten sposób.

– Okej, okej, przepraszam. – Bravo poczuł się nieswojo. – Po prostu zgłupiałem. Zastanawiałem się, jak sobie radzisz z poruszaniem się po omacku po mieszkaniu, a ty nagle wyskakujesz z tekstem, że możesz mi pomóc, tak jak pomagałaś ojcu.

– Rozumiem, że za dużo naraz spadło na twoją łepetynę, ale wybacz, czasami zachowujesz się jak półgłówek. Gdybyś mnie choć trochę lepiej znał, wiedziałbyś, że całe życie walczyłam o to, by spełnić oczekiwania twoje i ojca. Do tej pory jakoś sobie radziłam, więc teraz też dam radę.

Bravo pomyślał, jak źle była traktowana przez zakon Jenny. I wtedy zdał sobie sprawę, że w gruncie rzeczy kobiety zawsze tak są traktowane – w pracy, w domu, wszędzie.

– Posłuchaj, Emmo, ja… no, rozumiesz… kiedy mi to wszystko powiedziałaś, pomyślałem, że wszyscy wiedzieli o ojcu. Wszyscy prócz mnie.

– Tak właśnie miało być. Teraz to chyba rozumiesz. Ojciec przygotowywał cię do przejęcia jego obowiązków. Dlatego cię szkolił, dlatego tak wiele od ciebie wymagał. Chciał, żebyś był gotowy, kiedy nadejdzie czas, ale z drugiej strony trzymał cię z daleka od gnostyckich obserwantów. Jego wrogowie byli przekonani, że nie masz nic wspólnego z zakonem, że ułożyłeś sobie życie po swojemu. Gdyby rycerze świętego Klemensa choć przez chwilę podejrzewali, jakie są zamiary ojca wobec ciebie, twoje życie znalazłoby się w wielkim niebezpieczeństwie.

– Jest ze mną pewna kobieta, Jenny…

– Tak. Strażnik. Ojciec bardzo ją cenił.

– Wiem. Sam mnie do niej posłał. Ona twierdzi, że ojciec podejrzewał kogoś z Haute Cour o zdradę. Co o tym sądzisz?

– Moim zdaniem w ostatnich dniach życia ojciec zawęził grupę podejrzanych do kilku osób, ale nie zdążył mi nic powiedzieć.

– Rozumiem. – Bravo obejrzał się i zobaczył, jak Jenny i Camille wychodzą z budynku. – Może się trochę rozejrzysz?

– Jasne, braciszku. – W jej głosie zabrzmiał poważny ton. – Miło jest wracać do pracy.

– A jak to zrobisz…

Roześmiała się.

– Nie martw się, poradzę sobie. Są przecież nowoczesne środki łączności, są urządzenia, które pomagają niewidomym w czytaniu i pisaniu.

Jenny miała na sobie płaszcz przeciwdeszczowy, Camille obejmowała ją ramieniem.

– Emmo, to, co wcześniej zrobiłem…

– Przestań. Teraz już się rozumiemy, prawda?

Nie usłyszał dalszego ciągu. Zobaczył czarnego mercedesa z niemieckimi tablicami rejestracyjnymi nadjeżdżającego w kierunku idących kobiet. Kiedy był już blisko, Jenny odepchnęła Camille na bok. Samochód gwałtownie skręcił, by znaleźć się dokładnie pomiędzy kobietami a budynkiem, i zwolnił. Przyciemniona boczna szyba opuściła się, ktoś otworzył tylne drzwi i oczom Bravo ukazała się dłoń dzierżąca jakiś metalowy, błyszczący przedmiot – bez wątpienia pistolet.

Nim Bravo zdążył wykonać jakikolwiek gest, Jenny przeniosła ciężar ciała na lewą nogę, a prawą jednym kopnięciem zatrzasnęła drzwi samochodu. Następnie rzuciła się całym ciałem naprzód, złapała napastnika za nadgarstek, skierowała pistolet do wnętrza i oddała trzy strzały.

Mercedes gwałtownie skoczył do przodu. Jenny straciła równowagę i upadła. Bravo dostrzegł, że zamknięte drzwi przycięły rąbek płaszcza, który miała na sobie.

Rzucił na fotel obok telefon, w którym słychać było jeszcze wołanie Emmy, przekręcił kluczyk w stacyjce i ruszył z miejsca. Krzyknął do Camille, która biegła za mercedesem wlokącym za sobą Jenny. Samochód kierował się wprost na dystrybutory paliwa i wyglądało, jakby nikt nim nie kierował.

Bravo gwałtownie wcisnął pedał hamulca, zatrzymując się przy Camille. Ta w biegu otworzyła tylne drzwi i zwinnie wskoczyła do środka.

– Nie zdążymy! – krzyknęła. – Ona wyleci w powietrze razem z tymi bandziorami.

Widać było, że Jenny zaplątała się w płaszcz i nie mogła się z niego uwolnić. Mercedes podskoczył na wybojach, a głowa Jenny uderzyła z całych sił w asfaltową nawierzchnię. Jej ciało zwiotczało i groteskowo turlało się za samochodem.

– Drzwi! To jedyna szansa – rzucił Bravo.

– Zwariowałeś? Przejedziesz ją.

– Jak nie spróbujemy, to na pewno zginie. Opuść szybę i czekaj, aż podjadę bliżej.

Bravo ominął samochód stojący na poboczu i zajął pozycję tuż za mercedesem po jego prawej stronie. Teraz najtrudniejsza część zadania. Zwiększył prędkość, cały czas obserwując Jenny. Musiał się spieszyć, od dystrybutorów z paliwem dzieliło go już tylko kilkaset metrów. W pewnej chwili się zawahał. A jeżeli się nie uda, jeżeli najedzie na nią? Trudno. Nie było czasu. Musiał działać. Zrównał się z mercedesem i zaczął powoli się do niego przysuwać. W środku dostrzegł kierowcę spoczywającego w nienaturalnej pozycji na kierownicy.

– Już! – krzyknął do Camille. – Bliżej nie podjadę!

Camille wychyliła się przez okno do połowy. Opierając się udami o wewnętrzną część drzwi, wyciągnęła na całą długość rękę i złapała klamkę mercedesa. Jenny znajdowała się dokładnie pod nią, owinięta w płaszcz jak w kokon. Nie widać było nawet jej twarzy. Pociągnęła za klamkę raz, potem drugi. Bezskutecznie.

– Szybciej! – wrzasnął.

Camille szarpnęła chromowaną klamkę i drzwi lekko się uchyliły.

– Camille! Na miłość boską!

Z nadzwyczajnym wysiłkiem w końcu otworzyła drzwi. Ciało Jenny, nagle oswobodzone, potoczyło się po mokrym asfalcie. Bravo wdepnął pedał hamulca i citroen zatrzymał się gwałtownie. Camille wciągnęła Jenny do środka. Twarz dziewczyny była trupio blada. Bravo ruszył z impetem, nim jeszcze Camille zdążyła zatrzasnąć drzwi, i wyprzedził mercedesa. Tuż przed dystrybutorem skręcił ostro kierownicą, omijając go z piskiem opon. Ludzie znajdujący się w pobliżu rozbiegli się z krzykiem. Gdy koła odzyskały przyczepność, samochód ruszył ostro naprzód. Tuż za nimi rozpętało się piekło. Mercedes z impetem uderzył w dystrybutor, miażdżąc go kompletnie. W powietrze wystrzeliła fontanna benzyny, która natychmiast zamieniła się w słup ognia. Niebo zasnuły kłęby czarnego, gryzącego dymu, a w powietrzu fruwały kawałki metalu.

Wybuch o mało nie przewrócił citroena. Potem na dach i maskę zaczął spadać deszcz pogiętych fragmentów dystrybutorów. Bravo z trudem minął dwa stojące obok samochody, nim odzyskał panowanie nad kierownicą.

– Co z nią? – zapytał z niepokojem.

– Jest nieprzytomna. – Camille chwyciła Jenny za nadgarstek, szukając pulsu. – Żyje. Serce bije miarowo.

– Dzięki Bogu! – Bravo odetchnął z ulgą. Policja jeszcze się nie pojawiła, ale pewnie była już w drodze. W lusterku wstecznym cały czas widział kulę ognia wzbijającą się wysoko w niebo. – Daj mi telefon. Leży obok ciebie. Muszę dokończyć rozmowę.

– Wszystko w porządku, skarbie? – zapytała Camille.

Kiedy odbierał od niej telefon, czuł, jak drżą mu ręce.

11

Po kilkunastu kilometrach Camille kazała mu się zatrzymać i zamienili się miejscami. Bravo na miękkich nogach okrążył citroena. Pochylił się, wyrwał z tylnego błotnika kawałek wbitej głęboko blachy, która była kiedyś karoserią mercedesa, i odrzucił ją w dal. Usiadł na tylnym fotelu obok bezwładnego ciała Jenny i położył jej głowę na kolanach. Delikatnie odgarnął kosmyk włosów z policzka i pogładził opuszkami palców skórę za uchem.

Camille obserwowała w lusterku całą scenę, widziała jego nieobecny wzrok.

– Skarbie, zamknij drzwi. Musimy jechać – zwróciła się do niego łagodnie.

Wprawdzie myślami błądził gdzie indziej, ale zastosował się do prośby. Przeniósł wzrok na Jenny.

– Bravo, ten mercedes miał niemieckie tablice.

– Zauważyłem.

– Trzeba się jeszcze raz zastanowić. Może jednak Jordan miał rację.

Szybko i sprawnie prowadziła samochód w kierunku hotelu położonego na brzegu, tuż przy grobli wyglądającej jak dłoń błagalnie wyciągnięta w kierunku Mont Saint-Michel. To tutaj od wieków przybywają pielgrzymi ze wszystkich zakątków świata, by modlić się w opactwie Świętego Michała Archanioła, którego posąg wznosi się sto pięćdziesiąt pięć metrów nad poziomem wód kanału La Manche.

Bravo rozumiał, co musieli czuć strudzeni wędrowcy, kiedy wreszcie dotarli na miejsce – zachwyt, oniemienie, obcowanie z cudem. Camille poszła do hotelu załatwić formalności, a on mocniej przytulił do siebie wciąż nieprzytomną Jenny. Będzie potrzebny cud, żeby w środku letniego sezonu dostać tu jakiś pokój, pomyślał.

Po chwili z hotelu wyszła rozpromieniona Camille.

– Chodź, skarbie – powiedziała, otwierając drzwi. – Pokoje na nas czekają.

Pokój hotelowy był czysty, schludny i nowocześnie urządzony. Jego główną zaletą było to, że znajdował się na trzecim piętrze i z okien rozciągał się wspaniały widok na Marvel, jak Francuzi zwykli nazywać Mont Saint-Michel. Wyposażenie stanowiła sofa, dwa fotele obite ciemnym welwetem i niski stolik. Po prawej stronie stało łóżko, a przy nim dwa nocne stoliki z lampkami. Po przeciwnej stronie znajdowały się drzwi do łazienki. Ściany miały kolor piaskowy, a na podłodze był drewniany parkiet. Światła, blade i rozmyte, praktycznie nie rzucały cienia.

Bravo usiadł na łóżku, cały czas trzymając Jenny w ramionach. Camille ręcznikiem zmoczonym w ciepłej wodzie przemywała jej rany na tyle głowy i rękach. Bravo miał nadzieję, że płaszcz, którym była owinięta, kiedy wlókł ją za sobą samochód, uchronił dziewczynę przed poważniejszymi urazami.

Camille posmarowała otarcia maścią z antybiotykiem, którą wcześniej kupiła w aptece. Następnie Bravo delikatnie położył Jenny na łóżku i okrył lekkim kocem.

– Musimy znaleźć lekarza. Jest cały czas nieprzytomna. Martwię się o nią.

Camille usiadła na łóżku obok niego, pochyliła się nad Jenny i uniosła jej powieki.

– Nie ma rozszerzonych źrenic. Po prostu śpi, nic więcej.

– Ale...

– Chodźmy stąd, skarbie. – Wstała i pociągnęła go za sobą. – Ona musi teraz odpoczywać. My zresztą też.

– Nie chcę zostawiać jej samej.

– Nie zostawisz jej. – Bravo był zbyt rozkojarzony, by dostrzec krótką przerwę, którą zrobiła, mówiąc te słowa. – Potrzebujesz trochę czasu dla siebie. Wykąp się i ogarnij. Nie ma powodu do obaw, ja z nią posiedzę.

Bravo skinął głową. Kiedy doprowadzał się do porządku w łazience, Camille zaczęła uważnie i metodycznie przeszukiwać pokój. Wiedziała, czego szukać. Znalazła wreszcie rzeczy Jenny i przejrzała je z wprawą godną właściciela lombardu. Na pierwszy rzut oka nic nie wzbudzało podejrzeń. To było do przewidzenia. Jenny Logan była Strażnikiem. A skoro tak, musiała mieć jakąś broń, i to przy sobie – tylko w ten sposób mogła ją przemycić na pokład samolotu. W końcu trafiła na puderniczkę. Nigdy jeszcze nie widziała tak dużej i ciężkiej puderniczki. W środku zamiast pudru i poduszeczki znajdował się niewielki składany nóż. Nie zwiodły jej jego małe rozmiary ani rękojeść zdobiona masą perłową. Zwolniła przycisk i jej oczom ukazało się groźnie wyglądające ostrze ze stali nierdzewnej. Sfotografowała nóż aparatem wbudowanym w telefon komórkowy, wybrała numer i przesłała zdjęcia do Paryża. Nóż schowała z powrotem do puderniczki. Po chwili w pokoju pojawił się Bravo. Miał jeszcze mokre włosy.

– Co z nią?

151

– Bez zmian. – Wskazała ręką sofę stojącą przy oknie. – Usiądźmy.
Będziemy mogli ją stamtąd obserwować.

Na zewnątrz mgła zaczęła opadać. Zabytkowy posąg przedstawiający świętego Michała, który zabija wijącego się u jego stóp smoka był już dobrze widoczny, ale reszta wysepki nadal tonęła we mgle. Sprawiało to wrażenie, jakby groźny anioł zemsty unosił się na skrzydłach nad mleczną otchłanią.

Po długiej chwili, kiedy siedzieli pogrążeni we własnych myślach, Camille przerwała milczenie.

– Jesteśmy oboje zmęczeni, ale musimy podjąć jakąś decyzję. To właśnie przed takimi atakami uciekłeś z Ameryki?

– Mniej więcej. – Bravo siedział pochylony do przodu, z łokciami opartymi na kolanach. Na jego twarzy nie malowały się żadne uczucia, a wzrok miał nieobecny.

– Więc Jordan miał rację... To Niemcy...

– Bracia Wassersturm nie mają nic do tego! – Poderwał się z sofy, podszedł do łóżka i utkwił wzrok w bladej twarzy Jenny. Jej piegi stały się zupełnie niewidoczne. Na skroniach pokazały się delikatne pajęczynki niebieskich żył.

Camille postanowiła nie naciskać. Wreszcie wstała i stanęła u jego boku.

– Bravo, nic nie rozumiem. Może już czas, żebyś mi opowiedział, co tu się dzieje?

Milczał dalej. Chwyciła go za ramiona i obróciła do siebie.

– Dlaczego mi nie ufasz?

– Wyjedź stąd. Natychmiast.

– Co takiego?

Chwycił ją za łokieć i doprowadził do drzwi.

– Wsiadaj do samochodu i wracaj do Paryża.

– Mam cię zostawić w takiej sytuacji? Chyba żartujesz!

– Nie. Nie żartuję. Jestem śmiertelnie poważny.

Próbowała uwolnić ramię z uścisku, ale on jej nie puszczał. Walczyła zaciekle przez chwilę, w końcu się poddała. Patrzyli sobie w oczy, ich twarze zdradzały napięcie, takie, jakie potrafi narastać pomiędzy upartym nastolatkiem a jego matką.

– To nie jest zabawa, Camille. Ci ludzie są żądni krwi...

– Jacy ludzie? Wiesz, kto za tym stoi? Przerażasz mnie.

– O to właśnie mi chodziło. I tak już cię naraziłem na niebezpieczeństwo. Nigdy bym sobie nie wybaczył, gdyby cokolwiek ci się stało z mojego powodu.

– A co z twoją przyjaciółką, Jenny Logan? Ją też chcesz narażać na ryzyko?

Nagle dobiegł ich dziwny dźwięk, przypominający miauczenie wygłodniałego kota. Obrócili się jednocześnie, a Bravo puścił rękę Camille, która podbiegła do łóżka. Jenny miała otwarte oczy i nieprzytomnie rozglądała się po pokoju.

– Bravo?

– Jestem tutaj. – Usiadł obok niej i wziął ją za rękę. – Jest również Camille.

Kiedy Jenny zobaczyła Camille, zapytała skrzeczącym głosem:

– Gdzie ja jestem?

– W hotelu – odparła kobieta z uśmiechem. – Jesteś tu całkowicie bezpieczna.

Jenny przeniosła spojrzenie na Bravo.

– A mercedes?

– Kompletnie rozbity. Uderzył w dystrybutor paliwa i spłonął.

– Boże… – Przekręciła głowę na bok i pojedyncza łza spłynęła po jej policzku na pościel.

– Dziękuję. Uratowałaś mi życie – powiedziała Camille, klękając przy łóżku. – Jesteś nadzwyczaj odważna.

Jenny spojrzała na nią bez słowa. Camille oparła się o nocny stolik.

– Musisz odpocząć i nabrać sił. Przywieźliśmy cię do Mont Saint-Michel. To święte miejsce, Jenny. Idealne do leczenia nie tylko ciała, ale i duszy. Tak jest od chwili, gdy wzniesiono tu pierwsze opactwo w jedenastym wieku. Klasztor został ufundowany w siedemset ósmym roku przez świętego Auberta, biskupa Avranches, którego nocą odwiedzał we śnie sam archanioł Michał. Od tego czasu Mont Saint-Michel z całego świata przyciąga ludzi łaknących pokrzepienia. Odpoczywaj. Musi minąć trochę czasu, nim wydobrzejesz. Dzwoń, jeśli będziesz czegoś potrzebowała.

Podniosła się z klęczek i z uśmiechem na ustach powiedziała, że idzie się na chwilę położyć.

Bravo poczekał, aż zamkną się za nią drzwi.

– Jak się czujesz?

153

– Jakby mnie przejechał pociąg towarowy.

– Mało brakowało. – Odetchnął głęboko. – Jenny, czy widziałaś tych ludzi w środku?

– Zdążyłam tylko rzucić okiem. Mieszają mi się obrazy. Tam były dwie osoby.

– Mężczyzna, kobieta?

– Ten z bronią to był mężczyzna, jestem tego pewna. Miał pociągłą, wąską twarz, ciemne włosy i oczy, był koło trzydziestki. – Przymknęła na chwilę powieki. – Wszystko mi wiruje przed oczami.

– Usiądź.

Pomógł jej się podnieść i wręczył szklankę wody. Jenny wpatrywała się w dno szklanki, jakby tam mogła wyczytać relację z tego zdarzenia.

– Kierowca też był mężczyzną.

Camille stała u siebie w pokoju, paliła papierosa i zachwycała się osiągnięciami współczesnej techniki. Pluskwa, którą umieściła pod stolikiem nocnym, kiedy klęczała przy łóżku Jenny, przekazywała czysty, pozbawiony jakichkolwiek zakłóceń dźwięk.

– Tak. Zgadza się – odpowiedział Bravo. – Widziałem go leżącego na kierownicy, po tym, jak go zastrzeliłaś. Ten samochód miał niemieckie tablice rejestracyjne. Camille sądzi, że Jordan miał rację i że to sprawka braci Wassersturm.

– Ty chyba tak nie uważasz?

– Oczywiście, że nie – odparł – ale warto by się upewnić.

– Ten trop to ślepa uliczka i w dodatku niebezpieczna. Teraz musimy się tylko zajmować odnalezieniem skrzyni tajemnic.

– Dobry Boże, nie! – szepnęła do siebie Camille. Kiedy Jenny i Bravo przestali na dobre rozmawiać, sięgnęła po telefon i zadzwoniła do Paryża.

– Bravo nie wie, gdzie jest skrzynia – oznajmiła, kiedy jej syn podniósł słuchawkę. – Nie ma też ochoty opowiedzieć mi o cholernej zagadce, którą zadał mu ojciec.

– Sądzisz, że zacznie mówić?

– Zawsze istnieje taka szansa.

Jordan roześmiał się.

– Ale miałabyś minę, gdyby ci się nagle zaczął zwierzać.

– Niestety, jest podobny do swojego ojca.

154

Zapadła krótkotrwała cisza.

– On nie wierzy w wersję z Wassersturmami, zresztą Jenny też nie. Mówiłam ci, że tak będzie – powiedziała, nagle zmieniając temat. – To był pomysł Osmana Spagny, prawda?

– A jeśli nawet, to co?

– Nie lubię tego faceta, Jordan. Już ci to mówiłam. Pozbądź się go.

– Ja też nie sądziłem, że Bravo uwierzy w historyjkę z braćmi, ale mój cel był inny – odparł Jordan, unikając odpowiedzi na pytanie matki. – Musieliśmy sprawić, by nabrali do ciebie zaufania.

– No tak, stara sztuczka. Dziewczyna nie lubiła mnie od pierwszej chwili, ale teraz zaczęła mi ufać... – Przerwała na moment. – Co do mercedesa, nikt nie przeżył.

– Przetrwają najsilniejsi. Gdybym wybrał prawdziwych fachowców, Jenny by ich nie zabiła.

– Skąd wiedziałeś, że Jenny to zrobi?

Ponownie się roześmiał.

– Mam swoje tajemnice, mamo, nawet przed tobą. Inaczej wyszedłbym na grzecznego chłopczyka.

– Dość tych sekretów – stanowczo zażądała Camille i przerwała połączenie.

Cisza.

– Dlaczego tak mi się przyglądasz? – szepnęła Jenny z przymkniętymi powiekami.

Bravo bez słowa zniknął w łazience. Po chwili dobiegł ją szum wody. Ten dźwięk koił jej nerwy. Spojrzała w okno, przez które widać było całą Mont Saint-Michel wyrastającą z pokładów soli naniesionych przez fale przypływu.

Kończyło się długie popołudnie, ale w białej otchłani mgły nie było żadnych dźwięków, żadnego ruchu, żadnego śladu sunącego po nieboskłonie słońca. Wyglądało to tak, jakby czas się zatrzymał.

Kiedy usiadła na łóżku, poczuła, jak stado mrówek przebiega po jej skórze, boleśnie kąsając.

Po trudnym do określenia czasie otworzyła oczy i zobaczyła stojącego nad nią Bravo. Woda szumiała i bulgotała. Jenny miała wrażenie, że nadchodzi wielka fala, już podmywa fundamenty, wzbiera w zastraszającym tempie, wdziera się do pokoju, sięga do ud. Ręką pogładziła prześcieradło, sprawdzając, czy to aby na pewno tylko dzieło wyobraźni.

Bravo bez słowa wziął ją na ręce i zaniósł do łazienki, pełnej kłębiącej się pary i cudownie rozgrzanej. Wsadził dziewczynę do wanny, wziął do ręki prysznic i skierował na Jenny strumień ciepłej wody. I wtedy zaczął zdejmować jej ubranie. Początkowo poczuła, że powróciło stado mrówek i krzyknęła z bólu. Po chwili zrozumiała, że to krew przykleiła ubranie do ciała.

Powoli, warstwa po warstwie, rozbierał ją. Pomyślała o pomarańczy, z której należy zdjąć cierpką skórkę, by dostać się do soczystego, słodkiego miąższu. Patrzyła mu prosto w oczy i w jego źrenicach widziała swoje odbicie. Była już na wpół naga i wcale jej to nie irytowało ani nie krępowało.

Poczuła się jednak w obowiązku zadać typowe w tej sytuacji pytanie.

– Dlaczego to robisz?

Jego dłonie nie przerwały rozpinania guzików. Popatrzył na nią.

– Dlatego że – rzekł w końcu – o mało cię nie straciłem. – Pogładził jej nagą skórę. – Dlatego, że coś dla mnie znaczysz.

– Co? – Kaskady ciepłej wody spływały po jej ciele, po ich ciałach, bo on klęczał teraz przed nią. – Co dla ciebie znaczę?

To, co chciał powiedzieć, dostrzegła w jego spojrzeniu, poczuła w sposobie, w jaki ją tulił w ramionach, w gorączce, która ich nagle ogarnęła.

Oplotła go ramionami i jednym zdecydowanym ruchem przyciągnęła do siebie. Czuła jego dotyk na swoim ciele, czuła, że się unosi – nie tylko ciałem, ale i duchem. Przypomniała sobie słowa Camille o uzdrawiającej mocy Mont Saint-Michel.

Czuła silne, pewne uderzenia jego serca. Zawładnęła nią dzikość, uczucie dziwnie znajome – głębokie, rozdzierające duszę pragnienie, które po raz pierwszy pojawiło się, nim matka odesłała ją do szkoły z internatem.

Pękła tama więżąca uczucia. Zbliżyła swą twarz do jego, rozchyliła wargi i poddała się temu wszystkiemu, czego pragnęła, wszystkiemu, co miało nadejść.

Kiedy wyszli z łazienki, mgła całkowicie ustąpiła. To była ta pora dnia, piękna i tajemnicza, kiedy niebo wydaje się nieskończone, pełne świateł niewiadomego pochodzenia, gdzie daleko, tuż nad horyzontem, zaczyna zapadać ciemność, na drogach i wertepach, a także na murach pojawiają się niebieskawe cienie stopniowo ciemniejące, zlewające się z czernią ziemi. Siedzieli obok siebie, podziwiali przez okno widok góry Marvel, oplecionej naszyjnikiem domów, wijącym się jak pokonany smok u stóp zwycięzcy. Fundamenty olbrzymiego klasztoru, zbudowanego głównie z granitu, pięły się od wysokości pięćdziesięciu metrów nad poziomem otaczającej przylądek wody.

– Jak pewnie wiesz, to jest opactwo benedyktyńskie – zaczął opowieść Bravo – ale w czternastym i piętnastym wieku zostało ufortyfikowane i zamieniło się w twierdzę. Położenie Mont Saint-Michel na brzegu kanału La Manche czyniło z niej doskonały bastion dla Francuzów, ciągle walczących z Anglikami. Nigdy żaden najeźdźca nie zdobył tej fortecy.

Na ścianie, tuż pod oknem, były wyrzeźbione trzy elementy: muszla, róg i laska.

Jenny przeciągnęła dłonią po płaskorzeźbie.

– Co oznaczają te symbole?

– To emblemat Mont Saint-Michel. Od trzynastego wieku zna je każdy pielgrzym, który tu dotarł. Nie było jeszcze wtedy grobli łączącej wyspę ze stałym lądem. Wody przypływu odcinały klasztor od reszty świata. Wielu ludzi tonęło w odmętach. Trudno powiedzieć, co było bardziej zdradzieckie, przypływy czy dno morskie. Laski używano, by badać grząski grunt podczas wędrówki do opactwa, rogu, by ogłosić alarm, gdy któryś pielgrzym się zgubił we mgle lub przybierającej wodzie, a muszlę przyczepiano do czapki pielgrzyma, kiedy opuszczał już Mont Saint-Michel, jako symbol bezpiecznej i szczęśliwej podróży.

– Chcę dostać muszlę – powiedziała Jenny i położyła głowę na oparciu sofy.

– Jesteś śpiąca?

– Nie – odrzekła i uśmiechnęła się filuternie. – Jestem głodna i… spragniona.

– Co ci zamówić?

Nie odpowiedziała. Zamknęła oczy, w jednej chwili jej oddech stał się płytki, wyrównany. Bravo wstał i nakrył ją kocem.

12

Saint-Malo zajmowało najbardziej na zachód wysuniętą część przylądka wcinającego się w wody kanału La Manche. Przylądek kształtem przypominał głowę psa, przy czym Saint-Malo było jego pyskiem. Na miejsce dotarli około pół do pierwszej po południu. Centrum miasteczka było bardzo urokliwe i pełne zabytków, otoczone grubymi kamiennymi murami obronnymi. Wokół koncentrycznymi kręgami rozlokowały się szeregi współczesnych, brzydkich i pozbawionych wyrazu domów, w których żyła i pracowała większość mieszkańców miasteczka. Autokary turystyczne zatrzymywały się na ogromnym brukowanym parkingu nieopodal bramy prowadzącej na stare miasto. Wysiadały z nich tłumy podekscytowanych, uzbrojonych w kamery turystów, gotowych uwiecznić wszystkie główne atrakcje, marzących, by spróbować miejscowych specjałów – czyli naleśników – a następnie w pośpiechu wsiąść się do autokaru i ruszyć dalej na podbój świata. Pełno tu było Niemców, Szwajcarów i Austriaków, Hiszpanów, Włochów, Brytyjczyków, no i oczywiście Japończyków. Zbijali się w ciasne gromadki, każda grupa osobno, jakby bali się jakiegokolwiek kontaktu z obcymi. Kiedy przewodnik dawał znak, karnie ruszali za nim jak oddział wojska za swoim chorążym.

Camille podjechała do grupy zaparkowanych autokarów, zatrzymała się i surowo spojrzała na Bravo.

– Jesteś pewien, że tego chcesz?

– Absolutnie tak.

– *Bon.*

– Zrób to, o co cię prosiłem, i wracaj do Paryża – rzekł z troską w głosie.

– Powiedziałam wam przy śniadaniu, że tak zrobię. – Pocałowała Bravo i Jenny w oba policzki i poradziła im, żeby wmieszali się w tłum turystów.

Kiedy przekraczali bramę prowadzącą na starówkę, Bravo obejrzał się przez ramię, ale nie dostrzegł znajomego citroena.

Pośród całej gamy kamer i aparatów cyfrowych GPS, który Bravo wyjął z kieszeni, wyglądał naprawdę niepozornie. Wstukał na klawiaturze współrzędne przekazane przez ojca.

Jeszcze przez pięć minut trzymali się grupki turystów, w którą wmieszali się przy bramie wejściowej, a następnie odłączyli się i skręcili w lewo.

– Tędy – powiedział i poprowadził Jenny labiryntem wąskich uliczek pełnych sklepików z pamiątkami. Kierowali się na północny zachód, ku wałowi nadmorskiemu.

Saint-Malo znajdowało się mniej więcej pośrodku Côte d'Emeraude, Wybrzeża Szmaragdowego, jak nazywano tę skalistą i dziką część Bretanii. W dawnych czasach cumowały tu zarówno statki handlowe, jak i okręty grasujących na okolicznych wodach piratów. W Europie wówczas bezustannie toczyły się wojny, a otwarte morze do nikogo nie należało. Królowie Francji, Hiszpanii, Niderlandów czy Anglii zabiegali o to, by każdy okręt był uzbrojony i mógł atakować wrogą flotę. We Francji król wydawał nawet specjalne pozwolenie zwane *lettre de course*, którym formalnie legalizował pod pewnymi warunkami korsarstwo. Łupy dzielono po równo pomiędzy króla, właściciela okrętu i załogę.

Miasto założył ojciec MacLaw, walijski biskup, który uciekł do Bretanii w pięćset trzydziestym ósmym roku, a „Malo" to po prostu francuska transkrypcja jego nazwiska. Mimo korzystnego położenia miasto nie odgrywało większej roli aż do momentu, kiedy zawładnęli nim korsarze, coraz bogatsi i bardziej wpływowi. To oni zbudowali fortyfikacje chroniące gród zarówno od strony lądu, jak i morza. Korsarze zdobyli z czasem tak wielkie wpływy, że w tysiąc pięćset dziewięćdziesiątym roku wypowiedzieli posłuszeństwo władzom Bretanii i ogłosili miasto niezależną republiką.

W wiekach szesnastym, siedemnastym i osiemnastym Saint-Malo stale się bogaciło, nie tylko dzięki dobrze prosperującemu handlowi morskiemu pomiędzy Ameryką i Europą, ale także dzięki tak zwanym Nowofundlandczykom, których statki łowiły dorsze w zimnych wodach u wschodniego wybrzeża Kanady. Niezależnie od dokonań tych dzielnych rybaków bogactwo i sławę miastu zapewniały przede wszystkim wypady pirackiej floty.

Jeśli wie się, czego szukać, to barwna historia tego miasta jest widoczna w domach z kamienia, murach obronnych, bajecznie kolorowych korsarskich flagach.

Przemierzając brukowane uliczki, Jenny i Bravo dotarli wreszcie do imponującej wysokości muru, będącego zarazem falochronem. Po dobudowanych dużo później kamiennych schodach wspięli się na jego szczyt, skąd roztaczał się wspaniały widok na zatokę Saint-Malo. W oddali, niczym wyłaniające się z wody grzbiety wielorybów, majaczyły szaroniebieskie zarysy wysp. Największa z nich, widoczna na horyzoncie, to Jersey. Niebo było bezchmurne, a od morza wiał tylko lekki wietrzyk. Wczorajsza ulewa schłodziła rozgrzane mury, więc upał nie był dokuczliwy.

– To tam! – krzyknął Bravo, palcem wskazując kierunek.

– Tam jest tylko woda – odparła Jenny. – Może twój ojciec źle zapisał współrzędne?

Bravo potrząsnął przecząco głową.

– Wiedział, co robi.

– Więc jak to wytłumaczysz? – Zatoczyła ręką szeroki łuk, wskazując wody zatoki. – I co znaczy ten trzeci ciąg cyfr? Jeden, pięć, trzy, zero. O co tu chodzi?

Bravo spojrzał na zegarek.

– Nie wiem jak ty, ale ja zgłodniałem. Chodźmy z powrotem i zjedzmy coś. Mijaliśmy po drodze uroczą małą kafejkę.

Jenny spojrzała na niego z wyrzutem.

– Wiesz, co znaczą te cyfry, prawda? – Osłoniła wierzchem dłoni oczy przed rażącymi promieniami słońca. Jej policzki już się zaróżowiły, na nosie znów pojawiły się piegi. – No, mów!

– Nie chcę zepsuć niespodzianki. – Zaśmiał się głośno.

Usiedli pod rozłożystym parasolem na niewielkim dziedzińcu kawiarni oddalonej raptem o trzysta metrów od falochronu. Wokół unosił się zapach słonego morskiego powietrza i omszałych kamiennych głazów. Jenny jadła bez apetytu. Zamiast wina zamówiła mrożoną kawę.

Bardzo chciała porozmawiać o Camille Muhlmann, ale bała się jego reakcji. Postanowiła więc milczeć. Jeszcze inny, dobrze znajomy rodzaj strachu paraliżował teraz jej ciało. Te intymne chwile, które przeżyli, powinny odmienić całe jej życie, ale kiedy obudziła się dziś rano, czuła, jak z powrotem rośnie mur – strachu i niepewności, mur, który sama wzniosła. Co gorsza, nie miała już zaufania do własnych odczuć. Robiła sobie wymówki, wmawiała, że była na wpół przytomna.

– Dobrze się czujesz? – zapytał, gdy zobaczył, że drży.

– Tak. – Po policzku Bravo pełzła plamka światła słonecznego, co czyniło intensywny błękit jego oczu jeszcze bardziej nieziemskim. – Nie musisz mnie ciągle o to pytać.

– Ale wyglądasz...

Oczy zapłonęły jej gniewem. Posłała mu piorunujące spojrzenie.

– Na miłość boską, przestań mi się tak przyglądać! Paolo Zorzi dobrze mnie wyszkolił. Dam sobie radę. Po to tu jestem. Czy to jasne?!

Resztę posiłku spożyli w milczeniu. Wesoły gwar głosów, nagłe wybuchy śmiechu, brzęk napełnianych winem kieliszków, ukradkowe spojrzenia zakochanych – wszystko to przygnębiało ją tak bardzo, że przed deserem pobiegła do łazienki, zamknęła się w jednej z dwóch maleńkich kabin, i dopiero tam wybuchnęła płaczem. Dexter Shaw zlecił jej zadanie ochrony syna. Niestety, Bravo widział ją w chwili słabości. Była pewna, że straciłaby cały jego szacunek, gdyby wiedział, jak nisko upadła.

Po lunchu wdrapali się ponownie na mury i stanęli w tym samym miejscu co poprzednio.

– Patrz! – Bravo wyciągnął rękę, wskazując przed siebie.

Z wody powoli wyłaniał się jakiś upiorny kształt.

Jenny spojrzała na zegarek i wreszcie wszystko stało się dla niej jasne.

– Jeden, pięć, trzy, zero. Piętnaście, trzydzieści... Piętnasta trzydzieści!

Bravo skinieniem głowy potwierdził jej przypuszczenia.

– Ojciec znał pory przypływu i odpływu. Spójrz! Odpływ ujawnia nam swoje tajemnice. *Piscina*.

W miarę jak opadała woda w zatoce, upiorny kształt stawał się coraz wyraźniejszy – to były betonowe ściany.

– Basen! – wykrzyknęła Jenny.

– Tak. I to cholernie pomysłowy. Spójrz, ma tylko trzy ściany, które zatrzymują wodę w czasie odpływu. Całe popołudnie można pływać, mimo że zatokę osuszył odpływ.

Przeszli kilka kroków po szczycie muru, aż trafili na schody prowadzące w dół.

– Idziemy – powiedział.

Zeszli po schodach na plażę. Nozdrza drażnił silny zapach solanki, gnijących wodorostów, olejku do opalania i spoconych ciał. W pobliżu stała budka, gdzie sprzedawano ostrygi, frytki i zimne napoje. Plaża była pełna ludzi: kobiet w skąpych bikini i topless, mężczyzn dyskutujących zawzięcie, z założonymi na piersiach rękami. Trójka dzieci kopała wielobarwną piłkę. Co chwila ktoś wchodził do wody albo z niej wychodził. Bravo i Jenny zdjęli buty. On podwinął nogawki spodni, ona podkasała spódnicę, owijając ją wokół bioder. Tak przygotowani ruszyli w kierunku basenu, który wyłaniał się z wody.

Posługując się GPS-em, Bravo skierował ich nieco w bok, gdzie woda sięgała im do bioder. Dotarli wreszcie do lewej ściany basenu. Bravo przeszedł wzdłuż niej, obmacując każdy centymetr kwadratowy powierzchni.

– Znalazłeś coś? – zapytała Jenny.

Pokręcił przecząco głową.

Niedaleko od miejsca, gdzie się znajdowali, stała Camille. Włosy skryła pod chustką, a prócz tego miała na głowie przed chwilą kupiony męski filcowy kapelusz, którego rondo zsunęła nisko na czoło. Łokciami oparła się o szczyt muru, a w obu dłoniach trzymała lornetkę, przez którą śledziła każdy ruch Jenny i Bravo. Z najwyższą uwagą obserwowała, jak Bravo wręcza dziewczynie GPS, paszport i telefon, a sam znika pod wodą.

Po trzech minutach Bravo wyłonił się na powierzchni. Woda spływała mu z głowy drobną strugą, a koszula przywarła do ciała.

– Tam są małe kwadratowe drzwiczki – oznajmił, gdy przetarł oczy. – Problem polega na tym, że nie mają klamki.

– Jest jakiś zamek?

– To kolejny problem. Jest, ale takiego jeszcze w życiu nie widziałem.

– Znam się trochę na zamkach – odparła Jenny. – Jak on wygląda?

– Mały z kwadratową dziurką. Widziałaś kiedyś klucz, który pasowałby do kwadratowej dziurki?

Jenny potrząsnęła głową i zmarszczyła brwi.

– Twój ojciec nie kazałby ci tu przyjeżdżać, gdyby nie był pewien, że potrafisz otworzyć te drzwi.

– Mam tylko jeden klucz, który mi powierzył. Przysięgam, nie da się nim otworzyć tego dziwacznego zamka.

– A co jeszcze znalazłeś na łodzi? – zapytała.

Pogrzebał w kieszeni, wyjął zapalniczkę, spinki do mankietów i emaliowaną szpilkę. Wpatrywał się w te przedmioty dłuższą chwilę usiłując odgadnąć tok rozumowania ojca. Zapalniczka była o wiele za duża, szpilka miała niewłaściwy kształt, ale spinki były kwadratowe! I miały mniej więcej odpowiednią wielkość. Uniósł jedną z nich i przyjrzał się uważnie wygrawerowanemu na obrzeżu ornamentowi.

– Masz rację! – powiedział podekscytowanym głosem i pokazał jej wyżłobienia. – To nie jest zwykła spinka, to klucz! Klucz do podwodnych drzwi!

Zanurkował, lecz już po chwili wynurzył głowę.

– Wchodzi do dziurki, ale nie chce się przekręcić.

– Wyżłobienie nie pasuje – powiedziała Jenny. – Spróbuj drugą.

Gdy Bravo zniknął pod wodą, Camille skupiła swoją uwagę na Jenny. Camille znała Bravo doskonale, tak jej się przynajmniej wydawało. Miała całe lata, by poznać wszystkie jego słabostki, wniknąć do każdego zakamarka jego duszy. Teraz musiała równie szczegółowo rozpracować Jenny, a czasu miała zdecydowanie mniej. Nawet jej wtyczka w zakonie nie wiedziała, kto naznaczy Strażnika dla Bravo, a cóż dopiero, kto zostanie tym Strażnikiem. Prawdę mówiąc, była zaskoczona, że wybrano Jenny.

W każdym razie, jeżeli miała wprowadzić w życie swój plan, czyli zapędzić Bravo i Jenny do narożnika, rozdzielić ich i doprowadzić do ostateczności, musiała najpierw przeniknąć do ich umysłów. W tej chwili istotna była jedna rzecz: czy Jenny potrafi zachować odpowiedni dystans, choć spędzili ze sobą ostatnią noc. Z jej gestów i ruchów wynikało, że jest wściekła – nie wiadomo tylko, czy na Bravo, czy może na samą siebie. Może jest oziębła? A może jest lesbijką? To bardzo istotne pytania. Doświadczenie podpowiadało Camille, jak ogromny wpływ na ludzkie zachowanie ma seksualność.

Kiedy Jenny zamknęła się w toalecie i zaczęła szlochać, Camille znajdowała się w kabinie obok. Bez wątpienia była to najodpowiedniejsza chwila, by zgłębić mroczne zakamarki duszy Jenny. Niestety nie wiedziała, co doprowadziło dziewczynę do takiego załamania.

Teraz, kiedy widziała ją w promieniach słońca, z błyszczącymi włosami, kształtnym ciałem wyłaniającym się z wody, musiała przyznać, że zdolność regeneracji sił witalnych u kobiet jest niesamowita. Nadeszła pora realizacji następnej fazy jej planu, czyli usunięcia murów obronnych, które wokół siebie buduje każdy człowiek. Czas na obnażenie słabych punktów tej dwójki.

Pod wodą dominował błękit, zupełnie jak w Grotta Azzurra. Blade łapy brodzących ptaków, owłosione torsy pływaków, biodra Jenny – wszystko to wydawało się zniekształcone. Wszystko z wyjątkiem drzwiczek w betonowej ścianie. Przetarł je dłonią i to wystarczyło, by odzyskały dawny blask. Były wykonane ze stali nierdzewnej, zapewne po to, by nie poddały się działaniu soli morskiej.

Powolnym ruchem przytknął spinkę do otworu zamka, obrócił ją o czterdzieści pięć stopni i wsunął do środka. Następnie przekręcił i pociągnął ku sobie. Nic się nie wydarzyło. Spróbował przekręcić w drugą stronę, pociągnął i drzwi się otworzyły. Drugą rękę wetknął do środka, pomacał na oślep, wyczuł coś pod palcami i natychmiast wyjął ze schowka. Była to mała paczuszka, szczelnie owinięta plastikową folią. Sprawdził, czy nie ma w skrytce niczego więcej, zamknął ją, wyjął spinkę i odepchnąwszy się od dna, wyłonił na powierzchni.

Kiedy wynurzył się z wody, otworzył zaciśniętą dłoń i pokazał Jenny, co znalazł w skrytce. Zaraz potem wrócili na płytszą wodę. Starali się oddalić od pływających wokół ludzi. Kiedy Bravo chciał ponownie otworzyć dłoń, Jenny powstrzymała go ruchem ręki i zajęła pozycję pomiędzy nim a odległym brzegiem.

– Musimy zachować ostrożność – powiedziała. – Nieraz byliśmy już śledzeni i chociaż udało mi się wykończyć rycerzy w mercedesie, nie wiadomo, czy nie podąża za nami następna grupa. Prawdę mówiąc, znam ich metody działania i zdziwiłabym się, gdyby było inaczej. Stawka jest tak wysoka, że na pewno rzucili wszystkie siły, by nie stracić nas z oczu.

Bravo ukradkiem rozejrzał się wokół.

– To dlaczego stoimy tu, na widoku?

– Po co ich informować, że zachowujemy czujność? Niech myślą, że już o nich zdążyliśmy zapomnieć.

164

Bravo zmarszczył brwi i w końcu przytaknął. Jak zwykle miała rację. Odwrócony plecami do brzegu ostrożnie rozpakował folię i rozwinął kartkę papieru. Wewnątrz był tylko jeden przedmiot – złota moneta z sylwetką mężczyzny w pozie świętego, z jedną ręką uniesioną w geście błogosławieństwa. Papier był zapisany równym, lekko pochyłym charakterem pisma jego ojca.

Scena światłości i chwały, władza
to przetrwało najdłużej wśród ludzi.

Jenny spojrzała na niego zaskoczona.
– Co to znaczy? Znów jakiś szyfr?
– W pewnym sensie – odrzekł zamyślony. – To cytat z Samuela Rogersa. Był ulubionym autorem ojca, ale o tym wiedziała tylko matka i ja. Nawet Emma nie miała o tym pojęcia.
Przeczytał na głos te dwa wersy, jakby to była modlitwa.
– Rogers pisał o Wenecji.
– Więc teraz jedziemy tam – oświadczyła Jenny. – A moneta?
Bravo trzymał ją w palcach i obracał powoli, przyglądając się na przemian awersowi i rewersowi.
– Po pierwsze to nie jest kopia. Moneta jest bardzo stara. Sądzę, że podpowie mi, dokąd w Wenecji mamy się skierować.
– Chcesz powiedzieć, że jeszcze tego nie wiesz?
– Jeszcze nie. – Uśmiechnął się. – Nie przejmuj się tak, znajdę odpowiedź. Zawsze ją znajduję, gdy to ojciec zadaje mi zagadki.
Serce zaczęło mu bić szybciej. Trzymał w ręku potwierdzenie. Udawał się w długą podróż, która mogła pozwolić mu połączyć się z ojcem nawet po jego śmierci.
Często się tak bawili, gdy był dzieckiem. Zabawa w szyfry, każdy trudniejszy do złamania niż poprzedni. Tak mu się przynajmniej wydawało, gdy zaczął dorastać. Teraz pojął, że lekcja, którą dostawał od ojca, była przygotowaniem do chwili, która właśnie nadeszła. Czy Dexter Shaw przewidział swoją śmierć? Oczywiście, że nie. On tylko przygotowywał swojego następcę, który przejmie szczytny obowiązek, gdy nadejdzie odpowiedni czas.
Bravo zacisnął dłoń na ciepłej monecie. Moneta, kartka z cytatem, zapalniczka – wszystkie te przedmioty miały ogromne znaczenie. Nie

były tylko pamiątkami po ojcu. Zimne i martwe jak on, przywracały ciepło, iskierkę życia, radość, której doświadczał za każdym razem, gdy ojciec dawał mu okazję ruszyć głową. Te przedmioty pozwoliły mu być tak blisko ojca jak nigdy od czasu dzieciństwa – czasu, kiedy świat miał sens, kiedy on i ojciec byli związani ze sobą przez najbardziej skomplikowane szyfry, kiedy wydawało się, że są jedynymi ludźmi we wszechświecie.

Bravo i Jenny wrócili do miejsca, gdzie zostawili grzejące się teraz na słońcu buty. Usiedli na gorącym piasku i obserwowali ludzi pływających w basenie. Z głośnika radia należącego do opalającej się obok kobiety w stroju topless dochodziły zawodzące tony piosenki Mylene Farmer. Grupka dzieci bawiła się w piasku, budując mur, co chwila podmywany przez wodę. Dwie Niemki, blade i zupełnie bez biustu, wędrowały brzegiem i zawzięcie dyskutowały o butach, które widziały na wystawie sklepowej. Woń naleśników i wina mieszała się ze słonym zapachem morskiego powietrza. Promienie słońca wysuszyły ich ubrania i skórę, pozostawiając tylko białe plamki soli.

Podnieśli się wreszcie i opuścili plażę z jej niepowtarzalnym basenem. Gdy wdrapali się na mury, Bravo wyjął telefon, zadzwonił do linii lotniczych i zarezerwował miejsca w ostatnim tego dnia samolocie do Wenecji.

– Nie powinienem był odsyłać Camille. Musimy przecież jakoś wrócić do Paryża – powiedział, gdy skończył rozmowę przez telefon. – Chodźmy do miasta, może ktoś nam wskaże wypożyczalnię samochodów.

Stare miasto było zatłoczone do granic możliwości. Przepychając się pomiędzy grupkami turystów, dotarli do głównej bramy.

– Teraz musimy mieć się na baczności – ostrzegła Jenny.

Bravo przytaknął i ruszył ku bramie, ale Jenny złapała go za ramię i przytrzymała.

– Idę pierwsza – oznajmiła i uniosła rękę, chcąc powstrzymać jego protest. – Nie interesują mnie twoje argumenty. Zrobimy tak, jak mówię. – Jej spojrzenie było stanowcze. – Wydaje ci się, że nie dam sobie rady? Ręczę ci, że się mylisz.

– Byłaś cholernie dobra, kiedy uratowałaś tyłki mnie i Camille, tam, na autostradzie – odparł Bravo równie poważnym tonem jak Jenny. – Chyba jeszcze ci o tym nie mówiłem.

– Nie, nie mówiłeś.

Ruszyła naprzód i minęła go obojętnie. Chcąc nie chcąc, podążył za nią, przedzierając się przez chmarę turystów wylewających się z bramy w stronę parkingu pełnego autokarów.

Musieli na chwilę przystanąć, poszukać przerwy w strumieniu wolno posuwających się pojazdów. Powietrze było duszne od nagrzanych kamiennych murów i wyziewów z rur wydechowych. Wokół roiło się od ludzi. Unosiły się słodkie zapachy lodów, lizaków, taniej wody kolońskiej. Jenny obejrzała się za siebie. Zbliżała się do nich grupa piętnaściorga dzieci, ośmio-, może dziewięcioletnich, pod opieką trojga dorosłych. Jeden szedł z przodu, drugi z boku, a trzeci zamykał kolumnę.

W sznurze wolno sunących samochodów powstała przerwa. Jenny już zamierzała w nią wejść, kiedy kątem oka dostrzegła coś niepokojącego. Trzeci opiekun, ten z tyłu, wielkimi susami oddalił się od grupy podopiecznych. Pozostali dwaj nie zwrócili na to najmniejszej uwagi, co w sposób oczywisty uświadomiło Jenny, że dzieci były dla niego tylko kamuflażem.

Bez chwili wahania złapała Bravo za rękę i pociągnęła za sobą na środek ulicy. Wtedy dostrzegła zbliżającego się ku nim rowerzystę. W ręku dzierżył potężny kij bejsbolowy i właśnie unosił go, by zadać cios. Zostali osaczeni. Nie było sekundy czasu do namysłu. Musiała działać instynktownie.

Odepchnęła Bravo na bok, a sama stanęła wyprostowana, czekając na cios. W ostatniej chwili gwałtownym ruchem złapała kij, a łokciem drugiej ręki ugodziła napastnika prosto w krtań. Jednym kopnięciem sprawiła, że rower wywrócił się wraz ze swoim kierowcą.

– Uciekaj! – krzyknęła do Bravo. – Uciekaj!

Jednocześnie ruszyli biegiem wzdłuż ulicy. Nie zważając na ryk klaksonów i wściekłe wrzaski kierowców, lawirowali pomiędzy samochodami. Jenny obejrzała się za siebie. Mężczyzna, który udawał opiekuna grupki dzieci, podbiegł do leżącego roweru, wskoczył na niego i podążył ich śladem. W ręku trzymał pistolet.

Biegli najszybciej, jak potrafili, choć slalom pomiędzy samochodami nie pozwalał na błyskawiczną ucieczkę. Rowerzysta był coraz bliżej. Jenny rozglądała się na boki, usiłując znaleźć jakąś inną drogę, ale przelewający się po chodnikach tłum turystów nie pozwalał im schronić się w żadnym zaułku. Jeszcze chwila i będzie po nich. W ostatnim momencie Jenny wepchnęła Bravo w zbitą gromadę ludzi na chodniku, którzy natychmiast otoczyli ich ciasnym kręgiem, dając schronienie przed napastnikiem. I wtedy z naprzeciwka nadjechało z dużą prędkością srebrne bmw.

– Jesteśmy w potrzasku – spokojnie oznajmił Bravo.

Nie było czasu ani sposobu na ominięcie samochodu – znajdował się tuż przed nimi.

Jenny pomyślała, że to już koniec. Nie miała pojęcia, jak wyjść cało z tej opresji.

13

Jenny była zdecydowana uczynić wszystko, co w jej mocy, by chronić Bravo przed atakiem rycerzy. W napięciu rozglądała się wokół, szukając rozwiązania. Kierowca bmw wychylił głowę przez okno i krzyknął donośnie:

– Wsiadajcie!

Kiedy zdumiona zastanawiała się, co Anthony Rule tutaj robi, Bravo radośnie zawołał:

– Wujek Tony!

Rule dostrzegł w ręku zbliżającego się rowerzysty broń.

– Wsiadajcie! Szybko!

Jenny otworzyła drzwi i zajęła pozycję pomiędzy Bravo a napastnikiem. Rozległ się huk wystrzału, pocisk roztrzaskał szybę w drobny mak. Jenny energicznie wepchnęła Bravo na tylne siedzenie, sama wskoczyła za nim i bmw ruszyło z piskiem opon. Wciskając wściekle klakson, Rule zmusił dwa nadjeżdżające z naprzeciwka samochody do gwałtownego hamowania. Kolejny wóz nie zdążył się w porę zatrzymać i doszło do niewielkiej stłuczki. Rule skręcił raptownie i samochód przeskoczył nad krawężnikiem oddzielającym ulicę od parkingu. Mając teraz więcej miejsca do manewrowania, dodał gazu na wybrukowanej płycie parkingu dla autokarów. Spojrzał w lusterko i zobaczył niknącą z pola widzenia sylwetkę rowerzysty.

– Chętnie przejechałbym sukinsyna, gdybym był sam – powiedział i zachichotał. – Ale gdybym był sam, to jego by tu nie było, prawda?

– Co tutaj robisz? – zgryźliwie zapytała Jenny.

168

– Zaczekaj – wtrącił się Bravo. – To wy się znacie?

– Witaj, Jenny – rzucił Rule, jakby nie usłyszał pytania. A kiedy zobaczył jej zmarszczone brwi, przeniósł wzrok na Bravo. – No i czego ja oczekiwałem? Lodowa bogini.

– Lodowa bogini. Tak nazywają mnie pozostali Strażnicy – mruknęła ponuro Jenny.

– Bo dajesz im ku temu powody.

Połknęła haczyk.

– No pewnie. Zawsze jest moja wina, co?

– A teraz wiadomość z ostatniej chwili, dzieciaku. Nie tylko Strażnicy tak cię nazywają.

– Czy musimy zajmować się tymi bzdetami?

Rule wzruszył ramionami, jakby chciał powiedzieć, że nie obchodzi go, jak Jenny traktuje swoje przezwisko.

Bravo z rosnącym zdumieniem przysłuchiwał się tej wymianie zdań. Nie dość, że jego ojciec miał życie pełne sekretów, to teraz dowiaduje się, że wuj Tony też.

– Zaskoczony? – zapytał Rule, odgadując jego myśli.

– Pozwólcie mi ochłonąć.

Rule wyjechał z parkingu i skierował się w stronę nowego miasta. Co chwila skręcał to w prawo, to w lewo, by zgubić pościg. Zupełnie jak w filmach sensacyjnych. No tak, nie ulegało żadnej wątpliwości, że wujek Tony był gnostyckim obserwantem. Bravo nazywał go wujkiem nie dlatego, że był spokrewniony z ojcem, ale dlatego że byli sobie bardzo bliscy.

– Nadal nie wiemy, co ty tutaj robisz – Jenny uparcie wracała do swojego pytania. – To nie jest zbieg okoliczności.

– Dzieciaku, w Voire Dei nie istnieją zbiegi okoliczności. – Rule potrząsnął głową. – Próbowałem namierzyć drugi klucz.

– Drugi klucz? – zdziwił się Bravo.

Wuj Tony skinął głową.

– Istnieją dwa klucze do skrzyni. Jeden miał twój ojciec, drugi był u Molka. Molko został schwytany przez rycerzy, torturowany i zabity. Podejrzewamy, że teraz oni mają drugi klucz.

– Czyli mamy prawdziwy wyścig.

– W pewnym sensie. Tyle tylko że rycerze nadal nie wiedzą, gdzie znajduje się skrzynia. Tę tajemnicę znał twój ojciec.

– Więc dlatego byłem cały czas śledzony. Zaczęło się to w Nowym Jorku, potem Waszyngton...

Bravo przypomniał sobie, jak Rossi pilnował, żeby nie stała im się krzywda, gdy uciekali z domu Jenny. Przypomniał sobie też gumową kulę, którą zraniono Jenny na cmentarzu. Jego teoria znalazła potwierdzenie. Rycerze nie chcieli ich zabić, oczekiwali, że doprowadzą ich do skrzyni.

– Ale przecież tak bardzo uważaliśmy, żeby nas nie namierzyli... – zastanawiał się głośno Bravo.

– Musisz wiedzieć – odparł Rule – że rycerze świętego Klemensa są jak hydra. Odetniesz dwie głowy, w ich miejsce wyrastają cztery następne.

– Nie mogli mu podrzucić pluskwy – rzekła Jenny, wskazując głową na Bravo. – Nie mieli dostępu ani do niego, ani nawet do jego ubrań.

Bravo wychylił się do przodu, opierając ramiona o przedni fotel.

– Z Waszyngtonu wziąłem tylko kilka drobiazgów, które zostały po ojcu. Nikt prócz mnie nie wiedział, gdzie one się znajdowały ani jakie było ich znaczenie.

Jenny potwierdziła jego słowa skinieniem głowy.

– Musieli znaleźć jakiś inny sposób, by cię śledzić.

– Co mam robić? – zapytał Bravo.

– Trzymaj się planu. Zaufaj ojcu. Po prostu. A resztą zajmie się Jenny.

Rule przyspieszył, wyprzedzając dwa samochody wlokące się za ciężarówką.

– Bardzo mi przykro z powodu śmierci twojego ojca. Był jednym z... Był najwspanialszym człowiekiem, jakiego w życiu spotkałem, i moim najlepszym przyjacielem.

– Dziękuję. To bardzo dużo dla mnie znaczy.

– Wiem, że byłeś najstarszym przyjacielem Dextera Shawa w zakonie – wtrąciła Jenny. – Czy to właśnie dlatego tu się znalazłeś?

– A myślałaś, że cię kontroluję? – prychnął Rule.

Był wysokim, smukłym mężczyzną, z szorstką, ogorzałą cerą. Na skroniach pojawiły się pierwsze oznaki siwizny. Włosy miał zaczesane do przodu, wskutek czego z twarzy przypominał rzymskiego senatora.

– Okej, nie robię ci wyrzutów. Kavanaugh wbił sobie do głowy, żeby ci pomóc. – Sina blizna przecinała jego lewy policzek na kształt wykrzyknika. – Powiedziałbym „biedny Kavanaugh", gdyby ten drań na to zasługiwał.

Jenny spojrzała na niego uważnie, po czym szybko odwróciła wzrok i zajęła się oglądaniem widoków za oknem.

Rule skrzywił się, jakby przed chwilą rozgryzł coś gorzkiego.

– Kavanaugh popełnił błąd i skończmy tę dyskusję – powiedział Bravo. Czuł się nieswojo, słuchając ich słownych utarczek, i miał zamiar je ukrócić. – Teraz przede wszystkim trzeba się szybko dostać do Paryża. Samolot do Wenecji odlatuje z lotniska Charles'a de Gaulle'a po dziewiątej wieczorem.

Anthony Rule kiwnął głową.

– Jestem do usług.

Choć dawno już skończył pięćdziesiątkę, czas obszedł się z nim łaskawie. Nie stracił nic ze swojego uroku, który przez całe życie przyciągał kobiety.

– Będę szczery, śmierć Dexa była dla mnie szokiem, ale mnie nie zaskoczyła. Teraz, kiedy wiesz już tak dużo, chyba rozumiesz, co mam na myśli. Dex wiedział, że nosi piętno śmierci, wiedział, że w każdej chwili może zginąć, być może nawet zdawał sobie sprawę z tego, że jest to nieuniknione. Takie są brutalne prawa wojny, jaką prowadzimy ze złem i korupcją. Chciałbym bardzo, żeby to się zmieniło, ale dopóki żyje choćby jeden rycerz świętego Klemensa, jest to po prostu niemożliwe.

– Wygląda na to, że przez wieki przetrwała tylko wrogość – odparł Bravo.

– Proszę, proszę, oto wypowiedź znawcy tematu. – Rule potrząsnął głową. – Zamiast filozofować, lepiej użyj swojego błyskotliwego intelektu do odgadnięcia, jakim cudem rycerze cię namierzyli.

– Mój ojciec i ojciec Jenny byli przekonani, że wewnątrz Haute Cour jest zdrajca. Też tak sądzisz?

Rule rzucił Jenny krótkie spojrzenie.

– Widzę, że zdążyłaś go wtajemniczyć we wszystko.

Bravo patrzył, jak Jenny, wyrwana z zamyślenia, skupia całą swą uwagę na słowach wujka.

– Wiesz, kto może być zdrajcą? – zapytała.

– To była obsesja Dexa – ponuro odparł Rule. – Nie wiem. Nie mam na ten temat zdania.

171

Jechali teraz autostradą prowadzącą wprost na lotnisko Charles'a de Gaulle'a. Po kilku kilometrach Rule zjechał z autostrady na podrzędną drogę i znacznie zmniejszył prędkość. Zerkając w lusterko wsteczne, skręcił raz i drugi.

– Okej, czysto.

Przed sobą mieli długi odcinek prostej drogi, idealne warunki do obserwacji, czy nikt ich nie śledzi.

– Oni chcą znać nasze tajemnice, Bravo – ciągnął Rule. – Ale przede wszystkim chcą poznać jeden sekret, ten, którego twój ojciec strzegł przez całe życie.

– Ale ja nawet nie wiem, co to jest.

– Oczywiście, że nie wiesz. Ani ty, ani Jenny, ani większość członków zakonu. Ale ja wiem.

Po lewej stronie pojawił się wjazd na autostradę. Rule zjechał na lewy pas, ale w ostatniej chwili dostrzegł, że wjazd zablokował jakiś zepsuty samochód, więc pojechał dalej prosto.

Jenny obróciła się do tylnego okna.

– Co się dzieje? – zapytał Bravo.

Rule poprawił się w fotelu, na jego twarzy malowało się napięcie.

– Mamy problem.

– Ciągniemy za sobą ogon. – Jenny przysunęła się bliżej Bravo, by lepiej widzieć, co się dzieje z tyłu. – Biały mercedes coupé, czwarty za nami.

Rule przytaknął skinieniem głowy.

– To jeden, ale śmiem twierdzić, że nie jedyny.

– Dlaczego tak sądzisz? – zapytał Bravo.

– Zwróciłeś uwagę na ten zepsuty samochód przy wjeździe na autostradę? – odpowiedziała pytaniem Jenny.

– Zmusił nas do pozostania na tej drodze – dokończył Rule.

Wziął ostro zakręt, tak że ich bmw wpadło w lekki poślizg, po czym wcisnął do oporu pedał gazu. Przyspieszenie wgniotło ich w fotele.

– Zaraz się przekonamy, ile to cacko jest warte. Pod maską mamy dwanaście cylindrów. Będzie dobrze, jeśli nie wzbijemy się w powietrze.

Bravo dojrzał przed nimi czerwone audi ruszające z pobocza i szybko nabierające prędkości.

– Jesteśmy w potrzasku! – krzyknęła Jenny.

Rule potwierdził skinieniem głowy.

– Są z przodu i z tyłu. No, dzieciaki, lepiej zapnijcie pasy.

Jechał coraz szybciej, wyprzedzał kolejne samochody, mijając je o włos. Wyraźnie było teraz widać, że tylko dwa pojazdy dotrzymują mu kroku – czerwone audi z przodu i biały mercedes za nim. W pewnej chwili audi zwolniło. Rule wcisnął hamulec i bmw wpadło w lekki poślizg. Poczuli uderzenie, to mercedes najechał na nich z tyłu. Rule przyspieszył i znalazł się tuż za tylnym zderzakiem audi. Audi, dużo mniejsze i lżejsze od bmw i mercedesa, natychmiast wysforowało się do przodu.

– Niedobrze – rzekł Rule. – Mają wobec nas jakieś niecne plany.

Ledwie to powiedział, gdy zobaczyli stojącą na drodze wielką ciężarówkę z naczepą. Tylne drzwi były otwarte na oścież, a wysunięta stalowa rampa zapraszała do wnętrza.

– To dlatego wzięli nas w kleszcze. Chcą nas zagnać do środka.

Z lewej strony zauważyli ślimakowaty zjazd z autostrady. Rule wyczekał do ostatniej chwili i gwałtownie skręcił. Szare renault niemrawo toczyło się po zjeździe, kiedy jego kierowca dojrzał bmw jadące pod prąd wprost na niego.

Klakson renault brzmiał im w uszach jeszcze długo po tym, jak wypadło z drogi. Rule, nie zważając na nic, wjechał na autostradę.

Udało im się wprawdzie zgubić oba samochody, zarówno audi, jak i mercedesa, ale teraz jechali pod prąd. Towarzyszył im ryk klaksonów i pisk hamulców, kiedy oniemiali kierowcy usiłowali uniknąć czołowego zderzenia z bmw, a jednocześnie nie ściąć wszystkich słupków na poboczu. Na szczęście po jakimś czasie pojawiła się przerwa w barierkach rozgradzających jezdnie, gdzie Rule mógł spokojnie zawrócić i ruszyć w dalszą drogę już we właściwym kierunku. Dopiero teraz jego pasażerowie odetchnęli z ulgą.

Znajdowali się na północny zachód od Chartres. Rule skręcił na prawy pas i opuścił autostradę zjazdem prowadzącym do miasteczka Dreux.

Kiedy znaleźli się na bocznej drodze, zwolnił, sięgnął po telefon i chwilę z kimś rozmawiał tak cicho, że ani Jenny, ani Bravo nie dosłyszeli ani słowa.

Po sześciu minutach jazdy znaleźli się w Dreux. Było to małe przemysłowe miasteczko z odlewnią, rafinerią, fabrykami telewizorów, bojlerów i nawozów. Nic dziwnego, że wyglądało nie najlepiej – brzydkie i odpychające miejsce. Jedynie drzewa i zadbane kwietniki poprawiały nieco jego wygląd. Surowo i złowrogo prezentujący się gotycki kościół pod wezwaniem świętego Piotra był jednym z nielicznych ocalałych średniowiecznych budynków, które przypominały o świetnej przeszłości miasta należącego niegdyś do hrabstwa Vexin i księstwa Normandii.

– Wszyscy hrabiowie Vexin byli w swoim czasie członkami zakonu – powiedział Rule. – W tym sensie Dreux wciąż należy do nas. Są tu ludzie, którym mogę bezgranicznie ufać.

Obok kościoła Świętego Piotra natknęli się na szczupłego młodego mężczyznę w dżinsach i T-shircie. Oczy przesłaniały mu okulary przeciwsłoneczne. Nie zwracając uwagi na Jenny i Bravo, zamienił się z Anthonym kluczykami, wsiadł do bmw i szybko odjechał.

Wnętrze kościoła było chłodne i ponure. Powietrze wypełniał zapach kadzidła i chór głosów intonujących pieśń liturgiczną. Rule zaprowadził ich do mrocznej kaplicy w bocznej nawie. Dominowała tu figura Chrystusa wznoszącego oczy ku niebu.

Stali bez ruchu, zbici w ciasną gromadę, nasłuchując pospiesznych kroków i wypatrując ruchu w ciemnościach. Bravo czuł, jak otacza ich Voire Dei. Od czasu do czasu pojawiała się jakaś grupka turystów lub przemykał ksiądz. Wyobcowanie – to słowo najlepiej oddawało stan jego duszy. Wszyscy wokół zdawali się postaciami ze starej, przydymionej fotografii, którą on teraz trzymał w ręku. Jenny miała rację, już nigdy nie zdoła powrócić do tamtego świata.

Rule zdjął okulary przeciwsłoneczne i zwrócił się do Bravo.

– Słuchaj mnie teraz uważnie, bo być może nie będę już miał więcej okazji powiedzieć ci tego, co powierzył mi twój ojciec. Tajemnica, której zakon strzeże od stuleci, tajemnica, którą tak bardzo Rzym pragnie posiąść, jest następująca: mamy fragment Testamentu.

– Testamentu? – zapytał zaskoczony Bravo. – Jakiego testamentu?

Oczy Rule'a zalśniły z podekscytowania, jakiego Bravo jeszcze nigdy u nikogo nie widział.

– Testamentu Jezusa Chrystusa.

Z wrażenia serce zamarło mu w piersiach.

– Mówisz poważnie?

– Nigdy nie byłem poważniejszy.

Obok przeszedł ksiądz i z uśmiechem skinął im głową. Wszyscy troje stali w milczeniu, czekając, aż zniknie w głębi kościoła. Rule ciągnął dalej szeptem.

– Powiedz mi, Bravo, czy w czasie studiów natknąłeś się na Tajemną Ewangelię świętego Marka?

– Oczywiście – potwierdził Bravo. – W tysiąc dziewięćset pięćdziesiątym siódmym roku pewien badacz odnalazł ją w bibliotece prawosławnego klasztoru Mar Saba niedaleko Jerozolimy. To był rękopis dzieła Isaaca Vossa, wydanego w tysiąc sześćset czterdziestym szóstym roku pod tytułem *Epistolae genuinae S. Ignatii Martyris*.

Na twarzy Rule'a pojawił się uśmiech.

– Odpowiedź na szóstkę.

– „I dotarli do Betanii – Bravo zaczął recytować fragment Tajemnej Ewangelii. – I była tam pewna kobieta, której brat właśnie umarł. A kiedy się zbliżyli, pokłoniła się Jezusowi i rzekła: Synu Dawida, zlituj się nade mną! Lecz uczniowie zganili ją. Rozgniewawszy się, Jezus poszedł z nią do ogrodu, gdzie znajdował się grobowiec, i od razu wszedł tam, gdzie leżał młodzieniec, wyciągnął rękę i podniósł go...".

– Ach, cóż za pamięć. – Rule się roześmiał.

– Tajemna Ewangelia została wyszydzona przez biblistów, gdyż przedstawiała Jezusa jedynie jako cudotwórcę, maga. Było to sprzeczne z oficjalną doktryną Kościoła. Opisuje ona nie tylko zmartwychwstanie Łazarza, jak to przedstawiono w jedenastym rozdziale u Klemensa, ale także tego młodzieńca i wielu, wielu innych.

– Zgadza się – potwierdził Rule. – Tajemna Ewangelia wydawała się tak niebezpieczna, że utajniono ją w czwartym wieku, a następnie zniszczono. Tak się przynajmniej wszystkim wydawało.

– To jedna z tych tajemnic, którą zawiera skrzynia?

– Tak jest.

– Chcesz powiedzieć... Myślisz, że to prawda?

– Ja to wiem! – odparł Rule. – Testament Jezusa Chrystusa to potwierdza. Dlatego tak ważne jest, żeby ten i inne dokumenty strzeżone przez stulecia nie wpadły w ręce rycerzy świętego Klemensa. W przeciwnym razie na pewno zostaną zniszczone, a wszystkie ślady zatarte, tak jakby nigdy nie istniały.

– Jeśli to, co mówisz, jest prawdą, dlaczego trzymacie wszystko w tajemnicy? To nie jest tylko artefakt historyczny, ale także odkrycie archeologiczne o nieprawdopodobnym znaczeniu. Dlaczego nie ujawnić tego światu?

– Wydobycie Testamentu na światło dzienne wstrząsnęłoby podstawami naszej cywilizacji. Nie możemy na to pozwolić.

– Nie rozumiem.

– W naszych rękach jest nie tylko Testament – wyjaśnił Rule. – Mamy także kwintesencję.

– Co?! – wykrzyknął Bravo, nie panując nad emocjami.

Rule kiwnął głową.

– To, co słyszałeś.

– Legendarny piąty element. – Bravo westchnął. – Starożytni filozofowie byli przekonani, że sfera niebieska składa się z ziemi, powietrza, ognia, wody i kwintesencji – eterycznego, najdoskonalszego z żywiołów. Zawsze uważałem, że kwintesencja jest mitem, takim samym jak alchemia czy zamiana wody w wino.

– Jest całkiem realna, zapewniam cię – rzekł Rule.

– Ale czym ona właściwie jest? Można ją zobaczyć, poczuć, posmakować, czy też znajduje się poza zdolnościami percepcyjnymi człowieka?

– W swoim Testamencie Jezus nazywa ją „olejem", ale ten termin może, choć nie musi, odzwierciedlać podobieństwo do tego, co zwykliśmy uważać za olej. – Rule pochylił się i zniżył głos. – Testament jest tak rewolucyjny, potencjalnie niebezpieczny dla Kościoła, właśnie dlatego, że Jezus przyznaje w nim, iż wskrzesił Łazarza i innych właśnie dzięki kwintesencji.

– To się kłóci z doktryną Kościoła. Pismo Święte mówi, że Jezus wskrzesił Łazarza dzięki swojej boskiej mocy.

– No właśnie. To jest od niepamiętnych czasów jedyna przyjęta interpretacja. Ale Testament Jezusa Chrystusa mówi wyraźnie, że to kwintesencja przywróciła życie Łazarzowi. Chrystus nie wspomina o boskiej mocy.

Bravo był zaszokowany.

– Poczekaj chwilę…

– Tak, tak. Widzisz więc, jakie zdumiewające skutki może to przynieść. Jeżeli faktycznie to kwintesencja, a nie boska moc Jezusa wskrzesiła Łazarza, to należałoby uznać, iż opowieści o tym, że Jezus był uzdrowicielem, opowieści tak zaciekle zwalczane przez Kościół, okazałyby się prawdą. Mogłoby się także okazać, że kiedy umarł na krzyżu, uczniowie wskrzesili go dzięki działaniu kwintesencji. Zawirowało mu w głowie. Wreszcie zrozumiał. Cała misterna struktura wiary katolickiej runęłaby, gdyż zakwestionowano by boskość Jezusa!

– Dlatego właśnie od wieków mordowano władców, obalano reżimy, ginęły niezliczone rzesze ludzi, przelano morze krwi. – Mówiąc te słowa, Rule próbował jednocześnie dostrzec, co kryje się w cieniu kolumn. – Twój ojciec powiedział, że przeczytał Testament. Nie ma najmniejszych wątpliwości, że jest to Testament Jezusa Chrystusa.

Bravo stał osłupiały. Dla kogoś takiego jak on fakt odkrycia choćby fragmentu Testamentu Chrystusa był takim samym wydarzeniem, jak znalezienie świętego Graala. I na dodatek jeszcze kwintesencja! Myśl o tym, że wuj Tony mówi prawdę, zaparła mu dech w piersiach.

– Jeżeli zakon przez cały ten czas był w posiadaniu kwintesencji, dlaczego nie użyto jej do uzdrawiania chorych?

– Ta właśnie kwestia była tematem gorącej debaty, jaka toczyła się w trzynastym wieku pomiędzy bratem Leonim, Klucznikiem, a bratem Prospero, *magister regens* zakonu. – Rule omiatał teraz wzrokiem wnętrze kościoła. – Na decyzję o zachowaniu istnienia kwintesencji w sekrecie wpłynęły dwa argumenty: po pierwsze, człowiek z natury swej nie jest nieśmiertelny, a nawet nie powinno się w nienaturalny sposób przedłużać jego życia; i po drugie, wieść o istnieniu kwintesencji wyzwoliłaby w ludziach najgorsze instynkty. Jak sądzisz, co mogłoby się wówczas wydarzyć? Popłoch i panika ogarnęłyby całą ludzkość. Bogaci i wpływowi zrobiliby wszystko, by skraść to panaceum, zachować tylko dla siebie, dla swoich korzyści, dla przedłużenia własnego życia. Dozując regularnie kwintesencję, staliby się praktycznie nieśmiertelni.

Umysł Bravo pracował teraz z prędkością światła. Wyjaśnił się powód, dla którego rycerze tak się spieszyli, by znaleźć skrzynię – to Watykan naciskał. Kwintesencja była potrzebna teraz, natychmiast. Papież był śmiertelnie chory. Tylko kwintesencja dawała mu nadzieję. Im bliższa była chwila śmierci papieża, tym większą presję Watykan wywierał na rycerzy. Musiał o tym pamiętać. Nawet obecnie potęga Watykanu jest niezaprzeczalnie wielka i obejmuje wzdłuż i wszerz cały świat, każdy zakątek ziemi, do którego zawitał Chrystus.

177

– W ten sposób niewielkie grono ludzi, skupiające w swych rękach władzę, stanie się jeszcze potężniejsze, wręcz wszechmocne. A potem różne rządy, szeregi łajdaków, terroryści – wszyscy oni będą chcieli użyć kwintesencji dla własnych celów. Za nic będą mieli dobro ludzkości. Kompletne szaleństwo. – Smutno potrząsnął głową. – Nie, kwintesencja jest zbyt potężna, by dać ją ludziom. Tylko sprawia wrażenie podarunku, w rzeczywistości jest łapówką.

– Jeżeli takie jest wasze zdanie, dlaczego jej po prostu nie zniszczycie?

– To nie zależy ode mnie. Ale każdy archeolog powiedziałby ci – jestem pewny, iż zdajesz sobie z tego sprawę – że zniszczenie takiego cudu z czasów Chrystusa byłoby zbrodnią. Sam Jezus trzymał kwintesencję w swoich...

Musiało się wydarzyć coś, na co Rule czekał, gdyż przerwał opowieść.

– Chodźcie! Szybko, szybko! – polecił.

We wnętrzu pogrążonym w mroku szukał rękoma po omacku, aż wreszcie natrafił na małą klamkę, pociągnął ją i otworzył niewielkie drzwi.

Wepchnął ich do ciemnego korytarza.

– Ten tunel doprowadzi was do bocznego wyjścia. Po drodze będzie kilka zakrętów, ale drzwi znajdziecie na samym końcu.

– Kogo zobaczyłeś? – zapytała Jenny.

– Nieważne – odparł Bravo. – Chodźmy, wujku.

– Ja z wami nie idę. – Rule wręczył Jenny pęk kluczy, które otrzymał od młodego człowieka pod kościołem.

– Och, nie! – krzyknęła Jenny. – Nie pozwolę ci...

– Rób swoje – przerwał dyskusję Rule. – Chroń go. Choćbyś miała poświęcić życie. Tak jak cię uczono. A tych ludzi pozostaw mnie. Poza tym musicie zdążyć na samolot, a jeśli mi się nie uda, to nici z waszych planów.

– Nie zostawię cię tutaj – zadeklarował Bravo. – Uczyłeś mnie, by nigdy nie opuszczać pola walki i, niech mnie diabli, nie zamierzam zrobić tego teraz.

Rule położył mu rękę na ramieniu.

– Sentyment to dobre uczucie, ale pamiętaj, w Voire Dei nie ma miejsca na sentymenty.

178

– Nie mieści mi się to w głowie.

– Wkrótce zrozumiesz, że miałem rację. – Rule mocno uścisnął Bravo. – Tak czy owak każdy z nas ma w tej wojnie do odegrania jakąś rolę. Twoją jest strzeżenie Testamentu i kwintesencji. Jesteś Klucznikiem, pamiętaj o tym.

Rule spojrzał mu głęboko w oczy. To była jedna z jego sztuczek. Osoba, na którą patrzył w ten sposób, czuła się tak, jakby poza nią i nim nie istniał nikt inny na świecie.

– Od chwili śmierci Dexa i innych członków Haute Cour jesteśmy praktycznie pozbawieni przywództwa, a przez to niemalże bezbronni. Jeżeli tobie nie uda się odnaleźć skrzyni lub, co gorsza, jeśli rycerze świętego Klemensa ją wykradną, będzie po nas. Zawładnęliby całą naszą wiedzą, całym naszym bogactwem. Mając w ręku obietnicę nieśmiertelności, wprowadziliby bezprecedensowy zamęt – zdołaliby nakłonić rządy, kartele, nawet organizacje terrorystyczne do spełniania ich żądań i wykonywania poleceń. Staliby się potęgą, niepowstrzymaną siłą. Wywróciliby cały porządek tego świata do góry nogami.

Jenny zacisnęła klucze w garści.

Rule skłonił głową w geście podziękowania.

– Wasz nowy samochód to czarne audi, kabriolet – powiedział i wytłumaczył, gdzie został zaparkowany. – A teraz idźcie!

Popchnął ich lekko, zatrzasnął drzwi i obrócił się, gotów na spotkanie z rycerzami, którzy właśnie wchodzili do kościoła.

– Facet ze złotym kolczykiem w kształcie łezki w lewym uchu.

– Widzę go – odparł Bravo.

Stali we wnęce bocznych drzwi. Było późne popołudnie. Promienie słońca koloru miodu rzucały długie cienie. Po drugiej stronie ulicy, opierając nogę o przedni zderzak, stał jeden z rycerzy. W uchu miał złoty kolczyk. Starał się zachowywać nonszalancko, ale spojrzenie miał twarde jak kamień, kiedy uważnie lustrował każdą przechodzącą osobę.

– Idź do samochodu jakby nigdy nic – Jenny przejęła dowodzenie. – Najważniejsze to iść normalnym, spokojnym krokiem – nie za szybko, nie za wolno. I nie patrz na niego.

– Przecież mnie rozpozna.

– Właśnie na to liczę – odparła. Po chwili, gdy Bravo szykował się do odejścia, dodała: – Dopóki nie zacznie podejrzewać, że wzbudził twoje zainteresowanie, jesteś bezpieczny, zrozumiałeś?

Skinął potwierdzająco głową i opuścił bezpieczne schronienie, jakie dawała mu wnęka drzwi. Szedł teraz w jasnych promieniach słońca, ciągnąc za sobą własny cień uczepiony stóp. Przyspieszone bicie serca i szum w uszach sprawiały, że stąpał nienaturalnie sztywno i zbyt szybko. Kiedy zdał sobie z tego sprawę, nie bez wysiłku zmusił się do odprężenia i zwolnił kroku.

Wszędzie wokół było gwarno. Najtrudniejszą rzeczą było niepatrzenie w stronę rycerza. Starał się zająć umysł rozwikłaniem zagadki zachowania aktorów, która nie dawała mu spokoju od czasów dzieciństwa. Jak udawało im się nie dostrzegać kamery? Sam znalazł się teraz w podobnej sytuacji, zmuszony do ignorowania obecności człowieka z kolczykiem w uchu.

Dopóki nie zacznie podejrzewać, że wzbudził twoje zainteresowanie, jesteś bezpieczny...

Wszedł na jezdnię, rozejrzał się, czy nie nadjeżdża jakiś samochód, i przeciął ulicę. Widział przed sobą czarne audi z rozsuniętym dachem. Nikt nie kręcił się koło samochodu. Ale jak się upewnić? Równym, miarowym krokiem szedł dalej, choć nerwy miał napięte jak struna.

Kątem oka dostrzegł jakiś ruch. To właśnie tam znajdował się jego prześladowca.

Idzie tu!

Nie spuszczał wzroku z samochodu, ku któremu zmierzał. Wmawiał sobie, że ma zaufanie do Jenny, że ufa jej doświadczeniu, wierzy w powodzenie jej planu. Tak czy inaczej, już za późno na wątpliwości. Nie było odwrotu.

Trzy kroki, cztery, nagle jakaś ręka chwyciła go za koszulę, długie smukłe palce zacisnęły się na ramieniu, paznokcie wpiły w ciało. Obrócił głowę, zobaczył metaliczny odblask – złoty kolczyk – i jeszcze jeden, poniżej – błyszczący w promieniach słońca wylot lufy pistoletu.

Ta chwila trwała wystarczająco długo, by dostrzec na wąskiej twarzy rycerza malujące się uczucie triumfu, które nieoczekiwanie zmieniło się w przerażenie. Jenny podeszła do niego od tyłu zupełnie bezszelestnie. Gdy padał na ziemię, podtrzymała go za ramiona i po chwili razem z Bravo przeciągnęli bezwładne ciało na chodnik. Przechodząca obok para obejrzała się zaniepokojona.

– Kolega wypił za dużo wina – uspokoiła ich Jenny.

Turyści odeszli w pośpiechu, nie mając najmniejszego zamiaru psuć sobie wakacji.

Jenny i Bravo zostawili nieprzytomnego rycerza opartego o metalowy płot jakiejś posesji, wsiedli do samochodu i odjechali.

Na lotnisko Charles'a de Gaulle'a dotarli bez większych przeszkód. Pozostało im trochę czasu do odlotu. Od chwil, gdy wyszli z kościoła w Dreux, Jenny nieustannie sprawdzała, czy nikt ich nie śledzi. Teraz nie mieli ochoty krążyć dla zabicia czasu po lotnisku, czekając, aż ich ponownie odnajdą rycerze.

Przez całą drogę do lotniska myśli obojga zaprzątał, choć pewnie z różnych powodów, Anthony Rule. Był on dla Bravo jak drugi ojciec. Rzeczywiście zdawało się, że pod nieobecność Dextera Anthony wcielał się w jego rolę i towarzyszył chłopcu, gdy ten startował w zawodach lekkoatletycznych albo występował w szkolnym przedstawieniu. Rule, bezdzietny kawaler, łatwo nawiązał kontakt z młodym Bravermanem, przekazywał mu swoje doświadczenie, pomagał w treningach. Nic więc dziwnego, że ten go uwielbiał. To, co teraz stało się oczywiste, nigdy takie nie było dla chłopca: wuj Tony nieprzypadkowo był mistrzem w tych właśnie dyscyplinach, które on uprawiał.

– To musiało być fascynujące mieć u boku kogoś takiego jak Anthony – odezwała się Jenny, kiedy przemierzali kolejne piętra parkingu, próbując połapać się w natłoku wzajemnie sobie przeczących znaków informacyjnych. Francuzi mieli zadziwiającą skłonność do utrudniania życia ludziom na lotniskach.

– Wspaniale – odparł i wskazał palcem wolne miejsce na końcu długiego rzędu pojazdów. – Był dla mnie jak ojciec, nawet więcej, bo ojca i syna zawsze dzielą jakieś nieporozumienia, a nas nic nie dzieliło.

– Hm, nie takiej odpowiedzi oczekiwałam.

– A ty i wujek Tony? – Ktoś obok krzywo zaparkował i wolne miejsce było zbyt wąskie dla ich kabrioletu. – Jest dla ciebie takim samym przełożonym jak każdy inny?

Jenny wzruszyła ramionami.

– W zasadzie tak. Choć muszę przyznać, że jest jedyny w swoim rodzaju.

– Nie powiesz mi, że masz mu coś do zarzucenia.

Skrzywiła się.

– Nic a nic.

Zwolniło się miejsce w następnym rzędzie, podjechali tam szybko i zaparkowali. Jenny siedziała bez ruchu, patrząc przed siebie. Bravo już poznał to jej zachowanie, wiedział, że myślami jest teraz gdzieś bardzo daleko. Zdawał sobie sprawę, jak trudno jej opowiadać o sobie. Kiedy już to zrobiła, jak w Mont Saint-Michel, szybko się wycofywała i kryła za zasłoną milczenia.

– Jeśli nie chcesz o tym mówić, to w porządku...

– Zamknij się! – przerwała mu gniewnie. Wyglądało na to, że już zdecydowała się na zwierzenia i chciała jak najszybciej mieć to za sobą. – Bardzo szanuję Anthony'ego. I on, i twój ojciec to naprawdę wspaniali ludzie. Dlatego tak mnie zabolało, że drwi ze mnie.

– To nie drwiny. Robi tak, bo cię lubi – rzekł Bravo.

– Naprawdę?

– Oczywiście. Ze mną było tak samo. Też się ze mnie wyśmiewał.

Zwróciła ku niemu spojrzenie, by przekonać się, że mówi poważnie. Stopniowo docierało do niego, jak wysoką cenę przyszło jej zapłacić za zdobycie takiej pozycji w zakonie. Wmówiła sobie, że gdy zwiąże się z jakimś mężczyzną, to od razu stanie się obiektem nieustających kpin.

– Dorothy Parker powiedziała kiedyś, że drwina może być ochroną, ale nigdy nie bronią – rzekł Bravo.

Dłuższą chwilę przyglądała mu się w milczeniu.

– No tak. Wygląda na to, że Dorothy Parker nigdy nie była częścią Voire Dei.

Wysiadła z samochodu pod pretekstem rozprostowania zdrętwiałych nóg. W rzeczywistości bała się, że wyraz twarzy zdradzi jej prawdziwe uczucia. Zaskoczył ją tym, że rozumiał sedno jej trudnego położenia. Poza tym do głębi poruszyło ją, jak próbował ukoić jej ból, przytaczając słowa autorki znanej ze swego sarkazmu wobec spraw damsko-męskich. Miała być silna. Nie mogła sobie pozwolić na żadną oznakę słabości, na pojawienie się jakiejkolwiek rysy na kamiennym, twardym obliczu.

182

Kiedy znaleźli się wewnątrz terminalu lotniska, natychmiast odebrali zarezerwowane wcześniej bilety. W chwili gdy przechodzili przez bramkę wykrywacza metalu, w kieszeni Bravo zadzwonił telefon. Okazało się, że to Jordan. W jego głosie dawało się wyczuć napięcie. To nie był ten sam jowialny Jordan co zwykle.

– *Ça va, mon ami?*

– Nie najgorzej, Jordan.

– A twoja przyjaciółka, Jenny?

– Jest obok mnie – odparł Bravo, marszcząc brwi. Zbliżali się do wyjścia i Bravo rozglądał się w poszukiwaniu kiosku z gazetami. – Twój głos mówi mi, że coś jest z tobą nie w porządku.

– Ach, to ci Holendrzy. Strasznie mnie przećwiczyli. Bez ciebie nie daję sobie rady. Tylko ty wiesz, jak z nimi postępować.

– To żaden sekret, Jordan. Następnym razem, kiedy będziesz się miał z nimi spotkać, spróbuj odejść od tematu wspólnych interesów. Oni natychmiast wychwycą to, że nie jesteś specjalnie zainteresowany i szybko sami wrócą do meritum. Wierz mi, zależy im na tym, żeby interes wypalił.

– Wierzę, *mon ami.* Zrobię, jak radzisz. – Jordan zaczerpnął głęboko powietrza. – Ale jest jeszcze inna sprawa. To, co mi opowiedziała Camille, wcale mnie nie pocieszyło. Chyba musisz się poważnie zastanowić, czy dalsze poszukiwania są rozsądne.

– Nie mogę, Jordan. Przykro mi. To jest coś, co muszę zrobić.

– Camille ostrzegała mnie, że właśnie taka będzie twoja odpowiedź. W takim razie zgódź się na moją propozycję. Muszę ci zapewnić ochronę. Gdzie teraz jesteś?

– Na lotnisku Charles'a de Gaulle'a. Lecimy samolotem Air France do Wenecji o dwudziestej czterdzieści pięć.

Dostrzegł wreszcie kiosk i z Jenny u boku skierował się w jego stronę.

– *Bon.* Zarezerwuję wam hotel i wyślę komitet powitalny na lotnisko Marco Polo. Facet nazywa się Berio. Będzie uzbrojony i nie odstąpi cię na krok przez cały czas twojego pobytu w Wenecji.

– Jordan…

– Nie próbuj nawet dyskutować, *mon ami.* Nie mam zamiaru cię stracić. Moja firma splajtowałaby w ciągu roku. – Roześmiał się głośno, lecz nagle spoważniał. – Uważaj na siebie i na Jenny.

- Nie obawiaj się, Jordan. Będę uważał. – Zawahał się przez chwilę. – A, Jordan...
- *Oui?*
- Dziękuję.

W kiosku kupił plik gazet i bez ociągania skierowali się do wyjścia. Akurat zaczęła się odprawa pasażerów. Z wyraźną ulgą oddali swoje karty pokładowe i zniknęli w czeluści rękawa prowadzącego na pokład samolotu.

Maszyna była wypełniona po brzegi. Pod pretekstem konieczności skorzystania z toalety Jenny przeszła przez cały pokład, uważnie przyglądając się pasażerom i starając się zachować w pamięci ich twarze. Kiedy wróciła na miejsce, zapięła pasy.

- Wygląda na to, że wszystko w porządku – powiedziała.
- Mam nadzieję, że wuj Tony dał sobie radę.
- Nie musisz się o niego martwić. To fachowiec.
- Mój ojciec też taki był – rzekł Bravo z goryczą.

To zdanie skłoniło ją do milczenia. On też nie zamierzał kontynuować rozmowy. Od kilku minut byli już w powietrzu. Bravo ponownie zajął się oględzinami rzeczy pozostawionych przez ojca na łódce. Wziął do ręki metalową zapalniczkę Zippo i powoli obracał ją w palcach.

- Kiedy zapalniczka Zippo przestaje być zapalniczką? – zapytała Jenny, próbując nawiązać rozmowę.

Jakby w odpowiedzi na półżartobliwe pytanie, zdjął z zapalniczki metalową obudowę. Wewnątrz, poniżej wylotu zaworu, znalazł przyklejoną fotografię małego chłopca. Zdjęcie było wyblakłe i bardzo ziarniste, ale twarz pozostawała wyraźna.

- Byłeś uroczym dzieckiem – powiedziała Jenny, pochylając się nad zdjęciem.

Bez słowa założył obudowę na swoje miejsce i schował zapalniczkę do kieszeni.

- Jak sądzisz, dlaczego ojciec ukrył tu twoje zdjęcie?
- Nie mam zielonego pojęcia. – Zorientował się, że popełnił błąd i żeby zaspokoić jej rosnące zainteresowanie, dodał: – To dla mnie zupełne zaskoczenie. Przecież wuj Tony mówił, że nie ma miejsca na sentymenty w Voire Dei.

– O ile wiem, w Anthonym nie znajdziesz ani krzty sentymentu.

– Kochał mojego ojca i kocha mnie. Tak czy owak, brak sentymentów możemy chyba zaliczyć do jego zalet.

Jenny oparła głowę o zagłówek.

– Wszystko zależy od punktu widzenia – powiedziała i zamknęła oczy.

– Myślisz, że miał rację? – zapytał nagle.

– Co masz na myśli?

– Testament... i kwintesencję.

Otworzyła oczy.

– Nie wierzysz mu? – Kiedy nie odpowiedział, dodała: – Twój ojciec to potwierdził.

– Sam.

Popatrzyła na niego i potrząsnęła głową.

– Nie rozumiem cię.

– Ojciec sprawił, że zostałem naukowcem. To znaczy, że mam sporą dawkę sceptycyzmu, jeśli chodzi o rzekome odkrycia dotyczące postaci Jezusa Chrystusa, Dziewicy Maryi czy ...

Pochyliła się ku niemu i zniżyła głos.

– Ale to jest coś innego, czy ty tego nie widzisz? Te skarby znalazły się w naszych rękach setki lat temu...

– Jak zakon je zdobył, gdzie znalazł, kto komu je przekazał – te wszystkie pytania wymagają odpowiedzi.

– Do diabła, te rzeczy nie zostały roztrąbione w Internecie przez jakiegoś stukniętego archeologa szukającego rozgłosu. Watykan robił wszystko, żeby położyć na tym łapę – każdy z kolejnych papieży dałby sobie uciąć prawą rękę za...

– Nie widziałem tych skarbów na własne oczy.

– I to cię niepokoi?

– Prawdę mówiąc, tak.

Spojrzała na niego szeroko otwartymi oczami.

– Gdzie twoja wiara?

– Wiara jest zmorą naukowca – powiedział z naciskiem.

– Nie rozumiem. Jak Dexter cię wychował, nie zaszczepiwszy ci wiary?

Zaszczepił, zaszczepił, pomyślał Bravo. Tyle tylko że ta wiara była wystawiona na ciężką próbę i runęła w gruzach, a on nie miał dotąd sił, by pozbierać jej kawałeczki i posklejać.

– Mój Boże – westchnęła – jesteś trudnym przypadkiem.

Czekała chwilę na jego ripostę, ale gdy ta nie nastąpiła, odwróciła się i ponownie przymknęła powieki.

Bravo schował zapalniczkę do kieszeni. Jeden po drugim brał w rękę następne przedmioty i dokładnie im się przyglądał: dwie paczki papierosów, które otworzył, emaliowaną miniaturkę amerykańskiej flagi ze szpilką do wpięcia w klapę marynarki, spinki do mankietów. Kiwał przy tym głową i bezgłośnie poruszał ustami, jakby wymawiał jakieś tajemnicze zaklęcie. Z upływem czasu szum silników ukołysał większość pasażerów do snu. W końcu jedynie nad jego głową paliła się lampka.

Z należnym szacunkiem odłożył rzeczy ojca na bok. Były czymś więcej niż tylko rzeczami osobistymi, każda z nich niosła jakieś ukryte przesłanie, które miał nadzieję wkrótce poznać.

Na kolanach cały czas trzymał notes, który zaczął teraz uważnie kartkować. Na końcu znalazł dziwny nagłówek: „Ucho Murraya". Dziwny dla każdego, kto przypadkiem by się na niego natknął. Ale nie dla Bravo. Uśmiechnął się na wspomnienie dzieciństwa. Ojciec wymyślił Murraya, gdy Bravo był małym chłopcem. Jego postać pojawiała się w niekończących się historiach, które opowiadał mu tata przed snem. Bravo najbardziej fascynowała czarodziejska zdolność Murraya do wyciągania z ucha złotych monet. Te sztuczki magiczne, o których opowiadał Dexter, sprawiały, że chłopiec nie mógł się codziennie wieczorem doczekać chwili, gdy ojciec przyjdzie do jego sypialni, usiądzie na skraju łóżka i rozpocznie opowieść.

Pod nagłówkiem „Ucho Murraya" były zapisane cztery nonsensowne słowa: *aetnamin, hansna, ovansiers, irtecta*, po każdym z nich następował ciąg ośmiu cyfr. Rozpoznał w słowach anagramy i z ochotą zabrał się do ich odszyfrowania, używając metod, których nauczył go ojciec.

Odszyfrowane okazały się słowami w czterech różnych językach: łacińskie *manentia*, sumeryjskie *ashnan*, w trapezunckiej grece *vessarion* i tureckie *ticaret*. Usiadł wygodnie w fotelu, przyglądając się słowom. Ich znaczenie nawet dla niego nie było jasne.

Przeniósł wzrok na nagłówek: „Ucho Murraya". Złote monety, pieniądze! To oczywiste! Przypomniał sobie, skąd zna słowo *ticaret*. Turk Ticaret Bankasi. To były nazwy banków w różnych miastach.

Następnie zajął się cyframi. Ponownie używając metodologii ojca, przepisał je wspak, opuszczając wszystkie zera i szóstki, których ojciec zawsze używał tylko po to, by zmylić jakiegoś niepowołanego kryptologa. Ciągi cyfr zamieniły się teraz w daty urodzin: jego, ojca, matki i dziadka. To muszą być numery kont w odpowiednich bankach.

Nie wiedział, czy ma się poczuć uspokojony, czy raczej zaniepokojony, bo albo ojciec przewidział każdą ewentualność, albo, co bardziej prawdopodobne, uważał, że podróż syna będzie męcząca i ryzykowna. Zaprzątnięty myślami, odłożył wszystkie rzeczy na bok i wziął do ręki kupiony w lotniskowym kiosku przewodnik Michelina po Wenecji. Wcześniej był już w Wenecji dwukrotnie: raz z kolegami z college'u, a potem, kiedy już pracował w Lusignan et Cie. Czytał z zaciekawieniem, przypominając sobie to, co już wiedział o mieście, którego historia i spuścizna należały zarówno do świata Wschodu, jak i Zachodu.

Siedząca obok Jenny udawała, że śpi. Paolo Zorzi, jej mentor, od pierwszych chwil nauki wpajał jej, by patrzyła na wszystko z szerszej perspektywy.

„W sytuacjach trudnych, wymagających koncentracji mamy tendencję do zawężania pola widzenia. Jest rzeczą naturalną, że wtedy skupiamy się na szczegółach, usiłując dostrzec między nimi dysharmonię. Pamiętaj, że nigdy nie wolno ci stracić z pola widzenia ogólnego obrazu, musisz patrzeć na wszystko z szerszej perspektywy. Dopiero wtedy na pierwszy plan wysunie się przeświadczenie, co jest prawdą, a co fałszem. Jeżeli szersza perspektywa wyda ci się fałszywa, możesz być pewna, że i szczegóły nie będą na swoim miejscu".

Wszystkie jej zmysły były pobudzone. Coś przy tym szerszym spojrzeniu nie grało. Problem polegał na tym, że nie miała pojęcia co. Na dodatek całą operację przygotował Dexter Shaw, a w tym wypadku nie mogła dowierzać swojej intuicji. Obecność Dexa zawsze tak na nią działała – traciła zdolność odróżniania prawdy od fałszu.

Boże, jaką była idiotką. Kiedy powiedział jej, że wyznacza ją do ochrony syna, nie zaprotestowała ani słowem. O czym, u diabła, wtedy myślała? Współpraca z Bravo oznaczała najtrudniejsze z zadań, jakie kiedykolwiek jej powierzono. Rzeczywiście, było to zadanie piekielnie trudne, pełne kłamstw, oszustw, niebezpiecznych pułapek, które pojawiały się zawsze tam, gdzie zawędrował wcześniej Dex. Czy przewidział, że tak to się skończy? Nie mogła się pozbyć tej dręczącej myśli, pewnie dlatego, że Dex posiadł rzadką umiejętność przewidywania biegu wydarzeń. Nieraz widziała dowody jego jasnowidztwa, ale kiedy go o to pytała, zawsze tylko wzruszał ramionami. Ojciec i syn mieli z pewnością jedną cechę wspólną – obaj byli wyjątkowo tajemniczy.

Po cichu przeklinała Dexa za to, że wciągnął ją w tę intrygę, a za chwilę, gnębiona wyrzutami sumienia, wstydziła się swoich myśli. Rozsiadła się wygodnie w fotelu i usiłowała przywołać sen. Bolało ją całe ciało, każda jego część, nawet te miejsca, które jej zdaniem nie powinny boleć. W głowie czuła pulsowanie, potarła dłońmi skronie i poczuła, że zasypia. Z fotela obok dobiegał lekki szmer. Była ciekawa, co robi Bravo. Stanowił dla niej nieodgadnioną zagadkę. Za każdym razem, kiedy sądziła, że go rozszyfrowała, pojawiało się coś, co uświadamiało jej, że się myli. Choćby ta fotografia z dzieciństwa. Wydawałoby się, że powinien być zadowolony, skoro ojciec zabierał zawsze ze sobą w podróż jego zdjęcie. Tymczasem czuła, jak zamyka się w sobie. Ale nie można było winić tylko jego. Też miała tajemnice spędzające jej sen z powiek i tworzące między nimi przepaść, której nie mogła pokonać, by się do niego zbliżyć.

Z dużym wysiłkiem wyrzuciła z myśli Bravo i jeszcze raz spróbowała spojrzeć na całą tę sytuację szerzej. Wcale jej się ta szersza perspektywa nie podobała, choć zupełnie nie wiedziała dlaczego.

– Mam wątpliwości, czy wybrałem właściwą osobę do wykonania zadania w Wenecji – powiedział Jordan do matki.

Sunęli jedną z limuzyn należących do firmy Lusignan et Cie przez rozświetloną paryską noc. W przyćmionym świetle, kiedy siedzieli tak obok siebie, ktoś mógłby ich wziąć za brata i siostrę.

– Nie wiem, czy nie powinienem posłać tam raczej Brunnera – ciągnął Jordan.

– Tego z Lucerny? – zapytała dziwnie drapieżnym głosem Camille. – To pewnie pomysł Spagny. Już ci mówiłam, kochanie, że on ma zdecydowanie zbyt duży wpływ na twoje decyzje. Poza tym Cornadoro już jedzie do Wenecji, będzie miał nad nimi pieczę.

Za oknem Sekwana połyskiwała niebieskawym blaskiem, rzucanym przez księżyc, który wychynął spomiędzy gałęzi orzecha, gdzie jakiś czas temu Bravo i Dexter przechadzali się i toczyli rozmowę, jedną z ostatnich.

– Zawsze mogę go odwołać.

– Przecież decyzja już zapadła.

– Chyba nie jesteś na mnie zła, mamo?

– Oczywiście, że nie.

Camille patrzyła przez okno na pary zakochanych, przechadzające się po brukowanym nabrzeżu i bogato zdobionych mostach. Ach, być młodą, niewinną i zakochaną, pomyślała. Równie szybko jak przywołała tę myśl, odrzuciła ją i znów stała się opanowaną, dojrzałą damą. Tamte chwile dawno minęły, stanowiły część innego życia, kiedy ona była innym człowiekiem. Czy naprawdę taka była kiedyś? Nie miała pewności. Nie wiedziała nawet, czy chciałaby powrotu do tamtych chwil, gdyż były one w końcu niczym więcej jak okrutną wizją, przypominającą piasek przesypujący się między palcami.

– Jestem zaskoczona – kontynuowała. – Wiesz, co Cornadoro sobą reprezentuje. Jest najlepszy.

– Jak zauważył Spagna, ma wyjątkowo silną osobowość. Może być zarówno pełen dobrej woli, jak i nieprzejednany.

– Jest także wyjątkowo inteligentny, bezwzględny i absolutnie lojalny. – Camille wychyliła się do przodu i szepnęła kierowcy, dokąd ma jechać. Ten natychmiast skręcił, oddalając się od rzeki i kierując w stronę ekskluzywnej dzielnicy na lewym brzegu Sekwany. – Teraz kiedy Ivo i Donatella nie żyją, on będzie najodpowiedniejszy.

– Nie jest wystarczająco subtelny, by odciągnąć od Bravo Strażnika.

– Do kobiet nie zawsze trafia subtelność. Wiesz przecież, jaką ma opinię o kobietach. Mam wrażenie, że Jenny Logan jest trochę bezradna. To, co zdarzyło się w Saint-Malo, dało mi pojęcie, jaką jest osobą. Czy Spagna kiedykolwiek ją widział?

– Masz rację.

– To jest zwyczajna operacja, kochanie. Jeśli popełnimy teraz błąd, trudno będzie go naprawić. – Kiedy samochód skręcił w rue de la Comete, wyjrzała przez okno, szukając wzrokiem pewnego sklepu.

– *Bien.* Niech będzie Cornadoro – zgodził się Jordan. – Pod jednym warunkiem.

Limuzyna zatrzymała się przed sklepem. Nad drzwiami widniał ręcznie malowany szyld: „Thoumieux Couteaux". Kiedy wysiedli, Camille skierowała się prosto do drzwi. Wnętrze było ciasne. Ściany pokrywały zdjęcia noży, w niewielkiej szklanej gablocie były wystawione trzy równe szeregi eleganckich, ręcznie wykonanych noży.

– *Bon soir, madame Muhlmann* – przywitał ich niski mężczyzna, który na dźwięk otwieranych drzwi wychylił głowę zza gabloty. Na głowie nie miał ani jednego włosa, a dłonie z długimi, smukłymi jak jego noże palcami, przypominały dłonie chirurga.

– Czy jest gotowy? – zapytała Camille.

– *Bien sur, madame.* – Uśmiechnął się nieśmiało. – Zgodnie z pani życzeniem. – W otwartej dłoni trzymał niewielki nóż. Camille wzięła go do ręki. Małe pudełko ze stali nierdzewnej, rękojeść wyłożona masą perłową. Nacisnęła ukryty mechanizm i wysunęło się ostrze. Sprzedawca położył na ladzie dwie odbitki zdjęć, które Camille przesłała mu przez telefon. Porównała zdjęcia z nożem trzymanym w ręku i poczuła satysfakcję. To była wierna kopia noża, który znalazła ukryty w puderniczce Jenny.

Podziękowała za dobrze wykonaną robotę i zapłaciła. Kiedy wyszli ze sklepu, zwróciła się do Jordana:

– Jaki to warunek?

– Ma się podawać za Michaela Berio. Jenny Logan usłyszy o nim, jestem pewien. – Twarz Jordana rozjaśnił uśmiech, tajemniczy, przeznaczony tylko dla matki, porozumiewawczy. – Masz rację, czekaliśmy cierpliwie, planowaliśmy to od dawna. Nie możemy teraz popełnić błędu. Będziesz go obserwować i trzymać na krótkiej smyczy. I bądź czujna.

– Wiesz przecież, że będę – odparła Camille, wsiadając do samochodu. Długa, czarna limuzyna zjechała z chodnika i skręciła za róg. Po chwili rozpłynęła się w strumieniu pojazdów.

14

Bravo i Jenny dotarli do Wenecji mniej więcej o czasie. Zgodnie z obietnicą Jordana na lotnisku powitał ich mężczyzna, który przedstawił się jako Michael Berio. Był wysoki i wysportowany, miał szerokie ramiona, mocne, umięśnione nogi i ani grama zbędnego tłuszczu. Włosy, długie, zgodnie z panującą obecnie w Wenecji modą, przedwcześnie przyprószone siwizną, spadały mu na kark. Miał szeroką twarz z wydatnymi kośćmi policzkowymi i wyraźnie zarysowaną szczęką oraz oczy błękitne jak laguna. Ubrany był w luźny czarny strój, poruszał się sprężystym krokiem typowym dla żołnierza. Jego wzrok spoczął na Jenny. Omiótł spojrzeniem nie tylko jej twarz, ale całe ciało. Wyprowadził ich na zewnątrz, w środek pełnej wilgoci nocy.

– Moja prywatna *motoscafo* czeka na was – powiedział ciepłym, łagodnym tonem, który kontrastował z jego wyglądem.

Rzeczywiście była tam, kołysała się łagodnie, przycumowana do brzegu raptem o kilkaset metrów od drzwi terminalu, elegancka, z mahoniowego drewna, ze wszystkimi metalowymi akcesoriami wykonanymi z brązu, błyszczącego teraz w świetle księżyca.

Kiedy Jenny zamierzała wejść na pokład, Berio złapał ją wpół i przeniósł delikatnie. Dłużej, niż to było potrzebne, trzymał ją w uścisku, wpatrzony w jej oczy. Następnie poszedł poluzować cumy. W tym czasie Bravo sam wskoczył na pokład. Głuchy dźwięk wydany przez silnik odbijał się echem od kamiennej ściany pomostu. Po chwili łódź ostrożnie wypłynęła na czarne wody.

O każdej porze dnia Wenecja wydawała się zawieszona pomiędzy morzem a niebem, ale szczególnie baśniowo wyglądała nocą. Przypominała gigantyczną muszlę. Płynęli szybko, a miasto z perfekcyjną dokładnością odbijało swój wizerunek w gładkiej tafli zatoki. Księżyc, jakby namalowany ręką Tiepola, rozświetlający czerń nieba, porozrywał się na powierzchni wody na dziesiątki tysięcy świetlnych refleksów o kształcie bułata, zakrzywionego perskiego miecza. Przypominał o wschodnich korzeniach świetności miasta, kwitnącym handlu z Konstantynopolem, który przyniósł fortunę tutejszym kupcom i dożom republiki.

Blask gwiazd i księżyca wydobywał z mroku szczegóły gotyckich kampanili, bizantyjskiej bazyliki, renesansowych bibliotek, późnogotyckich pałaców.

Jenny stała tuż obok Bravo i widziała, że on się odpręża. Wyglądało na to, że zewnętrzną skorupę, w której skrył się podczas lotu, zdmuchnął nagle lekki wiatr wiejący od zatoki.

– Mam wrażenie jakbym był w domu. – Jego głos był zabarwiony zachwytem, wypełniony blaskiem gwiazd rozświetlającym miasto, niebo i wodę. Głęboko zaczerpnął powietrza.

191

– Czujesz to, Jenny? Całe stulecia, rok po roku, leżą tu pod powierzchnią wody i czekają na wydobycie ich na światło dzienne. Odwrócił się do niej, lecz napotkał lekko zdziwione spojrzenie.

– Nie rozumiesz? Przez wieki Wenecja była domem rodzinnym zakonu. To logiczne, skrzynia tajemnic powinna znajdować się gdzieś tutaj.

Łódź zwolniła znacząco, kiedy wpłynęli na płytkie wody. Kanał był oznakowany palami pomalowanymi w pasy koloru flagi Wenecji. Przed nimi rozpościerał się szeroki łuk Canal Grande, płynącego przez miasto i przypominającego kształtem zgięty w geście przywołania palec rozpustnego Casanovy, jednego ze sławnych stałych mieszkańców Serenissimy.

Na lewo wyrastała potężna bryła bazyliki Santa Maria della Salute. Bravo zawsze ją pierwszą dostrzegał, kiedy wpływał do Canal Grande. Wenecja była porywająco piękna i pełna melancholii. Na przykład zapierająca dech w piersi La Salute powstała w 1622 roku, w czasie gdy kończyły się dni panowania Czarnej Śmierci. Kościół wzniesiono z wdzięczności dla Matki Boskiej za koniec zarazy, która zdziesiątkowała mieszkańców miasta.

Ale taka była specyfika Wenecji – sama dla siebie była źródłem szczególnego rodzaju melancholii. Zbudowana na *caranto* – podłożu z gliny i piasku, poprzecinana niezliczonymi, pięknymi kanałami, sprawiała wrażenie, jakby w każdej chwili mogła runąć w odmęty wód, cierpliwie czekających na swą ofiarę. Szczególnie dawało się to odczuć w czasie *acqua alta*, kiedy zatoka bezpardonowo wdzierała się do miasta, zalewając *piazettas* i niższe kondygnacje *palazzi*.

Po lewej, biały jak koronkowy welon, wyłonił się z ciemności Pałac Dożów, jakby powołany do życia przez światło księżyca. Bardziej niż jakakolwiek inna budowla, ten wspaniały przykład architektury gotyckiej ucieleśniał przyprawiające o zawrót głowy odwrócenie perspektywy wody i nieba. Parter ze swoją kolekcją delikatnych, drobnych łuków, galerii i otwartych arkad, wspierających stateczną budowlę z wieżyczkami i kapitelami, wydawał się lżejszy od powietrza.

Za każdym razem, gdy płynął Canal Grande, pomiędzy La Salute a Pałacem Dożów odnosił niesamowite wrażenie, jakby przekraczał ramy lustra i wstępował do świata, w którym niepodzielnie rządziła magia.

Motoscafo, elegancka i złowroga jednocześnie, mijała plac Świętego Marka z uskrzydlonym lwem – symbolem republiki – jednym z czternastu uwiecznionych w rozmaity sposób w tym miejscu. Cztery takie stwory ukazały się prorokowi Ezechielowi, później lew stał się symbolem świętego Marka Ewangelisty, patrona Wenecji.

Nieco dalej łódź przybiła do niewielkiego pomostu, na którym cała chmara portierów, ubranych w złoto-niebieskie liberie hotelu d'Oro, czekała już, by zająć się bagażem gości. Byli nieco zaskoczeni i bardzo zdegustowani, gdy okazało się, że nie ma żadnego bagażu. Dopiero euro, które wręczył im Berio, sprawiły, że ich oblicza się rozchmurzyły.

Tu znowu uważny obserwator mógł dostrzec, że znalazł się w miejscu, gdzie Wschód spotyka się z Zachodem. Wenecja była takim miejscem, gdzie za odpowiednią kwotę można było zdobyć wszystko i gdzie bez łapówki nic nie można załatwić.

Portierzy, hojnie wynagrodzeni za czas poświęcony próżnemu oczekiwaniu na pomoście, odprowadzili gości do hotelu. Hol był dwupoziomowy (dzięki czemu goście nie musieli się obawiać *acqua alta*), oświetlony wspaniałymi złoconymi kandelabrami w kształcie ryby, lampami przypominającymi turkusowe trytony i kinkietami przypominającymi muszle. Wszystkie te cuda stworzyli mistrzowie z wyspy Murano, położonej niedaleko Wenecji. Na jednej ze ścian znajdowały się dwa olbrzymie kominki obłożone rzeźbionym marmurem. Na ich gzymsach stały zegary w stylu Ludwika XIV z pozłacanego brązu i porcelany. Kanapy i krzesła były w podobnym stylu, podobnie dekoracyjne, ze złoconymi, rzeźbionymi w drewnie nogami i stertą jedwabnych poduszek.

Choć Jordan zarezerwował im jeden dwuosobowy pokój, żadne z nich nie skomentowało tego faktu. Być może zresztą nie mógł załatwić nic więcej – hotel był pełen gości. Kiedy dopełnili formalności w recepcji, Berio nareszcie zostawił ich samych, uprzedzając jednocześnie, że pojawi się nazajutrz rano i zabierze ich, dokądkolwiek będą chcieli. Nie dał się zbyć, choć Bravo stanowczo twierdził, że nie jest im do niczego potrzebny.

– To polecenie pana Muhlmanna – powiedział i dla podkreślenia wagi swojego zadania odchylił klapę marynarki, pod którą srebrzyście połyskiwał w kaburze pistolet. Uśmiechnął się do nich szeroko, odwrócił na pięcie i zniknął w drzwiach wyjściowych.

– Co o nim sądzisz? – zapytał Bravo, gdy znaleźli się w windzie.

– Jest groźny czy tylko tak mu się wydaje?

Drzwi windy otworzyły się i wysiedli.

– Pożera cię wzrokiem – powiedział Bravo.

– Chyba w twojej wyobraźni.

– Nie. Widziałem, jak na ciebie patrzył, jak cię dotykał.

– Jak na mnie patrzył, jak mnie dotykał?

– Jakby zamierzał cię schrupać.

Oczy Jenny zalśniły.

– Czy ty przypadkiem nie jesteś zazdrosny?

Przekręcił klucz w zamku, pchnął drzwi i przepuścił ją przodem. Pokój był przestronny i przypominał wnętrze muszli ostrygi – nie tylko meble, ale i ściany zostały wyłożone jednobarwną jedwabną tkaniną. Po lewej dwa niewysokie stopnie prowadziły do łazienki, w której glazura była zdobiona, jakżeby inaczej, w motyw ryby. Podszedł do jednego z bizantyjskich okien, z których rozpościerał się widok na kanał i okoliczne pałace. Kopuła bazyliki La Salute błyszczała w promieniach księżyca. Jedwabista tafla wody kanału skrzyła się tysiącami świateł.

Jenny rzuciła się na stylowe, wysokie łóżko.

– A mnie się wydaje, że jesteś zazdrosny.

Bravo spojrzał z ukosa.

– O niego?

Roześmiała się głośno i odprowadziła go wzrokiem do łazienki.

– Nie wiem jak ty – powiedział, znikając za drzwiami – ale muszę zeskrobać z siebie warstwę brudu i potu.

Zapalił światło i wszedł do łazienki, nie domykając drzwi. Po chwili dał się słyszeć szum wody. Do wewnętrznej strony drzwi łazienki było przytwierdzone duże lustro. Wystarczyło, by nieco zmieniła swoją pozycję i mogła w nim zobaczyć odbicie Bravo, zdejmującego właśnie ubranie. Nie miała zamiaru go podglądać – dobrze wiedziała, co poczuje na widok jego nagiego ciała, ale to było silniejsze od niej.

Jego postać i szum płynącej wody natychmiast przywołały wspomnienie ich erotycznego zbliżenia w wannie w Mont Saint-Michel. Syciła wzrok widokiem jego ciała, kształtu i formy, gry cieni i światła na muskularnym torsie. Pociągał ją; kształt, gładkość skóry, barwa, nawet znamię na lewym udzie – wszystko to działało na nią jak magnes. Robiło jej się na przemian zimno i gorąco, fale doznań, gwałtownych i zaskakujących, przeszywały ją jak błyskawica. Strużka słonego potu popłynęła z wolna zagłębieniem pomiędzy piersiami. Poruszyła się niespokojnie na łóżku i mocno ścisnęła udami splecione dłonie.

– Bravo – szepnęła, choć nie mógł jej usłyszeć. Widziała, jak wchodził do wanny. Przestawała nad sobą panować, przestawała myśleć i zachowywać się racjonalnie...

Nie mogła dłużej leżeć. Zerwała się z łóżka i boso podbiegła do drewnianego stolika w kącie pokoju. Na srebrnej tacy stała butelka wina i dwa kieliszki. Obok leżała koperta. Wyjęła z niej kartkę z napisanym na maszynie jednym zdaniem: „Upominek od twojego przyjaciela, Jordana".

Brakowało korkociągu. Dla Jenny nie stanowiło to żadnego problemu. Sięgnęła po puderniczkę zrobioną specjalnie dla niej, pokrytą od środka warstwą ołowiu, która nie pozwalała przeniknąć promieniom rentgena. Otworzyła ją i wyjęła mały składany nóż z perłową rękojeścią. Pod naciskiem kciuka mechanizm uruchomił się i stalowe ostrze wysunęło się z rękojeści. Wprawnym ruchem odkorkowała butelkę i nalała wina do kieliszków. Kiedy spojrzała ponownie w stronę łazienki, ujrzała Bravo stojącego w drzwiach, otoczonego kłębami pary.

– Sprytny nożyk.

Uśmiechnęła się i odłożyła na bok nóż i puderniczkę.

Bravo stał bez ruchu i przyglądał się jej intensywnie.

– Co? – zapytała, rozkładając ręce. – O co chodzi?

– Ciekaw jestem, czy przyjdziesz tu do mnie.

Jego jedynym odzieniem był ręcznik okręcony wokół bioder tak ciasno, że zdradzał ukryte pod nim kształty.

– Oczekujesz, że będę się trzymać od ciebie z daleka? – zapytała figlarnie.

– A mogłoby być inaczej?

Podeszła i wręczyła mu kieliszek.

– Nie zdążyłam wziąć prysznica.

– I dobrze – odpowiedział.

Ręcznik zsunął się z jego bioder i leżał teraz u ich stóp.

*

Damon Cornadoro, przedstawiający się jako Michael Berio, wrócił na wyludniony w tej chwili pomost hotelu d'Oro, przy którym zacumował łódź. W *motoscafo* siedziała z nogą założoną na nogę Camille i trzymała papierosa. Rozparła się wygodnie na skórzanej kanapie, położywszy nonszalancko jedną rękę na oparciu.

– Czy twoi podopieczni są cali i zdrowi? – zapytała, gdy zszedł na dół do kabiny.

– Naturalnie. – Podszedł do baru i nalał sobie drinka, niczego nie proponując Camille. – Nie wspomniałaś wcześniej, że ta kobieta jest tak atrakcyjna.

Camille zaciągnęła się głęboko, w jej oczach pojawił się błysk.

– Jeszcze jesteś podniecony?

Duszkiem wypił połowę zawartości szklanki.

– On jest zawsze gotowy.

Podniosła się z kanapy, podeszła do niego i położyła dłoń na jego spodniach.

– Sprawdźmy... Och! – Zaskoczona uniosła brwi. – Teraz ci wierzę.

Odrzucił szklankę, która z głośnym brzękiem potoczyła się po pokładzie i objął Camille z taką siłą, że aż jęknęła. Następnie wziął ją na ręce i zaniósł na koniec kabiny, tam gdzie schodziły się znajdujące się po obu stronach kanapy. Camille, wpół leżąc na skórzanym obiciu, rozchyliła uda i powoli, doprowadzając go do szaleństwa, zaczęła unosić spódnicę. Kiedy w końcu światło wiszących mosiężnych żyrandoli padło na jej nagi brzuch, bez chwili zwłoki ukęknął pomiędzy jej kolanami.

Pozwolił, by chwyciła go za włosy i odciągnęła głowę do tyłu, odsłaniając gardło.

– Jakie to proste.

Nie musiał pytać, co miała na myśli. Wiedział.

Z kieszonki bluzki wyjęła mały składany nóż. Naciśnięciem kciuka zwolniła mechanizm i stalowe ostrze wysunęło się bezszelestnie. Musiał przyznać, że trzymała go w ręku z wielką wprawą.

Uniosła nieco tułów i położyła płaskie ostrze na jego ramieniu.

– Jak sądzisz, co sprawia, że ludzie mdleją: widok krwi czy jej smak?

– Nie wiem – odpowiedział Cornadoro. – Jestem do tego przyzwyczajony. Można powiedzieć, że krew wyssałem z mlekiem matki.

196

Roześmiała się i wprawnym, szybkim ruchem skierowała ostrze ku niemu, lecz on w tej samej chwili złapał jej rękę. Krzyknęła cicho z bólu. Nie miała wcale zamiaru użyć noża, chociaż zadawanie lekkich ran po to, żeby poczuć zapach i smak krwi, mieściło się w ich miłosnym scenariuszu.

Trudno odgadnąć, czy łódź kołysała się na wodzie dlatego, że jakiś przepływający statek wzburzył spokojną dotąd taflę, czy może z powodu gwałtownych rytmicznych ruchów ich ciał. Narastało pożądanie. Damon myślał już tylko o tym, by ją posiąść.

– Jutro rano, kiedy pójdziesz do hotelu, nie pokazuj im się na oczy. Przerwał na chwilę zaskoczony.

– Ale *signore* Muhlmann kazał...

– Nie jesteś tu od tego, żeby mi przypominać, co kazał *signore* Muhlmann.

– Dał mi szczegółowe instrukcje.

Szczupłymi palcami objęła jego przyrodzenie.

– I co teraz zrobisz? Masz dylemat. Tylko jednego rozkazu możesz posłuchać, masz tylko jednego szefa. – Jej ręka poruszyła się w przód i w tył... i znieruchomiała. – Wobec kogo będziesz lojalny?

Próbował panować nad sobą, choć zaczęły mu już drżeć wargi.

– Powiedz mi, szybko – wyjęczał, zamykając oczy i zagryzając wargi. – Kto wygra tę wojnę?

– Czy to jest wojna, Damon? – Camille się uśmiechnęła. – Ach, wychodzi z ciebie twoja natura rzymianina. Rzymianie mieli wojnę we krwi, prawda? Tak jest od czasów cesarstwa, od czasów kiedy panowaliście nad całym światem.

Mocniej zacisnęła palce i odchyliła głowę, przyglądając mu się z obojętną miną.

– Sam musisz sobie odpowiedzieć, co zrobić, żebym wygrała tę wojnę. Ja jestem tylko kobietą.

Jej ostatnie słowa zabrzmiały jak siarczysty policzek. Spojrzał na nią, w oczy szczypał go pot spływający z czoła.

– Wiesz sama, kim jesteś – wyjęczał głosem zmienionym przez rosnące pożądanie. – I ja też to wiem.

– Zatem... – Jej głos zabrzmiał wyjątkowo poważnie. – Co wybrałeś?

– Zwycięstwo.

– Raczej gorzki koniec – odparła.

Wtulił twarz w pachnące zagłębienie między jej piersiami. Camille cofnęła rękę, a Damon, cały drżący, wszedł w nią gwałtownie. Kiedy było już po wszystkim, czule pogładziła go po karku, jakby był małym dzieckiem.

Na srebrnej tacy stała pusta butelka po winie i dwa kieliszki. Światła w pokoju były wygaszone, ale ponieważ nie zasunęli zasłon, blask księżyca pełzał po ścianach i suficie. Absolutną ciszę zakłócał plusk wody. Potem dołączył chrapliwy dźwięk silnika łodzi i rozmowy dostawców towaru do restauracji hotelowej. Kiedy łódź odpłynęła, znów było słychać tylko plusk wody.

Bravo i Jenny nadzy leżeli obok siebie na łóżku. W powietrzu unosił się zapach wina i wspomnień.

Nieoczekiwanie Jenny zachichotała.

– Co?

– Fajnie, że byłeś zazdrosny.

– Nie byłem – odparł krótko.

– Nie, oczywiście, że nie. – Nie mogła się powstrzymać i ponownie z jej ust wydobył się chichot.

Panująca wokół cisza, wypełniona tylko odgłosami nocnego życia Wenecji, dawała im poczucie bezpieczeństwa. Świat wokół nich wydawał się odległy.

– Dlaczego tak ci się spodobało, że jestem zazdrosny?

– Pomyśl.

– Czuję się, jakbym miał piętnaście lat – powiedział.

Wyciągnęła dłoń i ścisnęła jego nadgarstek.

– Boję się – rzuciła w ciemność.

– Czego? – Zaskakiwały go nagłe zmiany jej nastroju.

– Tego, co czuję, kiedy jestem z tobą. – Zagryzła wargi. Było nie do pomyślenia, żeby powiedziała mu, skąd tak naprawdę bierze się jej niepokój.

– W porządku – odparł. – Rozumiem.

Problem w tym, pomyślała Jenny, że rozumiał tylko to, co ona pozwalała mu zrozumieć. Sam fakt, że została przez matkę odesłana do szkoły z internatem, był prawdą. Ale opowiadając tę historię, wprowadziła go w błąd. Źródło jej strachu leżało zupełnie gdzie indziej.

Bravo wziął jej milczenie za dobrą monetę i odprężył się.

– To zdjęcie, które widziałaś... – zaczął po dłuższej chwili.

– To, które twój ojciec nosił przy sobie? Ciekawe, dlaczego...

– To nie byłem ja. – Sięgnął po zapalniczkę leżącą na nocnym stoliku, zdjął z niej obudowę i wyjął fotografię. Dziecięca twarz była ledwie widoczna w półmroku panującym w pokoju. Na dodatek zdjęcie było czarno-białe i później ktoś je pokolorował.

– To mój brat, Junior.

– Nie wiedziałam.

– Skąd miałaś wiedzieć. Junior nie żyje.

– Bravo, tak mi przykro.

– To się stało dawno temu, miałem wówczas piętnaście lat. – Nasunął z powrotem obudowę i odłożył zapalniczkę na stolik. – Pewnej zimy poszliśmy na łyżwy. Junior miał wtedy dwanaście lat. Było tam sporo chłopców i dziewczyn. Wpadła mi w oko jedna dziewczyna, którą widziałem już kilkakrotnie wcześniej. Podobała mi się, ale nigdy nie miałem odwagi do niej podejść. Wiesz, jak to jest.

– Tak – szepnęła. – Wiem.

– Kiedy zorientowałem się, że patrzy w moim kierunku, zacząłem kręcić piruety. Oczywiście popisywałem się, ale myślałem wtedy, że opatrzność daje mi tę jedną jedyną szansę, a naprawdę dobrze jeździłem na łyżwach. I gdy tak trwało moje przedstawienie, Junior zaczął się nudzić i wyjechał na środek zamarzniętego jeziora. Cienka warstwa lodu załamała się pod nim. Rozległ się upiorny, głuchy trzask – jak wystrzał z karabinu. Jakby rozwarły się wrota niebios. Ten dźwięk przeszył czyste suche powietrze, przeszył moje uszy. Trudno go zapomnieć, jeszcze trudniej o nim opowiadać. W tej chwili zrozumiałem, że życie jest kruche jak skorupka jajka. Nie wypłynął na powierzchnię. Zdjąłem łyżwy i wskoczyłem do wody. Prawdę mówiąc, nie wiem, co się dalej działo. Woda była lodowato zimna, byłem w szoku. Przybiegli chłopcy i wyciągnęli mnie na powierzchnię. Wyrywałem się, choć zsiniałem z zimna. W końcu dwóch przytrzymało moje ręce, a trzeci usiadł mi okrakiem na piersiach. Powtarzał ciągle: „Dzieciaku, nie bądź głupi". Wciąż...

Jenny zaczęła się wiercić na łóżku, tak jakby tragedia, o której opowiadał, przyprawiła ją o szybsze bicie serca i nie pozwoliła leżeć bez ruchu.

– Wciąż od nowa wspominam te chwile. Nie mogę się pozbyć uczucia, że gdyby mnie wtedy nie wyciągnęli z wody, mógłbym go uratować.
– Wiesz dobrze, że to nieprawda. – Uniosła się na łokciu, spojrzała na niego z góry roziskrzonymi oczami. – Bravo! To nieprawda! Sam powiedziałeś, że byłeś w szoku, a twój brat miał na nogach łyżwy. Nie miał żadnych szans.
– Żadnych szans, tak... – Jego głos rozpłynął się w dochodzącym zza okna plusku wody.
– Och, Bravo – szepnęła. – To wtedy straciłeś wiarę, prawda?
– Był moim młodszym bratem. Miałem się nim opiekować.
Pokręciła przecząco głową.
– Byłeś dzieckiem. Miałeś tylko piętnaście lat.
– To dostatecznie dużo.
– Dużo na co?
– Wszystko to wydaje się teraz takie głupie i samolubne. Przecież nie miałem szansy poderwać dziewczyny, która była ode mnie trzy lata starsza.
– Skąd mogłeś wtedy o tym wiedzieć? Twoje hormony szalały.
Spojrzał na nią uważnie.
– Naprawdę tak sądzisz?
– Oczywiście. – Położyła rękę na jego piersi i natychmiast ją cofnęła, czując, jak dziko łomocze mu serce. – Naprawdę.
Noc stopniowo zaczęła spowijać mrokiem ich ciała. Mimo majaczącego za oknem blasku księżyca i gwiazd, zasnęli objęci.

15

Obudziło ich blade światło poranka, a może podniesione muzykalne głosy rybaków, które dźwięcznym echem odbijały się od powierzchni wody. Bravo wyjrzał przez okno. Na kanale panował duży ruch – łódki, łodzie, gondole – typowy powszedni dzień. Niebo i zatoka tworzyły jedną nierozerwalną całość. Woda. Wszędzie wokół, sięgająca po horyzont. Nic, tylko woda.
Jenny podeszła do niego. Stali w milczeniu, zapatrzeni w mglisty, wilgotny poranek. Tylko mury okolicznych pałaców pulsowały pełnią barw – ochrą, umbrą, paloną sjeną, różem.

Wzięli prysznic, ubrali się i zeszli na dół. Humory wyraźnie poprawiła im nieobecność Beria. Wyszli szybko na niewielki placyk przed hotelem. Sklepy otaczające plac miały jeszcze pospuszczane żaluzje. W jednej z bocznych uliczek znaleźli niewielką kawiarenkę. W środku panował mrok. Bravo wybrał stolik przy małym oknie w drewnianej ramie, wychodzącym na kanał.

W oczekiwaniu na śniadanie, które zamówili, wziął do ręki kupioną przed chwilą gazetę i, jak to miał w zwyczaju, przejrzał tytuły na wszystkich stronach.

Podniósł wzrok znad gazety.

– Jest oficjalny komunikat. Papież ma grypę.

– Musi być umierający, skoro zdecydowali się w ogóle coś powiedzieć – rzekła Jenny. – Watykańska sitwa będzie jeszcze bardziej naciskać na rycerzy.

– A jakie będą reperkusje dla całego świata. – Złożył gazetę i spojrzał na nią. – Nie mamy czasu, Jenny. – Kiwnęła głową z ponurą miną.

– Musimy dotrzeć do skrzyni przed rycerzami.

Odłożył gazetę i wręczył jej przewodnik po Wenecji Michelina, każąc otworzyć na stronie oznaczonej zakładką.

Wenecja była podzielona na siedem *sestieri* – dzielnic, z których każda miała odrębny charakter. Otworzyła przewodnik na stronie poświęconej I Mendicoli, zewnętrznej części dzielnicy Dorsoduro, typowo robotniczej, rzadko odwiedzanej przez turystów. I Mendicoli znaczyło po włosku żebracy; rybacy i rzemieślnicy, którzy ją zamieszkiwali, byli najczęściej bardzo ubodzy.

Gdy Jenny czytała, Bravo wyjął z kieszeni monetę znalezioną w podwodnej skrytce w Saint-Malo. Obejrzał ją ze wszystkich stron, zważył w dłoni, przeciągnął palcem po nierównej krawędzi i w końcu się uśmiechnął. Pomyślał, jak to dobrze, że ojciec nauczył go trudnej sztuki kryptografii, i jak to dobrze, że był tak pilnym uczniem.

Jenny spojrzała na niego pytająco.

– Czego mam szukać?

– Obróć stronę – poinstruował ją.

Na sąsiedniej stronie znajdowała się fotografia kościoła L'Angelo Nicolo, a poniżej reprodukcja obrazu Giambattisty Tiepolo pod tytułem *San Nicolò Dei Mendicoli*.

– To jest fasada kościoła – powiedział. – A teraz spójrz na awers monety.

Zrobiła, co jej kazał. To był ten sam obraz. Fasada San Nicolò.

Bravo odwrócił monetę i pokazał jej łacińskie słowa na rewersie: *Mereo adsum tantus proventus.*

– Znam trochę łacinę, ale to zdanie nie ma sensu.

– Jeszcze nie. Ale zaraz będzie miało. – Uśmiechnął się chytrze. – Po pierwsze, sądziłem, że ta moneta jest stara, ale to nieprawda. To podróbka, choć świetnie wykonana, dlatego dałam się zwieść pozorom. To łacińskie zdanie stworzył mój ojciec.

Kelner przyniósł śniadanie. Byli bardzo głodni i pospiesznie opróżnili talerze.

Bravo przepisał na kartce całe zdanie z monety. Poniżej zapisał proste równanie:

$$52 - 44 = 8$$

– Na krawędzi są pięćdziesiąt dwa wyżłobienia – wyjaśnił. – W alfabecie łacińskim, jak pewnie wiesz, są dwadzieścia dwie litery. Jeśli podwoisz liczbę liter, otrzymasz czterdzieści cztery.

Wskazał teraz pierwszą literę w zdaniu.

– Ojciec użył kodu wymyślonego jeszcze przez Cezara, zastępując każdą literę trzecią z kolei po niej następującą. W ten sposób alfa staje się deltą i tak dalej.

– Łatwe do złamania – oceniła Jenny, a on potwierdził skinieniem głowy.

– Dlatego potrzebne nam to równanie. Tylko pierwsza litera jest zastępowana w ten sposób. Potem musimy użyć ósemki.

– A więc drugą literę zastępuje ósma?

– Zgadza się. Idźmy dalej. Trzecią zastępuje dziewiąta, czwartą dziesiąta i tak dalej.

– Co w takim razie jest tu napisane?

Bravo skończył odszyfrowywanie i pokazał jej wynik swojej pracy.

– W puszce na jałmużnę znajdziesz puszkę żebraczą. – Pokręciła głową. – Wiesz, o co tu chodzi?

– Musimy się wybrać do I Mendicoli, żeby rozwiązać tę zagadkę.

Zapłacił za śniadanie i szybko opuścili kawiarnię.

Wstało słońce i szary świt momentalnie zmienił się w gorący i wilgotny poranek. O tej porze dzieci były już w szkole, a młodzi adepci

sztuki ze szkicownikami pod pachą zmierzali właśnie na lekcje do szkół mieszczących się we wspaniałych średniowiecznych budowlach.
– Boże, jak tu cuchnie! – wykrzyknęła Jenny, kiedy przechodzili mostkiem nad kanałem.
Bravo roześmiał się głośno.
– Tak. Smród to jeden z uroków tego miasta.
– Nie widzę w tym nic urokliwego.
– Z biegiem czasu zmienisz zdanie, zapewniam cię.
Jenny kilkakrotnie zwalniała kroku, zastanawiając się, co robić dalej, choć to Bravo dzisiaj ich prowadził.
– O co chodzi? Nie ufasz mi? – zapytał. – Wyglądasz tak, jakbyś się zgubiła.
– Mam wrażenie, że ktoś nas śledzi. W każdym innym miejscu szybko bym to sprawdziła w szybach wystawowych albo lusterkach samochodów, ale tutaj to jest niemożliwe. O tej porze sklepy są jeszcze zamknięte, no i brakuje samochodów. Próbowałam posłużyć się w tym celu kanałem, ale falująca woda jest kiepskim zwierciadłem.
W napięciu szli dalej. Do nozdrzy wdzierała się mieszanina zapachów: sfermentowanego mętnego wina, tanich perfum, istryjskich kamieni, wznoszących się wysoko nad ciemnozieloną powierzchnią wody, która sama emanowała zgniłą woń. Nawet za dnia było w Wenecji coś tajemniczego. Wystarczyło skręcić za róg, wsłuchać się w odgłos zbliżających się i oddalających kroków, brzmiący w wąskich uliczkach prowadzących na campi, gdzie przesiadywały gromady starców zajętych cichą rozmową.
Zatrzymali się na San Polo, tam gdzie most Rialto spina ponad Canal Grande dwie części miasta. W tym miejscu już w 1172 roku powstał pierwszy most pontonowy. Aż do dziewiętnastego wieku Rialto był jedynym mostem przerzuconym nad wodami kanału. Kiedy weszli na most, większość sklepów już szeroko otworzyła swoje podwoje, a okna wystawowe zachęcały turystów do zakupów.
Tuż za Erberią, targiem pamiętającym jeszcze czasy Casanovy, znajdował się gmach Banco Veneziano. Na targu sprzedawano przyprawy i warzywa przywożone każdego ranka z dziesiątek małych wysepek, którymi upstrzona była laguna. Ostry zapach ziół mieszał się z uderzającą do głowy wonią czerwonych pomarańczy, *castradure* – karczochów, *spareselle* – kłączy asparagusa i zapachem świeżo ściętych kwia-

tów. Torowali sobie przejście przez wesoło gaworzący tłum, a Jenny usiłowała w gęstej ciżbie sprzedawców i kupujących wypatrzyć tego, kto ich śledził.

Bank mieścił się w otoczonym arkadami gmachu w stylu wenecko--bizantyjskim. Front składał się z szeregu wysmukłych, przedzielonych kolumnami okien. Cały budynek został przebudowany w tysiąc pięćset czternastym roku, po tym, jak ogromny pożar rozszalał się w mieście i strawił większą jego część. Podobnie jak cała masa innych weneckich gmachów, miał mnóstwo ornamentów i sztukaterii, rzeźbionych w kamieniu statuetek i stylizowanych gotyckich kamieni węgielnych. Wewnątrz ściany pokryte marmurem pięły się wysoko ku sklepieniu, wyłożonym mozaiką przedstawiającą wenecką flotę na pełnym morzu.

Podeszli do szczupłego mężczyzny w średnim wieku, siedzącego za wysokim kontuarem. Bravo zamienił z nim kilka słów i po chwili trzymał w ręku formularz, gdzie wystarczyło wpisać numer konta, który odszyfrował z notesu ojca. Okazało się, że nie jest potrzebne nawet jego nazwisko.

Pracownik banku odebrał od niego kartkę i zniknął na chwilę na zapleczu. Kiedy wrócił, uniósł ladę kontuaru i zaprosił Bravo do środka. Jenny miała pozostać na miejscu. Był bardzo uprzejmy, ale jednocześnie stanowczy w wypełnianiu swoich obowiązków.

– Mam nadzieję, że pani to zrozumie, *signorina* – zwrócił się do Jenny. – W naszym banku panuje zasada, że prawo wstępu ma wyłącznie właściciel konta. Wszystko po to, aby uniknąć ewentualnego wymuszenia. Pani rozumie?

– Rozumiem doskonale, *signore* – odpowiedziała z uśmiechem i dodała, zwracając się do Bravo: – Poczekam na zewnątrz, poszukam naszego przyjaciela.

Miała oczywiście na myśli Michaela Berio, który, jak podejrzewała, cały czas ich śledził.

Bravo przyjął jej słowa z aprobatą.

– Zaraz wracam.

Pracownik poprowadził go marmurową posadzką w kierunku schodów, w górę, do małej cichej poczekalni. Za masywnymi, otwartymi teraz na oścież drzwiami znajdował się cały szereg skrzynek depozytowych. W przeciwieństwie do innych banków te w Wenecji miały swoje sejfy na górnych kondygnacjach zamiast w piwnicy. Wszystko po to, by uchronić drogocenne depozyty klientów przed zalaniem.

Bravo został sam w niewielkim pomieszczeniu, jednym z sześciu przylegających do poczekalni. Po chwili pojawił się pracownik z długą szarą metalową skrzynką, którą położył na stole przed swoim klientem.

– Zaczekam na zewnątrz, *signore*. Proszę mnie wezwać, gdy pan skończy.

Wyszedł z pokoju, nie oglądając się za siebie. Bravo usiadł i utkwił wzrok w zamkniętym pudle. Oczami wyobraźni widział ojca siedzącego na jego miejscu na wprost skrzynki i z matematyczną dokładnością zapełniającego jej wnętrze. Wyciągnął ręce i objął nimi pudło, jakby próbował poczuć ślad obecności ojca. Następnie jednym gwałtownym ruchem zdjął pokrywkę.

Jenny stała w cieniu arkad gmachu banku, wpatrując się w oślepiający blask słonecznego poranka. Nonszalancko oparta o mur sprawiała wrażenie kompletnie znudzonej, gdy małymi łykami popijała sok pomarańczowy, kupiony przed chwilą od ulicznego sprzedawcy. Delektowała się słodkim smakiem napoju. Przyglądała się ludziom podążającym w różnych kierunkach przez *campo* i czuła narastające zwątpienie. Rozbolała ją głowa; dawało o sobie znać tempo, w jakim rozgrywały się wydarzenia ostatnich dni.

Im dłużej trwała jej misja, tym gorzej się czuła. Zadawała sobie po raz kolejny pytanie, dlaczego w ogóle podjęła się tego zadania i natychmiast sama sobie odpowiadała. Przecież poprosił ją o to Dex, a ona nigdy mu nie odmówiła. Niejednokrotnie przecież dał dowód tego, że wie, co jest dla niej najlepsze. Sądziła, że i tym razem było podobnie. Tylko dlaczego piętrzyło się przed nią tyle przeszkód? Na dodatek sam Braverman Shaw stał się taką cholerną przeszkodą. To nie może tak dłużej trwać. Muszę mu wreszcie powiedzieć prawdę, pomyślała. To musi tak dalej trwać. Jeśli powiem mu prawdę, to go stracę.

– Widziałaś Beria?

Jenny obróciła się zaskoczona.

– Hm, nie. Ale to wcale nie znaczy, że gdzieś tutaj go nie ma. On ma nas tylko ochraniać.

Ruszyli przez dzielnicę Dorsoduro, zostawiając za sobą ludzką ciżbę. Ich kroki rozbrzmiewały echem w wąskich brukowanych uliczkach, odbijały od ścian domów połyskujących refleksami światła rzucanymi przez wodę.

– Co z kontem? – zapytała Jenny.

– Sto tysięcy dolarów – odparł.

Gwizdnęła cicho z wrażenia.

– I to. – Rozejrzał się nerwowo i wyjął z kieszeni pistolet Sig Sauer P 220. – Naładowany. Kaliber trzydzieści osiem.

Otworzyła szeroko oczy.

– Cholera, z takim półautomatem można wygrać wojnę.

– I pewnie o to właśnie ojcu chodziło – odpowiedział, chowając broń z powrotem do kieszeni.

– Wiesz, jak się z tym obchodzić? Może lepiej daj go mnie.

– Trafię ze stu metrów w jabłko na twojej głowie. – Zaśmiał się. – Nie bój się. Ojciec już dawno temu zadbał o to, żebym często odwiedzał strzelnicę.

Jak na miasto słynące z architektonicznych cudów, kościół L'Angelo Nicolò był zbyt zwyczajny. Ufundowany w szóstym wieku przez grupę wygnańców z Genui, po dziś dzień ukazuje ich ówczesne ubóstwo. Oprócz niezbędnej renowacji, jaką przeszedł w czternastym wieku, i dobudowania sto lat później pięknego portyku, jego bryły nie zmieniono.

– Położony na uboczu, w odległej dzielnicy, z dala od głównego nurtu życia religijnego Wenecji, kościół nie otrzymywał prawie żadnych donacji od bogatych parafian i mecenasów – tłumaczył Bravo. – Zamiast tego L'Angelo Nicolò stał się de facto świątynią *pinzocchere* – zelotów, którzy w jego murach odbywali pokutę za grzechy.

– Jak w takim razie zdołał przetrwać? – zapytała Jenny.

– Dobre pytanie. Dzięki Santa Maria Maggiore, żeńskiemu klasztorowi zbudowanemu tuż obok. To właśnie dzięki pieniądzom sióstr dokonano renowacji.

– To musiało kosztować fortunę. Chętnie zapytałabym siostrzyczek, jakim cudem było je stać na taki prezent.

Wnętrze kościoła było chłodne, szare i piękne, a obraz świętego Mikołaja pędzla Tiepola wprost zachwycał. Stali w głównej nawie zwieńczonej bizantyjskim gzymsem z siódmego wieku. Wydawało się, że o tej porze powinni być w świątyni jedynymi gośćmi, choć ich uszu dobiegały przyciszone rozmowy, skrzypienie otwieranych i zamykanych drzwi, stukot obcasów na kamiennej posadzce.

Z naprzeciwka szedł w ich kierunku ksiądz. Gdy ich mijał, Bravo go zatrzymał.

– Przepraszam, ojcze, czy ta moneta coś ojcu mówi?

Ksiądz był staruszkiem z twarzą głęboko pooraną bruzdami zmarszczek. Długie białe włosy i broda zdecydowanie wymagały wizyty u fryzjera. Cała jego postać bardziej przypominała żebraka, od którego nazwę wzięła dzielnica, niż szacownego pasterza. Mimo podeszłego wieku spojrzenie jego oczu było żywe i przenikliwe. Zdawało się, że wzrokiem wwierca się w czaszkę Bravo. Uważnie przypatrywał się monecie trzymanej przez Bravo, wreszcie uśmiechnął się i wziął ją w rękę. Wygląd jego dłoni też mógł dawać mylne wyobrażenie o jego wieku, gładkie i wypielęgnowane, wyglądały na ręce osoby o połowę młodszej. W zasadzie tylko jego twarz poddała się nieubłaganemu upływowi czasu.

Awers nie wzbudził jego zainteresowania. Przyjrzał mu się tylko pobieżnie i zręcznym ruchem obrócił monetę w palcach. Pokiwał głową i przeniósł wzrok na twarz Bravo. W jego spojrzeniu widać było cień jakieś sekretnej wiedzy i błysk zadowolenia.

– Proszę tu zaczekać, *signore* – powiedział, skinąwszy głową.

Z monetą w ręku ruszył główną nawą i po chwili zniknął za jedną z kolumn. Zapadła cisza. W powietrzu unosiły się drobiny kurzu, a promieniom światła wpadającym przez okna marmur posadzki nadawał wielobarwnego poloru. Trzy zakonnice ze splecionymi modlitewnie dłońmi wędrowały powoli, równo, jakby sam Bóg dyktował im tempo, w procesji od jednej do drugiej stacji drogi krzyżowej.

– Jesteś pewien, że rozsądnie postąpiłeś, dając mu monetę? – zapytała Jenny.

– Sam nie wiem. Stało się.

Północnym transeptem zbliżało się ku nim dwóch księży, jeden wysoki i szczupły, drugi niższy, wyglądający jak pękata beczułka wina. Szli z pochylonymi głowami, zajęci rozmową.

– Idę za nim. – Gwałtowny ruch, jaki przy tym wykonała, zwrócił uwagę księży. Zatrzymali się i zaczęli coś do siebie szeptać. Bravo powstrzymał ją gestem. Księża ruszyli z miejsca, zmieniając kierunek. Teraz ponownie się oddalali.

– Słuchaj, Bravo...

Uciszył ją nieznoszącym sprzeciwu uniesieniem dłoni.

– Jak trzeba mi zapewnić bezpieczeństwo, to możesz sobie strzelać, ale ta część zadania należy do mnie, jasne?

Żachnęła się. Na jej twarzy malował się gniew. Widać było, z jakim trudem przychodzi jej zrzec się przywództwa na jego korzyść. Poza tym wciąż miała wątpliwości dotyczące jego zdolności, motywacji i, co gorsza, hartu ducha. Choć potrafili się odnaleźć w łóżku, to nadal dzieliła ich przepaść nieufności. Bravo nawet już się zastanawiał, czy ich związek nie jest tylko iluzją. Czuł się taki szczęśliwy wczoraj wieczorem, kiedy dotarli do Wenecji. Był pewien, że nareszcie zbliża się do chwili, na którą czekał całe życie, do czegoś ważnego, co pozwoliłoby mu się uwolnić od poczucia winy za śmierć Juniora. A teraz nagle miał wrażenie, że znajduje się gdzieś poza swoim ciałem, patrzy z góry na siebie. To było jak sen, dziwny i niepokojący. Stąpał po kruchym lodzie, czuł, że traci równowagę i wpada do lodowatej wody. Kiedy powrócił myślami na ziemię, stwierdził ku swojemu zdumieniu, że stoją z Jenny naprzeciw siebie, mierząc się wzrokiem.

– Do wujka Tony'ego nie odezwałbyś się w ten sposób – rzekła z wyrzutem.

– Możesz mi wierzyć lub nie, ale odezwałbym się. Dwie osoby naraz nie mogą podejmować decyzji. Chyba że jedna z nich jest martwa.

Ta parafraza znanego powiedzenia Benjamina Franklina rozładowała nieco panujące napięcie. Jenny wyraźnie się rozluźniła.

– Pamiętaj tylko, kto się o ciebie troszczy – wyszeptała.

Z cienia wyłonił się kolejny ksiądz.

– Jestem ojciec Mosto – przedstawił się.

W ręku trzymał złotą monetę. Był średniego wzrostu, miał proste czarne włosy, karnację ciemną jak czekolada. Jego przodkowie musieli pochodzić z południa Włoch, z Kampanii. Być może miał nawet domieszkę krwi północnoafrykańskiej albo tureckiej. Sprawiał wrażenie potężnego mężczyzny, zapewne dzięki barczystym ramionom i szerokiej klatce piersiowej. Zza gęstej brody wyzierała wiecznie zamyślona twarz i podejrzliwie patrzące na świat oczy.

– Pan ma na imię Braverman – powiedział nieoczekiwanie, trzymając w dwóch palcach monetę. – Syn Dextera Shawa.

– Zgadza się – odparł zaskoczony Bravo i wziął od niego pieniądz.

– Rozpoznałem pana dzięki zdjęciu, które zostawił pański ojciec. Proszę za mną. Musimy porozmawiać.

Kiedy Jenny ruszyła za nimi, ojciec Mosto powstrzymał ją ruchem ręki.

– To sprawa pomiędzy Klucznikiem a mną. Pani może zaczekać na zewnątrz.

Oczy Jenny rozbłysły.

– Zostałam wyznaczona do jego ochrony przez samego Dextera.

Muszę być tam, gdzie i on.

Twarz ojca Mosto wyrażała teraz targające nim emocje.

– To niemożliwe – odparł szorstko. – Proszę wykonać polecenie. Nigdy dotąd żadnemu Strażnikowi nie musiałem przypominać o jego obowiązkach.

– Ona ma rację, ojcze – powiedział Bravo. – To, co ja usłyszę, ona też powinna.

– To niedopuszczalne. – Objął go ramieniem. – Absolutnie niedopuszczalne.

– Taka była wola mojego ojca i taka jest moja decyzja. – Bravo wzruszył ramionami. – Ale jeżeli ojciec nalega, to po prostu stąd pójdziemy…

– Nie! Nie wolno panu odejść! – Policzek księdza zaczął drgać w nerwowym tiku. – Chyba pan rozumie, że nie może pan tak po prostu odejść.

– Rozumiem – odparł. – Ale zrobię to, proszę mi wierzyć.

Ojciec Mosto spojrzał na niego z wściekłością.

– Bravermanie Shaw – zwrócił się oficjalnie – nie zna pan zapewne zbyt dobrze tradycji zakonu. Nie ma miejsca dla kobiet pośród…

Ze zdumieniem patrzył, jak niespiesznym krokiem oddalają się od niego. Kiedy znów się odezwał, ton jego głosu był już zupełnie inny.

– Proszę tego nie robić, błagam. Nasza tradycja…

Bravo odwrócił się.

– Może już czas oddzielić tradycję od uprzedzeń i to, co użyteczne, od tego, co nigdy takie nie będzie.

Twarz księdza pociemniała z gniewu.

– To potworne. Nie zniosę tego dłużej. Zmusza mnie pan do…

– Do niczego ojca nie zmuszam – spokojnie odparł Bravo. – Proponuję tylko inne podejście do zaistniałej sytuacji. Mój ojciec na moim miejscu postąpiłby tak samo.

Ojciec Mosto nerwowo skubał brodę, jadowicie wpatrując się w Jenny.

– Gdzie twoje osławione chrześcijańskie miłosierdzie, ojcze? – zapytała.

Bravo poruszył się niespokojnie. Bał się, że wypracowana delikatna równowaga może zostać zachwiana przez jej złośliwe ataki, ale kiedy przyjrzał się twarzy księdza, zobaczył, że rysy jego twarzy złagodniały. Jak każdy śmiertelnik był łasy na pochlebstwa. Jenny udało się w odpowiednim momencie trącić właściwą strunę. Ojciec Mosto zauważył, że nie jest ani tak uległa, ani niemądra, jak myślał. Bravo też docenił teraz jej inteligencję. Uważnie analizowała każde słowo, które padło, i bezbłędnie odgadła, kiedy ksiądz był gotów ulec. Na twarzy ojca Mosto pojawił się wyraz rezygnacji.

– Chodźcie ze mną – powiedział szorstko i poprowadził ich do wąskich drzwi w bocznej ścianie kościoła. Było tu tak nisko, że Bravo, przekraczając próg, musiał się schylić.

Znaleźli się w korytarzu schodzącym dość stromo w dół. Powietrze z każdym krokiem stawało się bardziej wilgotne; korytarz musiał biec w pobliżu któregoś z weneckich kanałów. Gdzieniegdzie, kropla po kropli, woda sączyła się spomiędzy ciężkich kamiennych bloków, z których wykonano ściany. Na lewo, w miejscu gdzie korytarz osiągał najniższy poziom, pojawiły się drzwi. Obok, na ścianie, była zamontowana stara żeliwna rura kanalizacyjna. Musiała być nieszczelna, gdyż wydobywał się z niej okropny smród.

Ojciec Mosto przekręcił klucz w zamku, otworzył ciężkie drewniane drzwi i przekroczył próg. Jenny z zaciekawieniem patrzyła w głąb korytarza.

– Co jest tam dalej? – zapytała.

Ksiądz nie odpowiedział, więc Bravo powtórzył pytanie.

– Santa Maria Maggiore – wydusił przez zaciśnięte usta.

– Żeński klasztor – raczej stwierdziła, niż zapytała Jenny.

– Nikt tam nie może wchodzić – odparł ojciec Mosto.

Kiedy Jenny znalazła się w pomieszczeniu, Mosto siedział już za biurkiem, zbyt bogato zdobionym jak dla skromnego sługi Bożego. Całą jedną ścianę zajmowała olbrzymia dębowa szafa. Jej rzeźbione drzwi były zamknięte na łańcuch i kłódkę. Poza tym w pokoju stały jeszcze tylko dwa drewniane krzesła z oparciami z cienkich listewek.

210

Drewno, z których je wykonano, poczerniało ze starości, a kształt krzeseł sugerował, że musza być piekielnie niewygodne. Na ścianie wisiała rzeźba ukrzyżowanego Chrystusa. Brak okien, zapach żywicy i kadzidła, wszystko to sprawiało, że pokój wyglądał klaustrofobicznie.

– Obawiam się, że mam do przekazania złe wiadomości – zaczął ksiądz. – Stan zdrowia papieża gwałtownie się pogarsza.

– Więc mam mniej czasu, niż sądziłem – odparł Bravo.

– Zaiste. Nie ulega wątpliwości, że rycerze korzystający ze wsparcia watykańskiej kliki mają przewagę. – Mówiąc to, zaczął nerwowo szarpać brodę. – Rozumiecie teraz, dlaczego byłem tak zrozpaczony, kiedy postanowiliście odejść. Jesteście dla zakonu ostatnią nadzieją. Tylko uchronienie naszych tajemnic może go ocalić. Te tajemnice stanowią o naszej potędze, decydują o naszej przyszłości – to one same są zakonem. Jeżeli je stracimy, przepadniemy z kretesem, przepadną nasze kontakty, a rycerze świętego Klemensa rozpanoszą się po całym świecie. – Skrzywił się. – Widzicie całą ironię tej sytuacji? Musimy użyć naszych tajemnic, by móc działać, a jednocześnie, by zapewnić sobie bezpieczeństwo. Dopóki nie odnajdziesz skrzyni, jesteśmy bezbronni, nie możemy użyć naszych wpływów do obrony przed rycerzami.

– Musi mi ojciec coś wyjaśnić. Jenny zapewniała mnie, że zakon zsekularyzował się jakiś czas temu. A tymczasem rozmawiam nie z biznesmenem czy urzędnikiem państwowym, jakim był mój ojciec, ale z księdzem.

Ojciec Mosto skinął głową.

– To wyłącznie dzięki twojemu ojcu. Pozostali członkowie Haute Cour już dawno odsunęli na bok religijną tradycję zakonu, ale on nie. Tak, to twój ojciec sprawił, że ta stara organizacja żyje i rozkwita.

– Chce ojciec powiedzieć, że ukrywał coś przed Haute Cour?

– Twój ojciec miał rację, kiedy postulował przywrócenie stanowiska *magister regens*. Miał szerokie horyzonty, czuł, wiedział, że przed zakonem mogą stanąć nowe wyzwania.

– A czym według niego miałby się zakon zajmować?

– Niestety nie wiem. Nie zdradził mi swoich planów, a z pozostałymi członkami Haute Cour, jak się domyślasz, nie utrzymywałem kontaktów.

– Chciałbym, żeby tu teraz był. Zakon został zaatakowany i z zewnątrz i od wewnątrz.

– A tak. Zdrajca. Członkowie zakonu dostrzegają teraz błędy, jakie popełnili ich przywódcy.

– Dla mojego ojca za późno.

– Ech, mój synu. Wszyscy mamy wobec Dextera olbrzymi dług wdzięczności. On naprawdę potrafił przewidywać bieg wydarzeń. – Ojciec Mosto położył rękę na ramieniu Bravo. – Zakon jest pogrążony w chaosie, ale jeżeli uda ci się dokończyć dzieło ojca, jeżeli wyjdziemy cało z tego kryzysu, to jestem pewien, że zostaną wprowadzone tu wielkie zmiany, które planował Dexter. Ale przepraszam, gdzie moje dobre wychowanie. Siadajcie, proszę. – Wskazał drewniane krzesła. Krzesła były tak niewygodne, jak na to od samego początku wyglądały. Bravo i Jenny z trudem się na nich usadowili. Mimo gniewu, mimo napływu nowych informacji, Bravo nie stracił z pola widzenia głównego celu swojej misji. Przyszło mu do głowy, że musi przy pierwszej nadarzającej się okazji zadzwonić do Emmy. Może odzyskuje wzrok, pomyślał, choć zdawał sobie sprawę, że to złudna nadzieja. Na pewno zadzwoniłaby do niego, gdyby cokolwiek uległo zmianie.

Ksiądz rozłożył szeroko ramiona.

– Zapewne wiecie, że zakon wybrał to miejsce na swą siedzibę dlatego, że pomiędzy Rzymem a Wenecją zawsze panowały złe stosunki. – Pochylił się do przodu i splótł palce. – Ale był jeszcze inny, istotniejszy powód. Żeby to zrozumieć, musimy się cofnąć do roku tysiąc dziewięćdziesiątego piątego, kiedy ogłoszono pierwszą krucjatę.

Wenecję pamiętamy z historii głównie jako miasto-republikę, rządzone przez wspaniałych władców. „Chroń nas, o Panie, przed sztormami, nas, pełnych wiary marynarzy, chroń przed nagłą katastrofą i złem wszelakim, sztuczkami przebiegłych wrogów". Widzicie – przebiegłych wrogów. Ale za bardzo wybiegam myślą naprzód.

Ta modlitwa, którą wyrecytowałem, została zapisana w najwcześniejszych przekazach o mieście zwanym La Serenissima. Jej słowami modlono się w dzień Święta Wniebowstąpienia Pańskiego, kiedy to następowały zaślubiny dożów z morzem. Bo Wenecjanie byli przede wszystkim żeglarzami.

Pewnie sądzicie, że kiedy z Rzymu nadeszło wezwanie, by wysłać zbrojnych do Ziemi Świętej, ci, którzy na nie odpowiedzieli, zrobili to z pobudek czysto religijnych. Nic bardziej mylnego. Tylko nieliczni byli żołnierzami Chrystusa. Zdecydowana większość ruszyła na wojnę dla osiągnięcia własnych korzyści, dla zdobycia lenna czy prowincji w Lewancie, jak wówczas nazywano Bliski Wschód.

Uniósł rękę.

– Wiem, że oboje znacie dobrze tę epokę, ale pozwólcie mi jeszcze coś dodać. Wstał zza biurka, obszedł je i zatrzymał się przed nimi. Widać było, jak wielką przyjemność sprawia mu taki wykład. Jego zachowanie i sposób mówienia nie pasowały do epoki.

– Dożowie weneccy, podobnie jak ich rywale z Genui, Pizy i później Florencji, zapragnęli zdobyć dominia w Ziemi Świętej. Ale kiedy ich doradcami zostali członkowie zakonu, plany tych ludzi uległy zmianie. Niech inni walczą o obcą ziemię i umierają na niej. Wenecja powinna użyć swojej floty i wziąć w posiadanie morze. Morze? – zapytali dożowie. Po cóż mielibyśmy władać czymś tak pustym i niegościnnym jak bezmiar wód? Ponieważ – odpowiadaliśmy im – kiedy przejmiecie kontrolę nad morzami, przejmiecie też kontrolę nad całym handlem i to nie tylko na Adriatyku, ale też na Morzu Środkowym, dziś zwanym Śródziemnym. Dzięki swojej niezwyciężonej flocie obłożycie podatkiem każdy okręt płynący do Italii, będziecie kontrolować handel międzynarodowy. Przyniesie to wymierne korzyści waszemu miastu, które się znacząco wzbogaci, a wasi kupcy zyskają uprzywilejowaną pozycję.

Jest rzeczą oczywistą, że zakon miał na uwadze własny cel, kiedy popychał Wenecję ku takiemu rozwiązaniu. Potrzebowaliśmy bezpiecznego morskiego szlaku do Lewantu. Już wtedy mieliśmy sekretne informacje o skarbach ukrytych w Oltremare.

– Outremer – zwrócił się z wyjaśnieniem Bravo – to „kraj zamorski", dzisiejszy Cypr, Syria i Palestyna.

– Nie tylko. Jeszcze południowe wybrzeża Morza Czarnego, będące pod jurysdykcją Bizancjum – Trebizonda.

Ksiądz chrząknął znacząco, dając wyraz swojej dezaprobacie. Nie lubił, gdy mu przerywano.

– Przez czterysta lat udawało nam się wciąż od nowa przekonywać weneckich władców, że panowanie na morzu to najwłaściwszy sposób budowania ich potęgi. Konwojowali więc swoje statki handlowe, robili zbrojne wypady na obce porty i szlaki żeglugowe.

To doradcy z zakonu podpowiedzieli im, że maszty okrętów mogą zostać użyte jako wieże oblężnicze. Dzięki temu pomysłowi krzyżowcy zdobyli Konstantynopol. Wiedza, którą posiadł zakon, nie pochodziła tylko z Europy i Outremeru. Wcześniej niż inni poznaliśmy ezoteryczną myśl Dalekiego Wschodu. To my wspieraliśmy braci Nicolo i Matteo Polo, ojca i wuja słynnego podróżnika Marco. Kiedy nasi szpiedzy, ulokowani w najwyższych władzach, donieśli, że Genua paktuje z Grekami, którzy wcześniej opanowali Lewant, i wspólnie zamierzają odzyskać Konstantynopol, ewakuowaliśmy rodzinę Polo i wielu innych znaczniejszych obywateli Wenecji. Ci, którzy nie zważali na nasze ostrzeżenia, zostali pochwyceni i potraktowani jak piraci – oślepiono ich lub obcięto im nosy.

Zdrada pomogła Grekom zdobyć Konstantynopol, a niecały wiek później kolejna zdrada, tym razem na dworze Dawida Komnena, władcy Trebizondy, sprawiła, że miasto wpadło w ręce osmańskie. Byliśmy tam w dniu, kiedy Trebizonda padała, i zdołaliśmy wywieźć nasze skarby.

– To bardzo interesująca historia, ojcze – przerwał Bravo – ale przybyłem tu z konkretnego powodu. Gdzie jest...

Ojciec Mosto uniósł dłoń.

– Posłuchaj, Bravermanie Shaw. Zawsze, gdy pojawiał się zdrajca, następowała fala zbrodni. Zawsze cierpiała na tym misja, jaką zakon miał do wykonania. Za każdym razem inspiratorami takich działań byli rycerze świętego Klemensa. Teraz mamy podobną sytuację. Tylko że obecnie waży się nasz dalszy los. Zagrożone jest nasze istnienie.

Jak sam powiedziałeś, w naszych szeregach jest zdrajca. Twój ojciec nie miał co do tego żadnych wątpliwości. Nie wiesz zapewne, że to właśnie do niego należało zdemaskowanie go, pojmanie i przesłuchanie. To on miał zniweczyć niecne plany rycerzy.

– Przesłuchanie? Czy ojciec ma na myśli tortury?

– Z wrogiem należy walczyć wszelkimi dostępnymi metodami.

Bravo pokręcił głową.

– Mój ojciec nigdy nie pozwoliłby na torturowanie drugiego człowieka.

– To był jego plan – odparł ojciec Mosto. – Był to akt desperacji, ale wszyscy członkowie Haute Cour – o ironio, więc także sam zdrajca – zaakceptowali go. To jest wojna, Bravermanie. Tutaj, teraz, w tej chwili, są tylko dwie możliwości – przetrwanie albo śmierć. Dlatego nalegam, by nasza rozmowa toczyła się w cztery oczy.

Jenny poderwała się z krzesła.

– Nie jestem zdrajcą!

– Braverman bez wątpienia ci ufa, ale ja w obecnej sytuacji nie mogę pozwolić sobie na luksus ufania komukolwiek, kto nie jest synem Dextera Shawa.

– Jak mogłabym być zdrajcą? – wykrzyknęła z pasją. – Wszyscy wiemy, że to ktoś z Haute Cour.

– To grono należy powiększyć o Strażników chroniących członków Haute Cour.

Bravo spojrzał na niego zaskoczony.

– Chyba ojciec w to nie wierzy?

– W ciągu niecałych dwóch tygodni wymordowano połowę Haute Cour. Gdzie była wtedy ich osławiona ochrona? – Ojciec Mosto pokręcił głową. – Czas na rozważania bezpowrotnie minął. Twój ojciec potrafiłby to zrozumieć. Ty też musisz.

Bravo wstał i po chwili wahania zwrócił się do Jenny:

– Wyjdź, proszę.

– Bravo, nie możesz...

– Pilnuj, żeby nikt nam nie przeszkadzał.

Jej twarz stężała. Skinęła głową gestem karnego żołnierza i wyszła, nie obdarzywszy księdza spojrzeniem.

Kiedy zostali sami, ojciec Mosto zapytał:

– Ufasz jej?

– Tak – bez wahania odparł Bravo.

– Bezgranicznie?

– Mój ojciec ją wybrał. To było jego życzenie...

– Tak, twój ojciec. – Mosto splótł dłonie. – Pozwól, że powiem ci coś o twoim ojcu. Potrafił przewidzieć przyszłe wydarzenia z niewiarygodną precyzją. Może nie był jasnowidzem, ale najwyraźniej wiedział, jak się sprawy potoczą.

– Już to słyszałem.

– Jeżeli zatem, jak mówisz, doprowadził cię do Jenny, to musiał mieć w tym jakiś cel.

Bravo wzruszył ramionami.

– Po prostu jest najlepszym ze Strażników.

– Wcale nie. Ale zostawmy na razie tę kwestię. Nawet gdyby była najlepsza, to przyczyna, dla której cię z nią skontaktował, musiała być inna; przypuszczał, że coś trzeba będzie zrobić w przyszłości, kiedy go już zabraknie. I widocznie ona się do tego nadaje.

Bravo patrzył na niego szeroko otwartymi oczami.

– Ojciec chyba nie mówi poważnie.

– Owszem, jestem śmiertelnie poważny.

– Nie podejrzewałem ojca o mistycyzm.

– Wierzę w dobro i zło, nieśmiertelność duszy, boski hierarchiczny porządek.

Mistycy wierzą w dobro i zło, nieśmiertelność duszy, siłę wyższą i w hierarchiczny porządek rzeczy, więc w samych podstawach poglądy moje i mistyków niezbyt się od siebie różnią.

– Kościół okrzyknąłby ojca heretykiem.

– I co? Spaliłby mnie na stosie? Trzysta lat temu może by spróbowali – odparł beznamiętnie. – Zważ jednak: zarówno ksiądz, jak mistyk uważają, że ten świat to nie tylko człowiek i dzieła jego rąk. Ja to szanuję. Ty też powinieneś. – Wydął usta. – Gdzie twoja wiara, Bravermanie?

Kolejna osoba zadaje mu to samo pytanie. Zawstydzony faktem, że nie potrafi udzielić odpowiedzi, milczał.

Po dłuższej chwili ojciec Mosto kontynuował swą myśl.

– W każdym razie ważne jest, byś pamiętał o zdolności przewidywania przyszłych zdarzeń, jaką miał twój ojciec. Z pewnością pomoże ci to pokonać labirynt, który specjalnie dla ciebie stworzył. Tak to teraz postrzegasz, prawda? Jako labirynt.

Bravo przytaknął.

– Tak. To faktycznie jest labirynt. Pułapka zastawiona na nieroztropnych i nieuczciwych. Dobrze znałem twojego ojca. Wierzę z całego serca, że stworzył go, by ustrzec cię przed każdym ewentualnym ryzykiem. Brzmi to mało wiarygodnie, może nawet nieprawdopodobnie, ale choćbyś był w jak najlepszych stosunkach z własnym ojcem, na pewno nie znałeś go tak dobrze jak ja. Wierz mi, jego umysł pracował inaczej niż twój czy mój.

– Specjalnie dla mnie układał zagadki, wymyślał zabawy z szyframi...

– Nie mówię teraz ani o szyfrach, ani o zabawach – stanowczym głosem przerwał ksiądz.

Coś w tonie głosu ojca Mosto zaalarmowało Bravermana. Pochylił się do przodu i skupił całą uwagę na tym, co za chwilę powinien usłyszeć. Ksiądz zauważył to i był na swój sposób zadowolony.

216

– Jak już powiedziałem, twój ojciec był obdarzony proroczymi zdolnościami. Zdał sobie sprawę z obecności w naszym gronie zdrajcy dużo wcześniej niż pozostali. Szczerze mówiąc, na początku większość nas mu nie wierzyła.

– A ojciec?

– Ja uwierzyłem. To ze mną pierwszym podzielił się swoimi podejrzeniami.

– Zdradził ojcu, kogo podejrzewa?

– Nie, choć jestem pewny, że wiedział, kto to jest.

– Dlaczego nic nie zrobił?

– Ponieważ się bał.

– Bał się? On nie bał się niczego.

Zapadła cisza.

– A więc czego się bał? – poddał się Bravo.

– Tego, kim jest zdrajca. Ta wiedza musiała nim wstrząsnąć i zachwiać jego wiarą we własne umiejętności. To był ktoś, kogo doskonale znał i komu bezgranicznie ufał. – Ojciec Mosto wyjął złożoną wpół kartkę papieru.

– Co to jest?

– Lista – odparł ksiądz. – Lista podejrzanych.

Bravo rozłożył papier i przejrzał nazwiska.

– Jest tu Paolo Zorzi. – Wstrzymał oddech. – Jest i Jenny…

Wzruszył ramionami.

– Powiedział ojciec, że to musiał być ktoś, kogo dobrze znał i komu ufał.

Ksiądz przytaknął.

– Dexter i Jenny… Coś ich łączyło – wydusił z siebie Mosto.

– Oczywiście. Pracowali razem.

Ojciec Mosto pokręcił przecząco głową.

– To nie były więzi służbowe – powiedział cicho. – Łączyło ich coś bardziej osobistego… i intymnego.

Camille Muhlmann uznała, że paradowanie w męskim stroju, a już zwłaszcza w sutannie jest bardzo podniecające. Wcześniej ścisnęła bandażem piersi, a w talii owinęła się grubym swetrem. Dzięki temu wyglądała na dużo tęższą. Giancarlo, jeden z ludzi Cornadora stwierdził, że w tym stroju bardzo jej do twarzy. Kiedy sam przywdział habit, był zachwycony. Cornadoro nie był zaskoczony, Giancarlo zawsze marzył o karierze aktorskiej.

– To filmowa dziwka – tak Cornadoro skomentował decyzję Camille, żeby Giancarlo go zastąpił. – Kiedy tylko w Wenecji pojawi się jakaś ekipa filmowa, biega za nimi jak pies, żebrząc o plakat albo autograf.

– Można na nim polegać? – zapytała.

– Oczywiście. Inaczej kopnąłbym go w tyłek już kilka miesięcy temu.

Nie traktowała tych tyrad Cornadora zbyt serio. Przekalkulowała wszystkie za i przeciw. Rachunek był prosty. Giancarlo był towarem jednorazowego użytku, a Cornadoro nie.

Jeszcze silniejszy dreszcz emocji przebiegł jej ciało, gdy wraz z Giancarlem przemierzała północny transept kościoła L'Angelo Nicolò, przyglądając się Bravo i Jenny, którzy stali nieopodal, niczego nie podejrzewając. U dołu opatulona swetrem, u góry owinięta bandażami, czuła się jak rycerz w zbroi oczekujący na sygnał do rozpoczęcia boju.

Z Giancarlem u boku stała w cieniu białego marmurowego posągu Jezusa i patrzyła, jak ojciec Mosto prowadzi Jenny i Bravo do swojego królestwa. Ruszyli za nimi w bezpiecznej odległości.

Mijali właśnie wąskie drzwi, prowadzące w głąb mrocznego korytarza, gdy nieoczekiwanie pojawiła się postać jakiegoś księdza. Był bardzo stary, miał długie siwe włosy, a jego postrzępiona broda wymagała szybkiej interwencji fryzjera. Gdy znalazł się tuż koło nich, wydało jej się, że przeszywa ją na wskroś wzrokiem. Wpadła w panikę, sądziła, że rozpoznał w niej kobietę. Tymczasem minął ich obojętnie, jakby w ogóle nie dostrzegając ich obecności. Camille odetchnęła z ulgą. Mogli bez przeszkód podążać śladem ojca Mosto.

Na końcu cuchnącego korytarza dostrzegła Jenny stojącą przed zamkniętymi drzwiami, prowadzącymi do jaskini klechy. Szeptem wydała zwięzłe polecenia i dalej Giancarlo powędrował samotnie.

Kiedy mijał Jenny, skinął w milczeniu głową. Jenny odwzajemniła ukłon. Camille zdjęła buty. Giancarlo przeszedł jeszcze może pięć lub sześć metrów, odwrócił się do Jenny i o coś ją zapytał. Camille stała zbyt daleko, by usłyszeć pytanie; być może brzmiało: Co pani tutaj robi? Jego zadaniem było zająć Jenny rozmową, i tym sposobem odwrócić jej uwagę od tego, co się dzieje wokół.

Jenny zaczęła się tłumaczyć przed wścibskim „księdzem", a Camille ruszyła biegiem naprzód, boso, bezszelestnie. Biegnąc, obliczała, pod jakim kątem i z jaką siłą zadać jeden, decydujący cios. Za cel obrała kość potyliczną u podstawy czaszki Jenny. Chwilę później uderzyła dokładnie w to miejsce pięścią. Cios pozbawił Jenny przytomności. Camille zdążyła uchwycić osuwające się ciało. Gdy zobaczyła kątem oka, że Giancarlo wraca, by jej pomóc, powstrzymała go energicznym ruchem głowy. Stanął, czekając na dalsze polecenia, wierny i cierpliwy jak pies.

Jenny należała do niej. Plecy nieprzytomnej dziewczyny przylegały ściśle do obandażowanych piersi Camille, bezwładna głowa spoczywała na jej ramieniu, gardło było odsłonięte, bezbronne. Położyła rękę na szyi swojej ofiary, czuła pod palcami pulsowanie krwi w tętnicy. Wyprostowanym palcem wskazującym Camille przeciągnęła po szyi Jenny. Jakie to proste. Mogła przerwać nić jej życia teraz, tutaj. Nie! To mógłby być błąd. Zakon wyznaczyłby po prostu kolejnego Strażnika i cały proces drobiazgowego rozpracowywania musiałby zacząć się od nowa. Nie było na to czasu. Jordan był nieustannie ponaglany przez kardynała Canesiego. Musieli jak najszybciej zdobyć kwintesencję i Testament. Jeśli zawiodą, ich dotychczasowa potęga legnie nieodwracalnie w gruzach. Nie. Camille była pewna, że postępuje właściwie i jej plan się powiedzie.

Wprawnym ruchem przeszukała Jenny. Wyglądały teraz jak dwoje ludzi splecionych w miłosnym uścisku. Znaleziony telefon komórkowy rzuciła w kierunku Giancarla, który złapał go wprawnym ruchem. Ku swojemu zaskoczeniu znalazła też broń. Przez chwilę w słabym świetle lamp oświetlających korytarz zabłyszczała czerwonozielonym blaskiem rękojeść noża. Camille uśmiechnęła się do siebie. Okazało się, że niepotrzebnie zadała sobie trud wykonania jego kopii. Ale przecież nie mogła przewidzieć, że Jenny będzie go miała przy sobie. Teraz okazało się, że duplikat jest zbędny. Camille schowała nóż pod habit, postanawiając dołączyć go do posiadanej już kolekcji, którą od lat gromadziła. To jej prywatne muzeum składało się z drobiazgów, częstokroć niewiele wartych. Ich wspólną cechą było to, że zostały skradzione. Były tam rzeczy Jordana, Bravo, Anthony'ego, Dextera.

Skinęła na Giancarla, razem przenieśli nieprzytomną dziewczynę do małego pokoiku w głębi korytarza i położyli na podłodze. Camille wróciła na korytarz, odnalazła swoje buty i włożyła. Wydała Giancarlowi kilka poleceń i rozpłynęła się w ciemności.

Kiedy Giancarlo wracał korytarzem do kościoła, usłyszał jeszcze za plecami szczęknięcie otwieranego noża sprężynowego.

Bravo opadł ciężko na krzesło i poczuł, jak twarda krawędź siedziska wpija mu się w uda. Jak mogła? – pomyślał. Dlaczego nic mi nie powiedziała? Kiedy uniósł głowę, jego wzrok napotkał przenikliwe spojrzenie ojca Mosto.

– Nie wiem, czy Jenny jest zdrajcą, czy nie, ale wiem, że twój ojciec zbytnio się zaangażował w ten związek, by móc ferować obiektywne wyroki. Zapewne dlatego posłał cię do niej, żebyś mógł zrobić ten następny krok, którego on uczynić nie potrafił – odkryć prawdę o niej.

– To nie ma sensu – zaoponował Bravo, kręcąc przecząco głową. – Prawie wszyscy jej nienawidzą bądź traktują ją lekceważąco. Przecież byłaby pierwszą podejrzaną.

– Wręcz przeciwnie. W rzeczywistości byłaby ostatnią osobą, którą można by podejrzewać. Zauważ: jest napiętnowana, wszyscy stroją sobie z niej żarty, zawsze na świeczniku, nigdy w cieniu.

– Chyba że pracuje w terenie.

Ksiądz nic nie odpowiedział, nie widział takiej potrzeby.

– Czy mój ojciec rozmawiał o niej z Paolo Zorzim? Zorzi ją szkolił.

– Pamiętaj, że nazwisko Zorziego też znalazło się na tej liście – odparł ojciec Mosto.

Bravo przez ramię zerknął na zamknięte drzwi.

– Czy ojciec uważa, że to ona zdradziła?

– Ja... – zaczął ksiądz i urwał w połowie zdania. – Boję się jej. Boję się, bo potrafiła zbliżyć się do Dextera. Ona jedna. Nikt nie był mu tak bliski jak Jenny. Nawet twoja matka...

Coś boleśnie zawyło w duszy Bravo.

– Nie wierzę. Mój ojciec miał romans z Jenny?!

– Znałem go dłużej niż ktokolwiek inny. Tak. Miał romans. – Oczy ojca Mosto wyrażały teraz współczucie. – Musisz w swoim sercu poszukać wybaczenia dla niego, mój synu. Twój ojciec był nadzwyczajnym człowiekiem i dokonywał nadzwyczajnych rzeczy.

– Nigdy nam nie mówił...

– A dlaczego miałby mówić? Dexter prowadził podwójne życie. Wiesz o tym, Bravo, lepiej niż ktokolwiek inny.

– Ale Jenny jest dwa razy młodsza. – Bravo uniósł głowę. – Ojciec akceptuje to, co on zrobił?

– A uważasz, że powinienem go potępić? – Usiadł naprzeciw Bravo, tak blisko, że ich kolana się stykały. – Byłem przyjacielem Dextera, pierwszym i najlepszym. Starałem się udzielać mu rad, ale... Nie muszę wspominać, że był bardzo tajemniczy. Potrafił rozdzielić te swoje dwa światy tak, że jeden nie kolidował z drugim. Z jakichś przyczyn, trudno mi sobie nawet wyobrazić z jakich, ukrywał wszystko w głębi duszy.

Wstał i położył rękę na ramieniu Bravo.

– Jedno wiem na pewno: kochał twoją matkę bardzo mocno i był jej oddany. Tego faktu nie zmienią żadne jego późniejsze czyny.

Bravo przytaknął w milczeniu. W głowie miał zamęt.

– Kiedy jesteśmy dziećmi, postrzegamy rodziców oczami dziecka. Jeżeli walczą ze sobą, to znaczy, że muszą się nienawidzić. Ale kiedy stajemy się dorośli, odkrywamy nieoczekiwanie, że ludzie, nasi rodzice również, są dużo bardziej skomplikowani. Że można ze sobą toczyć boje, kochając się jednocześnie. Pamiętaj, że ojciec nigdy nie porzucił twojej matki, ciebie ani twojej siostry. Gdy matka zachorowała, cały czas był u jej boku. A kiedy umarła... mój Boże, jak on rozpaczał. Wraz z nią umarła cząstka jego.

Ojciec Mosto westchnął.

– To trudna wiedza, Bravermanie, ale lepiej znać prawdę, nie uważasz? Każda twoja decyzja musi mieć swoje źródło w prawdzie.

Bravo uniósł głowę.

– Ale Jenny i ja... – nie mógł dokończyć. Czy uwiodła ojca, tak samo jak jego w pokoju hotelowym w Wenecji? No i ta szalona noc w Mont Saint-Michel, ale wtedy też to była jej inicjatywa. Owszem, okazywał jej czułość, ale to ona wzięła sprawy w swoje ręce. Czuł przecież, jak jest rozpalona, widział w jej oczach pożądanie...

W oczach księdza zobaczył znużenie i smutek.

– Błagam cię, nie ufaj jej tak ślepo jak twój ojciec. Miej się na baczności.

Za późno, pomyślał z goryczą Bravo. Stanowczo za późno.

Mosto zamilkł, dając Bravo czas na uporządkowanie myśli. W końcu Bravo wstał.

– Rozmawialiśmy wcześniej o powodach, dla których mój ojciec przysłał mnie tutaj.

– Tak, oczywiście – przytaknął ksiądz z lekkim zmieszaniem.

– Puszka na jałmużnę.

– Tak, przypuszczałem, że chodzi tu o jakąś rzecz z mojej szafy. Dexter spędził tu w samotności wiele godzin, studiując księgi.

Ojciec Mosto wyjął klucz, otworzył potężną kłódkę i zdjął łańcuch. W tej samej chwili rozległ się dźwięk dzwonka stojącego na biurku. Zignorował go, odkładając kłódkę i łańcuch na bok, ale kiedy dzwonek nie przestawał dzwonić, powiedział:

– Wybacz mi, proszę, wzywają mnie obowiązki. Za chwilę wrócę.

Ojciec Mosto skręcił w boczny korytarz i zauważył, że kilka lamp się nie pali. Zanotował w pamięci, żeby wymienić żarówki. Przyspieszył kroku. Głowę miał zaprzątniętą myślami o Bravermanie i Dexterze i pewnie dlatego nie usłyszał żadnych niepokojących dźwięków. Atak był tak cichy i błyskawiczny, że nie zdążył nawet poczuć, jak ostrze noża prześlizguje się po jego krtani. Poczuł pulsującą w nim krew i szarpnął się gwałtownie, gdy z przeciętej tętnicy trysnęła fontanna. Zaczął przeraźliwie krzyczeć, lecz po chwili jego świadomość utonęła w mroku. Ogarnęło go znużenie, pragnął zasnąć, gasła wola walki. Z kim miał walczyć? Życie uciekało z niego w rytm uderzeń serca. Jego ostatnia myśl… Nie było ostatniej myśli. Umarł, nim jego ciało zdążyło runąć na zakrwawioną kamienną posadzkę.

Nie czekając na powrót ojca Mosto, Bravo uchylił ciężkie drzwi szafy. Wewnątrz unosił się zapach starości i cedru. Ścianki były wyłożone panelami z pachnącego drewna. W całej ogromnej szafie były tylko trzy półki. Otworzył puszkę na jałmużnę, przekartkował księgę inwentarzową, rzucił okiem na pozostałe dokumenty, ale nie znalazł tego, czego szukał. Stał bez ruchu, zaskoczony i wdychał głęboko intensywny zapach cedru. Na pewno nie popełnił błędu przy rozszyfrowywaniu wiadomości od ojca. Gdzie zatem mogła się znajdować puszka żebracza?

Nagle doznał olśnienia. Cedrowe płyty tylko z wyglądu były stare; z biegiem lat zapach powinien się ulotnić, a przecież ta szafa miała na oko ze dwieście lat. Zaciekawiony zaczął opukiwać wnętrze.

Ucho wyczulone na najsłabsze nawet dźwięki wychwyciło, że za płytami była pustka. Włożył palce w szparę, próbując oderwać jedną z płyt. Kiedy mu się to wreszcie udało, jego oczom ukazała się niewielka nisza. Sięgnął ręką i wyjął z niej jakiś dziwny przedmiot. Był zimny w dotyku i błyszczał się w świetle lampy. Po dokładniejszym przyjrzeniu się stwierdził, że jest wykonany ze stali, i to z hartowanej. Była to pięknie uformowana puszka żebracza. Wypukła pokrywka nie miała uchwytu. Zamiast niego w metalu widniał niewielki kwadratowy otwór. Widział już wcześniej taką nietypową dziurkę od klucza.

Wyjął z kieszeni spinki do mankietów i włożył w kwadratowy otwór tę z nich, która nie pasowała do zamka w Saint-Malo. Kiedy już zamierzał otworzyć puszkę, jakiś dziwny dźwięk dobiegł jego uszu. Głośne uderzenie, jakby z hukiem otworzyło się skrzydło okienne, a następnie przerażający skowyt wydobywający się ze ściśniętego gardła.

W dwóch susach dopadł do drzwi i otworzył je na oścież.

– Jenny?! Ojcze Mosto?!

W obu kierunkach rozciągał się pusty korytarz. Zapanowała niesamowita cisza. Bravo słyszał bicie własnego serca, czuł szum krwi w uszach. Na rękę spadła mu z góry kropla wody.

Gdzie, do diabła, podziała się Jenny?

Zabrał z biurka puszkę i pobiegł korytarzem. Za pierwszym zakrętem dostrzegł jakiś kształt leżący na kamiennej posadzce.

Serce zaczęło mu bić gwałtownie.

– Jenny?!

Poślizgnął się na czymś. To te kamienne płyty, mokre od wilgoci sączącej się z pobliskiego kanału. Ale coś jeszcze. Coś lepkiego i gęstego. Krew. Ciało w sutannie, leżące w groteskowej pozie z podkurczonymi nogami. Twarz ojca Mosto, bladosina. Oczy nieruchome, wpatrzone w bezkres. Z rozciętej szyi jeszcze sączyła się krew. Obok, w kałuży krwi leżała mordercza broń – nóż.

Bravo przyklęknął i przyjrzał się nożowi, nie dotykając go. Cienkie ostrze z perłową rękojeścią – taki sam, jakiego Jenny użyła do otwarcia butelki wina.

Jenny zamordowała ojca Mosto? Nie mógł w to uwierzyć. Ale jeżeli była niewinna, to gdzie teraz jest?

Usłyszał jakieś odległe delikatne szuranie, poderwał się na nogi i ruszył pędem w kierunku, skąd dochodziły podejrzane dźwięki. Lampy w tej części korytarza były zgaszone. Im bardziej oddalał się od ciała, tym głębiej zanurzał się w mrok, aż w końcu ledwie dostrzegał czubki własnych butów. Mimo to biegł dalej. Cóż innego mu pozostało? Nagle jego uwagę przyciągnął jakiś ruch za plecami. Obrócił się i w tej samej chwili otrzymał potężny cios w głowę. Zatoczył się do tyłu, oparł o oślizgłą ścianę i został uderzony ponownie. Kiedy napastnik próbował zadać kolejny cios, był już przygotowany. Złapał zbliżającą się rękę w nadgarstku i ze zdumieniem stwierdził, że jest smukła i delikatna. A więc został zaatakowany przez kobietę!

– Jenny! – wydyszał. – Dlaczego to robisz?

W odpowiedzi otrzymał kolejny cios, nie wypuścił jednak trzymanej ręki, szarpnął nią w tył i usłyszał syk bólu, jaki wyrwał się z ust przeciwnika. Kiedy robił kolejny unik, otarł się o nią, poczuł jej falujące piersi, obrócił ją i od tyłu objął ramieniem szyję. Kobieta nasadą dłoni trafiła go w nos. Głowa Bravo odskoczyła do tyłu, a z oczu popłynęły łzy, na moment go oślepiając. Napastnik wykorzystał tę chwilę przewagi, by wyswobodzić się z uścisku. Bravo widział jeszcze przez moment zarys uciekającej sylwetki, a potem otworzyły się boczne drzwi prowadzące na zewnątrz, blask dziennego światła zalał korytarz i tajemnicza postać się rozpłynęła.

Bravo potrząsnął głową, sprawdzając, czy jest cały. Następnie podbiegł do drzwi. Znalazł się w wąskiej uliczce ciągnącej się wzdłuż niewielkiego kanału.

Tuż przed nim piętrzył się kamienny łuk mostu. Oślepiony słonecznym blaskiem mrużył oczy, lecz próbował wypatrzyć uciekającą postać. W tłumie ludzi na moście zauważył spieszącą dokądś kobietę. Otarł resztki łez z oczu i rozpychając się łokciami, torował sobie drogę wśród ciżby spoconych turystów. Dobiegł do mostu, lecz nigdzie nie dostrzegł Jenny. Oparł się o barierkę i przyglądał ludziom na placu po drugiej stronie. Zachwiał się, zakręciło mu się w głowie.

Jaka inna kobieta miała taką siłę i takie doświadczenie w walce wręcz? Wróciło wspomnienie sytuacji z niedawnej przeszłości. Kiedy pokazał jej pistolet, Jenny powiedziała: „Może powinieneś oddać go mnie?”. Jeśli jest zdrajcą, to zrozumiałe, że chciała mu zabrać broń.

Był tak zdruzgotany tym straszliwym przypuszczeniem, że nie zauważył dwóch mężczyzn zbliżających się do niego szybkim krokiem. Zanim pojął, co się dzieje, zrzucili go z mostu. Upadł na pokład *motoscafo*. Ktoś włożył mu na głowę worek i łódź odpłynęła. Ktoś stojący blisko niego krzyczał coś głośno, lecz Bravo nie zwracał na to uwagi. Próbował walczyć. Wkrótce czyjeś silne ręce przycisnęły jego ramiona do boków. Uderzył głową jednego z oprawców. Próbował wykorzystać chwilową przewagę i wstać, lecz w tym samym momencie precyzyjnie wymierzony cios pozbawił go przytomności.

16

Jenny ocknęła się w zupełnych ciemnościach. Jęknęła. Dotknąwszy karku, poczuła zawroty głowy i mdłości. Krzyknęła głośno i przez jakiś czas trzymała się za obolałą głowę. Co się stało? Rozmawiała z księdzem, a potem…

Chwiejnie dźwignęła się z ziemi, przy ścianie, zimnej i mokrej. Wyciągnęła rękę, rozpoznała dotykiem kamień. Powoli ruszyła wzdłuż ściany, aż natknęła się na drzwi. Nacisnęła klamkę z kutego żelaza, ale nie ustąpiły. Cofnęła się o dwa kroki, nabrała powietrza w płuca, powoli je wypuściła. Powtórzyła tę czynność trzy razy, a każdy wdech i wydech był głębszy od poprzedniego. Potem, zebrawszy siły, kopniakiem wyważyła drzwi. Zatoczyła się do tyłu, prawie upadła. Wysiłek wywołał kolejną falę zawrotów głowy i mdłości. Tym razem odwróciła głowę i zwymiotowała gwałtownie, jakby żołądek wywrócił się jej na lewą stronę.

Na korytarzu wpadła w jeszcze głębszą czerń. Dopiero wtedy przypomniała sobie o latarce kieszonkowej. Wygrzebała ją, włączyła, przesunęła krążkiem światła tu i tam. Nie od razu dostrzegła zwłoki. Początkowo wydało jej się, że to Bravo, i serce się jej ścisnęło, a ból w karku przybrał na sile. Podeszła bliżej, dostrzegła sutannę i rozpoznała ojca Mosto.

Ostrożnie zrobiła jeszcze parę kroków w stronę tego ciała, wykręconego i zakrwawionego. Nagle coś błysnęło, jakiś metal odbił światło latarki. Jeszcze jeden krok i ujrzała kałużę poczerniałej krwi, lśniącej tłusto jak nafta. Leżał w niej, migotliwy i nikczemny, nóż całkiem podobny do… niemożliwe. Sięgnęła do kieszeni – jej nóż zniknął. Przyjrzała się uważniej temu na podłodze. Podniosła go, musiała mieć pewność.

O Boże, pomyślała, to naprawdę mój!

Ktoś ją ogłuszył, ukradł nóż i poderżnął nim gardło ojcu Mosto. Ale skąd wiedział, że znajdzie u niej nóż? Nie miała czasu nad tym się zastanawiać.

– Bravo! – krzyknęła. – Bravo!

Wróciła biegiem do zakrystii, dopadła bocznych drzwi, uchylonych na tyle, że na korytarzu kładł się wąski trójkąt światła. Logika podpowiadała, że ten, kto go porwał, uciekł tą drogą. Jednak na wszelki wypadek przeszukała probostwo. Znalazła kredens z otwartymi drzwiami i usuniętą wewnętrzną płytą, ale Bravo nie było. Przeklinając, wypadła na korytarz, a potem na zewnątrz, w słoneczny żar.

Niemal natychmiast zauważyła poruszenie na kamiennym moście spinającym oba brzegi kanału. Wszyscy gapie aż zbyt chętnie opowiedzieli jej o mężczyźnie, którego zepchnięto z mostu do czekającej *motoscafo*.

Staruszek ubrany z nieskazitelnym weneckim szykiem nie posiadał się z oburzenia.

– Terroryści go porwali!

– Skąd wiadomo, że terroryści? – spytała Jenny.

– Bo go porwali, prawda? No więc kto by to mógł być? W biały dzień, proszę sobie wyobrazić! – Zrobił niegrzeczny gest, nieprzytomny z gniewu. – Kiedy Wenecja zmieniła się w Amerykę?

Camille, obserwująca Jenny z kryjówki w mrocznej bramie, jeszcze dygotała od nadmiaru adrenaliny. Miała straszną ochotę na papierosa, ale nikotyna by ją uspokoiła, a tego na razie nie chciała. Nie ma to jak potężna dawka wysiłku fizycznego, żeby poczuć smak życia, pomyślała. Żeby poczuć witalność, udowodnić, że jest się jeszcze młodym.

Przyglądając się Jenny, zwiniętą serwetką w roztargnieniu osuszała kącik ust. Materiał był już zaplamiony krwią. Ciało bolało ją od ciosu Bravo, ale to był rozkoszny ból, graniczący z erotycznym doznaniem. Fizyczny kontakt najpierw z Jenny, potem z Bravo, poruszył ją bardziej niż cokolwiek innego. Czuła ciepły ciężar Jenny w ramionach, jej

226

zupełną bezbronność. Gdy dotknęła Bravo, zdała sobie sprawę, że on i Jenny byli kochankami.

Oczywiście Bravo nie był tak uległy jak Jenny. Walczył, a dzięki temu mogła ocenić, jak ukształtował go ojciec; wskutek tego stał się jej bliższy, co uznała za zabawne. W miarę upływu lat badała i sondowała Bravo, głównie przez Jordana, metodami, których nigdy nie był świadomy. Teraz oceniła jego fizyczne możliwości. Był jak piękne krzesło, które pragnęła kiedyś mieć, z jedną wyłamaną nogą, rozchwiane, gotowe do upadku. O ojcu Mosto wcale nie myślała. Nie miał dla niej znaczenia, najwyżej jako przeszkoda, którą ustawiła między kochankami, żeby odizolować Bravo, obnażyć jego czułe miejsce, w które wreszcie zada mu śmiertelny cios.

Jenny, oparta o kamienną balustradę mostu, walczyła z wątpliwościami. Znalazła się w samym środku koszmaru, który w dużym stopniu sama spowodowała. Tak ją zaabsorbowało rodzące się uczucie do Bravo i wyrzuty sumienia, iż nie mówi mu prawdy o sobie, że jej instynkt został przytępiony. Zapomniała, kim jest i dlatego stała się podatna na przemyślny atak rycerzy przebranych za księży, bo to było jedyne logiczne wytłumaczenie wypadków. A teraz Bravo znalazł się w rękach wroga, doszło do najgorszego, i to przez nią.

W dodatku miała świadomość, że jest obserwowana. Nie wiedziała przez kogo. Jeszcze godzinę temu przyjęłaby, że to Michael Berio – teraz już nie pozwalała sobie na takie zgadywanie. Najgorszym wyjściem byłby teraz powrót do dawnych zwyczajów. Przystąpiła do zupełnie nowej rozgrywki i jeśli nie zdoła się dostosować, i to szybko, zakon wszystko straci.

Nie miała najmniejszej ochoty, ale musiała zadzwonić do Paola Zorziego i przyznać się do porażki. Potrzebowała pomocy. Sięgnęła po komórkę, przygotowując się na stek wyzwisk. Potem krew jej zlodowaciała; komórka także znikła.

Zamknęła oczy, siłą woli spróbowała wyprzeć ból z głowy i karku. Zaczęła oddychać powoli i głęboko, by dodatkowa dawka tlenu przyniosła jej ulgę. Najpierw rzeczy najważniejsze. Musiała uciec obserwatorowi. W Wenecji można chodzić przez całe popołudnie i nigdy nie mieć pewności, że zgubiło się ogon. Nie mogła uciec w żadnym pojeździe, łodzie były zbyt otwarte i powolne, żeby się jej na cokolwiek przydać.

Potem przypomniała sobie coś, co przeczytała w przewodniku Michelina. Wyprostowała się, rozejrzała, jakby niezdecydowana, dokąd ma iść – co nie odbiegało zbytnio od prawdy. Przeszła przez most i przemierzyła małe *campo*, z którego skręciła w boczną uliczkę. Weszła do sklepu z maskami. Właściciel pakował maskę dla klienta; rozejrzała się, przyjrzała szeregom skórzanych masek na ścianach. Sztuka wytwarzania masek – ze szkła, masy papierowej i jedwabiu Fortuny'ego – w Wenecji została podniesiona do rangi sztuki. Maski postaci ze sztuk, wielu z *commedia dell'arte*, noszono w karnawale, który tradycyjnie zaczynał się w drugi dzień świąt Bożego Narodzenia i trwał do Środy Popielcowej. Na czas karnawału prawo przestawało obowiązywać i wszyscy, wysoko i nisko urodzeni, mieszali się; zwyczaj ten wprowadził doża, który pragnął przechadzać się ulicami miasta i odwiedzać swoje wybranki z zachowaniem zupełnej anonimowości.

Otoczył ją rój smutnych oczu, groteskowych nosów, wykrzywionych w uśmiechach ust, a kunszt rzemieślników sprawił, że każda maska zdawała się pulsować uczuciem: zapalczywością, wesołością lub groźbą. W sklepie znajdowały się także długie, pełne fałd opończe. Nazywają się *tabarro*, wyjaśnił sklepikarz. Kiedy ktoś taką włoży, nie zapominając również o masce i kapturze z czarnego jedwabiu z krótką koronkową pelerynką, może nierozpoznany przejść obok własnej żony czy siostry.

Sklepikarz spytał, jak może jej pomóc. Spytała, jak trafić na Rio Trovaso – okazało się, że znajduje się bliżej, niż sądziła. Niechętnie wyszła ze sklepu, jakby opuszczała przyjęcie pełne fascynujących nowych znajomych.

Nietrudno było znaleźć Rio Trovaso, którym szła aż do skrzyżowania z Rio Ognissanti. Za zakrętem znalazła się na Squero, jednej z niewielu pozostałych stoczni, w których budowano i naprawiano wszechobecne w mieście gondole. Stocznia składała się z trzech drewnianych budynków – rzecz w Wenecji nietypowa – i małego doku.

Natychmiast weszła do środka. Za godziwą sumkę otrzymała kombinezon robotnika. Kierownik zmiany o nic nie pytał – wszystkie odpowiedzi zawierały się w pliku euro. W skład stroju robotnika wchodziła także czapka, pod którą Jenny schowała włosy. Nisko naciągnięty daszek trochę zasłonił jej twarz, ale na wszelki wypadek uczerniła policzki węglem, którym ubrudziła także dłonie.

Za nieco skromniejszą sumę kierownik zaprowadził ją wewnętrznym korytarzem do przyległego budynku, w którym mieszkali robotnicy. Poszedł z nią przez pomieszczenia na parterze, wyprowadził bocznymi drzwiami i przemierzył parę przecznic, jakby Jenny była jego podwładną. Weszli do kawiarni i tam zostawił ją po paru chwilach.

W nowym przebraniu wyszła z kawiarni i przez jakiś czas z pozoru bezcelowo krążyła po mieście. W rzeczywistości sprawdzała trasę, powoli i męcząco sunęła po własnych śladach, po raz drugi i trzeci przemierzając uliczki, które znała teraz jak własną kieszeń, aż doszła do wniosku, że nikt jej nie śledzi.

Wówczas wróciła pod kościół l'Angelo Nicolò w I Mendicoli. Stała tam przez chwilę, sprawdzając otoczenie. Ulica roiła się od policjantów i gapiących się turystów. Najwyraźniej już odkryto ciało ojca Mosto.

Była ciekawa, czy rycerze wciąż obserwują okolicę. Zgubili ją, to pewne; czy zostawiliby tu jakiegoś agenta? Nie sądziła. Doszliby do wniosku, że straciwszy Bravo, straciła też powód, żeby tu wracać. Musiała założyć, że zaczną przeczesywać wybrany krąg w mieście, stopniowo rozszerzając promień poszukiwań. Będą się coraz bardziej oddalać od tego miejsca.

Ruszyła, ominęła wejście do kościoła, które i tak było zablokowane przez policjantów i ekipę lekarza sądowego. Skręciła i weszła w następną ulicę. Przy wejściu do Santa Marina Maggiore zatrzymała się i nacisnęła mosiężny dzwonek osadzony w gipsowej ścianie przy drewnianych drzwiach w kolorze indygo.

O ile pierwszym przykazaniem w takich sytuacjach było uwolnienie się od ogona, o tyle drugie zakładało znalezienie pomocy. A do tego celu najlepiej nadawał się klasztor Santa Marina Maggiore.

Drzwi otworzyły się niemal natychmiast i oto spojrzała na nią blada owalna twarz, przestraszona i podejrzliwa.

– O co chodzi, *signore*? – Zakonnica była młoda, straszne wydarzenie w sąsiedztwie nadało jej głosowi nietypowo gwałtowny, odrobinę wrogi ton.

– Muszę się zobaczyć z matką przełożoną – oznajmiła Jenny.

– Przepraszam, lecz dziś to niemożliwe. – Mimo woli nieustannie zerkała w stronę kościoła. – Matka przełożona jest bardzo zajęta.

– Czy odtrącicie potrzebującego?

– Mam polecenia – odparła twardo młoda zakonnica. – Matka przełożona nie przyjmuje nikogo.

– Mnie musi.

– Musi?

Na dźwięk tego głębszego, bardziej dojrzałego głosu młoda zakonnica drgnęła i odwróciła się ku innej siostrze, która pojawiła się za jej plecami.

– To wszystko, siostro Andriano. Teraz zajmij się ziołami.

– Tak, matko. – Siostra Andriana lekko dygnęła i uciekła, zerkając za siebie ze zgrozą.

– Proszę wejść – powiedziała starsza zakonnica. – Proszę wybaczyć siostrze Andrianie, jest młoda, jak widać, a poza tym to converse. – Głos miała niski, niemal męski. Była wysoka i smukła, o wąskich chłopięcych biodrach. Po kamiennej posadzce sunęła jakby na jakimś czarodziejskim środku lokomocji. – Jestem siostra Maffia d'Albori. Należę do madri di consiglio, rady Santa Marina Maggiore.

Ledwie Jenny przestąpiła próg, siostra Maffia d'Albori zatrzasnęła drzwi i przekręciła klucz w potężnym starym zamku. Bez słowa poprowadziła Jenny do kamiennego zbiornika z chłodną wodą.

– Proszę umyć twarz – poleciła.

Jenny posłusznie pochyliła się, nabrała wody w dłonie, ochlapała twarz i zmyła miał węglowy. Odwróciła się, a siostra Maffia d'Albori podała jej ręcznik z niebarwionego muślinu.

– Proszę zdjąć czapkę. – Jenny usłuchała. Z gardła zakonicy wyrwał się cichy pomruk. – A teraz proszę się przedstawić.

– Nazywam się Jenny Logan.

– I przed kim lub przed czym uciekasz, Jenny Logan? – Siostra Maffia d'Albori nie była urodziwa. Miała twarz emanującą siłą, wyrazisty rzymski nos, wydatne kości policzkowe i podbródek sterczący i ostry jak miecz.

– Przez rycerzami świętego Klemensa – powiedziała Jenny. – Dwaj ich agenci... może więcej... wślizgnęli się do kościoła i zamordowali ojca Mosto.

– Czyżby? – Siostra Maffia d'Albori przyjrzała się jej głęboko osadzonymi, zaciekawionymi oczami intelektualistki. – Czy odgadłabyś, jak zamordowano ojca Mosto?

– Nie muszę zgadywać, widziałam go. Poderżnięto mu gardło.

– Narzędzie zbrodni? – spytała dość chłodno siostra Maffia d'Albori.

– Nóż. Dokładnie mówiąc, sprężynowiec z perłową rękojeścią.

Siostra Maffia d'Albori podeszła do niej.

– Nie okłamuj mnie, dziewczyno!

– Wiem o tym, bo to mój nóż. Zabrano mi go. – Wyjaśniła szybko, co się jej przydarzyło.

Madre di consiglio wysłuchała relacji z kamienną twarzą, jakby słuchała wyjaśnień, w jaki sposób Jenny zgubiła dwa euro na zakup kartonu mleka.

– I dlaczego zjawiłaś się w Santa Marina Maggiore, Jenny Logan?

– Po pomoc – powiedziała Jenny.

– Dlaczego sądzisz, że ją tu znajdziesz?

– Kazano mi poprosić o spotkanie z Anachoretką.

– Kto ci kazał?

– Mularz.

Wydawało się, że twarz siostry Maffii d'Albori pobladła jak kreda. Dopiero po chwili odzyskała kolory.

– Więc jesteś tą Jenny?

– Tak.

– Zaczekaj tutaj. Nigdzie się nie ruszaj, nie rozmawiaj z nikim oprócz mnie, nawet jeśli ktoś cię zagadnie, czy to jasne?

– Tak, matko – powiedziała Jenny, równie potulnie jak siostra Andriana.

– Nie jesteś *converse* ani *monache da coro*. Nie masz obowiązku nazywać mnie matką.

– Mimo to będę, matko.

Madre di consiglio skinęła głową.

– Jak sobie życzysz.

Odwróciła się, ale Jenny zdążyła zauważyć zadowolenie w jej oczach.

Zostawiona w ciemnym, zalatującym stęchlizną przedpokoju Jenny stała bez ruchu, czekając, tak jak jej kazano. Nie było tu okien, a nieliczne meble – dwa krzesła i sofa – wydawały się tak nieprzyjazne i niewygodne, jakby stworzono je z myślą o pokoju gościnnym w więzieniu. Przedstawiająca Ukrzyżowanie mozaika na posadzce spłowiała ze starości i, być może, od kontaktu z wodami laguny. Zresztą i tak użyto by tylko najbledszych kolorów, bo w klasztorze jaskrawe barwy były zakazane i niestosowne. Łuki ciągnące się pod trzema ścianami pomieszczenia prowadziły do jeszcze mroczniejszego wnętrza. W oddali rozległy się śpiewy – rozpoczęła się seksta, południowa modlitwa. Jak zawsze, przypomniał się jej Dex. To on opowiedział jej o Santa Marina Maggiore, to on kazał jej pytać o Anachoretkę. Dex był Mularzem – tak miały się zwracać do niego zakonnice z Santa Marina Maggiore. Kiedy spytała dlaczego, uśmiechnął się tym swoim krzywym uśmiechem, który tak lubiła.

– Mularz to dawna nazwa murarza – wyjaśnił. – Zakonnice z Santa Marina Maggiore nazywają mnie Mularzem, bo uważają, że to ja dałem im dom.

– A tak jest? – spytała.

I znowu jego twarz naznaczył ten krzywy uśmiech.

– Może w pewnym sensie... dzięki pieniądzom... i temu, że w nie wierzę.

Oczywiście chciała usłyszeć więcej, ale nie pytała, a sam nic nie zdradził. Teraz, wbrew wszelkiemu prawdopodobieństwu, znalazła się w Santa Marina Maggiore i prosiła o spotkanie z Anachoretką, nie mając pojęcia, kim może się ona okazać. Ale, powiedziała sobie w duchu, tak zawsze było między mną i Dexem – on mówił, ja brałam jego słowa na wiarę. To w niego wierzyła, odkąd... ale o tym nie chciała myśleć. Gwałtownie skierowała myśli w innym kierunku.

Otworzyła oczy. U jej stóp spoglądały na nią smutne, błagalne oczy Chrystusa. O co ją prosił? Oczywiście o wiarę. Dla wierzącego katolika życie jest proste. Formułka „Jeśli Bóg pozwoli" pasuje do wszystkich sytuacji, choćby najbardziej katastrofalnych. Ale życie nie jest takie proste i wydawało się jej, że banały, ulatujące z ust duchownych jak bańki mydlane, są nietrwałe, pękają niemal natychmiast po wypowiedzeniu.

Zanim siostra Maffia d'Albori wróciła, seksta już się niemal skończyła. Zakonnica była zarumieniona, jakby biegła.

– Proszę ze mną, Jenny – powiedziała.

Jenny posłusznie poszła za *madre di consiglio*. Weszła w drzwi pod centralnym łukiem i znalazła się na kamiennym portyku, podtrzymywanym przez delikatne kolumny z jasnego wapienia, zwieńczone trójlistnymi kapitelami. Schodki prowadziły do kwadratowego ogrodu, podzielonego na cztery równe poletka. Na jednym hodowano zioła, na drugim małe drzewa figowe, limonkowe i grusze. Na trzecim kołysały się nacie marchwi i liście buraków, a także spoczywały ciemne, lśniące małe bakłażany i falbaniaste liście cykorii, czwartą zaś porastały rzędy malutkich liściastych roślin, których Jenny nie znała.

Tam właśnie pracowała na klęczkach siostra Andriana. Przewracała ziemię szpadlem, wyrywała chwasty, starannie okopywała rośliny. Nie podniosła oczu, ale Jenny widziała jej napięte zgarbione barki i poczuła współczucie.

Ścieżki między poletkami tworzyły kształt krzyża, przez którego środek przeszły w drodze do prywatnych pokojów Santa Marina Maggiore. Jenny znała klasztory na tyle, by wiedzieć, że spotkał ją wyjątkowy zaszczyt – na ogół nikt obcy nie miał wstępu do tych wewnętrznych komnat.

– Przygotuję cię na spotkanie – odezwała się siostra Maffia d'Albori poważnym, trochę męskim głosem. – Być może wiesz, że weneckie zakonnice na ogół wywodzą się z najwyższych sfer. Ta społeczność – nasza społeczność – rządzi się surowymi prawami hierarchii. Mamy *monache da coro*, mniszki z chóru, szlachetnie urodzone, i są też *converse*, stojące społecznie niżej. Tak było w szesnastym wieku, tak jest i dziś.

Przeszły już przez ogród i minęły inne, większe przejście pod łukiem, prowadzące do odrębnej części klasztoru. Ta część budynku znajdowała się w sporym oddaleniu od ulicy, bliżej klasztoru, niż spodziewała się Jenny. Ale architektura Wenecji często naśladuje bieg miejskich ulic, zawiłych i krętych. Zgubienie się w Wenecji jest nieuniknione, to jedna z miłych cech charakterystycznych tego miasta.

Seksta dobiegła końca i w budynku zapanowała głęboka cisza; dobiegały ich tylko najcichsze z ech, jak łagodny plusk wód laguny o stare słupy.

Z niedużego owalnego przedsionka weszły do długiego, wąskiego korytarza, kompletnie pozbawionego ozdób i barw. Miał łukowate

233

sklepienie i elektryczne lampy w niszach, gdzie zapewne niegdyś migotały pochodnie.

Minęli coś podobnego do wieszaka na płaszcze – długą drewnianą deskę, do której przymocowano szereg haczyków z kutego żelaza. Z każdego haczyka zwisał wąski skórzany pas, z jednej strony podszyty włosiennicą.

Jenny dotknęła jednego, z mimowolną ciekawością, ale siostra Maffia d'Albori odtrąciła jej rękę.

– To prywatna własność zakonnic. – Jej ciemne oczy mierzyły Jenny przez chwilę. – Nie rozumiesz, prawda? – Zdjęła jeden z pasków, ujęła go za koniec. – Nazywamy to dyscypliną. Jest to w gruncie rzeczy bat. Używa się ich sporadycznie. Co wieczór w poście, a podczas adwentu trzy razy w tygodniu. Poza tym dwa razy na miesiąc.

Szybkim ruchem nadgarstka przerzuciła dyscyplinę nad głową i uderzyła się nią w plecy.

– Patrzysz ze zgrozą, ale jest to nieunikniona czynność, by rozładować wewnętrzne napięcie ciała. Podobnie jak post, przygotowuje ona ducha do oddawania czci Bogu. – Gestem pełnym rewerencji odwiesiła dyscyplinę na miejsce. – Zanim pójdziemy dalej, musisz coś zrozumieć. Wenecja pod wieloma względami pozostała miastem średniowiecznym. Bardzo umiarkowanie interesuje się światem współczesnym. Tu czas się zatrzymał i jesteśmy wdzięczni za ten dar. Jeśli tego nie zrozumiesz, Wenecja cię pokona. – Po tych słowach odwróciła się na pięcie i poszła przodem.

Jenny popatrzyła po raz ostatni na dyscyplinę, kołyszącą się złowieszczo na haczyku. Ruszyła za *madre di consiglio* korytarzem, który wyszedł na następny, biegnący prostopadle do niego, jak ramię litery T.

Przy zakręcie w lewo siostra Maffia d'Albori powiedziała:

– Wywodzę się ze szlachetnego rodu Le Vergini. Wzorem moich dwóch ciotek i trzech sióstr trafiłam tutaj i w ich obecności oblekłam welon. – Odwróciła się. – Kiedy przyszłam na świat, moi rodzice zadali sobie to samo pytanie co wszyscy, którym urodziła się dziewczynka: *maritar o manacar?* Mężatka czy zakonnica? – Głos miała wyprany z emocji, rzeczowy. – Nie miałam złego charakteru, nie zostałam kaleką w wyniku porodu czy wypadku. Ale widzisz, jak wyglądam, jaki mężczyzna by mnie zechciał? Poza tym okazywałam bardzo niewielkie zainteresowanie płcią przeciwną. Pozostała mi klasztorna furta, za którą zostałam poślubiona Jezusowi Chrystusowi. Nie miałam nic przeciwko temu, lecz w rodzinach, w których urodziło się wiele córek, nie jest niczym niezwykłym przymuszanie do życia zakonnego. W ten sposób oszczędza się na znacznie większych posagach, jakie należy zapłacić przyszłym małżonkom.

Cień uśmiechu zabarwił usta siostry Maffi d'Albori jak szminka.

– Zdaje się, że szokowanie cię wchodzi mi w nawyk.

– Nie całkiem, ale muszę powiedzieć, że poczułam pewną więź.

– Z zakonnicami? Ale jesteś Strażniczką.

– Jestem z Voire Dei... Mularz musiał matce powiedzieć o...

– O tak. – Usta wydęły się, znowu bezkrwiste, prawie kredowobiałe.

– Świat zewnętrzny jest mi obcy tak samo jak matce i zakonnicom.

– Tak sądzisz, Jenny? – *Madre di consiglio* zrobiła dziwny nieznaczny gest, który mógł znaczyć wszystko. – A zatem dobrze, że do nas przybyłaś. I dobrze, że prowadzę cię na spotkanie z Anachoretką.

– Kim ona jest?

Siostra Maffia d'Albori położyła karcąco palce na wąskich, bezkrwistych ustach.

– Nie moją rolą jest cię oświecić. – Odwróciła się i ruszyła dalej. – Sama wkrótce się przekonasz.

Jenny uznała, że to niepotrzebny melodramatyzm. Nieobecność Bravo jeszcze dotkliwiej dawała się jej we znaki. On na pewno znał Anachoretkę. Idąc korytarzem, zdawała sobie sprawę, że robi się coraz ciemniej – słońce nigdy nie docierało tak daleko w głąb klasztoru. Zwykle nie miała skłonności do klaustrofobii, ale teraz nabrała przekonania, że ściany stały się grubsze, że przybliżają się ku sobie, jakby po to, żeby na zawsze odciąć tę część budynku od reszty świata. Wszędzie panowała nienaturalna cisza; nawet dźwięk ich kroków był osobliwie stłumiony, jakby jakaś niewidzialna istota usiłowała go zdusić.

Wreszcie dotarły do najdalszego odcinka korytarza, w ślepy zaułek, jakby zmęczeni budowniczowie właśnie w tym miejscu dali za wygraną. Co dziwniejsze, nie było tu drzwi, jedynie trzy zakratowane okna – jedno na lewej, drugie na prawej ścianie, trzecie na wprost nich.

Światła było tu bardzo niewiele; siostra Maffia d'Albori wyjęła z niszy pochodnię i zapaliła. Migotliwy płomień wyłonił z ciemności korytarz zbudowany nie z kamienia jak wszędzie, lecz z cegieł.

Siostra Maffia d'Albori uniosła pochodnię i zbliżyła się do metalowej kraty okna przed nimi.

– Podejdź, Jenny – powiedziała – musisz stanąć blisko. Jeszcze bliżej. Teraz zajrzyj i przedstaw się Anachoretce.

Jenny usłuchała; podeszła, niemal dotykając nosem metalowych prętów kraty. Jakaś dziwna właściwość płomienia pozwoliła jej wyraźnie ujrzeć celę z krucyfiksem na ścianie. Była w niej także prycza i staroświecki stojak z miednicą, nic więcej. Tylko cienie. Nagle jeden z nich się poruszył. Jenny drgnęła, ale poczuła między łopatkami zaskakująco silną rękę siostry Maffi d'Albori, która popchnęła ją do przodu. A potem ożywiony cień znalazł się w świetle płomienia i Jenny mimo woli jęknęła.

– Mogę sobie jedynie wyobrażać, pod jak ogromną presją znalazła się wasza eminencja – powiedział Jordan Muhlmann, stojąc wraz z kardynałem Felice Canesim przed wyposażoną w specjalistyczny sprzęt separatką w prywatnym, strzeżonym skrzydle szpitala w Watykanie. – Doglądanie Jego Świątobliwości, trzymanie w niepewności prasy, tłumienie wywrotowych plotek, że Jego Świątobliwość stoi u progu śmierci, organizowanie konferencji, tworzenie „nowych" przemówień z urywków starych, nieopublikowanych rozważań Jego Świątobliwości, jak również uspokajanie naszych przyjaciół z wewnętrznej rady...

Kardynał Canesi obnażył zęby.

– Wszystko idzie dość gładko i tak pozostanie, z Bożą pomocą, jeśli i pan będzie się wywiązywać ze swojego zadania.

– Jakżebym nie miał? – powiedział Jordan z uśmiechem. – Wyjątkowy związek Stolicy Apostolskiej z moją organizacją istnieje od stuleci.

– Tak. To Watykan stworzył rycerzy świętego Klemensa, to Watykan powierzał wam misje. Służycie naszym celom.

W tonie kardynała Canesiego nie pobrzmiewała groźba, ale nie musiała. Miał za sobą historię i uświęconą tradycję. Chciał, żeby Jordan uświadomił sobie, czyja ręka go karmi.

– A jak się miewa Ojciec Święty?

– Podają mu tlen. Jego serce z trudem pracuje, płuca powoli wypełniają się płynem. Już widzę jego śmierć, Jordanie. Pełznie po ciele, by go zabrać.

Oczy Jordana zapłonęły.

– Śmierć go nie weźmie, przysięgam, wasza eminencjo. Czynimy postępy, kwintesencja w ciągu paru dni znajdzie się w rękach waszej eminencji.

– Raduję się twoją wiarą i niezłomnym oddaniem. Nie mógłbym sobie wymarzyć lepszego sojusznika. – Kardynał Canesi był brzydki. Nogi miał krzywe, głowę zbyt wielką, osadzoną na ramionach najwyraźniej pozbawionych szyi. – To wielka uprzejmość, że zechciałeś przyjechać i osobiście złożyć wyrazy uszanowania. Twoja obecność znacznie podniosła nas na duchu.

– Dla niego mógłbym dwa razy objechać świat – odparł Jordan z rewerencją, którą w głębi duszy się brzydził.

– Zanim tam wejdziesz, musisz włożyć fartuch, buty i rękawiczki. – Canesi skierował go do przebieralni, małej i pozbawionej okien. Na kołkach wisiał w niej rząd zielonkawych fartuchów. Kardynał zdjął dwa, podał jeden Jordanowi, sam włożył drugi.

Na marmurowych płytach placu zebrały się ogromne tłumy wiernych, z głupimi transparentami, uniesionymi wysoko specjalnie dla kamer telewizyjnych, z oczami wzniesionymi do nieba, z ustami poruszającymi się w modlitwie. Oto moc wiary, pomyślał Jordan, prezentacja władzy Canesiego. Ale to moc pochodząca z innych, dawnych czasów. Popękana, znoszona, wydrążona. Nie zostało z niej nic prócz fasady. Kaleka, wsparta na matce dziewczynka, wynędzniały mężczyzna w wózku inwalidzkim pchanym przez syna, wszyscy przybyli po uzdrowienie, po ratunek, ale Jordan znał prawdę – byli skazani, tak samo jak Canesi.

Jordan odwrócił się od okna z widokiem na ten gabinet okropności. Serce miał zimne jak głaz. Dręczyły go własne problemy, niemające nic wspólnego z Bogiem, a nawet wiarą.

Canesi odezwał się cichym, drżącym głosem:

– Ilu przypłaciło to życiem? – A potem, niemal natychmiast dodał: – Nie, nie, na miłość boską, nie mów, nie chcę wiedzieć.

Pogarda wybuchła w Jordanie jak granat; ujrzał kardynała takiego, jaki był naprawdę: staruszka czepiającego się pytania, jak utrzymać władzę, kiedy jego świat się zmienia.

– Dość powiedzieć, że Haute Cour znalazło się niemal w zagrożeniu.

– Niemal! – krzyknął kardynał Canesi.

– Działamy w odpowiednim tempie. – Jordan zacisnął zęby, słysząc taką hipokryzję. – Wasza eminencja oczywiście rozumie, że chodzi o zagadkę Dextera Shawa.

– Ach, więc dotarliśmy do sedna problemu.

Jordan uświadomił sobie, że gardzi tym człowiekiem. Stanowił symbol Rzymu – miasta zbyt chaotycznego, zbyt zatłoczonego, zbyt brudnego jak na wyrafinowany gust Jordana – a cieplarniana atmosfera Watykanu budziła jego największy niesmak. Cała moc i potęga Kościoła katolickiego skupiła się tutaj jak promień słońca w soczewce, ale podobnie skupiły się też tu jego największe słabości. To miasto--państwo chętnie izolowało się od reszty świata. W rezultacie istniało jedynie we własnej rzeczywistości, pozbawione kontaktu z odtrąconymi ludźmi, boleśnie opieszałe we wszelkich reakcjach.

– Dexter Shaw od lat był nam cierniem w boku – dodał kardynał Canesi. – Umacniając swoją pozycję w zakonie, zyskując władzę, stwarzał nam coraz więcej problemów.

– Nam również. Pragnął zostać *magister regens* – powiedział Jordan. – Między innymi dlatego go usunięto.

– Nie chcę tego słyszeć! – Twarz kardynała pobielała jak kreda. – Czy nie wyraziłem się jasno?

– Tak, wasza eminencjo, ale obaj wiemy, że nadeszły wyjątkowe czasy. Więc ufam, że wasza eminencja wybaczy mi to niewielkie odstępstwo.

Canesi zrobił gest, jakby rozgrzeszając go ze wszystkich małych odstępstw, ale bystry wzrok Jordana dostrzegł zdradliwą mowę ciała. Kardynał poruszał się niespokojnie jak ptak, który stroszy piórka z niepokoju.

– Wiesz, jak ci ufam, Jordanie.

– Oczywiście. A wasza eminencja wie, jak bardzo polegam na jego kontaktach w tej porze największego kryzysu. Wasza eminencja się nie wycofa, prawda?

– Oczywiście, że nie! – rzucił z żarem kardynał Canesi. – Papież ma trzy, może cztery dni życia, jak powiadają lekarze. Dokładają wysiłków, żeby jego stan pozostał stabilny, ale nawet jeśli im się uda, bez kwintesencji nie wyzdrowieje.

W kwestii kardynała Felice Canesiego Jordan nie miał żadnych złudzeń. Gdyby z jakiegoś powodu sprawy nie potoczyły się zgodnie z oczekiwaniami, Canesi znalazłby sobie kozła ofiarnego, a Jordan dokładnie wiedział, kto by nim został.

Miał już więcej niż dość Canesiego. Wyszedł na korytarz i skierował się do pokoju papieża. Jak wszystkie szpitalne sale, zalatywał mdlącą słodyczą i żrącą wonią środków dezynfekcyjnych. Jordan pozostał tam dziesięć minut, tylko na tyle pozwalały siły papieża. Twarz Ojca Świętego była szara, straszliwie zapadnięta, ale w jego jasnoniebieskich oczach pozostało jeszcze sporo życia. Na czele Kościoła stanął ponad dwadzieścia lat temu i widać było, że jeszcze nie jest gotów zrezygnować z władzy.

– Jestem Arcangela, matka przełożona Santa Marina Maggiore.

Pustelnica spoglądała na Jenny przenikliwie szarymi oczami, lekko wyłupiastymi.

– A ty jesteś kobietą Mularza. Miłą dla oka, tak, ale jaką smutną! – Jej oczy wydawały się nieruchome jak oczy sowy, tak że mniszka musiała odwracać głowę, żeby na coś spojrzeć. Była stara i bardzo chuda, z cerą przezroczystą jak papier ryżowy, z wyraźną siatką niebieskich żyłek na skroniach i wierzchach dłoni. Miała twarz o kształcie łzy, z szerokim czołem i zakrzywionym nosem. Jeden kącik ust lekko opadał; Jenny zastanawiała się, czy Arcangela przeszła wylew. Matka przełożona przykuśtykała do niej, powłócząc nogą.

– Dawny wypadek – powiedziała. – Miałam dziewięć lat, gdy mnie to spotkało podczas *acqua alta*. Poślizgnęłam się i statek rozgniótł mnie o nadbrzeże. Rodzice i ja byliśmy na tyle beztroscy i, co gorsza, tak głupi, że stanęliśmy na krawędzi *fondamenta* podczas powodzi, ale uwielbiałam przyglądać się przybierającej wodzie, bo przyjmuje wówczas kolor wina... lub krwi.

Miała szerokie usta, wyraziste wargi, poruszające się jakby z własnej woli.

– Chciałaś się ze mną widzieć?

– Tak – powiedziała Jenny. – Czy mogę wejść, byśmy mogły porozmawiać na osobności?

– Nie możesz – odparła Arcangela – głównie dlatego, że w mojej celi nie ma drzwi.

– Co? – Jenny się wzdrygnęła. – Chyba nie jesteś uwięziona jak anachoreci w średniowieczu?

Matka przełożona uśmiechnęła się z wolna, przekornie, cudownym uśmiechem, który złagodził niepokój Jenny.

– Jestem. Dałam się zamurować z własnej woli, bo jak u wszystkich anachoretów głębia wiary w Jezusa Chrystusa kazała mi odrzucić świat i żyć w odosobnieniu. Dla świata zewnętrznego jestem już martwa. Ojciec Mosto udzielił mi ostatnich sakramentów na chwilę przed zamurowaniem. To było trzydzieści lat temu. – Odwróciła się i wskazała. – Spójrz tam, na tamte okna w mojej celi. To po lewej wychodzi na ołtarz kościoła l'Angelo Nicolò, przez to po prawej dostaję jedzenie i oddaję nocnik, kiedy się wypełni.

Ten opis obudził w Jenny dziwne przerażenie.

– To znaczy, że od trzydziestu lat nie widziałaś nieba?

– Zadajesz sobie pytanie, dlaczego to zrobiłam. Wydaje ci się, że to piekło. – Blade oczy Arcangeli płonęły wewnętrznym ogniem. – Mam rację?

– Tak. – Jenny, zszokowana, mogła wypowiedzieć to słowo tylko szeptem.

– Nie chodzi jedynie o wiarę, zapewniam cię – powiedziała Anachoretka. – Taka wiara nie różni się od szaleństwa.

Podeszła bliżej; Jenny poczuła jej zapach – kwaśny, praśny, zwierzęcy. Taki zapach musieli roztaczać ludzie w czasach Casanovy, pomyślała.

– Nie cofasz się przede mną... to już coś – rzekła Arcangela. – Przebywam tu od trzydziestu lat za pokutę... by odpokutować te wszystkie grzechy, które moje podwładne popełniają każdego dnia swojego życia.

– Ale twoje podwładne są zakonnicami. Jakie grzechy mogą popełnić?

Arcangela wskazała ją i zwróciła się do zakonnicy:

– Spójrz na nią, siostro Maffio d'Albori. Ubrała się jak nasza Santa Marina!

Jenny nie zrozumiała.

– Słucham?

Archangela zakrzywiła węźlasty palec.

– Santa Marina, ósmy wiek, z Bitynii w Azji Mniejszej. – Pokiwała głową. – Podobnie jak ty, w męskim przebraniu – w jej przypadku mnisim habicie – spędziła całe życie wśród mężczyzn. Sprowadziłyśmy jej

240

relikwie w tysiąc dwieście trzydziestym roku, kiedy powołano zakon jej imienia, tak byśmy mogły chodzić wśród mężczyzn, mówić z mężczyznami i w ten sposób sprzyjać dziełu zakonu.

– Zakonu?

Brwi matki przełożonej uniosły się gwałtownie.

– Ach, siostro Maffio d'Albori, zaczęła łączyć informacje, zestawiać mozaikę faktów, które tak cierpliwie jej podsuwałyśmy.

Jenny chwyciła żelazne pręty celi Anachoretki.

– Należycie do gnostyckich obserwantów?

– Tak jak ty – odezwała się stojąca u jej boku siostra Maffia d'Albori.

– Ale powiedziano mi, że...

– Zakon nie przyjmuje kobiet – dokończyła za nią Arcanegela. – A teraz poznałaś prawdę. Od dnia założenia Santa Marina Maggiore nasze podopieczne przebierają się w mnisie habity i wychodzą z tego klasztoru w świat zewnętrzny. W ten sposób zawierałyśmy transakcje z arystokracją, robiłyśmy interesy z kupcami, zbierałyśmy informacje dla doży i samych siebie. To my doprowadziłyśmy do rozkwitu Wenecji, to dzięki naszym kontaktom w Lewancie Najjaśniejsza Republika stała się bogata i potężna.

– A wy wraz z nią – dokończyła Jenny.

Arcangela spochmurniała.

– Ach, teraz nawet mówisz jak nasi współpartnerzy z zakonu.

– O nie, przypomniałam sobie uwagę Bravo, że klasztor dostarczył środków na renowację kościoła w czternastym wieku.

– A teraz, jakże wygodnie, zapomina się o naszej wielowiekowej hojności przez zazdrość niektórych członków Haute Cour – w tym zmarłego ojca Mosto – którzy pragnęli nas wykluczyć, pozbawić władzy. A wszystko dlatego, że ośmieliłam się prosić o reprezentację w wewnętrznym kręgu.

– Ale powinnyście należeć do Haute Cour – powiedziała Jenny.

– Tak sądzisz... tak sądził Mularz. To on wziął nas w obronę, lecz zakrzyczeli go inni. Wówczas przyszedł nam z pomocą, choć nikt o tym nie wiedział.

Bardzo w jego stylu, pomyślała Jenny ze łzami w oczach.

– Nie mamy nic na własność, w przeciwnym razie po co byłaby nam pomoc Mularza? – ciągnęła Arcangela. – Nigdy nie cofałyśmy się przed ślubami ubóstwa, jakie święty Franciszek narzucił obserwantom. Oczywiście przypadkiem natykałyśmy się na bogactwo pod wieloma rozmaitymi postaciami. Ale zawsze przeznaczałyśmy je na pomoc innym, dla dobra zakonu. Nasza lojalność jest niepodważalna. Palec znowu się uniósł.

– A zadanie, przez które nas oczerniono, jest niezmiernie niebezpieczne. Gdy w roku tysiąc trzysta pierwszym nasze pierwsza podopieczna zginęła w Trebizondzie podczas niezwykle ważnej misji, zakon Santa Marina Maggiore się zmienił. W dniu, gdy nasza zmarła siostra w Jezusie Chrystusie została sprowadzona z Trebizondy, ówczesna matka przełożona, siostra Paula Grimani, przysięgła, że zostanie pokutującą anachoretką. Po trzech dniach przybył biskup Torcello, by udzielić jej ostatnich sakramentów. Wówczas została zamurowana. Pokuta ta ciągnie się wiecznie.

Jenny pokręciła głową.

– Ale żeby się skazywać na życie w piekle...

– Czy nie rozumiesz celu tej pokuty? – spytała Anachoretka. – Być może mogłam rzucić palenie lub odmawiać sobie rodzynek. Czy uważasz, że takie ograniczenie jest wystarczającą pokutą za odebranie życia?

– Oczywiście, że nie, ale mogłaś położyć temu kres. Mogłaś rozkazać podopiecznym, by wróciły i nigdy stąd nie odchodziły.

– Tak, mogłabym to uczynić – przyznała Arcangela – lecz wtedy nie zasługiwałabym na miano matki przełożonej. Wówczas nasze tajne zasoby wyczerpałyby się wieki temu i byłby to koniec zakonu.

– Więc wykonałyście prawie całą pracę, a mnisi sukces przypisali sobie.

– To nie takie proste. Oni także nie szczędzili wysiłków. Ale nie myślą tak jak my, prawda? I nie mają dostępu do naszych źródeł. Widzisz, od stuleci na modlitwę przychodzą tu weneckie prostytutki, by szukać odpuszczenia grzechów u Maryi Panny. – Pokręciła głową. – Wiesz, wiele z nich jest bliżej Boga niż tak zwani uczciwi obywatele naszego miasta.

Arcangela zbliżyła się bardziej do światła, które podkreśliło głębokie bruzdy na jej twarzy.

– To ladacznice miały dostęp do każdego w tym mieście, od doży w dół, a my miałyśmy dostęp do ladacznic. W nocy sypiały z politykami, wielkimi kupcami, nawet Ojcami Świętymi, a wyszeptane zwierzania przechodziły prosto do nas. Widzisz, chodzi o maski. To łatwe w mieście masek, gdzie ukrywa się twarz, i każdy, żonaty, duchowny, nawet doża, może nierozpoznany poruszać się po Wenecji, może odwiedzać innych bez obawy, że ktoś się dowie. Dlatego tak często się mówi, że jeśli weneckie ladacznice czegoś nie wiedzą, to nie warto o tym wiedzieć.

– Mnisi musieli mieć wam za złe, że nie mają dostępu do waszych źródeł.

– Naturalnie, i z tego powodu uprzykrzali nam życie. Znali naturę naszych występków. Wiedzieli, że nie możemy się nikomu poskarżyć ani się bez nich obejść – nie mogłyśmy zwracać na siebie uwagi. Przecież jesteśmy kobietami, nie możemy udzielać spowiedzi ani komunii, nie wolno nam odprawiać nabożeństw. Pamiętaj, do moich ostatnich sakramentów trzeba było wezwać ojca Mosto, więc nawet te z nas, które dla większej chwały zakonu wychodzą poza mury klasztoru, są w pewnym sensie uwięzione.

– Nic się nie zmieniło – dodała siostra Maffia d'Albori. – Tak jak ci mówiłam.

– Pamiętam – powiedziała Jenny. – Wenecja mnie nie pokona.

– Dobrze, dobrze. – Arcangela przysunęła się, dotykając Jenny szponiastymi palcami. Skórę miała gładką jak jedwab. – A teraz odpowiem na twoje pytanie.

Jenny zmarszczyła brwi.

– Jeszcze go nie zadałam.

– Nie ma potrzeby – oznajmiła matka przełożona. – Emisariusz człowieka, z którym chcesz się widzieć, właśnie przybył. Siostra Maffia d'Albori zabierze cię na spotkanie z nim.

– Człowieka... Kogo...?

– Ależ Zorziego, oczywiście. Paolo Zorziego – oznajmiła Arcangela zwięźle. – Teraz odejdź. – Skinęła słabo dłonią. – Nie jestem przyzwyczajona do takich rozmów, boli mnie głowa.

Jordan wyszedł z Watykanu w ścisk i gwar właściwego Rzymu. Dobrze, że wynajęty samochód miał klimatyzację, miasto buchało żarem. Na Piazza Venetia zawrócił, przecisnął się przez Forum, zawsze tak pełne turystów, że nie sposób było dojrzeć niższych pięter. Dotarł do Campidolgio, opuścił *centro storico* – serce Rzymu – i znalazł się przy

Ustach Prawdy, w drodze na Awentyn, spokojną, zadrzewioną dzielnicę pełną starych willi, ambasad i luksusowych apartamentowców. Wszystko to obserwował przez przyciemniane szyby, jakby z dala od przegrzanego chaosu rzymskiego popołudnia. Wyjął telefon komórkowy i zadzwonił do Camille. Kiedy odebrała, spytał o najnowsze wiadomości z Wenecji.

– Nie martw się, kochanie. Wszystko zgodnie z planem – powiedziała.

– Dobrze, bo Canesi znowu pręży mięśnie. – Parsknął krótkim śmiechem. – Na jego nieszczęście te mięśnie sparciały.

– Jaka szkoda.

– Jak się zachowuje *signore* Cornadoro?

– Idealnie, kochanie. Teraz muszę poprosić o to samo *signore* Spagnę.

– Nie przejmuj się Osmanem, mamo. Skup się na Bravo.

– Kiedy miałeś powody powątpiewać w moc mojego skupienia?

Jordan poczuł nieprzyjemne, przyspieszone bicia serca, będące reakcją na niezadowolenie matki, szybkie jak świst bata. Wściekł się na siebie.

– W tej chwili, Camille, liczą się tylko efekty. Inne sprawy są nieistotne. Twoim światem jest Bravo i tylko Bravo. Teraz wszystko spoczywa na twoich barkach.

Skończył rozmowę z mieszaniną niepokoju i uniesienia, nie dając matce odpowiedzieć. Zatrzymał się przed statecznym budynkiem ambasady, stojącym w szpalerze patykowatych cyprysów i koralowych bugenwilli. Wyłączył telefon komórkowy. Wysiadł i omal się nie przewrócił od uderzenia fali upału. Kiedy wchodził po schodach z istryjskiego kamienia, drzwi się otworzyły i Osman Spagna zaprosił go z lekkim ukłonem do chłodnego, klimatyzowanego wnętrza.

– Jakaż to radość znowu cię ujrzeć, Wielki Mistrzu.

Jordan skinął mu głową i ruszył za nim przez fasadowe gabinety ambasady Cypru. Prawdę mówiąc, w Rzymie nie było ambasady Cypru. Obowiązki te przejęła ambasada Nowej Zelandii. Budynek ten mieścił kwaterę główną Bractwa Rycerzy Świętego Klemensa od Świętej Krwi.

Spagna otworzył specjalnym kluczem drzwi i po chwili usiadł wraz z Jordanem przy stoliku z lśniącego drewna tulipanowca w pomieszczeniu o wysokim suficie, z podwójnymi drzwiami z jednej strony i oknem z widokiem na wypieszczone trawniki i drzewa z drugiej. Jednak tego fantastycznego widoku nie można było podziwiać, bo okno zasłonięto grubymi aksamitnymi draperiami. Ściany były pozbawione jakichkolwiek zdobień; nic w tym pokoju nie zdradzało jego przeznaczenia.

– Dokumenty gotowe, Wielki Mistrzu – zaczął Spagna, podsuwając Jordanowi teczkę. – Wszystko zgodnie z wytycznymi.

Jordan łapczywie rzucił się na podpisany kontrakt sprzedaży budynku, w którym się znajdowali, w którym od dziesiątków lat mieściła się siedziba rycerzy.

– Jesteś pewien, że nikt o tym nie wie?

– Całkowicie – zapewnił Spagna; niski, krępy, ciemnoskóry mężczyzna, z wielkim nosem i chytrymi ślepkami łasiczki. Dzięki wyrachowanemu, matematycznemu umysłowi był stosownym współpartnerem dla Jordana, wymarzonym inżynierem architekta imperium.

– Jak widzisz na stronie piątej, paragraf siódmy, tekst jest dość precyzyjny. Kupujący nie może podać tej transakcji do wiadomości publicznej przez trzy miesiące od zakupu. Ponieważ ma to być jego rezydencja, kwestia ta nie stanowiła żadnego problemu.

Jordan westchnął.

– Przynajmniej stąd wyjeżdżamy, przynajmniej się uwolnimy od Rzymu, Watykanu i kardynała Canesiego.

Spagna przytaknął.

– W rzeczy samej jest to ostatni krok ku wolności – powiedział. – Przez ostatnie dziesięć lat wspólnie wykorzystywaliśmy środki i kontakty Lusignan et Cie, by w tajemnicy wymienić potęgę i kapitał, który zapewnił nam kardynał i jego klika watykańskich bywalców.

To właśnie był cel przyjazdu Jordana do Rzymu – nie płaszczenie się przed kardynałem ani wizyta u papieża, lecz uzupełnienie ostatniego elementu planu.

– Więc gotowe – moje marzenie się ziściło. Od tej chwili rycerze nie są już zależni od Canesiego ani papieskich kaprysów. Możemy bez przeszkód stać się kowalami własnego losu.

Wstał, Spagna także się podniósł. Razem otworzyli podwójne drzwi, prowadzące do ogromnej sali konferencyjnej. Za progiem na ich widok trzydziestu pięciu zebranych – biznesmenów, polityków, ekonomistów, finansistów, handlarzy walutą i towarami, członków grup kreatywnych z dwudziestu różnych krajów – podniosło się z miejsca jak jeden mąż i stanęło pod sztandarem z wyhaftowanym siedmioramiennym fioletowym krzyżem, godłem rycerzy świętego Klemensa.

– Panowie – odezwał się Jordan – przybywam z doniosłymi wieściami, na które wszyscy czekaliśmy. – Obszedł stół z drewna różanego i stanął pod sztandarem. Szarpnął za jego róg. Sztandar spłynął w dół, osunął się w fałdach u jego stóp. Spod niego wyłonił się nowy, nazywany tarczą Gyronny: z centralnego punktu promieniowały linie, dzielące tarczę na sześć trójkątnych sekcji. W środku znajdował się czujny Gryllus, mityczny stwór, potworny świerszcz z głową lwa o wyszczerzonych kłach. Było to godło Muhlmannów.

Jordan, z rumieńcem triumfu, odwrócił się do zebranych.

– Rycerze świętego Klemensa, jakich znaliśmy, odeszli w przeszłość – powiedział. – Niech żyją rycerze, których sami stworzymy!

Wspaniałe przeznaczenie, pomyślał wśród rosnącego gwaru, a doszło do niego dzięki śmierci Dextera Shawa, dzięki śledzeniu poczynań Bravermana Shawa. Bo kiedy Bravo wreszcie znajdzie kryjówkę gnostyckich obserwantów, Jordan nią zawładnie, wszystkim, także Testamentem Jezusa Chrystusa i kwintesencją, której nigdy nie zamierzał oddać Canesiemu. Nie, przypadną jemu i to on zrobi z nimi, co zechce. Nawet Camille nie wiedziała, że zamierzał się namaścić kwintesencją i zbliżyć do nieśmiertelności niczym Matuzalem.

Ale teraz nie myślał o nieśmiertelności – tylko o przyszłości. Na razie zadowolił się wyobrażeniem końca tej gry, kiedy Bravo padnie na kolana, kiedy wyzna mu prawdę. Chciał spojrzeć w twarz przejętego zgrozą Bravo, zanim odbierze mu życie.

17

Bravo siedział w parku Washington Square w Greenwich Village, naprzeciw swego ojca. Rozdzielał ich kwadratowy, betonowo-kamienny stół z planszą szachową. Wybrał partię włoską, spokojną, ale po szóstym ruchu zrozumiał, że to na nic – ojciec powoli, lecz nieomylnie, jak zwykle, zyskiwał nad nim przewagę.

Przez korony platanów przesiewały się plamki światła, krzyki dzieci, jeżdżących na rolkach lub rzucających frisbee, dryfowały jak balony w łagodnym powietrzu schyłku lata. Gołębie – te skrzydlate szczury Nowego Jorku – dreptały po sześciokątnych płytkach, łakomie dziobiąc okruszki.

Kiedy Bravo przesuwał skoczka na c3, Dexter spytał:
– Jak sądzisz, co by się wydarzyło, gdybyś postanowił nie poświęcać pionka z e?

Bravo zastanawiał się przez chwilę. Już wiedział, że skoczek na c3 to błąd taktyczny – ojciec na swój sposób właśnie mu to powiedział. Prześledził rozwój strategii i dostrzegł błąd, zaczął szukać innego wyjścia i w końcu przesunął gońca na d2.

Dexter wyprostował się z zadowoleniem. Tak przedstawiała się jego standardowa metoda kształcenia syna. Nigdy nie pouczał Bravo, co ma robić, raczej skłaniał go do przemyślenia strategii, znalezienia błędu o własnych siłach, a wówczas, dzięki nowej wiedzy, znalezienia lepszego wyjścia.

Po rozgrywce schowali bierki, zgodnie z tradycją najpierw królów i królowe, na końcu pionki.

– Pamiętasz, jak twoja mydelniczka pędziła wokół fontanny?
– To ty mi zrobiłeś taką wyścigówkę. Dzięki niej wszystkich zwyciężałem.
– Sam to sobie zawdzięczasz. Urodziłeś się z wolą zwycięstwa.
– Ale ten jeden raz przegrałem.

Dexter skinął głową.
– Z Donovanem Batemanem, dobrze pamiętam.
– Popchnął mnie i upadłem.
– Przyszedłeś do domu z kolanem całym we krwi – a kiedy się rozebrałeś i matka zobaczyła, że bok masz cały w siniakach, omal nie zemdlała.
– Ale mnie poskładałeś do kupy, tato. Powiedziałeś, że jesteś ze mnie dumny.
– Byłem. – Dexter zasunął wieko czarno-białego pudełka, w którym przechowywał szachy. – Nie płakałeś, nawet się nie skrzywiłeś, kiedy ci wyjmowałem żwir z kolana, choć musiało boleć jak diabli.
– Wiedziałem, że jeśli przy mnie jesteś, wszystko będzie dobrze.

Dexter wziął pudełko pod pachę i wstali.
– Chciałbym, żebyś przez jakiś czas pomieszkał w domu.
– Jak się trzymasz, tato?

Kremacja Steffi odbyła się niespełna tydzień temu. Kiedy trumna wjeżdżała do wielkiego pieca, Dexter stał w milczeniu, z pochyloną głową, z Bravo z jednej, Emmą z drugiej strony. Dexter chciał – może musiał – zobaczyć cały proces, od początku do końca, a oni chcieli tego, co on. Powiedziano im, że ogień będzie płonął przez dwie godziny, więc wyszli do staroświeckiej kawiarenki. Stały tam chromowane wysokie stołki i boksy z sofami obciągniętymi winylem. Stara kelnerka była ubrana na czarno, niczym żałobnica, a małe czarno-białe kafelki były sześciokątne jak krusząca kości maszyna w krematorium. W lustrzanym pasie nad barem zobaczyli własne szare, ponure twarze. Dziwne, przez te dwie godziny ich rodzina była sobie bliższa niż kiedykolwiek. Zjedli kanapki z indykiem, które dostali z dodatkami i sosem żurawinowym w małym papierowym kubeczku, wypili napoje z lodami czekoladowymi i wspominali Steffi. Ten powrót ludzkiego ciała do pierwotnej formy węglowej był jakoś wyzwalający. Tak przynajmniej powiedział Dexter dzieciom, wtedy i później, kiedy rozsypali prochy na płowej ziemi w małym ogródku na tyłach ich domku, gdzie za kilka miesięcy miały wystrzelić w zachwycie irysy, dalie i róże.

– Nie na długo. – Ojciec spojrzał na niego i po raz pierwszy ukazał cały swój ból, jaki spowodowało cierpienie i śmierć Steffi. – Po prostu mijając twój pokój nocą, chcę zobaczyć twoją głowę na poduszce, i tyle. Na jakiś czas, dobrze?

– Jasne.

Dexter zatrzymał się koło platana, położył rękę na wygrzanej korze, łaciatej jak kundel sąsiada.

– Czasami, Bravo, późną nocą, kiedy wędruję po domu, widzę ją albo słyszę, jak wchodzi, jak mnie woła, ten jej głos, taki ciepły i czuły, wiesz, jak słońce…

W tej strefie mroku między nieświadomością a świadomością Bravo nie potrafił rozstać się ojcem. Twarz Dextera miała się rozpłynąć we mgle, a Bravo myślał o kwintesencji, tak strasznie pragnął ją odnaleźć, nanieść na ciało ojca, zobaczyć jego zmartwychwstanie. Ale niemal natychmiast uświadomił sobie, że do tego nie dojdzie. Ojciec nie chciałby zmartwychwstać. Skąd mógł mieć taką pewność? Zdawał sobie sprawę, że ojciec musiał myśleć podobnie po śmierci Steffi. Miał dostęp do skrzyni tajemnic, a co za tym idzie, także do kwintesencji.

Dlaczego jej nie wykorzystał, nie przywrócił życia ukochanej Steffi? Bo zgadzał się z wujkiem Tonym, że kwintesencja nie jest dla ludzi. Sprzeciwia się prawom natury, zastosowanie jej zakłóciłoby delikatną równowagę, zaowocowałoby nieznanymi, być może katastrofalnymi konsekwencjami. To dlatego zakon tak zazdrośnie strzegł jej przez stulecia, to dlatego on musiał wykonać zadanie, jakie powierzył mu ojciec. Teraz rozumiał to jak jeszcze nigdy dotąd. Bo choć wiedział, że tak się nie godzi, czuł tę potężną pokusę, tę możliwość, choć wydawała się nieprawdopodobna, że ojciec mógłby powstać z martwych, wrócić do świata żywych. Mogliby dokończyć wszystkie rozmowy, mogliby się już nie kryć, wyjawić sobie nawzajem myśli i uczynki. Mogliby w końcu zacząć się w pełni rozumieć, osiągnąć w swojej obecności błogi stan wybaczenia.

W końcu, wynurzywszy się w pełną świadomość, przewrócił się i jęknął. Poczuł, że zmieniło się coś i dopiero po chwili uświadomił sobie, że nie ma kołysania, nie jest już w *motoscafo*. Otworzył oczy i przekonał się, że daszek zniknął. Znalazł się w małym, ciasnym pomieszczeniu z prymitywną pryczą, na której leżał, ascetyczną, porysowaną komodą, na której stał praktyczny dzbanek i miednica z białej porcelany. Na ścianie nad pryczą wisiał drewniany krzyż. Znajdował się w celi klasztornej.

Przez okno lały się strumienie światła. Choć małe, było otwarte i pozbawione krat – dziwne jak na celę, bo musiał założyć, że pojmali go rycerze świętego Klemensa. Jenny miała zabić ojca Mosto, a potem zaprowadzić go na most, gdzie czekali na niego rycerze. Przez chwilę leżał, rozmyślając nad jej zdradą. Oszukała go tak samo jak jego ojca. Przysiągł, że to się nie powtórzy. Jeśli się stąd wydostanie.

Wstał obolały i podszedł do okienka. Widać było z niego piękny klasztor, a za kamiennym murem rzędy doskonale utrzymanych drzew. W tej samej chwili pojawiły się dwie postacie, jakby czekały tylko na niego. Były w mnisich habitach, z kapturami jak kapucyni, ale o twarzach twardych i zdecydowanie nieświątobliwych.

– Pewnie się zastanawiasz, czy to ochroniarze.

Odwrócił się i ujrzał masywnego mężczyznę o sinych, obwisłych policzkach i zaciekawionym spojrzeniu. Mężczyzna był niemal zupełnie łysy; wokół mocno ogorzałej łysiny zostały mu kępki delikatnych, płowych włosów. On także miał na sobie habit.

– Tak – dodał – ale nie tacy, jak sądzisz. Znaleźli się tu, by cię chronić. Bravo roześmiał się nieprzyjemnie.

– Mówimy o tych samych typach, które zrzuciły mnie z mostu i ogłuszyły?

– Moi ludzie bronili się z nadmiernym zapałem. Powiedzieli, że jesteś wyjątkowo silny. Jak byk, cytuję.

– Nie wierzę. Nie wiem, czego ode mnie chcecie, ale rycerze świętego Klemensa nic ode mnie nie dostaną, w żadnych okolicznościach.

Mężczyzna odsłonił w uśmiechu bardzo białe zęby.

– Słucham tego z największą przyjemnością, Bravermanie Shaw. Mówisz jak prawdziwy Klucznik.

– Czyli mnie znasz. Ale ja nie znam ciebie.

– Nazywam się Paolo Zorzi. – Jego grube brwi się uniosły. – Ach, widzę, że o mnie słyszałeś.

– Nie jesteś Zorzim ani nikim z gnostyckich obserwantów.

– Ależ jestem.

– Przekonaj mnie.

– Rozumiem twój sceptycyzm i raz jeszcze mu przyklaskuję. – Wyjął coś zza paska na plecach. – Krok numer jeden. – Pokazał sig sauera, który Bravo zabrał ze skrytki depozytowej ojca.

Bravo spojrzał na niego, potem na Zorziego.

– Albo nienaładowany, albo bez iglicy.

Mężczyzna podający się za Zorziego wzruszył ramionami.

– Mój przyjacielu, można się przekonać tylko w jeden sposób.

Bravo ostrożnie wziął pistolet z wyciągniętej ręki. Sprawdził komorę, magazynek i iglicę. Na pierwszy rzut oka broń wyglądała dokładnie tak, jak w dniu, kiedy znalazła się w jego posiadaniu.

Mężczyzna przechylił głowę.

– Nie wiem, skąd go masz, ale to dobrze, że jesteś uzbrojony. Krok drugi: możesz się poruszać o własnych siłach?

A kiedy Bravo nie drgnął, otworzył drzwi. Na kamiennym korytarzu nie było ochroniarzy.

– Proszę. Odpowiem na wszystkie twoje pytania. Nazywam się Paolo Zorzi. Naprawdę.

Wyszli na korytarz podeszli do małych drewnianych drzwi nabijanych masywnymi żelaznymi ćwiekami. Zatrzymali się w cieniu. Pomimo bliskości laguny było gorąco i duszno. Ruszyli dalej; Bravo ciągle nie widział ochrony. Zaczął się trochę odprężać. A może tamten właśnie tego chce? – pomyślał. Po chwili zerwał się lekki wietrzyk, zmarszczył ciemną wodę, ochłodził go.

– Dobrze, *signore* Zorzi, gdzie jestem?

– Na wyspie San Fancesco del Deserto. W lagunie, niedaleko Burano. A konkretnie w klasztorze, świętym miejscu. W trzynastym wieku święty Franciszek powrócił z Ziemi Świętej, gdzie głosił Słowo Boże. Jego statek napotkał straszliwą burzę i omal się nie rozpadł, lecz raptem zawierucha nagle ucichła, a w aureoli błękitu na niebie pojawiło się stadko białych ptaków. Zaczęły słodko śpiewać i zaprowadziły świętego Franciszka na tę wyspę.

Widząc, że Bravo krzywi się, siadając, Zorzi dodał:

– Powinieneś zobaczyć, jakie siniaki mają moi Strażnicy.

Bravo przypomniał sobie nagle natarczywy głos w *motoscafo*. Nie słuchał, nie chciał słuchać. Teraz wiedział, że powinien.

– Dlaczego mnie tu sprowadziłeś? – spytał.

– Bo gdy uciekłeś z kościoła, groziło ci niebezpieczeństwo. Rycerze otaczali ten teren.

Za nimi czaił się klasztor, zwarty, strzeżony jak forteca. Jedna jego strona osypywała się w gruzy. Ich przejście obluzowało suchą ziemię, spod chwastów i traw buchnął słodki zapach rozkładu.

– Zdaje się, że grozi mi większe niebezpieczeństwo. Mówię o mojej Strażniczce.

– O kim? – Spojrzenie Zorziego stwardniało. – O Jen?

Bravo skinął głową.

– Nonsens. Uczyłem ją, choć pewnie już o tym wiesz, prawda? – Twarz Zorziego znowu pociemniała z gniewu. – Więc chcesz mnie obrazić? Jest moją najlepszą uczennicą – można by powiedzieć, cudownym dzieckiem.

– Bez urazy, ale coś się z nią stało. Zabiła ojca Mosto i napadła na mnie. Chwilę przedtem ojciec Mosto ostrzegł mnie, że mój ojciec podejrzewał ją o zdradę. – Nie powiedział, że na liście, którą pokazał mu Mosto, było także nazwisko Zorziego. Komu miał uwierzyć? Komu zaufać?

– To potworne. Ona, akurat ona?

– Akurat ona, tak. Zakon jej nie ufał, wykorzystał ją, miała mnóstwo powodów, by nas zdradzić.

Zorzi pokręcił głową.

– Ale nie mnie, mnie by nigdy nie zdradziła. Musi istnieć inne wytłumaczenie.

– Więc chętnie je usłyszę.

Zorzi nie odpowiedział. Odwrócił się z zaciśniętymi pięściami. W oddali Bravo widział jakąś łódkę, ale z powodu mgiełki wyglądała jak starorzymska trirema. Laguna była płaska jak pustynia, dlaczego nie miałyby nad nią powstawać miraże? Pomyślał o Jenny, o jej spojrzeniu, zapachu skóry, dotyku włosów. Dopiero teraz zaczął sobie uświadamiać, do jakiego stopnia jej ufał, i że ta ufność doprowadziła go do utraty czujności. Czy z ojcem było tak samo? Czy zafascynowała Dextera tak jak jego? Ojciec Mosto był tego pewien. „Boję się jej – powiedział – bo zbliżyła się do Dextera jak jeszcze nikt". To Jenny go zabiła, to ona zdradziła, tak jak obawiał się Dexter. W lagunie odbijało się niebo – a może to niebo odbijało lagunę? Oszołomiony, już nic nie wiedział, wszystko, co znane, stanęło na głowie.

– Po tym, co dla niej zrobiłem... – Głos Zorziego zadrżał. – Przesłucham ją. A jeśli jest winna, osobiście ją zabiję.

– Będę czekać w kolejce – powiedział Bravo.

Zorzi odwrócił się, jego twarz wyglądała mniej więcej normalnie.

– Nic podobnego, przyjacielu. Jesteś Klucznikiem, wiesz, jaką masz misję. Nic nie może ci przeszkodzić ani zwieść z drogi. Musisz znaleźć skrzynię tajemnic i ocalić ją przed rycerzami.

– Ale nie wiem, gdzie jej szukać.

– Nie wiesz? – Zorzi wyjął metalową puszkę, którą Bravo znalazł w szafce z datkami. – Krok trzeci.

Podał mu ją.

– Ty mi ją zabrałeś?

– Wziąłem na przechowanie, zapewniam cię.

Zorzi nadal trwał z wyciągniętą ręką; na jego ramieniu Bravo dostrzegł wytatuowanego orła w locie. Zorzi zauważył spojrzenie Bravo i parsknął cichym śmieszkiem.

– Obnoszę mego orła z dumą. Tylko sześć lub siedem rodzin w całej Wenecji miało prawo nosić w herbie orła lub lilię. Historia mojego rodu sięga siódmego wieku, choć niektórzy powiadają, że wcześniej, aż do założenia Rzymu.

– Zorzi, tak – powiedział Bravo w zamyśleniu. – Wasz ród należy do *Case Vecchie*, starych domów... dwudziestu czterech rodzin założycieli republiki.

Zorzi uniósł brwi.

– No proszę. Bardzo niewiele osób o tym wie – inne temu przeczą. Ale to fakt.

Szli wzdłuż wybrzeża. Słońce prażyło wody laguny, ptaki śmigały nisko, krzyczały w zaroślach. Nieco dalej widać było *barene*, równiny solne – właściwie solno-gliniaste. Woda latami nanosiła tam muł i sól, a obecnie ptaki błotne urządziły sobie na nich tereny łowieckie.

– Zostawię cię w spokoju, żebyś mógł się zastanowić nad zagadką swojego ojca – powiedział Zorzi i ruszył ku swoim ludziom, oddalonym o jakieś pięćset metrów.

Bravo, wdzięczny za chwilę samotności, spojrzał na kwadratowy zamek. Był tej samej wielkości i głębokości co zamek z podwodnego sejfu z Saint-Malo. Włożył do niego drugi kluczyk, przekręcił w jedną, potem w drugą stronę. Stalowa skarbonka otworzyła się.

Wewnątrz znalazł zwinięty kawałek papieru z kolejnym ręcznie wypisanym szyfrem. Przeczytał go uważnie. Oczywiście był inny, bardziej skomplikowany niż zmodyfikowany szyfr podstawieniowy Cezara. Bravo już wiedział, że potrzebna będzie tabela szyfrów, więc założył, że ojciec musiał ją gdzieś umieścić.

Zajrzał do małego, wyświechtanego notesu. Tylko tam ojciec mógł zamieścić klucz do szyfru. Wspiął się na falochron, usiadł na białym kamieniu i spojrzał na zamgloną lagunę. Woda i niebo były nierozróżnialne, wszystko było swoim odbiciem, i znowu odniósł wrażenie, jakby cała Wenecja była soczewką, przez którą musiał patrzeć.

Z niemal obsesyjną cierpliwością zaczął przeglądać notes, szukając numerów strony, wersów, liter, zwykłych przy kluczu do szyfru. Oczywiście mógł zacząć od wypisania częstotliwości pojawiania się liter w zaszyfrowanym tekście – na przykład w języku angielskim literą występującą najczęściej jest e, a najrzadziej – t. Każda litera alfabetu ma własną częstotliwość występowania. Ponadto samogłoski mają tendencję do łączenia się z innymi – na przykład „ou” i „ie”, co nie odnosi się do spółgłosek.

Badanie częstotliwości występowania liter sięga aż do dziewiątego wieku. Pierwszą znaną metodę deszyfracji opracował arabski naukowiec Abu Jusuf al-Kindi. Jednak jego metoda najlepiej się sprawdzała w przypadku dłuższych wiadomości – im dłuższa, tym lepiej – a ten tekst był krótki. Po drugie, i ważniejsze, częstotliwość zmienia się w zależności od języka. Na przykład w języku arabskim najczęściej występującymi literami są a i l. Jednak Bravo wiedział, że w tekście będzie nie mniej niż pięć różnych języków. To było typowe dla jego ojca, którego nic nie cieszyło bardziej niż wykorzystanie klasycznego szyfru i postawienie go na głowie, tak by nawet ekspertom opadły ręce.

Bravo, mający fotograficzną pamięć, mógł oczywiście dzięki tym metodom pracowicie rozkodowywać szyfr ojca, ale nie miał czasu ani pewności, że osiągnie sukces. Dlatego potrzebował klucza.

Raz jeszcze przewertował notes, tym razem od końca. Na kartce mniej więcej w środku natknął się na zdanie: „Musi istnieć przyczyna tego ruchu". Samo w sobie nic nie znaczyło, ale na następnej stronie natknął się na ten sam tekst w odwróconym szyku, jakby ojciec pracował nad nowym szyfrem. W dziedzinie szyfrów ojciec przepadał za inwersją. Bravo pewnie by tego nie zauważył, gdyby nie kartkował notesu od końca. Wziął długopis, zestawił te dwa zdania, jedno bezpośrednio pod drugim. Pewne litery się powieliły: t i e, co było interesujące w aspekcie częstotliwości występowania liter, ale Bravo wiedział, że ojciec uwielbiał dołączać do kluczy takie fałszywe tropy. Jednak była to podpowiedź, że klucz ten może być wariantem 3DES, potrójnego Standardowego Szyfrowania Danych, algorytmu opracowanego w połowie lat siedemdziesiątych. E jest piątą literą alfabetu, t dwudziestą. Dwadzieścia minus pięć równa się piętnaście. Minus dwa – bo dwie litery, e, i t – równa się trzynaście. M jest trzynastą literą alfabetu. Zwrócił uwagę na m, szóstą literę w pierwszym zdaniu, czwartą w drugim*. Dodał dwa, odjął liczbę liter, które występowały przed m. Otrzymał osiem. Oto klucz.

Pochylony nad kartką, zabrał się do szyfru. W końcu otrzymał to, co zostawił mu ojciec: „Przypomnij sobie, gdzie byłeś w dniu narodzin i imię swojego trzeciego zwierzęcia".

Urodził się w Chicago, ale w żaden sposób nie potrafił się domyślić, jak to się łączy z Wenecją. W końcu zabrał się do drugiej części szyfru.

---

* Zdanie to brzmi po angielsku następująco: *There must be a reason for all this movement.*

Jego trzecim zwierzakiem domowym był kundel – przybłęda, tak jazgotliwy, że nazwał go Szczek. Oto jeden fragment układanki, którą zostawił mu ojciec.

Przypomnij sobie dzień... Urodził się w szpitalu Świętej Marii z Nazaretu. Ale czy to mu mogło pomóc? W tym mieście jest pewnie z tysiąc figur Matki Boskiej, a zresztą jaki związek ma Maria z Nazaretu ze słowem „szczek"? Podniósł głowę. Popołudnie przeminęło. Chłodna bryza, obwieszczająca zachód słońca, wzburzyła mu włosy. Koszula przylgnęła do pleców. Z westchnieniem zamknął notes i na powrót schował karteczkę do puszki. Potem zszedł z falochronu i ruszył na poszukiwanie Paolo Zorziego.

Była taka chwila, kiedy Anthony Rule poczuł się zagubiony na morzu. Jak to się zwykle dzieje w lecie, pojawiła się popołudniowa mgiełka, zrodzona z upału i wilgoci wiszącej nad Wenecją jak całun. Zatonął w tej bieli, przez którą przebijał się tylko pulsujący krąg prażącego słońca. Przez chwilę jego ręka spoczęła na drewnianym rumplu *topo* – lekkiej rybackiej łodzi żaglowej – bez zamiaru nadania jej jakiegoś konkretnego kierunku. Zniknięcie z oczu reszty świata obudziło w nim żarliwe uniesienie, jakby mógł zostać, kim tylko chciał. To poczucie uwolnienia było przeszywające.

Przepłynął na południe od Burano, ze sklepikami koronczarek, tak kolorowymi, że wyglądały, wypisz wymaluj, jak dekoracje do wesołej operetki. Był doświadczonym żeglarzem, kochał łodzie wszelakich rodzajów i czuł się na wodzie równie swobodnie jak na stałym lądzie. Przekonanie właściciela *topo*, żeby powierzył mu swoją jednostkę, było jedynie kwestią dwustu euro i normalnej stawki godzinowej, oczywiście zawyżonej. Zapłacił cenę bez targów. Lepiej, żeby właściciel uznał go za idiotę i natychmiast o nim zapomniał, niżby miał go z szacunku zapamiętać.

Solidna i zwrotna *topo* sprawowała się dobrze. Zbudowano ją w Chioggi, gdzie po raz pierwszy zaczęto je robić, i czuł się na niej niemal tak swobodnie, jakby stała się częścią jego ciała.

W Dreux zawarł zwykłą transakcję z rycerzami świętego Klemensa, ale od czasu Saint-Malo wszystkie jego myśli krążyły wokół Bravo.

Wystarczyło pięć minut rozmowy, a już się przeklinał za to, że zapomniał, jak inteligentny i pomysłowy jest jego „bratanek". Właśnie wtedy postanowił zmienić cel swojej misji. Jego uprzywilejowana pozycja zezwalała na tę dowolność, więc podążył za Bravo i Jenny do Wenecji. Jego niepokój, co zrozumiałe, osiągnął apogeum na widok niewczesnej interwencji Paola Zorziego na moście przy kościele l'Angelo Nicolò. Doskonale wiedział, co Dexter myślał o Zorzim, a teraz Zorzi doprowadził całą sytuację, i tak delikatną, na krawędź katastrofy.

Nagle z mgły wyłoniły się – jednocześnie jak duchy – zarysy drzew: park San Francesco del Deserto. Natychmiast zrzucił dwa żagle i *topo* podryfowała z nurtem. Bez wątpienia franciszkanie, zamieszkujący większą część tej wysepki, nie mieli pojęcia o obecności Zorziego – a może Zorzi zapłacił, komu trzeba. Rule zawarł z nim wystarczająco wiele transakcji, by znać jego biegłość w obchodzeniu praw i obyczajów.

Nie wiedział tylko jednego – najważniejszego – ilu Strażników zabrał Zorzi na wysepkę. Musiało być ich dostatecznie wielu, żeby zapewnić mu bezpieczeństwo, ale nie tylu, żeby rzucili się w oczy franciszkanom.

Wysepka miała w przybliżeniu kształt kwadratu; Rule zmierzał do brzegu najbardziej zalesionego i najdalej położonego od klasztoru. Tu i tam dostrzegał poprzez mgłę mur biegnący wokół wysepki, tuż za wąską, podłużną skałą.

Myślami wrócił do Bravo. Ile razy w minionych latach rozmawiał o nim z Dexterem? Już dawno stracił rachubę. Ale to on namówił Dextera, żeby uczył syna, choć Stefana protestowała. Temat był drażliwy. Dexter i Stefana omal się z jego powodu nie rozstali. Dexter mieszkał u Rule'a prawie przez trzy tygodnie. Bravo miał wtedy siedem lat, Rule odwiedzał go kilkakrotnie, przynosił prezenty, zabierał do zoo, a raz do Radio City na koncert wielkanocny. Opowiedział małemu bajkę, że Dexter wyjechał w interesach, i Bravo nigdy o nic go nie pytał. Wtedy po raz pierwszy Rule zrozumiał prawdziwą naturę związku Dextera z synem i poczuł przypływ potężnych uczuć.

W domu Rule nie opowiadał nic Dexterowi, pozwalał mu dojść do własnych wniosków. W sprawie rodziny Dexter nie przyjmował porad, więc Rule zapewnił mu coś ważniejszego od pouczeń: towarzystwo i pociechę. Reszta, miał wrażenie, sama się ułoży. I rzeczywiście: Dexter wrócił do Stefany, a edukacja Bravo stała się intensywniejsza.

Rule uznał, że znalazł się odpowiednio blisko, przygotował się, stanął na środku łodzi, w miejscu pozbawionym pokładu. Ładownia cuchnęła rybami. *Topo* zbliżyła się do skały. Na pewno zwabi dwóch, może trzech Strażników. To nieważne. Przybył po Bravo i wydostanie go, za każdą cenę.

Bravo znalazł Paolo Zorziego dwieście metrów dalej, opartego o falochron i palącego leniwie, jakby nie miał żadnych trosk. A jednak na ciche powitanie Zorzi wyprostował się błyskawicznie. Wyrzucił niedopałek, jasna iskierka utonęła we mgle.

– Złamałeś szyfr?

– Niestety nie – skłamał Bravo. Nadal pamiętał, że Zorzi był na liście podejrzanych ojca. – Potrzebuję więcej czasu.

Zorzi rozłożył ręce z uśmiechem.

– Nie martw się. Tego jednego mamy pod dostatkiem.

Pod mglistym, srebrnobłękitnym niebem ruszyli z powrotem do klasztoru. Po drodze Bravo naliczył trzech Strażników; wszyscy przyglądali się mu z dziwną mieszaniną znudzenia i niepokoju.

– Musisz być głodny – odezwał się przyjaźnie Zorzi. – Usiądźmy do stołu, a potem, jeśli chcesz, mogę ci pomóc przy szyfrze. W takich sprawach jestem stary wróbel, mogę ci pożyczyć sporo ważnych tekstów.

– Będę bardzo wdzięczny za książki – odparł Bravo neutralnie. Nie miał zamiaru pokazywać Zorziemu szyfru ojca. – A skoro o tym mowa, umieram z głodu.

Minęli kolejnych ludzi przy drzwiach i weszli. Dość ponure wnętrze wypełniał zapach kamienia i świec woskowych. Na ścianach wisiały wizerunki Jezusa.

Weszli do dużej sali bez okien. Jej kamienne ściany były grube, pozbawione wszelkich ozdób. Zimne, nieprzyjazne miejsce, przypominające o czasach, kiedy klasztor był warownią.

Masywny drewniany stół na kozłach był zastawiony do posiłku, choć najwyraźniej nie do obiadu, którego pora przypadała znacznie później. W srebrnych świecznikach zapalono długie białe świece. Podano parę dań: proste risotto z owocami morza i *sarde in saor*, dawne danie, w którego skład wchodziły świeże marynowane sardynki z cebulką w occie. Typowy posiłek ludzi morza, zapobiegający szkorbutowi podczas długich rejsów.

Usiedli; Zorzi nalał wina do kieliszków.

– Co to za szyfr? Przestawieniowy czy też to jeden z przemyślnych szyfrów podstawieniowych twojego ojca?

Bravo tylko się uśmiechnął.

– *Sarde in saor* są wspaniałe.

– Skosztuj risotto – doradził Zorzi, wcielenie życzliwości. – Równie dobre albo lepsze.

Rzeczywiście tak było, co Bravo potwierdził.

Zorzi był zadowolony, choć jakby roztargniony. Nie dziwiło to Bravo, którego podejrzenia stopniowo nabierały mocy. Obecnie najbardziej zaprzątało go opuszczenie tego miejsca tak, żeby Zorzi i jego goryle za nim nie podążyli. Choć złamanie szyfru ojca miał dopiero przed sobą, wiedział, że musi jak najszybciej uciec z tej wyspy i uwolnić się od Zorziego.

Na widok wyłaniającej się z mgły *topo* Strażnicy patrolujący ten odcinek wybrzeża natychmiast powiadomili dwóch innych, zgodnie z obowiązującymi zasadami. Zorzi zapowiedział, że gościowi nie wolno przeszkadzać pod żadnym pozorem, jedynie sam Zorzi miał mieć do niego dostęp. Dziwny rozkaz, lecz wypełnili go bez żadnych pytań, bo tak ich wyszkolił.

Tamci przybyli w chwili, gdy łódź z chrzęstem otarła się o skały. Wyglądało na to, że w *topo* jest tylko jeden pasażer. Powitali go weneckim dialekcie, potem w rzymskim włoskim, w końcu po francusku, i nie doczekali się odpowiedzi. Zbliżyli się ostrożnie i dostrzegli zgarbioną postać, staruszka wspartego na lasce, bez której najwyraźniej by się przewrócił.

Jednak nie stracili czujności, zwłaszcza kiedy weszli na pokład *topo*, bo staruszek natychmiast się wyprostował, choć plecy miał nadal straszliwie skrzywione. Przemówił do nich głosem tak cienkim i drżącym, że musieli do niego podejść, żeby go zrozumieć:

– Nie dałem pozwolenia wejścia na mój pokład.

Twarz ukrywał za białą maską, miał też na sobie pelerynę z kapturem i opończę, choć wszyscy dawno zapomnieli o karnawale. Na widok tego żałosnego stanu wyrwał im się złośliwy chichot.

– Jest pan na wyspie San Francesco del Deserto – powiedział Strażnik, który pierwszy zobaczył *topo*. – Wtargnął pan na teren prywatny.

– Jak to możliwe? – Głos staruszka nabrał brzydkiego, zrzędliwego tonu. – Coś mi nie wyglądacie na franciszkanów.

Strażnik stracił cierpliwość. Miał ciekawsze zajęcia od użerania się ze starym, zdziecinniałym wenecjaninem, któremu się wydaje, że jest luty.

– Spadaj stąd.

– Za kogo się uważasz, że mówisz do mnie tak niegrzecznie? – Staruszek groźnie uniósł laskę.

Strażnik roześmiał się i chwycił ją.

– Dość tych głupot...

Jednym zdumiewająco płynnym ruchem Anthony Rule cofnął rękę, wysunął cienką szpadę z laski i zanim Strażnik zdołał się odezwać, przebił mu serce hartowanym ostrzem.

Wyciągnął broń; Strażnik miotał się w konwulsjach, kasłąc pianą. Dwaj inni rzucili się na Rule'a jednocześnie, z prawej i lewej strony. Zrobił unik w prawo, skoczył w lewo, zgrabnie przeszył szpadą drugiego Strażnika. Ale trzeci uderzył go w rękę trzymającą broń, tak że palce mu zdrętwiały i ostrze upadło na pokład.

Strażnik wyciągnął broń i wymierzył.

– Proszę zdjąć maskę i *bautę* – rozkazał.

Rule usłuchał.

Strażnik szeroko otworzył oczy.

– *Signore* Rule! Co pan...?

– Wszystko wyjaśnię.

Strażnik pokręcił głową.

– Będzie się pan tłumaczyć *signore* Zorziemu, nikomu innemu.

– Dokładnie tego pragnę uniknąć. Gdyż...

– Spokój! – Strażnik wskazał maskę i pelerynę. – Proszę je rzucić na pokład. Natychmiast!

Rule upuścił pelerynę, a maskę posłał niczym pocisk, szybko i brutalnie, prosto w Strażnika. Trafiła ostrą krawędzią w jego nos, który rozcięła do krwi. Strażnik odskoczył, Rule ruszył na niego. Jedną ręką wyrwał mu broń z ręki, drugą uderzył go w splot słoneczny. Strażnik zgiął się wpół; Rule uderzył pięścią w bok szyi. Strażnik upadł na pokład i tam pozostał.

Rule szybko rozebrał Strażnika i zrzuciwszy obszerną opończę, włożył jego ubranie na własne.

*

– Nie chcesz mi pokazać szyfru. – Zorzi wzruszył ramionami. Nalał espresso z małej metalowej kawiarki stojącej na palniku. – Dobrze, jesteś Kluczatikiem, twoja decyzja. – Z szerokim uśmiechem przysunął maleńką filiżankę w stronę Bravo. – Twój ojciec był tak samo zasadniczy. Prawdę mówiąc, podobieństwo między wami mnie zadziwia. Byliśmy sobie bliscy; kiedy wyjechał za granicę, dostarczałem mu wszystkiego, czego potrzebował – ludzi, materiałów, sam rozumiesz.

Bravo rozumiał więcej, niż Zorzi się spodziewał. Pora przejść do ofensywy, pomyślał.

– Ufał ci.

– Tak, oczywiście. Bezgranicznie. Nawzajem sobie ufaliśmy.

Kłamał. Po raz pierwszy od znalezienia zakrwawionego noża Jenny przy zwłokach ojca Mosto, Bravo znowu poczuł stały grunt pod nogami. Wiedział, na czym stoją – on i Zorzi. Karnawał się skończył, maski spadły, dobro i zło powróciło na właściwe miejsca w Voire Dei.

– Miałeś jakieś wiadomości od Jenny? – spytał zadowolony.

Zorzi wypił espresso jednym łykiem, jak *macchiato*.

– Dowiedzieliśmy się, dokąd poszła.

Bravo stracił raptem zainteresowanie Jenny i jej losem. Jak sobie posłała, tak się wyśpi. Oszukała go, pewnie tak samo jak jego ojca. Mosto powiedział, że tożsamość zdrajcy wstrząsnęła Dexterem. „To był ktoś, kogo znał i komu bezwarunkowo ufał". Bravo nagle poczuł mdłości i zapragnął pozbyć się tego ciężkiego jedzenia, którym nakarmił go Zorzi. Oboje są zdrajcami, Jenny i Zorzi, razem współpracują, by doprowadzić zakon do upadku.

– Muszę cię o coś spytać. – Zorzi zmarszczył brwi. – Zastanawiam się, czy kontaktowałeś się z Anthonym Rule'em.

– Dlaczego pytasz?

– Ach, więc niedawno się z nim widziałeś.

– Prawdę mówiąc, nie widziałem wuja Tony'ego od ponad roku. – Nienawiść bez trudu pozwalała mu okłamać tego człowieka.

Zorzi wzruszył ramionami. Bravo zrozumiał. Ten obojętny gest tuszował to, co liczyło się dla jego rozmówcy.

– Nie chcę być wścibski, zrozum. – Zorzi oblizał wargi. – Po prostu pytam, bo mu nie ufam. Szczerze mówiąc, uważam, że to on zdradził.

– Dlaczego tak mówisz?

– Słyszę ostry ton. Rozumiem, oczywiście, to twój „wujek Tony".

Być może nie powinienem poruszać z tobą tego tematu, ale to dla twojego dobra – a zresztą zakładam, że jesteś na tyle dojrzały, żeby oddzielić osobiste uczucia od prawdy obiektywnej.

– Szyfr – powiedział Bravo krótko. – Chciałbym nad nim popracować. – Coraz trudniej było mu panować nad gniewem. Zorzi wydawał mu się nużący i niebezpieczny. – Chętnie spojrzę na te książki.

– Oczywiście. – Zorzi nie zdołał usunąć emocji z głosu. Wstał. – Zaraz wrócę.

Czy to pora na ucieczkę? – zastanawiał się Bravo. Obejrzał się. Nie, Strażnik stał w otwartych drzwiach i przyglądał mu się jak świeżej, apetycznej rybie wyrzuconej na piasek. Dotknął opuszkami palców sig sauera. Oczywiście mógł wyciągnąć broń, ale wtedy wszystko by się zmieniło. Natychmiast miałby przeciwko sobie wszystkich Strażników. Co gorsza, on i Paolo Zorzi znaleźliby się w jawnym konflikcie, na terenie Zorziego, wśród jego ludzi. Niezbyt zachęcająca perspektywa. Nie, sig sauer to ostateczność. Czas mijał i nie wynikało z tego nic dobrego.

– Jak masz na imię? – spytał w końcu Bravo.

– Anzolo – odpowiedział lakonicznie Strażnik. Wpatrywał się w istryjski kamień.

– Wiesz, dokąd poszedł *signore* Zorzi? – Wstał. – Chciałbym go o coś spytać.

– Ma pan tu zaczekać na powrót *signore*.

Strażnik stał w drzwiach, blokując mu przejście. Nie było wątpliwości – pomimo zapewnień Paolo Zorziego Bravo stał się więźniem.

18

Przez kępę wierzb Rule obserwował dwóch Strażników, strzegących klasztornych drzwi z dwóch stron niczym para sfinksów. Jeden miał pod brodą białą bliznę, drugi – wyższy – oczy szare jak wenecka mgła. Wyglądali na niewzruszonych... i trochę niespokojnych. No, to się wkrótce zmieni, pomyślał Rule. Wyszedł spomiędzy drzew i ruszył ku nim zdecydowanym krokiem.

Ledwie go zauważyli, zorientował się, że coś nie gra. Choć się uśmiechali i powitali go bezgłośnie, zauważył lekkie rozstawienie ich stóp, napięcie mięśni nóg, zgarbienie ramion. Coś słyszeli – od Strażników, którzy weszli na łódź? To była tylko jedna z możliwości. Rule wyobraził sobie Strażnika sięgającego w agonii po telefon komórkowy. Wobec braku elementu zaskoczenia ruszył na nich sprintem. Chodziło o to, żeby wprawić ich w ruch. Skoczyli na niego, tak jak się spodziewał. Zawrócił, pobiegł z powrotem ku drzewom. Mogli mieć broń, ale tak jak Strażnicy na łodzi nie użyją jej z obawy przed franciszkanami po drugiej stronie wyspy.

W zaroślach zaatakował ich szpadą, uskakując za drzewa przed ciosami ich krótkich, nieco zakrzywionych bizantyjskich sztyletów. Dobrze znał tę broń, dało się nią także rzucać. Ostrza były celowo zakrzywione – można nimi było zadać sporą ranę nawet przy częściowo niecelnym ciosie. Nie mógł sobie pozwolić na błąd i właśnie dlatego tak dobrze się bawił. Życie na krawędzi stanowiło pierwszy powód wstąpienia do Voire Dei. To lepsze niż spacery po linie, bardziej uderzało do głowy niż wspinaczka wysokogórska, uzależniało mocniej niż skoki ze spadochronem.

Zrobił wyskok na zgiętej nodze i z premedytacją odsłonił się na cios Strażnika z blizną. Ten, szczerząc drapieżnie zęby, machnął sztyletem z paskudnym świstem. Rule uskoczył, poczuł pęd powietrza tuż nad czubkiem głowy; ostrze wbiło się w drzewo. Rule wyprostował się, z lewym łokciem uniesionym. Ale przeciwnik go uprzedził, puścił bizantyjski sztylet i grzmotnął pięścią w skroń Rule'a.

Rule zatoczył się, raczej poczuł, niż dostrzegł zbliżanie się Strażnika o szarych oczach. Chwycił w garść ubranie szarookiego i okręcił nim dokoła siebie. Ten ze szramą zdążył już wyszarpnąć sztylet i teraz zakreślił nim szybki, płytki łuk w powietrzu. Sierpowate ostrze wbiło się w pierś szarookiego; Rule natychmiast go odepchnął i rzucił się na drugiego przeciwnika.

Ten wytrzeszczył oczy, nie pojmując, co się dzieje. Dokładnie na taką chwilę czekał Rule. Pchnął szpadą. Strażnik kaszlnął; z ust wypłynęły mu bąble krwi. Spojrzał ze zdziwieniem w dół, osunął się na kolana, obejmując rękami brzuch. Zapomniał o Rule'u, który wykorzystał okazję, by mocno kopnąć go w skroń. Strażnik przewrócił się, nieprzytomny.

Rule niedostrzeżony przez nikogo zanurzył się w mrok klasztoru, niesłyszalny jak upiór.

– Idzie – oznajmił Alvise.

– No tak – powiedział Paolo Zorzi. – Wypadki przybrały zupełnie nowy obrót, nieprawdaż?

– Trzej zabici, dwaj ranni.

– Zapłaci za każdą zbrodnię – warknął Zorzi. – I za wszystkie inne. Obaj mężczyźni szli korytarzem od refektarza. Alvise, Strażnik o mocnych rękach, lecz krótkich nogach, musiał się bardzo starać, żeby dotrzymać kroku swemu panu.

– Najważniejsze, żeby Braverman Shaw pozostał odizolowany w refektarzu – zarządził Zorzi. – Zwłaszcza teraz.

Alvise skinął głową i rzucił parę słów do telefonu komórkowego.

– Zrobione – oznajmił.

– Teraz musimy się przygotować na niezapowiedzianą wizytę *signore* Rule'a.

– Z przyjemnością – powiedział Alvise, ale nagle urwał, bo Zorzi szarpnął go za ramię.

– Jeśli go nie docenisz, choćby przez moment, on cię zabije.

– To ja go zabiję, zanim się zorientuje – odpowiedział Alvise z twarzą ściągniętą gniewem.

Paolo Zorzi otworzył usta w bezgłośnym śmiechu.

Coś się wydarzyło przez ostatnie pół minuty, Bravo był tego całkowicie pewien. Anzolo rozmawiał przez komórkę i oczy go zdradziły. Zerknął szybko na Bravo i odwrócił wzrok, niemal z zawstydzeniem. Stanął plecami do refektarza. Bravo zrozumiał, że telefon dotyczył jego, że Anzolo dostał instrukcje – pewnie od samego Zorziego. Wyglądało na to, że Zorzi nie wróci z książkami o szyfrach – może nie wróci w ogóle. Podczas posiłku Zorzi zrobił ostatnią próbę, usiłował w cywilizowany sposób zaangażować się w łamanie szyfru, który mógł mu wyjaśnić, gdzie Dexter Shaw zamierzał następnie wysłać swego syna. Podstęp się nie udał, więc pewnie Zorzi postanowił zapomnieć o cywilizowanych metodach. Bravo mógł sobie tylko wyobrażać, jakie potworności może to oznaczać. Powiedział Camille, że to nie zabawa, że rycerzom brakuje krwi – jego krwi.

Wstał; Anzolo natychmiast odwrócił się z przyklejonym do twarzy sztucznym uśmiechem.

– Proszę usiąść.

– Chciałbym porozmawiać z *signore* Zorzim.

– Przykro mi, *signore* Zorzi jest zajęty.

Kiedy Bravo nie zrobił żadnego ruchu, Anzolo wszedł do pokoju.

– Proszę usiąść. – Jego twarz stwardniała. – Espresso panu wystygnie.

– Mam już dość espresso.

Brave przybrał łagodniejszy ton. Mimo to Anzolo zrobił kolejny krok w głąb refektarza.

– Muszę nalegać.

– Dobrze. – Bravo uśmiechnął się beztrosko i usiadł, lekko pochylony. – Może kawy? Dużo zostało.

– Dziękuję, nie.

Ale z ciała Anzola znikło napięcie i do tego właśnie dążył Bravo. Odwrócił drugie krzesło, oparł się na nim łokciami. W pomieszczeniu zrobiło się chyba ciemniej, złote krążki światła świec skurczyły się i przygasły. Potem jedna świeca zaskwierczała i zupełnie zgasła, a mrok zgęstniał.

– Anzolo... nieczęsto się spotyka takie imię.

– W Wenecji tak, to nasz dialekt.

– Naprawdę? Jak brzmi włoski odpowiednik?

Anzolo zastanawiał się ze zmarszczonym czołem. W końcu się rozpogodził.

– A tak. Angelo.

Bravo pchnął krzesło w bok, tak szybko i mocno, że Anzolo dał się kompletnie zaskoczyć. Krzesło uderzyło go w twarz; upadł płynnym ruchem, jakby omdlał. Krew rozbryznęła się wachlarzem na deszczułkach oparcia.

Bravo w ułamku chwili skoczył na niego, ale Anzolo leżał spokojnie, odzyskując równowagę, a kiedy poczuł na sobie chwyt Bravo, poderwał gwałtownie nogi i kopnął. Kolanem trafił w splot słoneczny Bravo, który zgiął się wpół pozbawiony tchu.

Anzolo wbił mu pięść w bok.

– Nie walcz – ostrzegł.

Bravo zadał cios, trafił go w żebra, ale nie miał podparcia i Anzolo to wykorzystał.

– Ostrzegałem.

Ramieniem uderzył Bravo w gardło.

Przyczajony Anthony Rule skradał się korytarzami klasztoru. Nie napotkał nikogo, co było dziwne i niepokojące zarazem. Spodziewał się natknąć co najmniej na dwóch Strażników. Przed nim, po lewej stronie, znajdowały się uchylone drzwi. Podszedł ostrożnie, zajrzał. Przy stole, na którym leżało parę otwartych ksiąg, siedział zgarbiony mężczyzna. Przewracał kartki. Potem odwrócił się do innej sterty tomów i Rule przelotnie dostrzegł jego twarz. Paolo Zorzi. Kiedy wyciągał ręce i napinał plecy, mięśnie jego szerokich barków i grzbietu drgały i prężyły się pod skórą jak u lwa czy lamparta. Rule pomyślał o głębokiej, nieubłaganej wrogości, jaką Zorzi żywił do niego, i pomyślał, że bierze się ona z przyjaźni jego, Rule'a, z Dexterem. Natura zazdrości, pomyślał, jest podobna do węża, sunącego to tu, to tam przez gąszcz innych, bardziej oczywistych emocji. Ale kala wszystko.

Rule uśmiechnął się, jego usta zmieniły się w cienką, okrutną kreskę. To aż zbyt łatwe – żadnych Strażników, a Zorzi podsuwa mu siebie za uchylonymi drzwiami, odwrócony plecami, idealny cel. Pułapka śmierdziała na odległość, więc Rule ominął ją, zlekceważył przynętę, która miała go zwabić. Oczywiście chciał dopaść Zorziego, ale przyszedł tu po Bravo i nie zamierzał wyjść stąd bez niego. Nie miał złudzeń, wiedział, jak bardzo niebezpieczne dla Bravo jest towarzystwo Zorziego. Podejrzewał, że to Zorzi usiłował popsuć jego kontakty z Dexterem Shawem, a teraz kiedy dopadł Bravo, mógł spróbować jeszcze raz – nastawić Bravo przeciwko niemu, Rule'owi.

Zorzi przebywał w pokoju bez okien, gdzie zgodnie z prawami logiki powinien przetrzymywać Bravo. Ponadto widać było, że książki dotyczyły szyfrów i ich łamania – Bravo mógł pracować nad szyfrem, który Dexter zostawił mu w Wenecji. Możliwe zatem, że Bravo znajduje się w tym pokoju, w miejscu, którego on nie widzi. W każdym razie nie mógł zlekceważyć tej możliwości. A to znaczyło, że musiał tam wejść inną drogą, nie tymi zapraszająco otwartymi drzwiami.

Zakradł się do lewego skrzydła budynku, którym, jak sądził, mógł dotrzeć do miejsca sąsiadującego z prawą ścianą tamtego pokoju. Odważył się wyjrzeć zza rogu; przy zamkniętych drzwiach, mogących prowadzić tylko do pokoju, zobaczył Strażnika.

Nasunął kaptur na głowę i ruszył, ukrywając za sobą laskę ze szpadą i spuszczając głowę. Strażnik, młody smukły wenecjanin, którego twarz jeszcze nosiła ślady niedojrzałości, powiedział:

– Jesteś dziesięć minut przed czasem, ale skorzystam.

Rule walnął go w splot słoneczny, a gdy Strażnik zgiął się wpół, uderzył go kantem dłoni w kark. Złapał nieprzytomnego Strażnika i zawlókł korytarzem w kąt, gdzie ułożył go w mroku. Powrócił do zamkniętych drzwi, przyłożył do nich ucho. Słyszał głos, który mógł należeć do Zorziego, i czyjąś odpowiedź, ale brzmiała zbyt słabo, żeby z całą pewnością rozpoznać w niej głos Bravo.

Rule odetchnął głęboko i powoli zacisnął palce na rękojeści szpady. Drugą rękę zacisnął na gałce drzwi, którą powoli obrócił w lewo. Otwierał drzwi, powoli i bezgłośnie, gdy coś leciutko ukłuło go w szyję. Drgnął, odwrócił się instynktownie, już teraz czując zawroty głowy, jakby był pijany, i zobaczył nad sobą twarz, wykrzywioną w szyderczym uśmiechu niczym karnawałowa maska.

Przedzierając się przez chemiczną mgłę narkotyku, zrozumiał, co się stało, wyszarpnął z szyi malutką strzałkę.

– Za późno. – Szydercza twarz się roześmiała.

Po chwili świat zgasł, a Rule runął na ziemię.

Oczy Bravo wychodziły z orbit, płuca go paliły. Jeśli wkrótce nie otrzyma dawki tlenu, straci władzę w kończynach. A wtedy będzie bezbronny. Nie mógł do tego dopuścić.

W wyobraźni zobaczył ojca: sam miał jedenaście lat, uczył się posługiwania ciałem, przekraczania jego naturalnych ograniczeń.

– Rozluźnij się – mówił ojciec. – Kiedy za bardzo się starasz, twoje ciało stawia opór. Umysł i ciało muszą pracować razem, jak w zespole.

Zamiast walczyć, opuścił bezwładnie ręce. Jego powieki zadrgały, oddech stał się urywany. W nagrodę ujrzał uśmiech Strażnika, który pochylił się, by mocniej nacisnąć. Wówczas Bravo trzasnął go czołem w grzbiet nosa. Trysnęła fontanna krwi, Anzolo zatoczył się do tyłu.

Bravo zrobił gwałtowny ruch biodrem i Anzolo stracił równowagę. Bravo wyprostował się, z całej siły grzmotnął go pięścią w ucho. Strażnik upadł; Bravo skoczył na niego.

– Gdzie Zorzi? – Uderzył jego głową o kamienną posadzkę. – Mów!
Anzolo powiedział.
Bravo puścił go i chciał się odwrócić. Anzolo spróbował mu wyłupić
oko, ale Bravo wykorzystał jego rozpęd. Obrócił nim, jednocześnie
naciskając na łokieć przeciwnika. Usłyszał trzask pękającego obojczyka i Strażnik upadł na posadzkę refektarza.
Bravo poderwał się w ułamku sekundy i popędził do drzwi.

– Neurotoksyna działa dwie, najwyżej trzy minuty – ostrzegł Alvise.
– Wystarczy – powiedział Paolo Zorzi, wpatrzony w nieprzytomną
twarz Rule'a. Rule gapił się na niego tym dziwnym, wytrzeszczonym
spojrzeniem człowieka dotkniętego paraliżem.
Zorzi wraz z Alvisem wniósł Rule'a do pokoju, posadził go na
krześle, do którego przywiązali mu nogi. Ręce skrępowali mu na ple-
cach.
Alvise wyjął nóż, przycisnął lśniące ostrze do gardła Rule'a.
– Jak ci się podoba? – spytał. – Ciekawe, jakie to uczucie, gdy za-
cznie się powolutku zagłębiać w ciało.
– Ostrożnie – rzucił łagodnie Zorzi, jakby nie rozmiał, co się dzieje.
– Zapłaci mi za każdy grzech z osobna i wszystkie razem.
– Niestety, musiałby żyć kilka razy. – Zorzi chwycił Rule'a za włosy. – Prawda, Anthony?
– Słyszałeś, pan cię pyta. – Alvise wbił czubek ostrza, obrócił je tak,
że kropelka ciemnoczerwonej krwi nie skapnęła z nierdzewnej klin-
gi. – Niegrzecznie nie odpowiadać.
– Twój czas się skończył. – Zorzi pochylił się nad nim, spojrzał w jego drapieżne, zaszklone oczy. – Dexter Shaw nie będzie cię już bronić. Stoisz samotnie, nagi przed swym sędzią. – Szarpnął Rule'a za
włosy. – Teraz wydam wyrok, a Alvise wystąpi w roli kata, do czego aż
się pali.
Błysnęły zęby Zorziego.
– Jesteś winny, Rule, winny bez najmniejszej wątpliwości. A teraz
z najwyższą satysfakcją powiadamiam cię, że wyrok śmierci zostanie
wykonany.
Zorzi kątem oka zauważył jakiś ruch, a potem Alvise osunął się,
a krew obryzgała go jak deszcz. Poderwał się, spojrzał na Bravo, który mierzył w niego z sig sauera.

– Co ty wyprawiasz?

– Rozwiąż go – rzucił Bravo, wskazując Rule'a

– To by było nierozważne. Nie masz pojęcia, co robisz, jak poważny błąd... – Milcz i słuchaj – rzucił Bravo. Odsunął się od Zorziego. – Nie. – Zorzi wzruszył ramionami. – Proszę bardzo, zastrzel mnie, póki masz okazję. Nie? Rozumiem, brak ci odwagi lub siły. Tchórz! Na co byś się przydał zakonowi? – Rzucił się na Bravo, który nacisnął spust sig sauera. Nic się nie wydarzyło; spust był unieruchomiony. Zorzi zaatakował go, cisnął na ścianę. Szczerzył zęby w groteskowym uśmiechu, jak zły ogr z bajki Grimmów.

– Broń jest na nic, nie wystrzeli, i co teraz?

Bravo uderzył Zorziego kolbą za uchem, ten upadł i już się nie podniósł, tak jak Alvise.

Bravo szybko rozwiązał Rule'a.

– Wujku, słyszysz mnie?

Rule poruszył lekko wargami, z których nie wydobył się żaden dźwięk. Patrzył już przytomniej.

– Co ci zrobili?

– Neurotoksyna... – Głos Rule'a skrzypiał i zgrzytał, jakby trzeba go było naoliwić. – W strzałce.

– Możesz wstać? Pomogę. – Bravo objął Rule'a, podniósł go z krzesła. Stęknął od ciężaru bezwładnego ciała, wszystkie siniaki i otarcia powstałe podczas starcia z Anzolem paliły go żywym ogniem.

Rule już niemal odzyskał władzę w kończynach.

– Jak mnie znalazłeś?

– Szukałem Zorziego.

Rule skinął głową, wciąż otępiały. Obejrzał się na Zorziego.

– Zabij go. Idealny moment.

– Wujku, musimy uciekać.

Ale Rule stawił opór.

– Rób, co mówię, Bravo.

– Nie, nie z zimną krwią.

– Pożałujesz. Ten drań będzie cię ścigał.

– Nie jestem mordercą.

– To nie morderstwo, tylko egzekucja. – Rule wyciągnął rękę. – Daj broń.

– Nie.

Ale Rule wyrwał mu sig sauera i pociągnął za spust, celując w Zorziego. Nic. Bravo wykorzystał zaskoczenie Rule'a i odebrał mu broń. Przez moment patrzyli na siebie.`

Chwilę potem dobiegł ich szmer na korytarzu pod drzwiami i obaj zamarli. Rule położył palec na ustach, bezszelestnie zakradł się pod drzwi i otworzył je gwałtownie.

Strażnik, jeszcze z ręką na gałce, stracił równowagę i wpadł do środka; Rule wbił kolano w jego brzuch z taką zaciekłością, że złamał mu parę żeber.

– Idziemy – szepnął Bravo i korzystając ze sposobności, wyciągnął Rule'a z pokoju, byle dalej od Paolo Zorziego. Nienawidził zdrajcy, ale nie chciał brać udziału w morderstwie z zimną krwią. Czy to znaczy, że jest słabeuszem, tchórzem? Czy ojciec zdecydowałby inaczej? To przecież Voire Dei – stojące ponad prawem społecznym i kryminalnym, które obowiązują innych. Ale moralność? Czy przynależność do Voire Dei stawia go poza nią? Nawet jeśli, i tak miał na ten temat własne zdanie i, słusznie czy niesłusznie, dokonał wyboru.

Na korytarzu było cicho i pusto. Rule wskazał kierunek i razem wrócili do bocznych drzwi. Zanim do nich dotarli, wujek Tony całkowicie odzyskał już siły i zwierzęcą przebiegłość.

– Reszta Strażników będzie przeczesywać wyspę – powiedział. I miał rację, bo kiedy zbliżyli się do skały, gdzie przycumował *topo*, ujrzeli dwóch pilnujących jej ludzi.

– Jak uciekniemy z wyspy? – szepnął Bravo.

– Mam plan.

Wujek Tony zawsze miał jakiś plan. Odkąd Bravo pamiętał, miał plan na każdą okazję. Jeśli ktoś chciał się przemieścić z punktu A do punktu B, wujek potrafił wskazać najszybszą trasę.

Ruszyli, Rule prowadził. Długi letni zmierzch dobiegł końca i zapadły ciemności, ale na lagunie zostały jeszcze strugi jasnożółtego światła, oznaczające granice kanału. Nad ich głowami przeleciała mewa z żałosnym nawoływaniem, runęła w dół, musnęła wodę, która rozjarzyła się fosforyzującymi iskierkami, jak migotliwe klejnoty na podwójnej bransolecie kanału.

Mijając czarne jak węgiel sylwetki pinii, Bravo zobaczył światła bijące od franciszkańskiego klasztoru. W powietrzu unosił się żywiczny zapach, a potem dosięgło ich tchnienie laguny – spieczony kamień, małże, splątane w głębinach słone wodorosty.

Zbliżyli się i usłyszeli zgiełk licznych głosów.

– Franciszkanie zmienili wyspę w atrakcję turystyczną – wyjaśnił Rule. – Raz w tygodniu organizują objazd wieczorny. Możemy się wmieszać w tłum i zabrać promem.

Ale kiedy dotarli do tonącej w mroku przystani, okazało się, że wejście na prom jest niemożliwe. Trzej Strażnicy patrolowali okolicę, co oznaczało, że nakarmili franciszkanów jakąś wiarygodną bajeczką.

Zatoczyli łuk i ujrzeli *motoscafo* przycumowaną po drugiej stronie wielkiego promu. Przemykając od cienia do cienia, ruszyli w jej stronę. Franciszkanin właśnie wyładowywał ostatnią partię małych baryłek z tylnego pokładu. Pasażerowie tłumnie wsiadali na prom, na którym dwukrotnie zabuczała syrena, obwieszczając rychłe odbicie od brzegu.

Zjawił się drugi mnich, by zanieść baryłki do klasztoru. Kiedy obaj franciszkanie znikli im z oczu, Bravo i Rule podbiegli do *motoscafo* i wskoczyli na pokład. Mnisi powrócili, zabrali kolejne dwie beczułki. Ostatni turyści wsiedli już na prom, ponownie zabuczała syrena i ożyły silniki.

Rule zakradł się za ster, włączył motor. Bravo odcumował *motoscafo*. Mnisi właśnie znikli w klasztorze i Rule wykorzystał tę chwilę, by odbić. Mieli niewiele czasu, mnisi mogli wrócić w każdej chwili, ale powstrzymał pokusę, by oderwać się od brzegu całym pędem; dostosował prędkość do tempa promu. Ruszyli razem, *motoscafo* kryła się przed oczami Strażników za kadłubem promu. Ich trasę przecięła czapla, cicha jak śmierć, a kiedy ląd zaczął się oddalać, dobiegł ich ostatni powiew żywicznej woni pinii rosnących na San Francesco del Deserto.

Potem nad ich głowami zabłysły żółte światła i znaleźli się w kanale, wolni.

Po wielu godzinach uroczystości na cześć nowych rycerzy – rycerzy Muhlmanna, jak nazywał ich w cichości ducha Jordan – nadal trwały. Spożyto obiad z dwunastu dań, dostarczony z Ostaria dell'Orso, jednej z najświetniejszych rzymskich restauracji, wraz z pięcioma skrzynkami brunello di montalcino z doskonałego rocznika. Zebrani zajęli się kubańskimi cygarami Montecristo Corona, koniakiem i sprowadzonymi tego dnia z Belgii truflami z ciemnej czekolady, na których widniała miniaturowy herb Muhlmanna.

Jordan, z pełnym żołądkiem, upojony zwycięstwem, kończył drugi kieliszek szlachetnego hine'a rocznik 1960, kiedy Osman Spagna dyskretnie dotknął jego ramienia. Jeden rzut oka na jego twarz wystarczył, by Jordan wstał i bez słowa udał się do pokoju, gdzie podpisał umowę kupna willi. Spagna zamknął podwójne drzwi. Jordan ujrzał przed sobą czterech najbardziej wpływowych i bogatych rycerzy: niderlandzkiego kupca z kartelu diamentowego, angielskiego parlamentarzystę, amerykańskiego finansistę oraz przewodniczącego południowoafrykańsko-australijskiej spółki metalurgicznej.

– Panowie – powiedział Jordan, podchodząc. – Co się dzieje? – Roześmiał się. – Burza mózgów?

– Mamy gorącą nadzieję, że tak, Wielki Mistrzu.

Rolę mówcy powierzyli Anglikowi, co było pewnym zaskoczeniem. Jordan spodziewał się, że gadać będzie Amerykanin. Więc zdecydowali się na grzeczne, dżentelmeńskie podejście.

– Chcielibyśmy zamienić słówko – powiedział parlamentarzysta swoim najłagodniejszym, najmilszym z tonów. – Teoretycznie nie sprzeciwiamy się działaniu, jakie pan podjął...

– Przewrotowi – wtrącił Amerykanin, kołysząc się na piętach.

– Coś mi tu śmierdzi. – Jordan wbił w niego spojrzenie. – Czyżby to był bunt?

Polityk pospieszył ukoić wzburzenie po nierozważnej uwadze Amerykanina.

– Nic podobnego, skądże. Wszyscy uważamy cię za Wielkiego Mistrza, wszyscy uważamy, że jesteś jedynym kandydatem.

Jordan nie odpowiadał. Czekał na wybuch bomby. W czekaniu był dobry, lepszy niż wszyscy oni razem wzięci, mógłby się założyć.

Parlamentarzysta, chudy jak tyczka, siny na twarzy, odchrząknął.

– Jednakże dostrzegamy pewien potencjalny problem.

– Poważny – wtrącił Amerykanin. Był wielki, masywny, mówił z akcentem ze środkowego zachodu i miał nadmiernie agresywną postawę osiłka futbolisty.

Nikt nie miał ochoty go powstrzymywać, zauważył Jordan, co znaczyło, że jemu przypadła w udziale rola napastnika. Sprytny ruch.

– A mianowicie? – spytał.

– Twoja matka. Nie jest tajemnicą, że pragnęła zawładnąć rycerzami. Znosiliśmy jej intrygi z szacunku dla ciebie, Wielki Mistrzu, lecz teraz... teraz wmieszała się w działalność Damona Cornadoro i zastanawiamy się... no cóż, zastanawiamy się, czy odgrywałaby tak czynną rolę w tym wielce istotnym zamierzeniu, gdyby nie była twoją matką.

– Na tym polegał mój plan – powiedział spokojnie Jordan. – Kwestionujecie go?

– Ależ skąd – zaprzeczył natychmiast Anglik. – Jednak otrzymaliśmy doniesienia o jej poczynaniach i sądzimy, że należy ją jakoś pohamować.

– Nie znacie mojej matki – mruknął Jordan.

– Przeciwnie, zdaje się, że poznaliśmy ją całkiem dobrze. – Biznesmen z RPA wystąpił naprzód i położył na stole grubą teczkę. Nie spuszczał oka z Jordana, który ją otworzył. W środku znajdował się plik zrobionych z ukrycia fotografii Camille i Cornadora w miłosnym uścisku.

Po chwili parlamentarzysta powiedział:

– To niebezpieczny związek. Z pewnością rozumiesz nasz niepokój, Wielki Mistrzu.

Rzeczywiście rozumiał, i to lepiej niż wszyscy oni razem wzięci. Niech ją diabli! Przesuwał rozsypane fotografie, jedną bardziej skandaliczną od drugiej. Z wysiłkiem zachowując nieprzeniknioną minę, oznajmił:

– Doceniam waszą gorliwość, panowie, ale już wiem o nieostrożności matki. – Było to kłamstwo, lecz konieczne. Nie mogli się zorientować, że wiedzą o jego bliskich więcej niż on sam.

– Z pewnością rozumiesz, że to coś więcej niż nieostrożność – powiedział Anglik.

Amerykanin zrobił krok w jego stronę.

– Wielki Mistrzu, cuchnie spiskiem tych dwojga.

– Mam sytuację pod kontrolą – oznajmił Jordan. – Zapewniam.

– Doskonale. – Anglik się rozpromienił. – Właśnie to chcieliśmy usłyszeć. Resztę zostawiamy tobie. – Wskazał teczkę. – Oczywiście wszystkie kopie zostaną zniszczone.

Spagna otworzył podwójne drzwi; z większego pomieszczenia do środka wpłynął pomruk głosów i aromatyczny dym. Wszyscy czterej, w poczuciu załatwionej sprawy, ruszyli energicznie do drzwi. Ostatni szedł Amerykanin. Kiedy pozostali odeszli, zawrócił, jakby uderzony jakąś myślą, podszedł do Jordana i szepnął mu do ucha:

– Wiesz, co zrobić, tak? Jak to mówią Anglicy...? – Uśmiechnął się. – A tak: dać ją katu!

19

– Więc jak to z tobą jest, synu? – spytał Dexter Shaw. Bravo spuścił wzrok, uciekł nim gdzieś w bok.
– No wiesz. Jak zwykle.
– Ostatni raz rozmawialiśmy pół roku temu. Byłeś w Stanfordzie, a ja wyjechałem.
Siedzieli w ogródku birmańskiej restauracji przy M Street. Było lato, Georgetown buchało żarem jak piec. Bravo przyjechał na spotkanie, Dexter wziął wolne popołudnie. Tego wieczora mieli wysłuchać koncertu w filharmonii waszyngtońskiej, z loży prezydenckiej.
– No wiesz – ciągnął Dexer. – Mówię o dziewczynach. – Spojrzał synowi w oczy. – Masz... no wiesz, jakąś wyjątkową?
– Nie wiem.
– Nie wiesz? – Dexter przechylił głowę. – Na pewno nie to chciałeś powiedzieć. – Po długiej pauzie dodał: – A, rozumiem. Nie chcesz mi mówić. No dobrze, Bravo, skoro nie chcesz być szczery...
– Szczery? Właściwie dlaczego? – wybuchnął Bravo. – A kiedy ty byłeś ze mną szczery?
Dexter otworzył szeroko oczy.
– Mogę ci przytoczyć niezliczoną...
– W ważnych sprawach, tato. – Bravo nie zdołał usunąć z głosu gniewnego brzmienia. – A skoro o tym mowa, kiedy ostatnio przyjechałeś do Stanfordu...
– Rok temu, w październiku, jeśli się nie mylę.
– Jasne, bo byłeś w drodze... dokąd?
– Do Bangkoku.
– Właśnie, do Bangkoku. Mieliśmy zjeść kolację, iść do teatru. Kupiłem bilety, a potem...
– Zmieniły mi się plany. Mówiłem ci. Bardzo przepraszam, ale nie mogłem z tym nic zrobić.
– Mogłeś zostać.
– Nie, nie mogłem. Nie w takiej pracy.

Podano posiłek i obaj zamilkli, wdzięczni za pretekst. Wonny dym z pieca węglowego wędrował przez bujny ogród, w którym kołysały się lampiony z kolorowego papieru. Śmiech i pomruk innych głosów, szczęk sztućców o talerze, bezszelestnie krążące kelnerki w tradycyjnych strojach.

W końcu Dexter odłożył widelec.

– Daję słowo, chętnie bym usłyszał o kimś, kto się liczy w twoim życiu.

Bravo podniósł głowę. Ojciec uśmiechnął się do niego – ten uśmiech przeniósł go w dawne czasy, w ich najlepsze czasy. Ale uparcie milczał. Za bardzo mu doskwierał ból wywołany ciągłymi przypływami i odpływami zainteresowania ojca, rozczarowanie jego długą nieobecnością, milczeniem ojca na ich temat.

– Dobrze – powiedział Dexter. – W takim razie ja opowiem ci o mojej pierwszej miłości. – Pociągnął łyk piwa, zamyślił się jeszcze bardziej. – Była mądra i właściwie piękna, ale najważniejsze było to, że spotykała się z moim przyjacielem. Poznałem ją na imprezie – morze alkoholu – i zaczęliśmy rozmawiać, a mój przyjaciel leżał pijany jak bela, z głową na kolanach innej dziewczyny, też nieprzytomnej. No i zaiskrzyło. Oboje byliśmy tak zawstydzeni, że nie wiedzieliśmy, co z tym zrobić, przez wiele dni snuliśmy się w takim boleśnie przyjemnym ogłupieniu, wiesz, o czym mówię, nie mogliśmy spać ani jeść. I myśleliśmy tylko o... no...

W końcu nie mogliśmy już tego znieść i spotkaliśmy się potajemnie. Potem zacząłem się zastanawiać, czy właśnie to zepsuło ten związek. Był dość namiętny, i choć nie trwał długo, wydawało się, że ciągnie się w nieskończoność.

Twarde jak żelazo dłonie Dextera spoczywały na blacie.

– Można by pomyśleć, że to konieczność krycia się z tym związkiem mnie zmęczyła, ale tak naprawdę nie miałem z tym problemu. Tylko że się dowiedziałem... widzisz, jako młodzieniec byłem tak strasznie samotny, jak mogą być tylko młodzi ludzie. W dość gwałtowny sposób rozluźniłem swój związek z rodzicami, nigdy nie byłem towarzyski, więc zostałem całkiem sam. Ta dziewczyna... wydawało mi się, że to moja przepustka do towarzystwa, do wyjścia z pustki. – Roześmiał się. – Ludzie bywają czasem strasznie głupi, wydaje im się, że stosunek seksualny złagodzi samotność. Tak naprawdę seks tylko wzmacnia to, co istnieje – jest bolesnym przypomnieniem, jak bardzo jesteśmy samotni.

Widzisz, Bravo, nie chodzi o to, czy jesteś samotny, czy nie, tylko o to, co robisz ze swoją samotnością. – Znowu przechylił głowę. – Czy oddasz się zgorzknieniu i rozpaczy, czy zaczniesz poznawać siebie? Bez tej wiedzy nie można nawet marzyć o związku z kimś innym.

– To ma być wykład? – burknął Bravo. – Nie mam już dziesięciu lat.

– Nie ma i nigdy nie miał być. Chciałem ci tylko powiedzieć... zrobić to, czego chcesz... być szczerym...

Bravo odwrócił wzrok, zagryzł wargę.

– Chciałem powiedzieć, Bravo, że ty i ja... jesteśmy inni niż większość ludzi. Jesteśmy... chyba można nas nazwać samotnikami; nam dużo trudniej odnaleźć siebie samych. Czasami zadaję sobie pytanie, co robię dla swojego ocalenia.

– Ocalenia? – Bravo odwrócił szybko głowę, spojrzał ojcu w oczy. – Przed czym?

– Przed złem. O, nie chodzi mi o zło, które występowało podczas krucjat, w Auschwitz i Buchenwaldzie, w Hiroszimie, Angoli i Bośni, nie chodzi mi o zdumiewające okrucieństwo istot ludzkich. To zło opanowuje umysł i nie puszcza. Jest jak mdłości duszy, kiedy sądzisz, że nic nie może cię uratować. Co ja tu robię? – myślisz. Jaki jest cel mojego życia?

Trzymał w potężnych dłoniach szklankę z piwem jak źdźbło zboża.

– Ty i ja, Bravo, nie jesteśmy tymi, za kogo się uważaliśmy. Dlaczego? To całkiem naturalne. Odpowiedź brzmi: bo jest w nas moc. Czy jesteśmy nadludźmi? Nie. Ale być może jesteśmy jakby artystami, nie jesteśmy wydrążonymi ludźmi, jak jakże trafnie określił ich Eliot, choć może tak sądzimy w pierwszym odruchu. Jak artystów wszelkich odmian, naszym pragnieniem jest uciec – uciec przed okropnością codzienności, stać się kimś lepszym, poprowadzić innych tą samą ścieżką – w pewnym sensie uratować ich przed nimi samymi.

Bravo słuchał jak zaczarowany. Rozumiał każde słowo, rozumiał je każdym włóknem swej istoty, całą duszą. Ta świadomość nim wstrząsnęła.

Dexter wzruszył ramionami.

– Jeśli teraz tego nie rozumiesz, to pewnego dnia zrozumiesz na pewno.

Ale ja rozumiem, pomyślał Bravo, i miał o tym powiedzieć ojcu, ale Dexter spojrzał na zegarek.

O Jezu, tato, nie, tylko nie to...

– Przepraszam, Bravo, ale muszę jechać na lotnisko. Niestety, znowu czas mnie nagli. – Dexter podał mu dwa bilety wraz z przepustką opatrzoną bogato zdobioną prezydencką pieczęcią. – Idź do filharmonii z dziewczyną... tą, o której nie chcesz mi opowiedzieć. Zaufaj mi, będzie zachwycona lożą prezydencką.

Pieprzyć lożę, nie zostawiaj mnie po raz kolejny...

Iskierki na wodzie jakby ciągnęły się za nimi w szarej, skłębionej wodzie za rufą. Niebo i morze miały ten sam odcień fioletu i czerni. Płaskie wysepki laguny przesuwały się jedna za drugą jak gigantyczny szyfr. Bravo, stojący obok wujka Tony'ego, kiedy silnik mruczał pod podeszwami butów, wśród tej czerni i mgły starej laguny, myślał, że Wenecja pasowała do jego ojca. Na wodzie igrały światła niewiadomego pochodzenia, rozłamywały się i scalały w zimne płomienie, które oświetlały płytkie, atramentowe wody, gładkie jak szkło.

Bravo zatrzymał sig sauera. Usiłował nie myśleć o tym, jak wujek Tony mu go wyszarpnął i strzelił bez wahania w Zorziego. Być może w Voire Dei tak się robi, nie wiedział.

– Nie rozumiem – odezwał się, przemocą odrywając się od mrocznych myśli. – Przecież sprawdziłem pistolet, kiedy Zorzi mi go dał.

Rule zerknął na niego.

– Ale z niego nie strzeliłeś, prawda? Spust nie cofnąłby się do końca. Zorzi przy nim pomajstrował, zanim ci go oddał.

Bravo był całkiem pewien, że broń zadziała – a potem usłyszał suchy, cichy trzask lodu i zadrżał. Z całą pewnością nie potrzebował tego echa przeszłości. Skupił się, usiadł na ławce z lśniącego mahoniu i starannie rozłożył pistolet na części. Dotarł do mechanizmu spustowego i znalazł coś, co umknęło pierwszej pobieżnej inspekcji: tam coś tkwiło, coś blokowało mechanizm.

– Widzisz? – rzucił Rule.

Bravo rozwinął przeszkodę, przyjrzał się jej.

– To nie jest robota Zorziego. Ojciec mi to zostawił. Nauczył mnie rozkładać broń przed użyciem, to była zasada numer jeden. Tutaj nie zdążyłem.

– Widzę tylko szmatkę zwiniętą w kulkę.

– To nie jest jakaś szmatka. – Bravo rozprostował materiał. – To bardzo prymitywna mieszanka płótna i wełny, z której sporządzono welon Marii i płaszcz Łazarza. – Przyszedł mu na myśl szyfr, który ojciec zostawił mu w metalowej skarbonce: Przypomnij sobie, gdzie się urodziłeś. Szpital Świętej Marii z Nazaretu. Nie Marii z Nazaretu, pomyślał.

– Czy w lagunie jest jakaś wyspa z kościołem pod wezwaniem Marii od Łazarza?

Rule skinął głową.

– Zatrzymywali się na niej na postój pielgrzymi zmierzający do Ziemi Świętej. Kościoła już od dawna nie ma. – Zastanawiał się przez chwilę. – Lazzaretto Vecchio znajduje się na południe, tuż za Lido. – Skierował łódkę w tamtym kierunku. – W staroweneckim dialekcie imię Marii zmieniło się w *nazaretum*, a potem, jak zawsze bywa we wszystkich językach, uległo dalszym zniekształceniom aż do *lazzaretto*. W miarę upływu wieków wyspa miała wiele wcieleń. Na przykład w czternastym wieku odbywały na niej kwarantannę ofiary zarazy podczas pierwszej wielkiej epidemii w tym mieście. – Kiedy wypłynęli z kanału i znaleźli się na właściwej lagunie, zwiększyli prędkość. – Nadal jest tam ślicznie, ale teraz plączą się tam jedynie bezpańskie psy.

„Przypomnij sobie imię twojego trzeciego zwierzęcia. Szczek".

Bravo parsknął głośnym śmiechem.

Jenny przybyła na San Francesco del Deserto w towarzystwie wysłannika Paolo Zorziego i zastała swego mentora z obandażowaną głową i w podłym humorze. Była zdenerwowana i wzburzona, ale wszystkie uczucia przyćmiewały wyrzuty sumienia.

Usiedli w refektarzu, który wydał się jej ponury i przytłaczający. Wszędzie skwierczały świece, w powietrzu fruwała sadza. Ku jej zaskoczeniu w pomieszczeniu znaleźli się czterej Strażnicy. Czekała, aż Zorzi przemówi, ale on jakby jej nie dostrzegał. Wpatrywał się w wiadomość, którą mu przed chwilą przyniesiono. Jenny dałaby wszystko, żeby ją poznać. Kiedy znowu przyjrzała się Zorziemu, dostrzegła jego zaczerwienione oczy. Wyglądał, jakby nie spał od dwóch, trzech dni.

W końcu powiedział:

– Ojciec Mosto został zamordowany.

– A Bravo zniknął ponad cztery godziny temu – krzyknęła – a ty kazałeś mi tak długo czekać. Jak mnie jeszcze ukarzesz?

Zorzi obrzucił ją twardym spojrzeniem.

– Skoro mowa o Bravermanie Shawie – powiedział cicho – nie dostarczyłaś wiadomości, którą kazałem ci mu przekazać, prawda?

– Że Anthony Rule jest zdrajcą? Nie.

– Dlaczego?

Znała ten aksamitny głos i skrzywiła się na myśl o ukrytym za nim żelazie.

– Bo w to nie wierzę.

– Nie ty tu decydujesz!

Wzdrygnęła się, słysząc ostre brzmienie jego głosu.

– Więc słusznie radziłem Dexterowi Shawowi, żeby nie przydzielał cię na Strażnika jego syna.

– Sam mnie uczyłeś. – Jenny nie zdołała dłużej ukrywać rozgoryczenia.

– Otóż to.

– Byłeś dla mnie surowszy niż dla chłopców, bardzo tego pilnowałeś.

Zorzi nie zwrócił uwagi na jej wybuch.

– Nie powinienem słuchać Dextera. Instynkt podpowiadał mi, że popełniam błąd.

Posłał jej spojrzenie zarezerwowane dla tych, którzy go zawiedli. Czuła, że odsunął się od niej, że cokolwiek mu powie, jakiekolwiek znajdzie wymówki, padną one na jałową ziemię. Odtrącił ją.

Zrozumiała to wszystko i popadła w rozpacz. Wstała, schowała głowę w lekko zgarbione ramiona, jakby broniła się przed gradem jego słów. Zawsze sądziła, że w nią wierzy, teraz zrozumiała, że gdyby nie interwencja Dexa, Zorzi odtrąciłby tak, jak inni z zakonu. Wierzył w Dextera, nie w nią.

Ale jeszcze nie mogła się poddać.

– Dlaczego tu siedzimy, skoro trzeba szukać Bravo?

– Wolę porozmawiać z tobą – oznajmił Zorzi. – Opowiedz, co się wydarzyło.

– Strzegłam zakrystii, gdzie Bravo rozmawiał z ojcem Mosto. Ktoś zaatakował mnie od tyłu, obezwładnił. Ocknęłam się w magazynie.

Wyszłam na korytarz i znalazłam ojca Mosto. Miał poderżnięte gardło, a mój nóż leżał obok w kałuży krwi.

– Twój nóż.

– Tak.

– Jak przypuszczasz, skąd się tam wziął?

– To oczywiste. Napastnik go zabrał.

– Skąd wiedział, że go przy tobie znajdzie?

Serce Jenny zabiło mocniej. Zerknęła na czterech Strażników słuchających ich rozmowy. Po raz pierwszy ujrzała swoją sytuację w innym świetle.

– Czy to przesłuchanie? Myślisz, że to ja zamordowałam ojca Mosto?

Zorzi wstał, przeszedł przed nią w jedną i drugą stronę.

– Jak wiesz, wśród nas znalazł się zdrajca. Ostatnio, kiedy śmierć zaczęła zbierać coraz większe żniwo, przyszło mi do głowy, że zdrajców może być więcej. – Zatrzymał się i wbił w nią spojrzenie. – Rozumiesz?

– Rozumiem, że muszę ścigać Bravo – odparła uparcie. – Zawaliłam sprawę, moim obowiązkiem jest...

– Niestety, na to nie mogę pozwolić.

– Myślisz, że to ja zdradziłam – powiedziała zduszonym głosem.

Znowu to spojrzenie, potwierdzające dystans, jaki wprowadził między nich, a kiedy przemówił, jego głos brzmiał zimno, nieubłaganie.

– Nie ochroniłaś naszego największego skarbu, to niewybaczalne. A jakby tego było mało, rozważ tę sytuację z punktu widzenia Bravo. Znalazł zwłoki z poderżniętym gardłem, twój zakrwawiony nóż, a ciebie nie ma. Co byś pomyślała na jego miejscu? – Z zimną furią, która ją przeraziła, zgniótł kartkę z wiadomością. – Jest w takiej samej sytuacji jak ja, nie może ci zaufać.

Wstała.

– Nie możesz tak po prostu... – Urwała i odwróciła się, bo czterej Strażnicy zrobili ruch w jej stronę. – To nie fair – powiedziała słabo i natychmiast poczuła się jak idiotka, bo gdyby była na miejscu Zorziego, postąpiłaby tak samo.

– Muszę odejść – powiedział – żeby po tobie posprzątać. – Odwrócił się. – Módl się za mnie. Módl się, żebym znalazł Bravemana Shawa, zanim będzie za późno.

Wyszedł wraz z dwoma Strażnikami. Masywne drzwi refektarza zatrzasnęły się za nimi.

Ogarnęła ją kolejna fala rozpaczy, wściekłości i bezradności. Straciła zaufanie mentora, więzili ją jej ludzie, a wszystko przez własne roztargnienie, szczeniackie zauroczenie, głupotę. Dlaczego nie oszczędziła sobie zaangażowania uczuciowego?

Dwaj pozostali Strażnicy patrzyli na nią z litością i wrogością zarazem. Odwróciła się. Mogła znieść wrogość, zawsze ją znosiła. Ale litość wytrącała ją z równowagi. Jakby na potwierdzenie własnej głupoty, zrobiła parę kroków w ich kierunku. Jeden uderzył ją w twarz wierzchem ręki, drugi odsunął się, żeby mieć do niej dostęp z innej strony. Zatoczyła się do tyłu, Strażnik pchnął ją na krzesło i zakazał się z niego ruszać.

Spojrzała w jego wykrzywioną szyderczo twarz.

– Zawsze wiedziałem, że tak skończysz. – Patrzył na nią jak na karalucha, którego zaraz rozgniecie. – Ośmieszyłaś nas... gorzej, zhańbiłaś. – Splunął na podłogę między jej kolanami i odsunął się.

Obróciła się razem z krzesłem i oparła łokcie na stole. Pomyślała o tym bałaganie, jakiego narobiła w życiu, o Ronniem Kavanaugh i Dexterze Shaw. Pomyślała o innej drodze, którą mogła wybrać, o drodze, którą jej odebrano, i o tym strasznym czasie, kiedy pojawił się Dex, by ją uratować. Ale czy mnie uratował? A jeśli nawet, to po co? Żebym tak żyła?

Oparła głowę na rękach. W końcu, na ostatku, pomyślała o Bravo. Nie chciała, ale nie potrafiła się opanować. To on mógł ją uratować, naprawdę, ostatecznie, do czego w rezultacie Dex nie był zdolny. Pomyślała, że już rozumie, dlaczego Dex chciał, by strzegła jego syna. Wiedział – musiał wiedzieć, była pewna.

Nagle usłyszała cichy kpiący śmiech Strażników – byłych kolegów – i ten dźwięk zranił ją jak nóż. Ogarnął ją wstyd, okazała słabość, która – jak zawsze podejrzewali – pewnego dnia doprowadzi do jej upadku.

Potem zobaczyła Arcangelę – i życie, jakie wybrała, ten niedostatek, który znosiła, by jej podopieczne mogły kontynuować swoje dzieło. Słowo „poświęcenie" wydawało się nieodpowiednie. W każdym razie to jej odwaga zaczęła pełznąć przez żyły i tętnice Jenny jak winorośl, która – choć cierpi od siekiery i mrozu – nie daje sobie wydrzeć życia.

Przeciwnie, zieleni się wiosną uczuć. I teraz zdała sobie sprawę, że Arcangela dała jej coś dużo cenniejszego niż rady i wsparcie, jakie dostała od Dexa – Anachoretka dała jej szansę odzyskania życia.

Dopiero teraz, przez soczewkę osobliwych oczu Arcangeli, dostrzegła, że przy Bravo powtarzała te same błędy, które popełniła przy Ronniem i, w pewnym sensie, Dexterze. Poddała się ich czarowi. Dlaczego? Bo czuła, że jakoś ją uratują. Ale nikt nie przybywał na pomoc Arcangeli; miała dość wewnętrznej siły, by uratować się sama.

W obecności Anachoretki była przejęta podziwem i do pewnego stopnia onieśmielona zarówno jej niezwykłą sytuacją, jak i potęgą wewnętrznej mocy. Teraz zdała sobie sprawę, że i ona ma tę samą odwagę. Musi się na nią tylko zdobyć.

Łatwiej powiedzieć, niż zrobić. Była uwięziona, Paolo Zorzi bez wątpienia szuka Bravo, a ona tylko siedzi i płacze. Nic dziwnego, że ci dwaj się z niej śmieją. Miała już podnieść głowę, znowu rzucić im wyzwanie, ale nagle jakby poczuła na skulonym ramieniu rękę Arcangeli, która nakazywała jej spokój.

Czekaj, szepnął głos w jej głowie, istnieje lepszy sposób.

Pozostała na miejscu, z głową osłoniętą rękami, nadal płacząc. A jednocześnie jej mózg pracował w przyspieszonym tempie. Jeśli uważają ją za słabą, to niech w to uwierzą do końca, bo to działa na jej korzyść. Tak postąpiłaby Arcangela, na pewno. Arcangela wykorzystywała sytuację, w której się znalazła, sytuację, której nikt by sobie nie życzył, i osiągała dzięki niej nadzwyczajne rezultaty.

Zaczęła łkać, jej ramiona zadygotały.

– Ty, patrz. – Strażnik się roześmiał. – Daj jej chusteczkę.

– Prędzej ręcznik – dodał drugi.

Usłyszała zgrzyt podeszew na wytartej kamiennej posadzce, skrzypienie starego drewna, gdy Strażnik pochylił się nad jej krzesłem. Poczuła jego zapach i dokładnie oceniła odległość, na jaką się zbliżył.

– Masz, weź – rzucił cicho – zanim zrobisz nam *acqua alta*, cha, cha…

Zadała cios łokciem, wkładając w niego całą siłę plus wściekłość. Łokieć wylądował dokładnie w oczodole Strażnika, który krzyknął, kurczowo zaciskając ręce na twarzy. Drugi ruszył w jej stronę, ale już chwyciła pierwszego za gardło, wyszarpnęła jego nóż.

Drugi Strażnik wahał się przez ułamek sekundy. Potem wyszczerzył zęby.

– Nie prowokuj mnie – ostrzegła.

Strażnik podniósł własny sztylet; zakrzywione ostrze błysnęło w świetle świecy.

– A wyglądam, jakbym się martwił? – spytał z kpiącym uśmieszkiem. – Podszedł, machnął bronią. – Nie dasz rady.

Jenny rzuciła nożem. Rękojeść trafiła precyzyjnie w punkt tuż nad nosem. Mężczyzna upadł nieprzytomny. Kiedy walnęła kolanem pozostałego Strażnika, on także upadł.

Jenny biegła przez mrok. Przy falochronie usłyszała chlupot wody laguny o kamienie. Niebo oczyściło się z chmur. Gwiazdy, olśniewające jak bizantyjskie lampy, płonęły, pełne splendoru, pomiędzy ostatnimi wiotkimi smużkami mgły. Przybierająca na sile bryza unosiła z jej twarzy kosmyki włosów, trzepotała nimi za jej plecami. Serce biło jej szybko, ale już dawno nie było jej tak lekko. Miała misję i po raz pierwszy wiedziała, kim jest.

Pobiegła w stronę światła dobywającego się z kabiny, ku ostremu zapachowi spalin z diesla. *Motoscafo* jeszcze tam stała. Zorzi i paru innych kończyli przygotowania do odjazdu. Z jakiegoś powodu nadano jej wygląd łodzi policyjnej, miała nawet oznakowanie na burtach i flagę na dziobie. W chwili gdy Jenny zanurzyła się w czarną wodę, rzucono cumy i warkot silników nabrał głębi.

Jenny zaczęła energicznie płynąć i znalazła się przy burcie w chwili, gdy silniki wydały chrapliwy ryk. Dziób uniósł się, a ona chwyciła odbijacz z boku. Poczuła nagłe szarpnięcie, rozluźniła się. Powinna być zdyszana, ale nie była. Zaczęła panować nad własnym życiem, tak jak tego od niej wymagała Arcangela, i było to fantastyczne uczucie.

20

Bravo i Rule wyszli na brzeg na wybiegającym w morze, porośniętym lasem skrawku Lazzaretto Vecchio. Było bardzo ciemno, ale świeciło parę gwiazd, a na zachodzie znajdowała się chmura, teatralnie podświetlona od dołu światłem księżyca. Wyglądała na żylastą i umięśnioną, niczym starożytny bóg budzący się z wiecznego snu.

– Zdrajca przez jakiś czas się ukrywał – powiedział Rule – powoli, lecz systematycznie przekazywał informacje rycerzom świętego Klemensa. Ale teraz, kiedy zacząłeś szukać Testamentu, musiał się ujawnić.

– Mówisz o Zorzim.

Rule skinął głową.

– Niestety, chyba tak. – Włączył latarkę, którą znalazł w kabinie łodzi. – Był jednym z najbliższych współpracowników twojego ojca. Zna go niemal tak samo dobrze jak ja. Teraz się na ciebie zawziął. Jest przebiegły, podstępny, wyjątkowo niebezpieczny. Prawdę mówiąc, istnieją dowody, że potajemnie buntuje Strażników przeciwko zakonowi. Są posłuszni jemu i tylko jemu. Niestety, nie możesz im ufać.

Rule osłonił *motoscafo* brezentem, pod którym franciszkanie przywieźli na wyspę żywność.

– W tę stronę nam się udało – ciągnął. – Zakonnicy na pewno zgłosili kradzież łodzi. W drodze powrotnej musimy mieć oczy naokoło głowy.

Odwrócili się od *motoscafo*. Ukryli ją przed pobieżną inspekcją z łodzi patrolowych, ale niewątpliwie przy dokładniejszych poszukiwaniach można by ją dostrzec. Zanim do tego dojdzie, będą się musieli stąd oddalić, co oznaczało, że Bravo miał bardzo niewiele czasu na złamanie szyfru ojca.

– Zaprowadzę cię do ruin starego kościoła – powiedział Rule, gdy ruszyli w głąb wyspy.

– Skąd wiedziałeś, gdzie mnie zabrali?

– Zawierzyłem podejrzeniom. Od jakiegoś czasu miałem oko na Paolo Zorziego.

– I znowu jest jak za dawnych czasów.

Rule uśmiechnął się i spojrzał przelotnie na Bravo.

Drzewa rosły tu gęsto, pod stopami mieli soczystą trawę. W powietrzu pachniało wilgocią.

– Chcę ci podziękować – powiedział Bravo.

– To ja powinienem ci podziękować, że uratowałeś mi skórę.

– Sam byś sobie poradził. Nie o to mi chodziło.

Rule rzucił mu pytające spojrzenie.

– Tej zimy, kiedy umarł Junior, byłem na ciebie strasznie zły.

– Jeśli dobrze pamiętam, nie ukrywałeś tego.

– I przepraszam.

– Stara historia.

– Nieprawda. Byłem zły, że odebrałeś mi ojca.

– No, wiesz...

– Nie, wujku, słuchaj, muszę to powiedzieć. Byłem wtedy dzieckiem, myślałem tylko o sobie, o swoim bólu. Nie przyszło mi do głowy, jak się musi czuć ojciec. – Nastąpiła chwila ciszy. Bravo wolałby, żeby wujek Tony coś powiedział, pocieszył go. – Wiedziałeś, że musiał się wyrwać, tak? Wiedziałeś, że w przeciwnym razie by się załamał.

– Zadzwonił do mnie i miał tak straszny głos, że zrozumiałem. Nie mogłeś zobaczyć, co się z nim stało. Dziecko nie powinno oglądać ojca w takiej rozpaczy, już i tak było ci trudno.

– Dokąd pojechaliście?

– Do Norwegii. Polowaliśmy, głównie na łosie i jelenie. Twój ojciec miał świetne oko. Pewnego dnia – pamiętam, śnieg sypał jak wszyscy diabli, chociaż Dexowi ta biel nie przeszkadzała – natknęliśmy się na ślady zwierzęcia, którego nie znałem. Były bardzo świeże, w przeciwnym razie by je zasypało. No, a Dex się nimi bardzo zainteresował. Zmusił mnie do tropienia bydlęcia, aż śnieg się zrobił niebieski, a słońce zaczęło zachodzić. Chodziło mu tylko o to, żeby na niego popatrzeć... na rosomaka. Nawet w tamtych czasach rzadko się jej spotykało.

– Zastrzeliliście go?

– No co ty? Dexter był zachwycony, odłożył broń, usiadł na śniegu jak przedszkolak i obserwował. A wiesz, wydaje mi się, że tamten zwierzak wiedział o nas – a przynajmniej o twoim ojcu, bo raz spojrzał w naszym kierunku i wzdrygnął się. Ale nie pokazał zębów i nie uciekł. – Znaleźli się w małym zagajniku smukłych, wysmaganych wiatrem pinii. Rule odsunął gałąź z drogi. – To była niezapomniana wyprawa. Widziałem, jak twój ojciec zanurza się w otchłań i odbija od dna. Wśród tej bieli, pojednany z rosomakiem, znowu odnalazł sens życia.

Bravo znowu odczuł straszny ciężar braku ojca, ale tym razem złagodziło go jakby muśnięcie skrzydeł wielkiego ptaka, który wyłonił się z czerni nocy. „Chyba można nas nazwać samotnikami – nam dużo trudniej odnaleźć siebie samych. Czasami zadaję sobie pytanie, co robię dla swojego ocalenia". Teraz odkrył kolejne znaczenie słów, które ojciec wypowiedział tego letniego popołudnia w Georgetown – trudną, samodzielnie poznaną prawdę o związkach ludzkich i świecie samotników.

– Zawsze byłeś dobrym przyjacielem – odezwał się ze ściśniętym gardłem i sercem. – Dla ojca i dla mnie.

Rule dał mu przyjacielskiego kuksańca.

– Czasami tak mi przypominasz Dexa, że aż dreszcz mnie przechodzi. – Nagle zatrzymał się, spoważniał. – Wiem, że śmierć Juniora okaleczyła was wszystkich... zwłaszcza ciebie. Zrobiłeś wszystko, co było można. To nie twoja wina.

Bravo zadrżał – to było echo słów Jenny. Przez chwilę znowu zobaczył ją w Wenecji – pokój hotelowy, prysznic, łóżko. Znowu usłyszał głosy dostawców, dryfujących kanałami jak poranna mgła. Poczuł jej pieszczoty, usłyszał szept. Potem znowu dobiegł go ten upiorny trzask lodu pod stopami. Tak samo pieściła jego ojca, szeptała mu do ucha, tak jak jemu. Po plecach zaczął mu pełznąć dreszcz obrzydzenia.

Dotarli do kruszących się kamiennych fundamentów, nie napotkawszy żywego ducha. Część budynku przerobiono na psiarnię. Jedna ściana starego kościoła stała się czarna i lśniąca, zryta bruzdami jak twarz starego żołnierza. Przez jej środek biegło pęknięcie.

– A teraz co? Niewiele tego zostało – odezwał się Rule.

Bravo wpatrzył się w mur. „Przypomnij sobie, gdzie byłeś w dniu narodzin". Przypomnienie sobie szpitala Świętej Marii z Nazaretu zaprowadziło go aż tutaj. Gdzie znajdował się ten szpital w Chicago? Wytężył pamięć. I już miał: 2233 West Division Street.

Podszedł do pęknięcia w murze – *division** – i odliczył dziesięć kroków na zachód, bo dodane do siebie cyfry z adresu dawały razem dziesięć. Ukłąkł w trawie u stóp muru. Rule stanął obok; razem zaczęli kopać rękoma w ziemi. Metr pod ziemią znaleźli paczuszkę owiniętą w ceratę.

Po drugiej stronie wody, daleko od nich, drżące światła Lido wskazywały na nich jak zakrzywiony palec. Jakaś mewa krzyknęła parę razy żałośnie, ale głos jej stłumił nagły szum powietrza.

---

* Ang. *division* – podział.

Pamiętając o policyjnych poszukiwaniach, które bez wątpienia musiały się już rozpocząć, szybkim krokiem ruszyli do *motoscafo*. Bravo rozwinął paczuszkę. Znalazł w nim mały, srebrny krzyż świętego Andrzeja. Oplątywał go, na kształt gniazda os, motek czerwonej nici.
– Rozumiesz coś z tego? – spytał Rule, zaglądając mu przez ramię. Bravo pokręcił głową.

Do łodzi dotarli bez przeszkód. Brezent znajdował się w takim samym położeniu, w jakim Rule go zostawił. Szybko złożyli go i odbili od brzegu. Rule podał Bravo latarkę. Oddalając się od Lazzaretto Vecchio, Bravo włączył latarkę i trzymając krzyż w jej promieniu, rozplątał krótkie kawałki czerwonego sznurka. Było ich dwadzieścia cztery. Na odsłoniętej części krzyża widniały trzy wyżłobione słowa. Bravo zrozumiał, że to szyfr przestawieniowy o dwóch kluczach. Jeden z najsławniejszych szyfrów polowych, zastosowany przez armię niemiecką podczas pierwszej wojny światowej. Pierwsze dwa słowa to klucze, trzecie to zaszyfrowany tekst. Otworzył notes ojca na czystej stronie i zaczął pracować.

System szyfru opierał się szyfrze ADFGVX, wykorzystującym kwadrat 6×6 do zastępczego szyfrowania dwudziestu sześciu liter alfabetu i dziesięciu cyfr w pary symboli A, D, F, G, V i X. Powstały w rezultacie szyfr dwuliterowy był jednak jedynie etapem pośrednim. Zapisywano go następnie w postaci prostokątnej macierzy i przekształcano dla uzyskania szyfru docelowego.

Bravo uzyskał jedno słowo – sarkofag.
– Dokąd teraz? – spytał Rule po długiej chwili. – Wiesz?
– Do Wenecji – odparł Bravo, chowając notes i krzyż. Czerwone nitki wyrzucił w ciemną, wzburzoną wodę, jak utracone wspomnienie o ojcu, który tu był i dzięki temu gestowi znowu tu powrócił.

Świt już kładł długie perłowe smugi na płaskiej tafli laguny. Przez parę chwili byli sami. Blask zmienił powierzchnię w arkusz metalu, który ich łódź przecinała gładko jak nóż. Ptaki nawoływały i zataczały kręgi, obudzone przez nowy dzień i głód. Szybowały, wzywały się nawzajem i polowały, na chwilę zanurzały się w wodzie i wyłaniały z rybami w zakrzywionych dziobach.

Na lagunie zjawili się i inni łowcy. Kiedy *motoscafo* okrążyła Lido, w ich stronę ruszyła policja. Rule natychmiast dodał gazu.

Bravo stanął obok.
– Co robisz?
– Zobaczysz.
Rule nie zmienił kursu, a nawet, jak zorientował się Bravo, skierował dziób motorówki dokładnie na łódź policyjną. I choć Bravo wiedział, że płaska laguna może przy określonym rodzaju światła oszukać wzrok i nawet rodzić miraże jak pustynia, był pewien, że łódź policyjna na ich widok przyspieszyła. Dziób się uniósł, za rufą pojawił się większy pióropusz piany.
– Wujku...
– Nie trać wiary, Bravo. Nie trać wiary.
Łódź pruła w ich stronę, prędkością i hałasem płosząc ostatnie posilające się ptaki. Bravo widział już mężczyzn na pokładzie, choć nie rozróżniał twarzy ani mundurów.
Usłyszał jakiś dźwięk, jakby granie wiatru na wantach. Ale oczywiście na motorówce nie było want i dopiero po chwili uświadomił sobie, że to wujek Tony podśpiewuje z zadowoleniem pod nosem. Był w swoim żywiole, prowadził szybką łódź, gotów do czołowego zderzenia z przeciwnikami. Do tego jest stworzony, pomyślał Bravo. Dlatego Voire Dei przyciąga go jak płomień ćmę.
Łódź policyjna zbliżała się w niepokojącym tempie.
Rule przerwał na chwilę podśpiewywanie.
– Trzymaj się – rzucił.
Bravo obiema rękami chwycił się relingu. Rule otworzył do oporu przepustnicę i *motoscafo* skoczyła w przód. Dostrzegł jeszcze błysk zaskoczenia w oczach policjantów, gdy fala utworzona przez *motoscafo* raptem w nich uderzyła, i tak jak oni był zaskoczony. Rule ostro skręcił. Prowadził pewnie *motoscafo*, która położyła się na sterburtę i obryzgała pianą łódź policyjną.
I już byli daleko, płynęli na północny wschód, mniej więcej w kierunku Wenecji, a właściwie w stronę innej wysepki, której północna krawędź ukazała się z prawej strony. Bravo zerknął za siebie. Ociekająca wodą łódź policyjna obróciła się i z rykiem ruszyła w pościg.
– Ta łódź jest jakaś dziwna – odezwał się Rule. – Dłuższa i ma większe zanurzenie niż inne motorówki weneckiej policji.
– Masz rację. Rozpoznałem jednego Strażnika. To wcale nie policja.
Rule pokiwał głową.

– Zorzi wpadł na nasz trop.

Wysepka szybko rosła w oczach. Była bezludna, pełna trzcin, ptaków i mdło słodkiego zapachu rozkładu. Teraz musieli zachowywać ostrożność, bo miejscami zdarzały się tu mielizny, na których mogli utknąć. Spod wody wyłaniały się długie piaszczyste łachy, łowiska ptaków i kolonie małży.

Słońce zupełnie wyłoniło się już zza horyzontu, czerwone i obrzmiałe, jakby chore. Światło, już mocniejsze, kładło się na wodzie drżącymi krechami, wskutek czego wysepka wydawała się bardziej oddalona, niż była w istocie. Powietrze szybko się ogrzewało, rodząc dezorientujące perspektywy i urzekające złudzenia.

– Nie może nas zatrzymać – odezwał się Bravo, pochylony w stronę Rule'a, by przekrzyczeć ryk silnika. – Musisz mnie dowieźć do Wenecji.

Rule gwałtownie szarpnął sterem.

– Nie przejmuj się – rzucił ponuro. – Zamierzam usunąć Zorziego z gry raz na zawsze.

Gdyby Paolo Zorzi należał do innego rodzaju ludzi, pewnie już by dostał zawału, ale nie dotarł na szczyty gnostyckich obserwantów dzięki niecierpliwości i porywczości. „Wszystko ma swoją porę", brzmiało jego nieoficjalne motto, i nawet w tej chwili chaosu, kiedy niepewna przyszłość wisiała na włosku, zachował spokój. Nie przeklinał siebie ani załogi za brak właściwej reakcji na samobójczą taktykę Anthony'ego Rule'a, ale postanowił, że więcej nie da się zaskoczyć.

Teraz, gdy znowu ruszyli w pościg, sam ujął koło sterowe. Zamiast jednak płynąć w ślad za nim, zbliżył się od lewej burty, skutecznie zapędzając Rule'a w wąski kanał pomiędzy jego *motoscafo* i najbardziej wysunięty na północ kraniec wysepki. Uśmiechnął się. Z każdą sekundą Rule miał coraz mniej możliwości. Wkrótce zupełnie mu ich zabraknie.

– Widzisz, co chce zrobić – zauważył Bravo. – Przycisnąć nas do brzegu wyspy.

– I w tej kwestii, jak we wszystkich innych, czeka go rozczarowanie – powiedział Rule głosem cichym i pełnym zaciętości. Wiatr wdzierał mu się między rozchylone wargi, wydymał policzki.

– Ale kierujesz się na płyciznę!

– Zorziego też to ucieszy.

W zwodniczym świetle nie sposób było dostrzec różnic w kolorze wody, które od późnego ranka do końca popołudnia ostrzegały rybaków przed płyciznami i mieliznami. Wszędzie indziej można się było kierować mapami, ale tutaj – z wyjątkiem nielicznych tras, gdzie woda była głęboka – zmienne światło i zdradzieckie prądy często odbierały im wiarygodność.

Bravo widział przed sobą szybko zbliżającą się wysepkę – łany falujących trzcin, lśniące zatoczki, ciemne fale, wznoszące się i opadające do gniazd ptaki, a za nimi, jak morskie bałwany, dwie *barene*, równiny solne, właściwie piaszczyste łachy, jasne jak kobiece szyje. Mniejsza znajdowała się bliżej. Na dalszej widać było dziesięciu lub więcej zgarbionych mężczyzn, brodzących po kostki w wodzie i zbierających małże, które zostaną podane tego popołudnia i wieczora w weneckich restauracjach.

Rule nieustannie oglądał się przez lewe ramię, jakby się bał łodzi policyjnej, która zbliżała się od strony lewej burty. Wysepka była coraz bliżej. Łódź policyjna doganiała ich. Najwyraźniej Rule właśnie tego sobie życzył, bo nie przyspieszał. A tak postąpiłby kapitan obawiający się mielizn.

Od policyjnej jednostki dzieliły ich już tylko jakieś trzy długości łodzi. Tak jak poprzednio, haczyk tkwił w wyliczeniu czasu.

– Wyciągają broń! – krzyknął Bravo.

Rule skręcił gwałtownie na sterburtę, jakby zmierzał na sam środek płycizn. Bravo krzyknął znowu, tym razem ze strachu. Ale *motoscafo*, zamiast utknąć na mieliźnie, wyprysnęła przed siebie z gwałtownym przyspieszeniem.

– Tu jest głęboki kanał – wyjaśnił Rule. – Nie oznaczono go, bo jest wąski. A kiedy poziom wody jest niski, znika.

Bravo odwrócił się bokiem do Rule'a, by móc równie łatwo spoglądać w przód i w tył. Łódź policyjna miała za mało czasu, by wyrównać kurs, toteż musnęła piaszczystą łachę i zwróciła się w niewłaściwym kierunku. Jednak na rozkaz Zorziego po chwili zatoczyła krótki łuk i skierowała się w stronę kanału. Przyspieszyła i ruszył kanałem w stronę otwartych wód.

Musiała mieć potężny silnik, bo odległość od *motoscafo* zmniejszała się w przerażającym tempie.

– Mają nas! – krzyknął Bravo. – Oddano pierwsze strzały ostrzegawcze.

W chwili gdy *motoscafo* Zorziego nabrała prędkości, Jenny podciągnęła nogi w kłębiącej się wokół wodzie – co samo w sobie nie było łatwe – i skuliła się w kłębek, zaczepiwszy stopy w zwojach liny zwiniętej przy odbijaczu.

To, że jej nie zauważono, mogłaby uznać za mały cud – gdyby nie fakt, że wszyscy na pokładzie *motoscafo* Zorziego – z samym Zorzim na czele – tak bardzo skupili się na swojej ofierze, iż nic innego do nich nie docierało. Przez warkot silnika przebijały się głosy. Czasami dobiegały ją nawet całe zdania, choć z trudem odgadywała ich sens. Zorzi nieustannie nazywał Anthony'ego Rule'a „zdrajcą", co – choć mylne – musiało stanowić odzwierciedlenie jego przekonań. Jednak to stosunek Strażników do niego wydał się jej zastanawiający. Zwracali się do niego, jakby był jedynym przywódcą gnostyckich obserwantów.

Rule trzymał się kursu na północny zachód, choć łódź Zorziego była coraz bliżej. Strzelono jeszcze parę razy, a potem Bravo wyciągnął sig sauera i odpowiedział ogniem.

– Daj spokój! – krzyknął Rule. – Trzymaj się.

I sekundę potem gwałtownie skręcił na sterburtę. Jednocześnie przyspieszył do oporu, wyciskając z silnika całą moc. Dziób, a potem kadłub *motoscafo* uniosły się ponad wodę.

Bravo szarpnął się; wyraźnie widział, że zmierzają prosto na pierwszą z dwóch *barene*. Zbieracze małży, dostrzegłszy pościg, wyprostowali się i wpatrywali jak zahipnotyzowani w pędzące na nich łodzie. Nikt – włącznie z Bravo – nie wierzył, że Rule naprawdę skieruje *motoscafo* na ląd. Na pewno skręci, tak jak poprzednio, robiąc unik w ostatnim momencie.

Ale nadeszła odpowiednia chwila… i minęła, Bravo to poczuł, i mocno chwycił się wypolerowanego drewna. Trzy sekundy później kil zgrzytnął o piasek. Zamiast zatrzymać się na *barene*, Rule wykorzystał ją jak trampolinę. *Motoscafo* wyprysnęła w powietrze i zakreśliła elegancki łuk nad obiema łachami.

– Hura! – ryknął Rule, gdy uderzyli o wody laguny za piaszczystymi łachami. Podwójne śruby wgryzły się w wodę, łódź śmignęła przed siebie z rykiem, kierując się prosto do Wenecji.

Bravo obejrzał się i ujrzał łódź Zorziego, roztrzaskaną, kołyszącą się przy *barene*.

Rule zaczął grzebać po kieszeniach.

– Gdzie są te cholerne papierosy, kiedy ich potrzebuję? – Roześmiał się, prawie pijany efektownym sukcesem.

– Od ciebie pewnie nie wyżebrzę? Więc gdzie mam to to skierować? Musisz już wiedzieć, dokąd powinniśmy się zabrać.

Camille stała na pokładzie smukłej czarno-białej *motoscafo* na Canal Grande, trzymała komórkę przy uchu i czekała, słysząc szum własnej krwi. Doskonale zdawała sobie sprawę z lekkiego niepokoju, który złożyła na karb niecierpliwości. Anthony Rule zadzwonił dokładnie w zapowiedzianym momencie. Wszystko pięknie się układało.

– Castello – zabrzmiał głos Bravo w jej uchu. – Kościół San Georgio de Greci.

– Doskonale – powiedział Rule. – Podpłyniemy od strony laguny, przez kanały do Fondamenta della Pietà. Będziemy za jakiś kwadrans. Pasuje?

Camille, która usłyszała już wystarczająco dużo, odłożyła komórkę i wydała kapitanowi rozkaz ruszenia z pełną prędkością do Fondamenta della Pietà w Castello. Zbliżyła się do Damona Cornadoro, który stał z ponurym grymasem na przystojnej twarzy.

– Mój drogi, ależ ty się dąsasz – zauważyła wesoło. – Tylko mi nie mów, że jesteś zazdrosny.

– Dziwisz się? Rule był twoim kochankiem.

Camille wyjęła papierosa i zapaliła.

– I co z tego?

– Ten romans ciągnął się latami. Nie pierwszy raz przyszło mi do głowy, że nadal masz do niego słabość.

– Nawet jeśli, to nie twój interes.

– Ale twój syn...

– Co mój syn? – rzuciła ostro.

– Zawsze się zastanawiałem... – Przez jakiś czas trzymał ją w niepewności, a ona się w niego wpatrywała, wstrzymując oddech. – Zawsze się zastanawiałem, czy Rule jest ojcem Jordana.

Odwróciła się; oczy miała ciemne, nieprzeniknione.

Rozmowy o ojcu jej syna były tematem tabu, wiedział o tym, więc
poszedł za nią niemal skruszony.

– Teraz ja jestem twoim kochankiem. Myślisz, że mógłbym się tobą
dzielić?

Camille wypuściła dym, przyglądając się wspaniałym pałacom po
obu stronach kanału.

– Camille?

Nie mogła myśleć o ojcu Jordana, nie mogła. Żeby się uspokoić, zajęła umysł innymi sprawami. Mężczyźni myślą o wszystkim w kategoriach posiadania, a to ją zarazem fascynowało i przygnębiało. Nie
mam tego, chcę to mieć. Teraz to mam i nigdy nie oddam. Oczywiście
z tego powodu stawali się przewidywalni i bezbronni. No tak. Co ma
powiedzieć swojemu kochankowi? Na pewno nie będzie tłumaczyć,
dlaczego wzięła Rule'a na kochanka, na pewno nie powie mu, że nadal kochała go tak, jak wszystkie inne cenne przedmioty. Prawdę mówiąc, nigdy nie była tak samotna jak w chwilach spędzonych z mężczyzną. Tak łatwo dawali się zadowolić, nasycić, a co potem? Można by
im powiedzieć, żeby poszli do diabła, a oni nigdy tego nie słyszeli.

Ale zdarzali się także mężczyźni, który przedstawiali sobą jakieś wyzwanie. Na przykład Anthony Rule. Wyrwanie go z zakonu gnostyckich
obserwantów było zadaniem długotrwałym, powolnym, męczącym
oraz często niebezpiecznym. Była to doskonale przemyślana i drobiazgowo zaplanowana kampania. Z tych powodów – lecz oczywiście także
innych – uważała je niewątpliwie za szczytowe osiągnięcie swego życia
i oszałamiający sukces, który zjawił się bezpośrednio po tamtym miaż-
dżącym rozczarowaniu. Wiadomości, które dostarczał latami jej i Jordanowi, były bezcenne.

– Nie masz się o co martwić, mój drogi – powiedziała. – Anthony
Rule to przeszłość. Ty jesteś teraźniejszością.

Jego westchnienie ulgi przebiło się nawet przez warkot motorówki.
Omal się nie roześmiała; tak szybko reagował na pieszczotę. Właści-
wie był to już odruch Pawłowa. On chciał – nie, musiał – jej uwierzyć.
Mężczyźni opętani potrzebą udowadniania sobie, jacy są silni – są

z gruntu słabi. Udowodniła prawdziwość tej zasady wielokrotnie, nawet gdy miała do czynienia z tak trudnymi przypadkami, jak Rule i Cornadoro. Był jeszcze Dexter Shaw – ale to przecież naturalne. To tylko wyjątek potwierdzający regułę. Pocieszyła się myślą, że mężczyźni mają tak wąską definicję zniewolenia. Co mężczyźni – którzy najlepiej czują się z maczugą w ręce – mogą wiedzieć o zniewoleniu? Działanie w aksamitnej rękawiczce było im zupełnie obce. Tym lepiej dla mnie, pomyślała. To dlatego w historii świata nieustannie zdarzają się kobiety sukcesu, mądre i pomysłowe, wykorzystujące wymuszoną zależność jako anonimową zasłonę, za którą manipulują mężczyznami z olśniewającym rezultatem.

Camille nie miała współczucia dla kobiet, które przyjmują ciosy mężczyzn, fizyczne czy emocjonalne. Nic w tym dziwnego, słabość jakiegokolwiek rodzaju budziła w niej tylko pogardę. To słabość czyniła z kobiet ofiary, to słabość nie pozwalała się im wyzwolić. Nie istnieje taka sytuacja, z której umysł ludzki nie znalazłby wyjścia. Wierzyła w to z gorliwością zeloty. Prawdę mówiąc, ta wiara stała się jej religią. Tę wiarę mogła przyjąć jak Słowo Boże.

Zbliżyli się do Fondamenta della Pietà; Cornadoro wyskoczył na brzeg, zanim kapitan przycumował.

– Wkrótce do ciebie przyjdę – zakwiliła słodko do Cornadora, jakby był dzieckiem u jej piersi. – Tymczasem idź do kościoła. I na miłość boską, uważaj na Zorziego i jego Strażników. Nie mam wątpliwości, że zabiłby cię bez wahania, jeśli dasz mu taką szansę – tak jak zabije Anthony'ego Rule'a.

21

Kierując się na południe od Fondamenta della Pietà, Bravo i Rule bez trudu znaleźli kościół San Georgio dei Greci. Trzy razy zatrzymywali się i szli okrężną trasą, żeby się upewnić, czy nikt ich nie śledzi. Choć nadal było wcześnie, zrobiło się gorąco i duszno. Białe chmury tkwiły nieruchomo na niebie, jak przybite gwoździami.

Kościół był zwrócony elegancką fasadą do ulicy, którą szli, miał wyjątkowo prosty wystrój, przynajmniej w porównaniu z wenecką architekturą. Ten jedyny prawosławny kościół w Wenecji powstał w 1539 roku, kiedy mieszkała tu bogata grecka społeczność, której wielu przedstawicieli od stuleci podróżowało do Lewantu z żyjącymi z morskiego handlu Wenecjanami i osiadało w ważnych ośrodkach handlowych na południowym wybrzeżu Morza Czarnego, gdzie ich religia stała się dominującym wyznaniem do piętnastego wieku, kiedy Turcy osmańscy wygnali ich z Trebizondy. Teraz w całej Wenecji można było znaleźć niespełna stu wyznawców prawosławia.

Wnętrze kościoła – o wysokim, beczułkowym sklepieniu – wydawało się puste i przestronne. Znajdowało się w nim niewiele osób – staruszka klęcząca ze splecionymi dłońmi przed ogromnym złoconym krzyżem, masywny rozczochrany mężczyzna rozmawiający z przejęciem z wysokim, trupio bladym, garbatym duchownym.

Pustka wydawała się cechą charakterystyczną tego miejsca, jakby jakaś energia wydrążyła to wnętrze, oszczędziła fantastyczną architekturę i rzeźby, lecz zostawiła po sobie – jak cofający się lodowiec – tę specyficzną jałowość moreny, krajobraz pozbawiony roślin i ziemi, w której mogłyby wyrosnąć.

Jak we wszystkich kościołach prawosławnych, greckich i rosyjskich, w San Georgio dei Greci znajdował się ikonostas, ściana pełna ikon o bizantyjskim rodowodzie. Z historycznego punktu widzenia ikonostas pełnił funkcję czegoś w rodzaju przegrody, symbolu rozdziału sanktuarium od nawy, nieba i ziemi, boskiego i śmiertelnego, lecz z czasem przekształcił się w ścianę, na której zawieszano ikony. I rzecz typowa dla wszystkich religii, to, co niegdyś było umowne, teraz stało się dosłownie osadzone w kamieniu.

Wysoki duchowny zauważył przybyszy, przerwał tęgiemu mężczyźnie i podszedł do nich.

– Jestem ojciec Damaskinos – rzekł głosem, który brzmiał, jakby przebijał się przez usta pełne żwiru.

Włoski nie jest jego rodzimym językiem, pomyślał Bravo, więc odpowiedział po grecku, przedstawiając siebie i swego towarzysza.

Ksiądz lekko otworzył oczy, przyjemnie zaskoczony.

– Bardzo dobrze mówi pan po grecku. Jakie inne języki pan opanował?

– Trebizondzką grekę – powiedział Bravo.

Ojciec Damaskinos roześmiał się cicho. Jego ramiona przypominały druciany wieszak, a głowa o małych uszach i wielkich zębach – łeb geparda. Jego garb był niewielki, widziany pod pewnym kątem nie rzucał się w oczy, więc ksiądz wyglądał, jakby się tylko garbił, co się zdarza wielu osobom jego wzrostu.

Odpowiedział w tej samej starożytnej postaci swego języka:

– Więc oczywiście musiał się pan zjawić w kościele San Georgio dei Greci z wyjątkowego powodu.

– Przybyłem – oznajmił Bravo – by obejrzeć kryptę.

– Kryptę? – Ojciec Damaskinos zmarszczył czoło. – Źle pana poinformowano. Tu nie ma krypty.

Bravo odwrócił się do Rule'a.

– Wujku, znasz tego człowieka?

Rule pokręcił głową.

– To żaden z naszych.

Czarne oczy ojca Damaskinosa rozbłysły.

– Z naszych? Jak to?

– Bravo, nie ma na to czasu – powiedział Rule.

Bravo skinął głową, wyjął krzyż świętego Andrzeja i pokazał go duchownemu na otwartej dłoni. Ojciec Damaskinos przez chwilę się nie odzywał. Potem ujął go ostrożnie jak skorpiona. Przyjrzał mu się dokładnie, szczególną uwagą darząc wszystkie inskrypcje.

W końcu odłożył krzyż na dłoń Bravo.

– A gdzie czerwone nitki?

– Przepadły.

– Policzył je pan?

– Były dwadzieścia cztery.

Ta dziwna rozmowa miała napięte, urywane tempo szpiegowskich haseł i odzewów.

– Dwadzieścia cztery – powtórzył ojciec Damaskinos. – Na pewno? Nie więcej, nie mniej?

– Dokładnie dwadzieścia cztery.

– Proszę za mną. – Ojciec Damaskinos odwrócił się gwałtownie na pięcie i zaprowadził ich po przypominającej szachownicę posadzce do drzwi z lewej strony ikonostasu. Za nimi znajdowała się ciasny korytarzyk, najwyraźniej wykuty w kamiennych blokach. Ojciec Damaskinos wyjął pochodnię ze stojaka z czarnego kutego żelaza i zapalił.

– Z przyczyn oczywistych – powiedział – w krypcie nie ma światła elektrycznego.

Zeszli po kręconych schodach, tak wytartych, że na środku się zapadały. Ponieważ była to Wenecja, krypta nie znajdowała się tak głęboko jak w miastach zbudowanych na stałym lądzie. Było w niej wilgotno i zimno jak w lodówce. Kamienną posadzkę obmywała woda, a gdzieniegdzie po śliskich ścianach pełzały stonogi, których odnóża szurały jak pióra armii skrybów.

– Nasza krypta jest tajna, pilnie strzeżemy informacji o jej istnieniu.

Krypta była większa, niż Bravo się spodziewał. Dwa rzędy kamiennych sarkofagów ciągnęły się daleko, rozdzielone wąskim przejściem. Na wieku każdego sarkofagu widniała podobizna zmarłego. Niektórzy trzymali krzyże, lecz pozostali przyciskali do piersi miecze.

Ojciec Damaskinos stanął przed Bravo.

– Jest pan synem Dextera, prawda?

– Tak. Skąd ojciec go zna?

– Łączyła nas przyjaźń oparta na obopólnym zaufaniu. Wierzyliśmy w te same ideały: sięgającą ponad podziałami moc historii. Pański ojciec był znakomitym studentem historii. Od czasu do czasu tłumaczyłem dla niego starożytne dokumenty, których nawet on nie potrafił rozszyfrować. W zamian, choć nigdy o to nie prosiłem, kościół co miesiąc otrzymywał datek z konta, które Dexter założył specjalnie w tym celu.

Ojciec Damaskinos zwrócił się do Rule'a:

– Pan się chyba dziwi, że Dex zwrócił się do kogoś spoza zakonu, ale proszę wziąć pod uwagę, że od stuleci istniało przymierze między zakonem i Kościołem prawosławnym – w pierwszych latach istnienia zakonu, kiedy jego członkowie podróżowali do Lewantu – Samsunu, Erzurum, Trebizondy – my przekazywaliśmy zakonowi informacji, a nawet tajne dokumenty. Jest to naturalne przymierze, zrodzone z konieczności i dla samoobrony, bo zarówno Kościół prawosławny, jak i zakon były wrogami papieża.

Ruszyli przez wodę, pomiędzy sarkofagami. To dziwne, pomyślał Bravo, że choć jest to miejsce spoczynku zmarłych, czuć tu więcej życia niż w kościele nad ich głowami. Tak jak ojciec czuł historię. Dla niego była żywym organizmem o nieskończonym zasobie opowieści, lekcji, które można wykorzystać w teraźniejszości. Przypominał sobie niezliczone sytuacje, kiedy razem z ojcem czytał teksty historyczne – najbardziej lubili żywe relacje świadków historycznych wydarzeń, nie te zmienione, zniekształcone interpretacje historyków o własnych poglądach, własnych teoriach do udowodnienia. Podczas badania historii niebezpieczeństwo kryje się w omijaniu tekstów źródłowych, powiedział Dexter.

– Więc dołączył pan do Voire Dei – powiedział ojciec Damaskinos – i teraz nic nie jest już takie, jak kiedyś.

– Jak wszystko od śmierci ojca.

– Dla mnie też – rzekł poważnie duchowny. – Pański ojciec był osobą wyjątkową. Ciekawe, czy go pan przypomina.

– Ma pan na myśli dar przewidywania rozwoju wypadków?

Ojciec Damaskinos przytaknął.

– Pański ojciec dostrzegł walkę, która rozpoczęła się w Voire Dei i rozprzestrzeniła na świat zewnętrzny – widział ją, powiedzmy, w szerszej perspektywie niż inni. Orientował się, że walka ta rozpoczęła się z powodów politycznych, tak jest od stuleci. W szesnastym wieku mogła nosić pozory konfliktu religijnego, lecz miała wyłącznie polityczne motywy. Parę wieków później ci, którzy nie chcieli dostrzec zmian – na przykład komuniści – i nie potrafili dostrzec, że walka przeniosła się na grunt ekonomiczny, musieli zginąć.

Pragnienie posiadania przewagi gospodarczej jest motorem działań Voire Dei – jak również świata – już od dwudziestu lat. Podobnie jak pragnienie sprawowania władzy politycznej, tak bardzo opanowało swoich wyznawców, że wzorem komunistów stali się ślepi na zachodzące zmiany. Ale pański ojciec wiedział – dostrzegł, że konieczność zdobycia przewagi gospodarczej z wolna ustępuje wzrostowi konfliktu religijnego. Tak zwane powody ekonomiczne – na przykład rywalizacja o ropę naftową – znowu stały się przykrywką. Dostrzega pan wagę historii? Pod tymi fałszywymi przykrywkami kryją się motywy religijne.

Fundamentalizm, rozumie pan? Chrześcijanie z jednej strony, muzułmanie z drugiej. Arabowie muszą się obawiać już nie tylko Izraela, lecz Ameryki z jej stopniowo potężniejącym gronem wyznawców fundamentalistycznego chrześcijaństwa. Jest to konflikt, który wykracza poza tradycyjny zakres działań Voire Dei w dotychczas znanej nam postaci, a jednak sprawia, że Voire Dei zyskało szczególne znaczenie, ponieważ pański ojciec dostrzegł nadejście ery Nowych Krucjat. Proszę mnie dobrze zrozumieć, to właśnie jest przyszłość, a ci, którzy nie przyjmują jej do wiadomości, zginą stratowani jej wielkim ciężarem.

Na widok uśmieszku Rule'a ojciec Damaskinos urwał.

– Pan się ze mną nie zgadza.

– Nie zgadzam się. Zakon ma obecnie wyłącznie świecką postać, nikt nie wiedział o tym lepiej od Dexa. To absurd, że mógłby się zainteresować konfliktami religijnymi.

– A jednak papież rozkazał ścigać was swym sługom.

– Papież nic o tym nie wie – oznajmił Rule zwięźle. – Jeśli otaczają go ludzie w rodzaju kardynała Canesiego, tym gorzej dla Rzymu. Jednak Canesi nie zamierza osiągnąć celów religijnych – chodzi mu o władzę polityczną. Naprawdę ksiądz myśli, że obchodzi go Testament Chrystusa? Nie, to dla niego przeszkoda. Neguje sam fundament władzy, którą zbudował. Chodzi mu o kwintesencję, mój przyjacielu. Tylko kwintesencja uratuje jego żałosną skórę.

– Nigdy jej nie dostanie. Zacny kardynał jest zgubiony.

– Niech będzie. Ale skoro papież ma przed sobą tylko parę dni życia, możemy mieć pewność, że kardynał zrobi wszystko, żeby najpierw zniszczyć zakon.

– Bardzo się pan sprzeciwia Bogu.

– Z czasem nauczyłem się szlachetnej sztuki ateizmu.

– Współczuję – powiedział ojciec Damaskinos.

– Zaskakująca uwaga. – Rule nie starał się nawet ukrywać niesmaku. – Już dość się w życiu nagadałem o religii i zagładzie. Do roboty.

Jenny znalazła się wreszcie na stałym lądzie, gdzie mogła jedynie zmówić modlitwę dziękczynną za ocalenie. Ręce jej zdrętwiały, nogi dygotały jak nowo narodzonemu źrebakowi, który usiłuje ustać o własnych siłach. Ostre kłucie w karku jakby łączyło się z gwałtownym bólem, który wwiercał się jej między oczy.

Skuliła się w cieniu, niedaleko Paolo Zorziego, który zgromadził Strażników natychmiast po zejściu z pokładu i zebraniu się u *fondamenta* Castello. Zorzi trzymał przy uchu komórkę. Akustyka ulicy sprawiała, że słychać było każde jego słowo.

– Gdzie są teraz?

Zrozumiała, że przydzielił zadania wszystkim swoim ludziom, ustawił ich jak obserwatorów na wieżyczkach strażniczych, z których kiedyś wypatrywano statków korsarskich, jak ogniska przekazujące straszne wieści z miasta do miasta.

– Kościół – powiedział. – Tak, oczywiście, znam.

Odwrócił się, zniecierpliwiony, rozdrażniony i – miała nadzieję – autentycznie zasmucony. Podczas przeprawy przez lagunę dowiedziała się, że to on pojmał Bravo, który, dzięki Bogu, uciekł razem z Rule'em. To Bravo i Rule'a ścigali przez lagunę. Przedtem, uczepiona przeciwległej burty łodzi, nie mogła tego zobaczyć. Teraz Zorzi i jego Strażnicy zdrajcy znowu wpadli na trop tamtych i sądząc z rozmowy, mogli ich wkrótce otoczyć. Musiała znaleźć jakiś sposób, żeby im przeszkodzić. Omal się nie rozpłakała na myśl o daremności tego zadania – co może zdziałać jedna kobieta, samotna, nieuzbrojona, przeciwko temu dobrze wyszkolonemu, zdyscyplinowanemu oddziałowi?

– Dziś nie ma dobrych wieści, z wyjątkiem jednej – mówił Zorzi. – Kryzys spowodowany przez Bravermana Shawa wreszcie wywabił naszego wroga z ukrycia. Anthony Rule jest zdrajcą, ta informacja jest pewna.

Z kim rozmawiał? Nie ze swoim człowiekiem, jak pierwotnie sądziła. Kłamiesz, miała ochotę krzyknąć. To ty zdradziłeś!

Chciałaby porozmawiać z każdym Strażnikiem z osobna i wyjaśnić, że popełniają straszny błąd. Ale musiała kulić się w ciemności, dygocząc jak tchórz, i patrzeć, jak jej świat wali się w gruzy. Nie mogła do tego dopuścić za żadną cenę.

– To oczywiście delikatna sprawa – ciągnął. – Bravo nie może odnieść żadnych obrażeń. Trauma związana ze śmiercią jego ojca... tak, choć znajdowałem się tysiące kilometrów stąd, biorę na siebie pełną odpowiedzialność. Tak jest. Ale proszę zrozumieć, to wyjątkowo delikatna operacja. Nie tylko musimy odbić Bravermana Shawa, nie czyniąc mu krzywdy, lecz nie wolno nam nawet zabić Rule'a... Oczywiście, że jestem pewny. Co by nam dała jego śmierć? – Oddalił się nieco od grupki Strażników, przypadkiem zbliżył się do Jenny, przyczajonej w ciemnej bramie. – To nasza szansa w walce z rycerzami. Proszę sobie wyobrazić, jakie informacje o nich musi znać Rule. – Zorzi przełożył telefon do drugiej ręki, a rękę, którą trzymał komórkę dotychczas, lekko rozmasował. – Nie, nie będę osobiście prowadzić przesłuchania. Wiadomo, jak wygadają moje kontakty z Rule'em, nigdy nie stanęliśmy oko w oko. Jak by to wyglądało, gdybym prowadził dochodzenie? Nie, zostawię to panu.

Jenny nagle uświadomiła sobie, że cała dygocze. Coś tu się nie zgadza. Paolo Zorzi powinien się domagać śmierci Anthony'ego Rule'a – chociażby dla własnego bezpieczeństwa. Tymczasem nie tylko doradza, by schwytać Rule'a żywcem, ale jeszcze odmawia prowadzenia śledztwa. To nie miało sensu. A potem poczuła lodowaty chłód w żołądku, gdyż uświadomiła sobie, że skoro Zorzi nie jest zdrajcą – jeśli mówi prawdę i jeśli to Rule zdradził – to każdy element tej rozmowy zyskuje sens. Oparła głowę o drzwi i zamknęła oczy, bo świat zaczął wirować. Zrobiło się jej niedobrze. Rule jest zdrajcą – Rule, tak bliski Dexowi, że jego syn nazywał go wujkiem. Wszystko idealnie pasuje – aż chciało się jej wymiotować. Przypomniała sobie niewyjaśnione zdarzenia. Nic dziwnego, że zakon zaczął ustępować pola rycerzom, że tracili najważniejszych ludzi – w tym Dexa. To wszystko dzieło Rule'a.

Mimowolnie zacisnęła pięści, gotowa do ataku przy pierwszej sposobności.

Bravo poczuł na sobie uważne spojrzenie Damaskinosa.

– Twój ojciec jednym interesował się szczególnie, Bravo. Ciekawe, czy rozmawiał o tym z tobą.

Duchowny mówił tak naturalnym, spokojnym tonem, że łatwo było uwierzyć, iż to nie sprawdzian. Ale tylko na chwilę. Bravo uśmiechnął się, bo polubił ojca Damaskinosa, a zwłaszcza spodobała mu się jego ostrożność w tych nowych czasach straszliwego zagrożenia dla członków zakonu, a także ich przyjaciół.

– Rozmawiał ze mną często o bracie Leonim.

– Tak, w rzeczy samej. Brat Leoni to ostatni *magister regens* zakonu. Potem tak zwany Haute Cour – komitet, powołany pierwotnie jako ciało doradcze *magister regens* oraz organ nadzorujący dokładne wykonywanie jego poleceń – przekształcił się w egalitarną organizację rządzącą. – Ojciec Damaskinos spojrzał na Rule'a, jakby wyzywająco, ale Rule milczał. – Nie było chyba takich informacji o okrzyczanym przywódcy zakonu, których Dexter by nie znał. Wiedział także, że jedyną szansą rozwoju zakonu, jego szansą, by stać się potęgą nowoczesnego świata, jest wybranie nowego *magister regens*.

– Czy gdzieś tutaj kryją się szczątki brata Leoniego? – spytał Rule, nagle zainteresowany.

– No, to by było coś – powiedział ksiądz. – Jednak musi pan wiedzieć, że istnienie tej krypty było przez stulecia tak pilnie ukrywane, że stała się ona jakby legendą. W zasadzie nikt nie wie, czy naprawdę istnieje.

– Mój ojciec wierzył, że tak – powiedział Bravo.

– Owszem – zgodził się ojciec Damaskinos. – Ale nawet on nie miał konkretnych podejrzeń, gdzie jej szukać.

– Znacie nazwiska tych, których tu pochowano? – spytał Bravo.

– Oczywiście. Wszyscy to Wenecjanie, którzy w tajemnicy pomagali nam w minionych stuleciach. Ich nazwiska są zapisane w mojej pamięci... i tylko w niej.

Bravo poprosił o wymienienie imion. Po wysłuchaniu listy dodał:

– Proszę mnie zaprowadzić do sarkofagu Lorenza Fornariniego.

– Oczywiście. – Ojciec Damaskinos zaprowadził ich do sarkofagu stojącego po lewej stronie, mniej więcej w dwóch trzecich długości pomieszczenia.

Fornarini pochodził – podobnie jak Zorzi – z jednego z *Case Vecchie*, tak zwanych starych domów, elitarnych rodów, które założyły Wenecję. Było ich dwadzieścia cztery. To właśnie symbolizowały dwadzieścia cztery czerwone nitki wokół krzyża. Trzy szyfry zestawione razem oznaczały: w kościele San Georgio dei Greci znajduje się sarkofag jednego z dwudziestu czterech.

– Lorenzo Fornarini, o czym twój ojciec doskonale wiedział, żył pod koniec piętnastego wieku i był templariuszem – rzekł ojciec Damaskinos. – Przebywał w Trebizondzie, kiedy miasto wpadło w ręce sułtana Mehmeda II. Jednak w Trebizondzie zerwał przysięgę wierności Wenecji i przeszedł na prawosławie – dlatego pochowano go tutaj, w tajemnicy. Miejscowi duchowni okrzyknęli go bohaterem. Jednak zdradził go Andrea Cornadoro, również pochodzący z *Case Vecchie*, rycerz o reputacji nikczemnika. Walczył z Lorenzo Fornarinim przez trzy lata o dwie wyspy, po czym w końcu go zabił. Księża zabalsamowali ciało Fornariniego, obandażowali je jak mumię i sprowadzili tutaj, by go pochować. Podobnie jak brat Leoni, Lorenzo Fornarini był dla Dextera bohaterem.

– Pomóż mi – rzucił Bravo do Rule'a.

Razem odsunęli kamienne wieko, by Bravo mógł zajrzeć do środka. Długą chwilę wpatrywał się w szkielet Lorenzo Fornariniego. W migotliwym świetle pochodni czas i przestrzeń jakby przestały istnieć. Znowu zobaczył rycerza, który tak dzielnie walczył przeciwko osmańskimi hordom.

Potem magiczna chwila minęła. Pochylił się i sięgnął do sarkofagu. Pomiędzy żebrami szkieletu namacał palmtop, leżący na czymś długim i wąskim. Wyjął oba przedmioty. Obok palmtopa ujrzał sztylet, przepięknie zachowany, w stalowej pochwie.

Bravo przyjrzał mu się uważnie i zajął się palmtopem. Ujrzał długie szeregi liter i cyfr. Ojciec wykorzystał urządzenie jako klucz jednorazowy, czyli szyfr Vernama. Gilbert Sandford Vernam był amerykańskim kryptologiem; w 1917 roku, pracując w AT&T, opracował algorytm z kluczem jednorazowym, po dziś dzień jest to jedyny szyfr naprawdę bezpieczny, bo nigdy nie został złamany. Klucz do szyfru Vernama ma tę samą długość co zasadnicza wiadomość i składa się z ciągów bitów zestawionych zupełnie przypadkowo, stąd nie do złamania nawet dla nowoczesnych superkomputerów.

Wrócili do kościoła, zauważyli, że stalle dla kobiet nad wejściem są puste i usiedli w nich.

Bravo musiał odgadnąć, gdzie ojciec ukrył klucz, za pomocą którego można by złamać szyfr. W pierwszej chwili sądził, że znajdzie go gdzieś w notesie ojca, ale po szybkich oględzinach zdał sobie sprawę, że tam klucz zanadto rzucałby się w oczy. Obejrzał emaliowany znaczek z flagą amerykańską – bezskutecznie. Potem wyjął nieotwartą paczkę papierosów, którą znalazł wraz z innymi przedmiotami. Na spodzie miała datę ważności i liczby. Z narastającym podnieceniem przeliczył je – było ich dokładnie tyle, ile w kluczu umieszczonym w palmtopie.

Wpisał ciąg cyfr do palmtopa i przycisnął klawisz. Odkodowany szyfr okazał się zagadką w starożytnej grece.

– Co nie ma nóg, a bieży? Nie ma ust, a gada? Ma koryto, lecz z niego nie jada? – odczytał mu przez ramię Rule. – Co to znaczy?

– To rzeka. – Bravo się roześmiał. – Kiedy byłem mały, uwielbiałem jeden poemat, który czytywał mi ojciec. Zaczynał się tak „Tam, gdzie Degirmen bieży, król Dawid życie postradał, gdy go spotkała zdrada po Zdobywcy grabieży…".

Dawid był ostatnim z Komnenów, sławnego rodu, który od stuleci rządził Trebizondą, najbogatszym z handlowych miast nad Morzem

302

Czarnym. Degirmen to rzeka płynąca przez Trabzon, obecnie nieist-
niejąca.

Ojciec Damaskinos kiwał głową.

– Komnenowie byli prawosławni. Dawida, ostatniego z rodu,
zdradzili jego ministrowie, a Trebizonda, z dawien dawna uważana
za niezdobytą, poddała się w tysiąc czterysta sześćdziesiątym pierwszym roku armii Mehmeda II Zdobywcy, sułtana Imperium Osmań-
skiego.

Bravo spojrzał na Rule'a.

– Testament nie spoczywa w Wenecji, jak sądziłem. Muszę jechać
do Turcji, do Trabzonu.

– Zatem podróż trwa – powiedział Rule z dziwnym zmęczeniem
w głosie.

Bravo prawie go nie słyszał. Po raz pierwszy z całą siłą zdał sobie
sprawę, ile dla niego znaczył ojciec.

Kościół San Georgio dei Greci oblewał żar weneckiego poranka.
Paolo Zorzi i jego Strażnicy zebrali się w cieniu, z wolna przeżeranym
przez oślepiające słońce. Ktoś na pobliskim *campo* śpiewał arię pięk-
nym, nieszkolonym głosem. Nuty frunęły nad kanałem jak bańki mydlane, od których powietrze stawało się tęczowe.

Strażnicy mieli szeroko otwarte oczy i przyspieszone oddechy. Jenny widziała na ich twarzach tę osobliwą mieszaninę niecierpliwości,
napięcia i lęku przed bitwą.

Żarliwie pragnęła podejść do swego mistrza, zaproponować pomoc,
ale rozsądek podpowiadał co innego. Ten, kto ją wrobił, dobrze to obmyślił: Zorzi już jej nie ufał i choćby ją zapewniał o czymś przeciwnym, widziała wyraźnie w jego oczach, że i ona nie może mu dłużej
ufać. Okłamał ją co do Bravo, a kiedy kłamstwa raz się zaczną, płyną
jak rzeka. Widziała to na własnym przykładzie.

Nie, zrozumiała, pora radzić sobie samej, oderwać się od zakonu,
który ją zdradził. Nigdy nie miała w nim znaczenia, znalazła się w nim
tylko dzięki uprzejmości przyjaciół. W obecnym stanie mogła nawet
obudzić w sobie nienawiść do Dexa za to, że się wtrącił, że potraktował ją jak przedmiot, nie człowieka. Sprzedał ją w niewolę mniej więcej tak, jak rodzice Arcangelę. Zakon czy klasztor, co za różnica. Ona
i Arcangela były uwięzione w klatkach starannie i przemyślnie skon-

struowanych przez mężczyzn. Różniło je to, że Arcangela odkryła metodę ucieczki ze swojej klatki.

Drgnęła. Zorzi i jego Strażnicy ruszyli, zbliżyli się do kościoła zorganizowaną, kontrolowaną falą, dotarli do wszystkich drzwi, zablokowali je, wreszcie weszli do środka. Odczekała do ostatniej chwili, kiedy przez drzwi frontowe miał wejść ostatni Strażnik, znalazła się za jego plecami, uderzyła go mocno w nerkę, a kiedy się zgiął, walnęła jego głową o kamienną fasadę kościoła. Narzuciła na siebie jego szatę, zabrała broń i wślizgnęła się do kościoła.

Bravo dostrzegł ruch kątem oka. Rule, dzięki wyostrzonemu jak u zwierzęcia instynktowi obronnemu, wyczuł bliskie zagrożenie.

– Jest tutaj – rzucił. – Zorzi.

Bravo pchnął ojca Damaskinosa za stallę z ciemnego drewna i powiedział cicho w trebizondzkiej grece:

– Nie ruszaj się, choćby nie wiadomo co, rozumiesz?

Ksiądz skinął głową i kiedy mieli się odwrócić, dostrzegł sig sauera w ręce Bravo. Sięgnął pod czarną sutannę, wyjął broń, podał ją Rule'owi kolbą do przodu.

– Nawet tutaj sytuacja czasem wymaga samoobrony – szepnął.

Rule lekko skinął głową, co skojarzyło się Bravo z wojskowym salutem.

– Bóg z wami – rzekł ojciec Damaskinos.

Bravo położył rękę na ramieniu Rule'a, żeby powstrzymać odpowiedź: „Bóg nie ma z tym nic wspólnego".

Wykradli się spośród stalli. Z ich punktu widzenia Paolo Zorzi i czterej Strażnicy wydawali się pełznąć jak robaki. Ale wiedzieli, że w innych częściach kościoła, niewidocznych dla nich, są kolejni. Musieli być.

– Nie zranią cię, a przynajmniej będą się starać – powiedział ponuro Rule. – Mnie kropną, gdy tylko się znajdę na linii strzału.

– Więc musimy dopilnować, byś się nie znalazł – odparł Bravo.

Rule roześmiał się krótko i bezgłośnie. Zmierzwił włosy Bravo, tak jak kiedyś, gdy obaj byli dużo młodsi.

– To właśnie najbardziej w tobie podziwiam. Twoja absolutna lojalność to dla mnie odświeżająca zmiana.

– Mówisz, że w Voire Dei nie ma miejsca na lojalność?

– Nigdy bym tego nie powiedział – odparł Rule poważnie. – Nigdy.

*

– Nigdy – powiedziała Camille. – Nie wolno ci ingerować.

Damon Cornadoro pełnił funkcję wartownika, stojąc w jednym z kurczących się cieni, nadal czających się wokół greckich kościołów, na wpół zrujnowanych i niemających znaczenia dla niego ani żadnej znanej mu osoby. Nie nadawał się na obserwatora, najlepiej sprawdzał się w akcji. Widząc Strażników otaczających kościół od zaplecza i z boków, a potem wchodzących, postanowił zapomnieć o wyraźnych rozkazach Camille. Wiedział, że rozpoczęła się końcowa rozgrywka i niech go diabli, jeśli nie weźmie w niej udziału. Ruszył do akcji dlatego – jeśli w ogóle się nad tym zastanawiał – że to mu sprawiało przyjemność, kusząca perspektywa rozlewu krwi była nie do odparcia. Ale był też inny powód, który jemu samemu umknął. Jego ochocze nieposłuszeństwo zrodziło się z tego wyrazu oczu Camile, kiedy rozmawiała z Anthonym Rule'em. Czuł więź między nimi. Widział lekkie drżenie jej ręki z telefonem, ten rumieniec, jaki wystąpił na jej policzki. A najgorsze było zobaczenie samego Rule'a w jej oczach. Patrzyła na niego, Cornadora, ale widziała Rule'a.

Ruszył więc wściekły i pełen urazy. Przemykał bezszelestnie przez mrok kościoła, niespodziewanie zbliżał się do każdego Strażnika. Eliminował ich oszczędnymi ruchami, lecz w nadmiernie bolesny sposób. Nie spoglądał im w twarze, nie musiał, przed oczami wciąż majaczyła postać Rule'a. Miał pozbawione wyrazu spojrzenie maszyny do zabijania i nikt go nie mógł zatrzymać.

Aż poczuł znajomy dotyk na swoim ramieniu i odwrócił się, by spojrzeć jej w oczy.

– Schody są najważniejsze – powiedział Rule. – Dla nas to jedyna droga.

Bravo skinął głową. Spiralne schody, wiodące do stalli dla kobiet, były wąskie. Słysząc skrzypnięcie schodka ukrytego za ścianą, stanęli nieruchomo.

Rule otworzył szeroko oczy, wskazał palcem w dół, a potem zwinął się w kłębek i potoczył po schodach. Bravo zrozumiał i poszedł w jego ślady, trzymając sig sauera w pogotowiu. Rozległo się stęknięcie pełne zaskoczenia, gdy Rule z kimś się zderzył. Wówczas Bravo wyskoczył, ujrzał zataczającego się Strażnika i uderzył go w skroń kolbą pistoletu. Strażnik osunął się, częściowo na Rule'a, który natychmiast strząsnął go z siebie i zerwał się na równe nogi.

– Nieźle – szepnął.

– Widziałem czterech plus Zorziego – powiedział Bravo.

– Teraz jest trzech plus Zorzi. Tylko on się liczy. – Zatrzymali się za osłoną ściany, by odzyskać oddech i zastanowić się nad taktyką. – Zawsze uważałem, że najlepszą strategią jest ta, która nie przyszłaby wrogowi do głowy. Zorzi ma przewagę liczebną i uważa, że nas zaskoczył. Po prostu musi sądzić, że możemy się tylko bronić. Dlatego zaatakujemy. On i tylko on jest naszym celem. Co ty na to?

Co Bravo mógł powiedzieć? Rule był starszy, miał o wiele większe doświadczenie w walce i nieraz wychodził cało nawet z najgorszych opresji. Poza tym jego propozycja brzmiała sensownie; Bravo nigdy nie lubił roli ściganej zwierzyny.

– Zróbmy to – powiedział.

Rule pokiwał głową.

– Nie rozdzielamy się. Działamy zespołowo, rozumiesz? Żadnych samodzielnych akcji, żadnego indywidualnego bohaterstwa – to by wszystko mogło zepsuć.

Wyłonili się zza zakrętu i przykuleni popełzli szybko za masywną kolumnę. Bravo zdążył zauważyć, że nieliczne obecne w kościele osoby zostały ewakuowane. Teren przygotowano do walki.

Zza kolumny jakieś dziesięć metrów dalej wyłonił się inny Strażnik. Patrzył przed siebie, nie w ich kierunku. Rule chwycił za ramię Bravo, który szykował się do skoku.

– Doskonały sposób, żeby zmniejszyć przewagę liczebną tamtych, tak sądzisz, co? – szepnął mu do ucha. – Bo Zorzi chce, żebyś tak myślał. Ten człowiek to przynęta, ma nas wywabić. – Zrobił gest w przeciwnym kierunku. – Pamiętaj, naszym celem jest Zorzi. On jest najważniejszy. Kiedy znajdzie się w naszych rękach, wojna będzie wygrana.

Tak jak polecił Rule, ruszyli razem, szybko i ostrożnie. Słońce stało już na tyle wysoko, że przez okna lało się światło, którego kolorowe plamy drżały na posadzce i ścianach. Same okna znikły, został tylko biały blask. Dlatego cienie we wnętrzu stały się głębokie i mroczne jak o północy.

– Szukamy dwóch osób – rzucił Rule, skradając się pod ścianą. – W takich sytuacjach Zorzi zawsze ma przy sobie jednego Strażnika, który go ochroni.

– Sprytne.

– Wcale nie. Przewidywalne, dlatego ryzykowne. – Wskazał coś przed nimi. – Ale daje nam przewagę.

Bravo dostrzegł dwie postacie i zadrżał z nienawiści. Kto wie, ile informacji Zorzi przekazał rycerzom, ile ludzkich istnień miał na sumieniu, w tym życie Dextera Shawa? Bezwiednie zacisnął szczęki. Był tak opętany pragnieniem zemsty, że kiedy Rule powiedział „Ty bierzesz Strażnika, ja Zorziego", omal nie odparł: „Nie, Zorzi jest mój". Ale musiał się opanować. Skoro znaleźli się w tak niesprzyjającej sytuacji, postanowił, że za żadne skarby nie zepsuje wszystkiego.

Zakradli się do Zorziego i Strażnika od lewej strony. Zorzi mówił coś gorączkowo do telefonu, zapewne zmieniając pozycje swoich ludzi, rozmieszczonych w kościele. Ochroniarz go ubezpieczał. Bez wątpienia znaleźli Strażnika, którego Bravo znokautował.

Od przeciwników dzieliły ich niespełna trzy metry; teraz, gdy Zorzi był tak pochłonięty rozmieszczeniem swoich żołnierzy, nadarzała się niepowtarzalna okazja. Bravo i Rule skoczyli. Bravo kopnął Strażnika w żebra, potem uderzył kolbą sig sauera. Strażnik obrócił się wokół własnej osi, pociągając napastnika za sobą. Wbił kolano w splot słoneczny Bravo, którego następnie chwycił za włosy i obrócił.

Nagle wszystko zaczęło się dziać bardzo szybko. Bravo dostrzegł kątem oka zbliżających się pędem dwóch Strażników. Jeden wycelował w niego i – niewiarygodne – wyglądało na to, że drugi Strażnik wytrącił mu broń, a jego samego powalił. Przez łzy, napływające mu do oczu po ciosie w splot słoneczny, mógł czegoś nie dostrzec, oczy mogły go zwodzić.

Potem znów musiał się zmierzyć ze swoim przeciwnikiem, który powalił go na kolana. Bravo przyciągnął go, a kiedy tamten wyprowadził cios, uchylił się. Zaskoczony Strażnik poleciał na łeb, na szyję. Bravo grzmotnął jego głową o podłogę. Wstał, dysząc, i ujrzał Rule'a zaciskającego ramię na gardle Zorziego. Dopadł zdrajcę, walka była wygrana. Wydawało się, że Zorzi z jakiegoś powodu na widok Bravo się poddał. Jego usta zaczęły się poruszać, słowa wymawiał pospiesznie, ledwie zrozumiale. Pomimo nieufności Bravo zrobił krok w jego stronę, żeby usłyszeć, co zdrajca ma do powiedzenia w chwili klęski.

Ale Rule wyjął broń ojca Damaskinosa i strzelił Zorziemu trzy razy w pierś.

Zorzi wytrzeszczył oczy i szarpnął się gwałtownie do tyłu. Nie odrywał spojrzenia od Bravo, nadal usiłował mówić, ale usta miał pełne krwi, która rozlewała się wszędzie, i nie mógł już nic powiedzieć.

Rule, z błyskiem triumfu w oczach, spojrzał po raz ostatni na trupa Zorziego. W tej samej chwili rozległ się kolejny strzał. Po drugim bryznęła krew, Rule padł w ramiona Bravo jak Ikar, który ośmielił się na zbyt wiele i spadł z nieba.

Za Rule'em pojawił się Strażnik, którego Bravo dostrzegł poprzednio kątem oka. Był drobniejszy od pozostałych, a kiedy zdjął kaptur, okazało się, że to Jenny. Jenny z bronią w ręku, Jenny, która zastrzeliła wujka Tony'ego.

Bravo poczuł ciężar Rule'a, dygoczącego, walczącego o oddech, co było dziwne, bo wydawał się taki ciepły, ciepły i mokry, nigdy nie był tak pełen życia jak teraz, gdy dostał przedśmiertnych drgawek.

– Bravo, posłuchaj – zaczęła Jenny.

Bravo dławił się słodkawo miedzianym zapachem świeżej krwi. Trzymał w ramionach wujka Tony'ego, charczącego, kaszlącego krwią, w agonii, a czerwona mgła zaćmiła jego myśli i rozsądek. Podniósł sig sauera.

– Nie będę słuchać twoich kłamstw.

– Wysłuchaj prawdy...

– Prawda jest taka, że zastrzeliłaś wujka Tony'ego. Czy to ty podłożyłaś bombę, która zabiła mojego ojca?

– Och, Bravo, przecież wiesz.

– Naprawdę? Zdaje się, że nic nie wiem o tobie, zakonie i Voire Dei.

– Zastrzeliłam go. – Wskazała powalonego Strażnika. – Żeby cię ratować.

Bravo wycelował w nią sig sauera.

– Raczej żeby zdobyć jego broń.

– Boże, jak mam cię przekonać?

– Okłamałaś mnie. Nawet nie próbuj.

Zagryzła wargę, bo naprawdę go okłamała. Okłamywała go od chwili, kiedy stanął na jej progu, i nie przestała, a teraz prawda stała się tak bolesna, że wręcz nie mogła jej wyjawić.

Klęska ciążyła jej jak kamień. Opuściła broń.

– Nie zastrzelisz mnie w taki sposób, tyle o tobie wiem. – Wyciągnęła rękę. – Przynajmniej pomogę ci go położyć.

– Nie zbliżaj się! – krzyknął. – Jeśli się ruszysz, naprawdę cię zastrzelę.

Twarz miał bladą, cały dygotał.

– Dobrze, Bravo. W porządku. Ale musisz wiedzieć, że nie zabiłam ojca Mosto. Wrobiono mnie.

– A twój nóż?

Zacisnęła powieki. Wyjaśnienie tamtego zdarzenia było obecnie ponad jej siły. I prawdę mówiąc, nie miała dowodów, nie wspominając już o najważniejszym: kto naprawdę zamordował księdza. To wahanie okazało się błędem.

– Cofnij się!

Drgnęła, słysząc ostre brzmienie jego głosu. Otworzyła gwałtownie oczy. Miała mu tyle do powiedzenia… ale na widok jego wykrzywionej nienawiścią twarzy słowa uwięzły jej w gardle.

– Powinienem cię zastrzelić za to, co zrobiłaś.

– On zdradził, Bravo. Wiem, nie chcesz tego słyszeć, ale Rule był…

– Milcz! – Gdyby nie trzymał wuja Tony'ego, pewnie by ją uderzył z całej siły. Chciał ją zobaczyć klęczącą, ogłuszoną. Chciał, żeby zapłaciła za tę niewyobrażalną zdradę, ale nie potrafił jej zabić z zimną krwią.

Powoli, nie spuszczając z niej oczu, położył Rule'a na kamiennej posadzce. Był załamany, ale postanowił, że bez względu na wszystko nie okaże słabości. Robił to dla swego ojca i dlatego, że nadal potrafił odróżnić dobro od zła, nawet w piekle Voire Dei.

– Wychodzę – oznajmił zimno. – Jeśli spróbujesz za mną iść, jeśli cię znowu zobaczę, zabiję cię. Rozumiesz?

– Bravo…

– Rozumiesz?

Jego furia odebrała Jenny zdolność racjonalnego myślenia.

– Tak. – Nic nie dodała, żeby znowu nie usłyszeć pełnej wściekłości odpowiedzi.

Jakąś nadludzką siłą powstrzymywała łzy, dopóki Bravo nie wycofał się w cień, który jakby zagarnął go długimi mackami. Potem spojrzenie jej się zamgliło i, powalona niewyobrażalną samotnością, osunęła się na kolana, jak niewidoma szukając na oślep ziemskich szczątków Paolo Zorziego.

Część Trzecia

CHWILA OBECNA

WENECJA
RZYM
TRABZON

22

W straszliwej ciszy po bitwie ojciec Damaskinos wyłonił się z kryjówki w stallach dla kobiet. Wychylił się z balkonu, ujrzał trupy, padł na kolana i pochylił głowę w modlitwie za zmarłych i konających. Nie myślał o policji i prawie świata zewnętrznego – powietrze w tym kościele, w tym domu Bożym, w którym on gospodarzył, było czarne od sadzy grzechu śmiertelnego. Myślał tylko o potrzebie duchowego oczyszczenia i wybaczenia; zatonął w modlitwie, najpierw poprosił o wybaczenie dla siebie, za rolę, jaką odegrał w tym szaleństwie, które rozpętało się w dole. Ale w trakcie modlitwy nagle podniósł głowę, otworzył oczy, powoli się wyprostował i spojrzał na smukłą postać, zbliżającą się ku niemu jak jeleń przez leśną polanę. Serce załomotało mu o żebra tak boleśnie, że chwycił się lewą ręką za pierś.

To był diabeł, diabeł zawitał do jego kościoła. Wszystkie nadzieje na wybaczenie pierzchły jak stadko spłoszonych przez burzę ptaków. Jego domowi niepotrzebne wybaczenie, lecz egzorcyzmy. Z tą przerażającą świadomością ojciec Damaskinos odwrócił się i uciekł.

Jenny tkwiła w odrętwieniu. Jednak stopniowo zdała sobie sprawę, że padł na nią jakiś cień. Ktoś się zbliżał. Podniosła głowę, odwróciła się i przygotowała na nieunikniony atak Strażnika. Jednak przed nią stała Camille Muhlmann. Odetchnęła z ulgą, tamy puściły, popłynęły łzy. Camille uklękła i przytuliła ją.

Łzy Jenny popłynęły na wspomnienie dawnego bólu, który pierwszy raz pojawił się w związku z Ronniem Kavanaugh. Poznała go w Londynie, w podziemnym kasynie, gdzie wielcy gracze, a wraz z nimi Kavanaugh, spędzali noc w towarzystwie obwieszonych biżuterią lalek. On od wielu godzin grał tu w ruletkę i bakarata. Ona była na urlopie, ponieważ w wyniku starcia z rycerzem w motorówce na Tamizie pękła jej kość ramienna.

Kavanaugh ją zaczepił, co zaskoczyło Jenny, a potem mile połechtało, bo powiedział, że zwrócił na nią uwagę, gdy tylko zjawiła się w kasynie. Spytał, czy lubi grać, a kiedy powiedziała, że nie rozumie, co inni w tym widzą, zaczął się śmiać. Oczy lśniły mu złowróżbnym blaskiem, który raczej poczuła, niż zobaczyła. Miał na sobie koszulę w paski, granatowy, dobrze skrojony frak i buty podobne do mokasynów. Pachniał przyjemnie drewnem sandałowym i potem. Jego kędzierzawą głowę otaczała ledwie widoczna aureola dymu z cygara.

Tej nocy zaczął się ich romans, choć nie pozwoliła się zaciągnąć do łóżka, co zamierzał uczynić. Pragnęła Ronniego – jego elegancji, wyrafinowania, uroku, nie wspominając już o tej drapieżnie przystojnej twarzy z kuszącym wyrazem okrucieństwa, na którego widok zapłonęła. Ale trochę się bała, że nie zdoła go okiełznać, że energia Kavanaugha pochłonie ją i że u jego boku przestanie istnieć. Mimo to, a może dlatego, następnego dnia mu uległa.

Ich burzliwy romans trwał niespełna trzy miesiące – jak się okazało, dla niego był to rekord. W tamtym okresie całkowicie mu się poświęciła, być może po raz pierwszy w życiu zapomniała o swojej żądzy i nadszedł czas – tak szybko, że aż ją to zmroziło – kiedy zrozumiała, że zrobiłaby dla niego niemal wszystko.

Niemal wszystko. Ale czy wszystko?

Mijał właśnie tydzień, odkąd powinna dostać miesiączki, a potem zerwali. Płakała trzy dni bez przerwy. Krew ciągle się nie pojawiała. W końcu powlokła się do apteki i w zaciszu pokoju hotelowego zrobiła test. Potem zrobiła jeszcze jeden. Nie wierzyła własnym oczom – była w ciąży.

Poszła do niego zrozpaczona, jak idiotka, jak histeryczka – ale czy można było wymagać od niej trzeźwego myślenia? – i powiadomiła o wszystkim, licząc, że cię uciesz i do niej wróci, że będzie chciał z nią żyć. Tymczasem on ją uderzył, od niechcenia, okrutnie, i kazał się tym jakoś zająć.

– Wszystko spaprałaś – powiedział. Jego głos nie ociekał pogardą, co mogło znaczyć, że obudziła w nim jakieś uczucie. Niestety, był zimny, zblazowany. – Nie słyszałaś o pigułce? Za młoda, za głupia, powinienem wiedzieć. – Pokręcił głową, wyraźnie pełen niesmaku na widok jej histerycznego szlochu. Pochylił się, dźwignął ją na nogi. – Znam pewne miejsce. Zabiorę cię. – Chwycił ją za brodę, zmusił, żeby na niego spojrzała. – Masz szczęście, wiesz? Gdyby ktoś z zakonu się dowiedział, wyleciałabyś na pysk, bez żadnych usprawiedliwień. Nie przejmuj się. Zajmę się tym i będziesz jak nowa. No już, nawet o tym nie myśl, nie zachowuj się jak idiotka.

Przestała więc o tym myśleć. Jakiś czas po wszystkim poczuła w sobie już tylko puste miejsce, które – o czym była przekonana – nigdy się nie wypełni. Dopiero pół roku później, na Rodos, kiedy obudził ją świt i nadciągało zagrożenie, zrozumiała, co zrobił jej Ronnie Kavanaugh. Oczywiście chciał, żeby siedziała cicho, usunęła „problem" i żeby wszyscy żyli spokojnie i szczęśliwie. Nie chodziło mu o jej karierę, tylko o swoją. Gdyby się rozniosło, że Strażniczka zaszła z nim w ciążę, sam by wyleciał, a na to nie mógł sobie pozwolić.

Dlaczego nie poszła do ojca, dlaczego nie poprosiła go o pomoc? Bo pomagał jej przez całe życie; teraz była już dorosła i skoro sama wpakowała się w kłopoty, to sama powinna się z nich wygrzebać.

Starała się, naprawdę, ale...

Camille czuła bicie serca Jenny, czuła jej zesztywniałe ciało, mruczała jej do ucha. Pod jej powiekami wezbrały palące łzy, ale płakała nad sobą, nie nad Jenny. W wyobraźni widziała bezwładne ciało Anthony'ego Rule'a, który przybrał nieznaną jej minę, jak woskowa figura z gabinetu Madame Tussaud, jak jakaś kukła, którą można było przez pomyłkę wziąć za Rule'a.

Przypomniała sobie o własnym bólu i z pewnym wysiłkiem wycisnęła z siebie łzy, by Jenny je zobaczyła i źle zrozumiała. Czy nie mogłaby choć odrobinę współczuć zrozpaczonej, zbolałej dziewczynie? Przecież i ją wyrzucono jak starą szmatę, choć tyle lat pomagała rycerzom świętego Klemensa. Sterowała nimi dyskretnie, eksploatowała własne piersi, uda, wargi, palce, w łóżku wyciągała istotne informacje. Ale w chwili gdy chciała wyjść z cienia, gdy sama chciała sięgnąć po władzę, odtrącili ją ci sami mężczyźni ze starszyzny, którzy w nocy przejmowali jej pomysły i wprowadzali je w życie za dnia. To dzięki niej stali się silniejsi, potężniejsi, sięgnęli do jądra gnostyckich obserwantów – tam gdzie sami nie mieli dostępu. A jednak nie dopuścili jej do władzy i pewnie nawet o tym nie dyskutowali. To była odruchowa reakcja. Wróciła więc w cień, by lizać rany, postanowiła manipulować nimi dzięki synowi, wyniesionemu na pozycję, o której sama marzyła. Kolejne pyrrusowe zwycięstwo, zostawiające w ustach gorzko-słodki smak. Ale odtrącenie nie wywołało w niej takiego bólu jak odejście Dextera. To było jak wygnanie z raju, koniec nadziei, kres wszystkiego. Co do Anthony'ego, zniknął z jej łóżka, spomiędzy jej ciepłych ud, z jej pajęczyny, ale musiała przyznać, że ten dreszcz, który czuła z nim w łóżku, nie miał nic wspólnego z jego kunsztem, lecz z gorącą falą spełnionej zemsty nie tylko na zakonie, lecz i na Dexterze. Anthony był bronią skierowaną przeciwko gnostyckim obserwantom. Stanowił jej własność, wyłącznie jej. Nawet Jordan, który wiedział o istnieniu Anthony'ego, nie znał jego tożsamości. Doskonale oszukiwała Anthony'ego – zwiodła wszystkich, również własnego syna. Ale przecież do tego ją stworzono.

Nagle znowu poczuła obejmującą ją Jenny, jej rozdygotanie. Rozpacz i ból, pożywka Camille, stan psychiczny, którym się karmiła. Tak, Anthony odszedł, ale nie była sama. Miała Jenny, którą mogła manipulować i zwodzić.

– Już dobrze, dobrze – szepnęła. – Jestem przy tobie.

Wstała, tuląc swoje nowe narzędzie.

– Jenny, co się stało?

Wyprowadziła ją energicznie z kościoła San Georgio dei Greci w mętny blask późnego popołudnia, w oszalałą fanfarę zbliżających się syren. Nadpływały policyjne motorówki. Ona i Jenny musiały zniknąć przed przybyciem funkcjonariuszy.

– Zadzwonił do mnie zdenerwowany Michael Berio. – Tym imieniem i nazwiskiem przedstawił się Jenny i Bravo Damon Cornadoro. – Po tym, jak mu uciekłaś spod hotelu. I dobrze. Gdyby zadzwonił do Jordana, mój syn by go z miejsca wyrzucił.

Pospiesznie zapędziła Jenny do małej kafejki, gdzie zamówiła podwójne espresso i ciastka w czekoladzie, by dostarczyć im obu zastrzyku energii.

Jenny wróciła z łazienki, gdzie doprowadziła się do porządku. Camille ujęła jej lodowate dłonie.

– A teraz mów – poleciła cicho. – Wiem, że to był potworny dzień. Ale mów, ile możesz.

Jenny zrelacjonowała wypadki – że została wrobiona w morderstwo ojca Mosto, że Bravo został schwytany i teraz uważa ją za zdrajczynię współpracującą z jej mistrzem, Paolo Zorzim, że dowiedziała się, iż tak naprawdę zdrajcą jest Anthony Rule.

Kiedy mówiła, że Bravo jej nie uwierzył, Camille wtrąciła:

– Naturalnie. Rule był dla niego jak wujek. Przez jakiś czas go wychowywał.

Podano espresso i ciastka. Przez chwilę milczały. Filiżanki były z malowanej porcelany, talerzyki z kutego srebra. Na ścianach kawiarni amorki o różanych policzkach figlowały na kłębiastych różowych chmurkach. Panował ruch, co chwila wybuchały śmiechy lub sprzeczki. Po drugiej stronie kanału migotały światła policyjne i uwijały się ciemne sylwetki w mundurach na tle ognistego, z wolna zachodzącego słońca. Ruchy policjantów były wydajne, jakby każdy z nich był kółeczkiem machiny. Ta myśl podniosła Camille na duchu. Od lat nie chciała mieć nic wspólnego ze społeczeństwem, ale zawsze było przyjemnie się upewnić co do słuszności decyzji.

Jenny odsunęła nietknięte ciastko.

– Co, nie smakuje ci?

– Smakuje. Nie jestem głodna.

– Musisz to zjeść. – Camille wzięła widelczyk i wręczyła go Jenny. – Musisz odzyskać siły, przed nami długa droga.

Jenny uniosła głowę.

– Jak to?

– Tak to, że obie ruszamy za Bravo.

Jenny siedziała z twarzą bez wyrazu.

– Powiedział, że mnie zabije, jeśli mnie znowu zobaczy.

– Pozwól, kochanie, że ja się nim zajmę.

Jenny pokręciła głową.

– Camille, jestem ci wdzięczna za pomoc. Ta wyprawa zmieniła się w koszmar.

– Rozumiem, twój przyjaciel...

– Nie, nie rozumiesz. Zlecono mi opiekę nad Bravo, a ja zawiodłam.

– Zlecono? Kto?

317

Jenny zagryzła wargę. Zgodnie z wyuczonymi odruchami miała ochotę milczeć. Ale w tych okolicznościach, odcięta od wszystkich i wszystkiego, co mogło jej pomóc, uznała Camille za jedyną szansę odkupienia, odniesienia sukcesu w misji, którą powierzył jej Dex. Urywanymi zdaniami opowiedziała Camille ogólnie o zakonie i jego śmiertelnych wrogach, rycerzach świętego Klemensa.

– Wiedziałam, że Bravo nie mówi mi wszystkiego. – Camille przelotnie uścisnęła rękę Jenny. – Dziękuję, że mi się zwierzyłaś. Teraz wiem, jak postępować.

Doskonale zwiodłam Jenny, pomyślała, tak jak Dextera... i co najmniej tak dobrze, jak Anthony'ego Rule'a. Po prostu Dexter okazał się twardym orzechem do zgryzienia, dla niej zbyt twardym. Zmiękł, ale tylko na chwilę. Żywiła nadzieję, iż jej plan się powiedzie, że zdoła odciągnąć Dextera od żony i zakonu, że porzuci ich oboje, Stefanę i gnostyckich obserwantów, że się z nią ożeni i odda jej skrzynię tajemnic. I tylko włos dzielił ją od zwycięstwa. Tylko przedwczesna śmierć jego młodszego syna, Juniora, zwróciła go znowu ku żonie i dwojgu pozostałym dzieciom. Gdyby nie pęknięcie lodu, Dexter Shaw należałby do niej.

– Widzę, co zrobiłem – powiedział jej trzy miesiące po śmierci Juniora.

Odpoczywali na ławce w Parc Monceau, wśród pięknego krajobrazu. Przyniósł jej czekoladki, jakby byli parą młodych zakochanych. Tak się czuła. Zbliżała się wiosna, wiśnie pieniły się bladoróżową pianą. Ale kwiecie za parę dni miało zniknąć, tak jak Dexter.

– Anthony zabrał mnie na polowanie do Norwegii. – Jego głos brzmiał dziwnie, przypomniała sobie, jakby zmuszał się do mówienia. – Pewnego dnia znaleźliśmy trop rosomaka, cholernie rzadkiego zwierzęcia. Tropiliśmy go przez cały dzień na śniegu. Nie mogłem odpuścić, prawie oszalałem, tak chciałem go znaleźć. Ale zabić go? Nie. Zobaczyłem go i jednocześnie on zobaczył mnie, i spojrzeliśmy na siebie. Czułem się, jakby ktoś podsunął mi lustro pod nos. Zrozumiałem, że między nami istnieje bliski związek. Obaj byliśmy niebezpieczni, gotowi zadawać ogromny ból, i pojąłem, że do tego dojdzie, jeśli dalej będziemy razem, Camille.

– A co ze mną? – krzyknęła. Przeczuwała, co powie – ta dziwna nuta w jego głosie – ale nie chciała tego przyjąć do wiadomości. Nie chciała myśleć o porażce. – A co z naszymi planami? Co z życiem... co z Jordanem?

– To ryzyko zawsze istniało, Camille. Ty to wiedziałaś i ja to wiedziałem.

Zaczęła go błagać, żeby się zastanowił i wtedy zadał najboleśniejszy cios.

– Jesteś dla mnie niebezpieczna, jak trucizna. Trzymaj się ode mnie z dala. Mówię poważnie.

Teraz, kiedy to wspominała, przypominała sobie ten wystudiowany spokój, ciepło uciekające z każdego słowa jak piasek z klepsydry. Już się od niej oddalał. Stara sztuczka, sama stosowała ją wiele razy, i później przeklinała się, że się na nią nabrała, bo to przecież on był tym jedynym, tym, dla którego mogłaby porzucić wszystko – rycerzy, ambicję, wszystko, co trzymało ją przy życiu. Dla niego, tylko dla niego, odstąpiłaby od drobiazgowo wytyczonego planu. Tylko dla ciebie, Dexterze...

Powiedziała Jordanowi, że Dexter ją opuścił, kiedy tylko dorósł na tyle, żeby to zrozumieć. Kazała go uczyć, czasami sama go szkoliła, i razem zaczęli snuć intrygę. Tak jak się spodziewała, okazał się chłopcem inteligentnym – przewyższał inteligencją wszystkich kolegów z klasy. Gaśli przy nim jak gwiazdy przy słońcu.

Po odejściu Dextera to Anthony Rule stał się obiektem jej wściekłości. Gdyby Rule nie zabrał Dexera na polowanie, gdyby Dexter nie zobaczył tego rosomaka... strasznie pragnęła cofnąć czas, powrócić do chwili, zanim lód pękł, zanim Junior wpadł i znikł na zawsze.

Anthony Rule stał się jej następną ofiarą – i to jakże słodką! Musiała postępować ostrożnie – tak ostrożnie, że Jordan nieraz tracił do niej cierpliwość. Ale Jordan zawsze był niecierpliwy. Skąd mu się to wzięło? Na pewno nie miał tego po niej ani po ojcu.

Znowu obdarzyła Jenny uwagą.

– Nie martw się. Będziemy jak opiekuńcze anioły, co go strzegą i osłaniają przed wszelkim złem.

Po drugiej stronie kanału policyjna motorówka ruszyła z miejsca. Dochodzenie zostało zakończone. W maleńkiej kafejce zrobiło się jeszcze tłoczniej. Było bardzo gorąco. Nad Wenecją zapadł zmierzch.

Bravo nie znalazł ojca Damaskinosa przypadkiem; zobaczył, że kapłan ucieka z kościoła, jakby zobaczył ducha. Nic dziwnego. Marmurowa posadzka domu Bożego spływała krwią. A to Damaskinos dał broń Rule'owi.

Bravo ruszył za nim w pościg jak za kieszonkowcem. Wstrząśnięty, ogłupiały z bólu, tylko tyle zdołał wymyślić. Jak ranne zwierzę, działał instynktownie. Był wstrząśnięty niewyobrażalną zdradą Jenny, widokiem konającego wujka Tony'ego, światłem gasnącym w jego oczach. Przestał działać i myśleć logicznie. Zgroza, niedowierzanie, wściekłość, żądza zemsty ustąpiły przed pragnieniem przetrwania.

Nie tracąc z oczu uciekającego ojca Damaskinosa, pędził przez mały *campo*, gdzie grupka staruszków siedziała przy zabytkowej kamiennej fontannie na środku – monstrualne oko Cyklopa w obłoku papierosowego dymu – przez most o ostrych łukach, gdzie na powierzchni kanału falowały tajemnicze i dziwnie złowrogie odbicia, przez wąski, zawiły zaułek, w którym słychać było głosy niewidocznych osób, urywek arii, gwałtowny, ochrypły śmiech, jakby bogowie Wenecji komentowali jego los.

Biegnąc, zaciskał w dłoni sztylet Lorenzo Fornariniego. Czuł się jak rozbitek na oceanie, gdzie w żadnym kierunku nie widać stałego lądu. Ślepiec w Voire Dei, miał za przewodników tylko ten sztylet i ostatni szyfr ojca, wszystko inne to podstępy i kłamstwa, pytania, na które nie znał odpowiedzi.

Musiał opuścić Wenecję jak najszybciej, to było teraz najważniejsze zadanie. Musiał zabrać ze sobą sztylet Lorenzo Fornariniego. Miał pewien pomysł, ale potrzebna mu była pomoc ojca Damaskinosa.

Kryjówką, którą wybrał sobie ojciec Damaskinos, była Scuola San Nicolò. Założona pod koniec piętnastego wieku dla ochrony praw greckich mieszkańców Wenecji, ostatnio stała się muzeum. Bravo poszedł za kapłanem i znalazł się w otoczeniu setek ikon wiszących na ścianach i zamkniętych w szklanych gablotach.

Ojciec Damaskinos stał przed witryną z dwunastowieczną ikoną świętego. Podłużną, brodatą twarz otaczała aureola z listków złota. Ojciec Damaskinos splótł ręce na wysokości mostka, jego bezkrwiste usta poruszały się w cichej modlitwie, tak że tylko aureola różniła kapłana od świętego.

Bravo podszedł cicho. O tej godzinie w muzeum nie było nikogo prócz nich. Przez wysoko umieszczone okna lało się blade światło, rzucało na posadzkę jasne prostokąty, budzące ikony z długiego snu.

Choć Bravo wymówił imię kapłana niemal szeptem, ojciec Damaskinos drgnął jak ukłuty. Odwrócił się gwałtownie, wytrzeszczając oczy. Był najwyraźniej przerażony.

– Bravo – jęknął – ty żyjesz, chwała Bogu! Tak się bałem... nie wiedziałem...

– Klęska, ojcze. Kompletna katastrofa. Wujek Tony nie żyje, zginął z ręki... – Pokręcił głową. W piersi czuł ból, jakby to jego trafiły pociski. Miał ochotę krzyczeć aż do zdarcia gardła – ...zdrajców. Muszę uciekać przed zdrajcami.

– Tak, rozumiem. – Ojciec Damaskinos był jakiś roztargniony, rozglądał się ukradkiem, jakby spodziewał się, że przez drzwi muzeum ktoś wpadnie. Miał dzikie, zaszczute spojrzenie.

– Ale muszę zabrać ze sobą sztylet Lorenzo Fornariniego – ciągnął szybko Bravo. Miał własne problemy. – Ojcze, to możliwe, jeśli napiszesz list potwierdzający, że jest to zabytek religijny, który powraca do swego miejsca pochodzenia w Turcji.

– Jedziesz tam?

– Tak, do Trabzonu.

Kapłan skinął głową, lecz znowu z tym roztargnieniem, tak wielkim, że Bravo musiał znowu się do niego odezwać.

Kapłan drgnął, wbił spojrzenie w Bravo, jakby zobaczył ducha.

– Ojcze, co się stało?

Ojciec Damaskinos spojrzał przytomniej.

– Tak, tak, zrobię, o co mnie prosisz, naturalnie. Ale...

Bravo przyjrzał mu się pytająco.

– Tak, ojcze?

Przez chwilę w spojrzeniu kapłana pojawił się jakiś cień, jakby chmura. I równie szybko zniknął.

– Nic.

– Ojcze, postąpiłeś słusznie.

– Co? – Słowo zabrzmiało jak jęk. Tak jakby przerażenie duchownego znowu wzrosło.

– Broń, ojcze. Dobrze, że dałeś broń wujkowi Tony'emu.

– Nie wiem. Boże, wybacz, ale nie wiem... – Ojciec Damaskinos położył rękę na ramieniu Bravo i z trudem się opanował. – Uważaj, synu. Bardzo uważaj. Wystąpiłeś przeciwko... najbardziej niebezpiecznemu przeciwnikowi.

Bravo zmarszczył brwi, pokręcił głową.

Ojciec Damaskinos wytarł pianę z kącików ust.

– To diabeł – powiedział z cichym tchnieniem kwaśnego oddechu. –
To diabeł wkroczył na pole walki.

23

Na lotnisku w Trabzonie, gdzie Bravo czekał na walizkę ze sztyletem, powietrze trzęsło się od ogłuszających tureckich i arabskich krzyków, atakujących uszy jak tępe stukanie młotka, jakby ktoś szatkował kapustę, jakby szeleściło dziesięć milionów ziaren piasku podczas burzy piaskowej. Podsłuchiwał rozmowy sąsiadów, przyzwyczajał ucho do gwałtownej, wschodniej muzyki brzmiącej jak serie z karabinu maszynowego. Od pewnego czasu nie miał kontaktu z mówionym językiem tureckim i kiedy zastanawiał się nad pytaniami tych mężczyzn, kobiet i dzieci, tłoczących się wokół niego przy odbiorze bagażu, odpowiadał im w myślach po turecku i arabsku.

Chwycił swoją walizkę i zaniósł ją do łazienki. Upewniwszy się, że sztylet leży nietknięty, dokładnie tak, jak go zapakował, obmył twarz i ręe. Spojrzał w brudne lustro i nie rozpoznał własnej twarzy. Patrzyła na niego trupia czaszka, równie upiorna jak twarz ojca Damaskinosa w Scuola San Nicolò. Odwrócił się, trochę przestraszony tym, kim się stawał.

Znalazłszy się znów w zatłoczonej, pełnej ech hali, powiódł wokół spojrzeniem z – jak się mu wydało – całkowicie usprawiedliwioną paranoją. Nikt nie zwracał na niego najmniejszej uwagi. Ściskając walizkę, wyszedł w parną noc.

Rozklekotaną taksówką pojechał do miasta, stojącego na stromym skalnym klifie, wznoszącym się nad półkolistą zatoczką, tuż u stóp mgliście błękitnych i ochrowych gór, odwiecznej naturalnej zapory chroniącej przed napastnikami. W czasach, gdy miasto zwano Trebizondą, było ono otoczone grubymi murami, wniesionymi na wzór tych, które strzegły Konstantynopola.

Spoglądając w górę, ku mrocznemu sercu oświetlonych latarniami gór, Bravo czuł ciężar historii tego miasta. Kiedy Kontantynopol poddał się rycerstwu łacińskiemu podczas czwartej krucjaty w 1204 roku,

z podbitego kolosa powstały trzy mniejsze greckie cesarstwa: Nicej-
skie, Epiru i Trebizondy. Aleksy I, wnuk bizantyjskiego cesarza An-
dronika I Komnena, uczynił Trebizondę najwspanialszą i najbogatszą
z tej trójki. Cesarze z rodu Komnenów zrozumieli od pierwszej chwili, gdy ich wojska przybiły do miasta, że jest ono położone w niemal
magicznym miejscu: na początku drogi łączącej południowe wybrzże
Morza Czarnego z Iranem, jak również na trasie do przełęczy Zigana
wiodącej przez Erzurum, a dalej do Anatolii, dzięki czemu zyskiwało
nieocenione znaczenie strategiczne. I tak Komnenowie stali się bu-
downiczymi Trebizondy, centrum handlu Wschodu z Zachodem, miejscem spotkania – a w czternastym i piętnastym stuleciu także sławnych
starć – chrześcijaństwa z islamem, gdyż miasto to stało się obiektem
pożądania Greków, który rozbudowali „miasto Fortuny", rzymian,
którzy w nim handlowali, i Turków osmańskich, którzy uważali je za
swoją skradzioną własność.

W luce między mrocznymi górami wyobraził sobie długą, rozdzwonio-
ną karawanę płowych wielbłądków, wkraczających do miasta wijącym się
szeregiem przez wąską, dobrze strzeżoną dolinę Pyxitis i przynoszących
ogromne bogactwa niespokojnie wyczekującym ich kupcom i sklepika-
rzom Wenecji, Florencji, Genui i także Watykanu, bo w czasach swej
świetności Trebizonda była miastem wielu wojujących duchownych.

Rozklekotana taksówka dowiozła go do hotelu Zorlu Harbor, gdzie
czekał na niego pokój z widokiem na spokojne Morze Czarne. Noc też
była czarna, pochmurna, bezgwiezdna i bezksiężycowa. Niewidoczni
ludzie krzyczeli po turecku i arabsku, odpowiadało im rozpaczliwe uja-
danie chudych bezpańskich kundli. Za oknem łodzie sunęły gładko jak
w teatrze. Bravo otworzył szklane drzwi i wyszedł na balkon, wciągnął
w płuca egzotyczny zapach mirry i tamaryszku, sumaku i mięty, nasycił
uszy obcą kakofonią miasta. Przez otwarte drzwi nadmorskiego klubu
buchała turecka muzyka, władcze rytmy *oudu* i *balzouki*. Basowe stac-
cato ciężarówek diesla, rozkasłany rytm skuterów. Potem alt i tenor.
W zawodzącej, falującej toccacie języków wychwycił urywki weneckich
arii, bizantyjskie zawodzenie sprowadzone na zachód przez kalifów,
sułtanów, przerażających Seldżuków i Mameluków. Usłyszał coś, co
mogło być modlitwą, i podniósł głowę. Wielki czarny tankowiec sunął
na zachód. Na drugim brzegu morza znajdowała się Ukraina, kraj jeszcze bardziej obcy.

323

Zjadł doradę z grilla w oliwie z oliwek i mięcie, posypaną przypieczonym oregano. Oddzielił białe mięso od przezroczystego szkieletu, ukształtowanego z matematyczną precyzją. Czyż nie byłoby świetnie, pomyślał, stworzyć szyfr opierający się na takiej organicznej strukturze?

Zasnął, choć nie zamierzał, leżąc na łóżku w wymiętym ubraniu; resztki kolacji pozostały na nakrytym białym obrusem wózku. Miał sen, a w tym śnie znowu odwiedził go ojciec. Siedział w wannie, woda się lała, unosiła się para. Dexter miał odchyloną głowę, mokre włosy odgarnięte z szerokiego czoła. Odpoczywał, lecz nie był bezbronny, nigdy nie bywał bezbronny.

Zaczął się golić obok niego.

– Zakładam, że przeczytałeś wszystkie depesze z Angoli – odezwał się Dexter rzeczowym tonem.

– Tak. – Wiedział, że chodzi o śmierć amerykańskich marines i rzekomą masakrę angolskich żołnierzy, która tak poruszyła pewnych członków ONZ i której gorączkowo zaprzeczali Amerykanie.

– Właśnie stamtąd wracam. Z Angoli. Chcesz znać prawdę?

– „New York Times" nie pisze prawdy?

– Przekazuje własną prawdę. Tak jak „Time", CNN, Reuter i wszyscy pozostali.

Bravo odłożył brzytwę.

– Ile jest prawd?

– Jeśli ktoś uwierzy w jakąś historię, staje się ona prawdziwa – dla niego. To dlatego historia to taka stajnia Augiasza – trudno określić, co działo się naprawdę, a w co ludzie tylko wierzą, chcą wierzyć, uważają, że tak powinno być. Punkt widzenia zmienia wszystko, Bravo. Zapamiętaj to.

Bravo przyglądał się mydlinom znikającym w odpływie umywalki.

– Co się wydarzyło w Angoli, tato?

– Skopali nam tyłek, oto co się wydarzyło. Generałowie karygodnie się przeliczyli. Buta, Bravo. Zgubiła Rzymian, zgubiła i nas. Myśleliśmy, że jesteśmy niepokonani, że angolscy żołnierze są od nas gorsi. Oni zaś nam dali w skórę, a ponieważ sekretarz obrony się wściekł, weszliśmy do ich kraju i wymordowaliśmy tysiące ludzi. Popełnili tę zbrodnię, że urodzili się w Angoli, a myśmy dopilnowali, żeby zapłacili za to życiem.

– Więc ambasador Perry kłamał, zaprzeczając...
– Perry jest lojalną marionetką rządu. Powiedział tę prawdę, którą mu przysłano z gabinetu prezydenta.
Odwrócił się do ojca.
– Na pewno?
Dexter wzruszył ociekającymi pianą ramionami.
– Sam zobacz.
Ujrzał czarną teczkę leżącą na zamkniętej muszli klozetowej i wziął ją, wytarłszy ręce. Znalazł w niej sześć zdjęć wykonanych z samolotu. Zdjęcia ciał, stert trupów, zwłok Angolczyków – nie tylko żołnierzy, także cywilów. W tym nieludzkim obrazie było coś obrzydliwego, jakby dystansowano się od ludzkiego nieszczęścia. Zatrzęsły mu się ręce.
– Ty zobaczyłeś te zdjęcia ostatni – oznajmił Dexter. – Za dziesięć minut je spalę.
Spojrzał ojcu w oczy.
– Dlaczego mi je pokazałeś?
Dexter wyprostował się, woda spłynęła po jego ramionach i piersi.
– Bo chcę, żebyś znał prawdę, bo żyjemy w kraju ślepców, a ja nie chcę, żebyś był ślepy. Chcę, żebyś widział, co się dokoła ciebie dzieje, nawet jeśli to boli, nawet jeśli nie to chciałbyś oglądać. Nie możesz być dobry, musisz być najlepszy. Jeśli się nie nauczysz ode mnie niczego więcej, wystarczy, że będziesz wiedzieć to...
Bravo obudził się z krzykiem. Twarz ociekała mu potem. Był ranek. Port pławił się w słonecznym blasku, słońce złociło północne okna. Zrzucił ubranie i stanął pod zimnym prysznicem. Dostał gęsiej skórki, a potem dreszczy. Kiedy się wycierał, słowa ojca przemknęły mu przez głowę. Owinął się ręcznikiem, wrócił do pokoju i siedząc na łóżku po turecku, ujął sztylet z rewerencją jak nóż ofiarny. Wyjął go z pochwy. Ile saraceńskich serc przeszyło to ostrze, ile osmańskich brzuchów rozpruło, ile roztrzaskało żeber rycerzy świętego Klemensa?
Światło lampy zaiskrzyło na ostrzu, lecz ujawniło także coś innego. Ostrożnie położył sztylet na łóżku i wziął pochwę. Była wyłożona aksamitem koloru krwi, nigdy nieużywanym przez płatnerzy, ponieważ wytarłby się podczas ciągłego wyciągania i chowania broni. A nawet gdyby w tym konkretnym wypadku go użyto, aksamit nie przetrwałby stuleci w tak idealnym stanie.

Bravo przyjrzał się pochwie i dostrzegł leciutko odstający brzeżek materiału. Pociągnął; okazało się, że aksamitna wyściółka odchodzi bez oporu, a spod niej wyłania się skóra, wytarta do połysku, ciemna od oleju i prawdopodobnie krwi. Po lewej stronie aksamitu widniały napisane ręką ojca imię i nazwisko: Adem Chalif, a także numer telefonu. Poniżej znajdowały się dwa słowa, jedno nad drugim:

vice

purpura

Przed mieszkaniem ojca Damaskinosa znajdował się *altane*, taras na dachu. W obecnych czasach na takich tarasach suszono pranie, lecz w przeszłości kobiety siadywały tu w kapeluszach o szerokich rondach. Rondo ocieniało twarz, by skóra pozostała jasna i młoda, lecz przez otwór na czubku wyłaniały się włosy, namoczone roztworem, który w połączeniu z promieniami słońca rozjaśniał je na blond.

To mieszkanie było schronieniem księdza, schronieniem podniebnym – drugie piętro to w warunkach Wenecji wyżyny – z dala od nieustannej konsumpcji w mieście opętanym konsumpcją. Ojciec Damaskinos ze szczególną ulgą wrócił do domu po tym koszmarnym dniu. Nic nie jadł od południa, ale nie miał apetytu – w ustach nadal czuł miedziany smak ludzkiej krwi, na pewno to sobie wyobrażał, ale i tak było to straszne.

To o *altane* myślał w tę parną, gorącą noc i ledwie zamknął za sobą drzwi, przeszedł po bizantyjskim kobiercu i otworzył okno, za którym rozciągał się kuszący taras. W tej samej chwili dostrzegł cień, wielki i masywny. Wyciągnął szyję, zaciekawiony – a wówczas cień się poruszył. W ułamku chwili przybrał kształt człowieka – wielkiego człowieka, który chwycił go potężnymi łapskami i potrząsnął, aż duchownemu zaszczękały zęby.

Patrzył w oczy koloru nocnej laguny, wyrazistą twarz, o rysach znanych badaczom historii Wenecji.

– Cornadoro – tchnął. – Czego chcesz?

– Wejdźmy do salonu, ojcze. – Damon Cornadoro silnym ruchem pchnął księdza przez otwarte okno. Lekko, jakby wbrew masie swego ciała, stanął na bizantyjskim dywanie i poderwał ojca Damaskinosa na nogi.

– Odpowiedzi – rzucił. – Chcę odpowiedzi.

– Na co? – Duchowny pokręcił głową. – Co ja ci mogę wyjaśnić?

– Gdzie jest Braverman Shaw.

Ojciec Damaskinos wytrzeszczył oczy. Nozdrza mu się rozdęły, jakby poczuł woń swojej śmierci. Mimo to powiedział:

– Nie mam pojęcia...

Ostatnie słowo zakończyło się przeraźliwym odgłosem, całkiem podobnym do kwiku.

– Krzyczysz jak dziewczyna, wiesz, ojcze? – Oddech Damaskinosa cuchnął żółcią i alkoholem. Damon się zamachnął. – Chyba pod tą sutanną nie kryje się kobiece ciałko, co? O, już słyszałem o takich rzeczach. – Zmarszczył brwi, jakby zawiedziony. – Ale nie, nie ma potrzeby sprawdzać, prawda, choć nie potrafię zrozumieć, na co ci fiut.

Brutalnie postawił ojca na nogi.

– A teraz... gdzie jest Braverman Shaw? – Jego przepastne czarne oczy nie znały litości. – Nie zapytam więcej.

– Nie... nie wiem.

Cornadoro pocałował zarośnięty policzek kapłana.

– Ach, ojcze... jakże mnie uszczęśliwiłeś.

Pchnął ojca Damaskinosa na krzesło, wyjął z marmurowego lichtarza świecę i zapalił. Zbliżył płomień do twarzy duchownego.

– Ojcze, opowiem ci coś o sobie. Jestem człowiekiem staroświeckim. Nie dla mnie te nowoczesne wynalazki do tortur. Lubię rzeczy sprawdzone i wypróbowane. – Po tych słowach chwycił duchownego za włosy, jednocześnie przygważdżając go do krzesła i odginając mu głowę do tyłu. – A teraz za pięć sekund podpalę ci brodę. Daję ci tyle czasu, ani chwili więcej. – Szarpnął za kędzierzawe włosy, aż w oczach duchownego pojawiły się łzy. – Zrozum mnie, ojcze. Nie będzie drugiej szansy. Spalę cię żywcem.

– Nie – wyjąkał ojciec Damaskinos.

– Pięć, cztery...

– Nie zrobisz tego. – Ze strachu duchowny zaczął mówić w rodzimej grece.

– Trzy, dwa...

– To się nie dzieje naprawdę. Nie wierzę...

– Jeden, zero.

Cornadoro przysunął płomień świecy do brody ojca Damaskinosa. Włosy natychmiast zajęły się ogniem; ksiądz z wyciem poderwał się z krzesła. Cornadoro wbił mu kolano w splot słoneczny. W powietrzu rozszedł się smród.

– Przestań! Dobrze! Stój! – zdołał wydusić ojciec Damaskinos. – Pojechał do Trabzonu! Trabzon, w Turcji! – Za późno. – Spomiędzy drugiego i trzeciego palca prawej pięści Cornadora wystrzeliło ostrze sztyletu.

– Uprzedzałem, że nie będzie drugiej szansy.

I z wprawą poderżnął duchownemu gardło od ucha do ucha.

Ledwie Jordan Muhlmann wsiadł do czekającej *motoscafo*, zadzwonił do Osmana Spagny. Za jego plecami, na lotnisku Marco Polo stał odrzutowiec Lusignan et Cie, Gulfstream G-550. Jordan nie powiadomił matki, że udaje się do Wenecji, i oczywiście Cornadoro także nie miał pojęcia o jego miejscu pobytu. Zlecił obserwowanie obojga swoim ludziom, z których usług mógł skorzystać już dawno. Nieważne. Zajmie się wszystkim, tak jak obiecał „czterem rycerzom", jak myślał o nich od czasu interwencji w dniu, gdy objął rządy w Rzymie.

– Zapewne chcesz coś zrobić z tym Amerykaninem – powiedział Spagna. Podczas rozmów przez telefon komórkowy nigdy nie operował nazwiskami.

– W rzeczy samej.

Motoscafo ruszyła ze złowieszczym bulgotem silnika. Kierowała się w stronę laguny.

– Mogę się tym zająć.

– Nie w ten sposób. – Jordan zbyt dobrze wiedział, co ma na myśli Spagna; jak na postać drugoplanową był wyjątkowo krwiożerczy. – Tu trzeba czegoś lepszego, jakiejś niezapomnianej nauczki. Chcę, żeby Amerykanin był posłuszny, nie martwy. W przeciwnym razie powstanie luka, której w żaden sposób nie uzupełnię.

– To zrozumiałe – powiedział Spagna.

Ta lepka noc przywarła do Jordana jak całun, rozdrażniła go. Podszedł do burty *motoscafo*. Zbliżali się do pomostu hotelowego, przy którym czekało na niego dwóch rycerzy.

– Niech się zastanowię... uwielbia samochody.

– Jak każdy Amerykanin.

Jordan parsknął śmiechem.

– Ferrari, prawda?

– Prawdziwa namiętność. Ma ich dwanaście.

– Już niedługo. – Jordan stanął na pomoście i zmarszczył nos. Smród jest absolutnie średniowieczny, pomyślał. Wenecja jest jak sama śmierć, jak rozkładający się trup, którego zapomniano pochować. Uścisnął dłoń rycerzom, ale spieszyło mu się. – Osobiście nie cierpię ferrari. Zbyt efekciarskie. Załatw coś, Osman.

– Natychmiast. – Spagna nie potrafił ukryć radości. – Ma dwa zabytkowe auta, których nie można zastąpić.

– Jednak, o ile znam się na ludzkim charakterze, ta strata nie zrobi na nim wielkiego wrażenia. Jak wszystkim Amerykanom, trzeba mu wbijać lekcje do głowy raz za razem, dopóki nie nauczy się dobrych manier – dodał Jordan. Jego umysł pracował pełną parą. – Zdaje się, że ma dziecko.

– Córkę, dziewiętnastoletnią – potwierdził Spagna. – W dodatku piękną, jeśli wierzyć fotografii, którą właśnie mam przed sobą. Jest... jak to mówią Amerykanie? A, źrenicą jego oka.

– Ameryka to niebezpieczny kraj, jak słyszałem, w miastach pełno okropnych zbrodni – gwałtów, napaści i tak dalej. – Jordan odsunął się od rycerzy na koniec podestu, zniżył głos. – To delikatna sprawa. Nie chcę dochodzenia. Zwykły atak, spotkanie w ciemnej uliczce, atak, pogotowie, dusza na ramieniu, rodzice we łzach, na koniec ozdrowienie – wiesz, o co chodzi.

– Oczywiście.

Jordan rozłączył się i podszedł do rycerzy. Bardzo mu się spieszyło usłyszeć, co matka i Cornadoro zdążyli uknuć za jego plecami. Pierwsze wyszeptane mu do ucha słowo znacznie podniosło go na duchu.

– Wiem, gdzie leży Trabzon – powiedział. Myślał o ataku rycerzy na siedzibę zakonu przed wieloma wiekami, o tym, że historia rzeczywiście zatoczyła pełne koło.

Kiedy Bravo wyszedł z hotelu w cuchnącym ubraniu, niebo było szare, ciężkie, zasnute groźnymi chmurami. Było już późne popołudnie – przespał prawie dwanaście godzin. Najpierw ruszył na Atatürk Alani, ogromny centralny plac, na zachód od ulicy pełnej klubów i sklepów z odzieżą. Plac był paskudny, okropne, potężne kamienne budynki garbiły się jak pokonani zapaśnicy, zbyt otumanieni, żeby podnieść się z maty. Można by powiedzieć, że Trabzon jest miastem kontrastów, ale w pewien sposób to jakoś obalało barwne wyobrażenia o miejscowej historii. Starożytność i nowoczesność stały obok siebie, lecz – podobnie jak w Wenecji – betonowa teraźniejszość odsyłała wspaniałą, krwawą przeszłość do rdzewiejących w zaułkach kubłów na śmieci. Wszedł do sklepu z modnym ubraniami na wystawie i kupił sobie cały komplet, w który się przebrał przed wyjściem. Stare wrzucił do kosza na ulicy. Wkrótce potem ruszył do Ortahisaru, Środkowej Fortecy, starej dzielnicy Trabzonu. Dwa razy przecinał bazar; zdawało mu się, że ktoś go śledzi, ale jeden niedoszły szpieg okazał się rosyjskim kupcem, pragnącym mu sprzedać malowane babuszki, drugi zaś – chłopcem na rowerze, któremu w głowie był tylko przejazd z punktu A do punktu B w najkrótszym możliwym czasie. Jednak mimo woli nieustannie przypominał sobie atak pod murami Saint-Malo, przed którym wujek Tony uratował jego i Jenny. Na myśl o Rule'u oczy zaczęły go piec; wytarł łzy, wywołane przez ból i tęsknotę.

Kiedy rozmawiał przez telefon z Ademem Chalifem, informator ojca oznajmił, że nie ma go w mieście. Zaproponował spotkanie na drinka i kolację w kawiarni na górze. Bravo przeszedł po jednym z dwóch mostów, łączącym stare miasto z nowoczesnym, betonowym. Mosty spinały brzegi bliźniaczych wąwozów, dawno temu wyżłobionych w skale przez rwące rzeki – jedna, Degirmen, stanowiła ostatnią wskazówkę, jaką Dexter zostawił mu w Wenecji.

Kawiarnia na szczycie góry była tak samo stara i rozchwiana jak sąsiednie drewniane budynki. Adem Chalif siedział przy stoliku z przodu – na widok Bravo wstał i uniósł smagłą rękę w powitalnym geście. Chalif miał szerokie bary i potężne ramiona. Nie był przystojny, lecz z jego twarzy emanowała moc. Miał na sobie schludne spodnie od garnituru i koszulkę polo. Najwyraźniej nie był księdzem.

Ich towarzyszami byli ogorzali rybacy i pracownicy rafinerii, palący mocne tureckie papierosy i przyglądający się trzem wykończonym „Nataszom", prostytutkom z byłego Związku Radzieckiego. Miały obfite, sterczące piersi i bez przerwy uśmiechały się nieszczerze, nabierając przed wieczorną pracą sił przy mocnej kawie, *ekineku* – chlebie na zakwasie, miejscowym maśle i wszechobecnych czarnych oliwkach, nazywanych tu *zeytin*.

– Więc to ty jesteś Braverman Shaw. Ojciec bez przerwy o tobie opowiadał. – Adem Chalif mówił płynnie po angielsku, z lekkim brytyjskim akcentem. Bravo powiedział, że woli rozmawiać po turecku, co Chalif przyjął z radością. Uśmiechnął się szeroko, ukazując złote zęby. Zajęli miejsca przy małym okrągłym stoliku w pobliżu balustrady z kutego żelaza. Deszcz, którego zwiastunem były ciężkie chmury, zjawił się jak pijany gość i zalał część tarasu nieosłoniętą spłowiałą pasiastą markizą. Aura była jeszcze gorsza niż w Wenecji, jeśli to możliwe.

– Ponura pogoda – zauważył Bravo, siadając naprzeciwko Chalifa.

– Takie jest lato nad Morzem Czarnym. – Chalif wzruszył ramionami. – Człowiek przyzwyczaja się do wszystkiego. – Nalał raki i stuknęli się szklankami. Chalif przyglądał się Bravo, pijącemu mocną wódkę.

– Dym ci nie bucha z ust, dobrze, dobrze – powiedział i ponownie napełnił szklaneczkę Bravo. Wydawał się większy, niż był w istocie, wypełniał całą kafejkę światłem, życiem. – Wiesz, spotkania z Amerykanami są dla mnie zawsze bardzo interesujące. Przy Ameryce inne kraje stają się przezroczyste. Ameryka eksportuje tyle rzeczy w najróżniejszych jaskrawych kolorach: Britney Spears, Bruce Willis, anoreksja, fordy większe od cadillaców, hummery większe od fordów. Ameryka to kraj krańcowości, więc rodzi krańcowe reakcje. Reszta świata chce albo schować się za spódnicą Ameryki, albo odrąbać jej głowę.

– A ty w którym jesteś obozie? – spytał Bravo.

Adem Chalif roześmiał się.

– Mogę zapalić?

– Bardzo proszę.

– To wielka ulga. – Przez chwilę przypalał silk cuta. – Te angielskie marki, bardzo trudno je skombinować. Mam masę kłopotów z powodu nałogu. – Wzruszył ramionami. – Jak wszyscy, nie?

Podano kolejną butelkę raki. Kiedy znowu znaleźli się sami, Chalif pochylił się i zniżył głos.

– Nie należę do zakonu. Byłem kontaktem Dextera Shawa – źródłem zarówno informacji praktycznych, jak i wywiadowczych. Krótko mówiąc, byłem jego oczami i uszami w tej części świata. – Kciukiem i małym palcem odlepił kawałek tytoniu z grubej dolnej wargi. – Oto odpowiedź na pytanie, w którym obozie jestem, rozumiesz?

331

Bravo zapewnił, że zrozumiał.

– Ale teraz pozwól, że to ja spytam, czy uważasz, że Ameryka mądrze robi, budząc tak skrajne reakcje.

– Nie uważam, zwłaszcza że pomimo swojej władzy ekstremiści są w Ameryce bardzo niewielką grupką.

– Lecz jak wszyscy ekstremiści, potrafią narobić zamieszania, tak?

– Zdecydowanie. – Bravo nalał sobie raki. – Czym interesował się tu mój ojciec?

Chalif uśmiechnął się.

– Obecnym stanem umysłu muzułmańskich fundamentalistów, ekstremistów... oraz ich poczynaniami. Ze względu na niego trzymałem tu rękę na pulsie.

– Wiesz po co?

– Nigdy nie pytałem. W moim fachu się tego nie robi.

– A domyślasz się?

– Pora na kolację, zamówimy?

Bravo poprosił, żeby to Chalif wybrał dania, co tamtemu sprawiło jeszcze większą przyjemność.

– Tutejsze jedzenie przypadnie ci do gustu – powiedział. – Wszystko świeżuteńkie, prosto z morza. – Po odejściu kelnera napili się rakii. Złote zęby Chalifa błysnęły. Brakowało mu tylko drewnianej nogi i kordelasa w zębach. – Niebezpiecznie jest snuć domysły. Wyjaśnię, co moim zdaniem niepokoiło twojego ojca. Ma to coś wspólnego z Ameryką i islamem – z elementami religijnego fundamentalizmu, diametralnie od siebie różnymi. I Stany, i państwa islamu pragną, ni mniej, ni więcej, tylko zmieść przeciwnika z powierzchni ziemi. – Nagle rozejrzał się. – To miasto, Trabzon, teraz nie wygląda specjalnie, ale znaczenie, jakie miało kiedyś dla Wschodu i Zachodu, dla chrześcijan i muzułmanów, jest nieocenione. Było ośrodkiem handlowym, a handel oznacza bogactwo, bogactwo zaś – wojnę, tak jak religia. Tutaj, w tych slumsach, Wschód i Zachód mieszają się ze sobą, walczą. Myślę, że twój ojciec widział nadciągającą nową wojnę religijną, ostatnią krucjatę, jeśli wolisz, i bardzo chciał zrobić wszystko, co w jego mocy, by jej zapobiec.

– To dlatego chciał być *magister regens*.

– Za pomocą potęgi zakonu, właściwego wykorzystania skrzyni tajemnic... a, tak, wiem o jej istnieniu, choć niestety, niewiele o jej zawartości. Kryje ona wielką moc i władzę, tyle wiem. Ale trzeba naprawdę wyjątkowego człowieka, żeby zapanował nad Haute Cour, żeby wybrano go na *magister regens*.

– Chodzi też o zdrajcę w łonie Haute Cour. Pewnie bardzo się przykładał do udaremnienia planów mojego ojca.

– Przypuszczam, że mu utrudniał, tak.

– Znalazłem go – oznajmił Bravo. – W Wenecji. Paolo Zorzi.

– Zorzi! Niewiarygodne. – Chalif pokręcił głową ze smutkiem. – Znam Zorziego, lubiłem go, podobnie jak twój ojciec. Uważałem, że jest lojalny.

– Zatem dobrze się spisywał.

– Spisywał?

– Nie żyje. Wuj Tony – Anthony Rule – zastrzelił go, a zaraz potem zginął z ręki drugiej zdrajczyni, Strażniczki Zorziego, Jenny Logan.

– Mój Boże, tragedia za tragedią. – Chalif potarł podbródek. – Serdeczne kondolencje, mój Bravo, co za straszna seria. – Uniósł kieliszek. – Toast za rozłączonych przyjaciół.

Trącili się kieliszkami i wypili haust mocnej, gryzącej raki.

– I do diabła z wrogami, tak? – krzyknął Chalif.

Szklanki znowu brzęknęły. Tym razem osuszyli je do dna.

Podano jedzenie, prawdziwą ucztę, siedem lub więcej dań, do których się zabrali. Monotonny deszcz przeszedł w delikatną mżawkę, która nadawała betonowi i dachówkom intensywny kolor i blask. Włączono światła, które odbiły się w lustrze mokrej płaszczyzny. Blask, ostry jak miejscowy tytoń, ukazał zgarbionych robotników, człapiących po mostach łączących oba brzegi wąwozu. „Natasze" już dawno poszły, pewnie teraz ciężko pracowały przy uwodzeniu tych nielicznych turystów, którzy zabłąkali się na ich terytorium. Z chodnika dobiegało upiorne szczękanie, jakby deszcz zmienił się w drobny grad. Nisko wiszące chmury miały kolor ciemnosiny.

Bravo zatonął w rozmyślaniach. W końcu odezwał się:

– Nie zdawałem sobie sprawy, jak trudne jest życie mojego ojca. Walczył z rycerzami i z własnym zakonem.

Adem Chalif skinął głową.

– Twój ojciec miał wizję, to niezaprzeczalne. W tym przypominał mi brata Leoniego, ostatniego *magister regens* zakonu, ale brakowało mu pewnej... jak mam to ująć... pewnej bezwzględności. Nie chcę go obrazić. Kochałem Dextera jak brata, ale najlepiej sprawdzał się w innych dziedzinach. Geniusz objawiał przy planowaniu przyszłości. Nie był wojownikiem, jakim musi być *magister regens*. Powinien więcej uwagi poświęcić niskim warstwom zakonu, skąd mógł otrzymać wsparcie. – Oczy Chalifa zalśniły. – To lekcja, którą powinien sobie wziąć do serca jego następca.

Bravo odłożył widelec.

– Czyli ja?

Chalif rozłożył ręce.

– A któż by inny? Jesteś synem Dextera, wybrał cię na kontynuatora swego dzieła.

– Już to słyszałem.

– Oczywiście, ale czy kiedykolwiek zadałeś sobie pytanie, dlaczego wybrał ciebie? Nie dlatego, że jesteś jego synem, to nie w jego stylu. Zakon był dla niego zbyt ważny, był jego życiem. Wybrał cię, Bravo, bo wiedział. Zobaczył twoją przyszłość, tak jak – wierzę w to mocno – zobaczył własną śmierć. To przekazywanie misji z ojca na syna, przekazywanie dziedzictwa, rozumiesz? Wiem to na pewno. – Uderzył się pięścią w pierś. – Czuję to tutaj.

– Jeśli mój ojciec miał dar widzenia przyszłości, to dlaczego nie rozpoznał zdrajcy w łonie zakonu?

Chalif przechylił głowę.

– Słyszę twój sceptycyzm i ubolewam nad brakiem wiary. Czy sądzisz, że jasnowidzenie jest jak latarka, którą możesz włączać i wyłączać na życzenie? To dziecinne przekonanie rodem z komiksów. Twój ojciec nie był superbohaterem. Miał dar, nieznany i nadprzyrodzony, którego nie można poddawać analizie. Im bardziej się starasz go pojąć, tym bardziej się wydaje tajemniczy... i nieprawdopodobny. – Wzruszył ramionami. – Ale nie mogę ci nakazać wiary. Musisz ją sam w sobie odnaleźć.

Na jakiś czas zapadło między nimi milczenie. Chalif zabrał się do grillowanej ośmiornicy. Bravo, który stracił apetyt, odwrócił się. Światła z budynków po drugiej stronie wąwozu oświetlały jego szczyt jak jaskrawą bliznę, ale poniżej zaczynała się czerń otchłani, jakby wąwóz nie miał dna, jakby sięgał aż do środka ziemi. Przez mosty przepływał nieprzerwany strumień ludzi. Bravo zauważył grupki kobiet, młodych, ładnych – może kolejnych „Natasz" podczas przerwy na papierosa.

U boku małego chłopca szedł sztaruszek; duża, kanciasta ręka spoczywała na wąskim ramieniu dziecka. Chłopiec podniósł głowę, zadał pytanie, od którego twarz staruszka pomarszczyła się w uśmiechu odejmującym mu dwadzieścia lat.

– Muszę znaleźć odpowiedź – powiedział Bravo, odwracając wzrok. – Czy jest w Trabzonie budynek o kręconych schodach?

Chalif cmoknął i zastanowił się.

– Owszem. W meczecie Zigana. Dlaczego pytasz? Dlaczego? Bo pierwsze słowo, jakie Dexter napisał na odwrocie aksamitnej wyściółki, pochodziło od francuskiego słowa *vis*, winorośl. W średniowieczu *vice* oznaczało spiralne schody, na podobieństwo wijących się pnączy.

– No, no – powiedział Chalif. – Przestałeś jeść. To grzech, gdy jedzenie jest tak dobre.

Wyraźna nutka czułości sprawiła, że Bravo oprzytomniał.

– Prawdę mówiąc, od chwili kiedy wyruszyłem w tę podróż, ojciec nawiedza mnie we śnie i... i nie tylko. Najpierw niewiele o tym myślałem, przypisywałem to wstrząsowi po jego śmierci, ale teraz sam nie wiem. Mam wrażenie, jakby... jakby nadal był przy mnie.

Na twarzy Adema Chalifa pojawił się szeroki uśmiech.

– Skoro o wierze mowa, Bravo, zdaje się, że jesteś na najlepszej drodze do jej odnalezienia.

– Tajemnice – powiedziała Camille Muhlmann. – Wszyscy mamy tajemnice. Bóg mi świadkiem, że i ja je mam.

Wraz z Jenny jechała rozklekotaną taksówką z lotniska do Trabzonu. Złapały ostatni samolot z Wenecji via Stambuł. Na dużej wysokości niebo miało jeszcze kolor indygo, lecz przy ziemi stało się czarne, tu i tam przeszyte gwiazdami, migoczącymi mdłą, jakby radioaktywną żółcią.

– Miałam kochanka, który traktował mnie źle... bardzo źle. – Camille pokręciła głową, uśmiechnęła się niewesoło. – Jak wszystkie kobiety, prawda? Jednego... przynajmniej jednego. Ale nie potrafię pojąć dlaczego – dlaczego wybieramy tych mężczyzn, którzy krzywdzą nas fizycznie i psychicznie? Dlatego że zasługujemy na karę? A może tego wymaga tradycja, którą przekazują sobie skrzywdzone kobiety? Czy naprawdę nie mamy wyjścia, musimy reagować tak, jak nasze matki i babki?

Jenny pokręciła głową.
– Nie sądzę, żeby to miało znaczenie. Liczy się, że potrafimy się zmienić, podejmować inne decyzje... odważniejsze.
Camille uniosła brwi.
– Naprawdę? Więc co mamy według ciebie zrobić, skoro gdziekolwiek pójdziemy, mężczyźni stają nam na drodze?
– Możemy ich zostawić, zostawić to, co budują, czego bronią. – Jenny przez chwilę wyglądała przez okno, przyglądała się betonowi rozłażącemu się po zielonych terenach jak odrażająca choroba skóry. – Przynajmniej kiedyś tak myślałam. Tak było po katastrofalnym rozstaniu z Ronniem Kavanaugh. Nawet była tego pewna. Potem poznała Dextera Shawa i wszystko w jej życiu się zmieniło. Ale czy naprawdę? Czy Dexter nie był kolejną podporą? Arcangela bez wątpienia współczułaby kobiecie o takich psychicznych potrzebach.
– Ale teraz najwyraźniej już nie myślisz. – Camille uniosła paczkę papierosów. Jenny skinęła głową.
Camilla zapaliła.
– Bardzo bym chciała wiedzieć, co się stało. Powiesz mi?
Jenny wyjęła papierosa z ust Camille, zaciągnęła się powoli, wypuściła dym i oddała papierosa.
– Przekonałam się, że aby zmienić sytuację, trzeba robić wszystko to, co mężczyźni, tylko lepiej.
– Pobić ich na własnym boisku.
– W pewnym sensie. Ale tylko w pewnym. Ich gra to tylko gra, trudno się z tym pogodzić, bo nie chcemy, żeby tak było. Potem trzeba się nauczyć wchodzić oknem.
– Słucham?
Jenny uśmiechnęła się.
– Przepraszam. „Kiedy cię wyrzucają drzwiami, wchodź oknem". To znaczy, że zawsze można znaleźć inne podejście do problemu.
Camille podała jej papierosa. Jenny znowu się zaciągnęła.
– Nie chcę znowu polecieć na faceta, który zrobi mi krzywdę.
– Jaką krzywdę? – spytała Jenny obojętnie, choć serce mocno jej biło.
– Psychiczną – powiedziała Camille po chwili. – A robiłam wszystko, czego zapragnął. *Mon Dieu*, ależ byłam potulną dziewczynką!

Ja też, pomyślała Jenny.

– Upokarzające... te pułapki, w które wpadamy, prawda? – zauważyła Camille.

– Zwłaszcza że wpadamy tak chętnie, a tak trudno się z nich wydostać.

– Nawet ból nas z nich nie wyciągnie.

– Nie. Często nawet on. – Jenny spojrzała na Camille. – Raz chciałam wstąpić do zakonu. Wyobrażasz sobie? Przez osiem miesięcy przygotowywałam się do przyjęcia welonu. Byłam bardzo młoda, nic nie rozumiałam, nie miałam przyjaciół, bałam się mężczyzn, nie widziałam dla siebie miejsca.

– Ależ kochanie, przecież z tego jasno wynika, że nie masz powołania.

– Tak powiedziała matka przełożona, kiedy wezwała mnie na rozmowę.

– Miałaś szczęście, że wykazała się taką przenikliwością. – Camille zadrżała. – Skończyć w takim miejscu!

– Byłam zrozpaczona – powiedziała Jenny. – Uznałam to za kolejną porażkę.

– Porażka w zrozumieniu Boga – rzekła Camille z uśmiechem – to oznaka trzeźwego pragmatyzmu.

Jenny parsknęła śmiechem. Przez jakiś czas milczała, taksówka jechała z klekotem, a radio buchało trzeszczącą muzyka, jakby dwie osoby biły w kubły na śmiecie i darły się na całe gardło.

– W głębi serca – odezwała się Jenny – wszystkie jesteśmy potulnymi dziewczynkami.

Odwróciła się do Camille i uśmiechnęły się jednocześnie, jakby na dany znak.

Jesteś skończoną idiotką, pomyślała uśmiechnięta Camille. I możemy za to podziękować naszemu kochanemu Dexterowi. To on wybrał cię jak parszywą owcę i doprowadził do używalności po tej aborcji... ale po co, kochanie, po co? Żebyś stała się moją zabawką, żebyś mogła być świadkiem ostatniego etapu jego unicestwienia – śmierci jego syna. A niektórzy – także Anthony – byli pewni, że Dexter ma dar jasnowidzenia, że widzi przyszłość. Uśmiechnęła się szerzej, wymknął się jej cichy chichot.

– Co cię tak rozśmieszyło? – spytała Jenny.

– Pomyślałam, że jesteśmy także niegrzecznymi dziewczynkami, że zasłużyłyśmy na to, co nas spotkało.

– Tak. Rzeczywiście.

Camille znowu zamilkła. Wypaliła papierosa do końca. W taksówce nie było wycieraczek, co kierowcy, rozpartemu niedbale za kierownica, jakby nie przeszkadzało w spoglądaniu przez spływającą deszczem szybę. Camille pomyślała przelotnie o Damonie Cornadoro, który siedział za nimi w ostatnim rzędzie w samolocie do Trabzonu. Jenny oczywiście spostrzegła go, gdy szła do łazienki, i powiedziała Camille po powrocie, że przestała się tak bać rycerzy świętego Klemensa. Nie wiedziała, że informacje o miejscu pobytu Bravo Cornadoro uzyskał od nieżyjącego już ojca Damaskinosa.

Zapuszczały się na nieznany teren. Rycerze nie mieli swoich ludzi w Trabzonie – to nie było ich terytorium. Właśnie wtedy Camille zadzwoniła do Jordana.

– Wszystko gra – zapewnił ją. – Kardynał Canesi i jego szajka wykorzystują swoje wpływy. To znaczy, że wszyscy duchowni w mieście i okolicach staną się naszymi oczami i uszami. Prześlę na twoją komórkę listę ich nazwisk i namiarów.

Zgniotła niedopałek papierosa, odwróciła się do Jenny i powiedziała:

– Wiem, że masz swoje tajemnice, jak wszyscy. *Alors*, to dzięki twoim zdolnościom – i być może kontaktom – zdołamy znaleźć Bravo i nie stracić go już z oczu – skłamała. – W Lusignan et Cie zrobiłam, co mogłam, ale w Trabzonie jestem jak ślepa.

Ujęła ręce Jenny.

– W tej trudnej chwili mamy tylko siebie. Musimy sobie zaufać albo zawiedziemy Bravo, a do tego nie możemy dopuścić, *n'est-ce pas*?

Jenny pochyliła się, rzuciła kierowcy polecenie, którego Camille nie dosłyszała. Po chwili taksówka skręciła w lewo. Wyminęli rozbebeszone szczątki jakiegoś samochodu i pomknęli w innym kierunku.

Chalif i Bravo szli wąskimi, krętymi uliczkami Avrupali Pazari – w języku tureckim oznacza to Bazar Europejski – pełen handlarzy z byłych republik Związku Radzieckiego. Słychać było tylko język rosyjski i gruziński, nikt nie mówił po turecku. Dyndające na kablach gołe żarówki oświetlały kolorowe towary. Brakowało podkoszulków i czapek baseballowych, komercyjnych gadżetów, obecnych na każdym kroku we Florencji czy Stambule, bardzo popularnych wśród turystów. Tu wystawiano ludowe rzemiosło: dywany z całej Turcji, afgańskich gór, nawet Tabrizu, ręcznie kute metalowe naczynia, rosyjskie babuszki. Wszędzie roiło się od sprzedawców importowanej wódki, miejscowych antyków, azjatyckiego haszyszu.

– Jako badacz średniowiecznych religii na pewno z rozczarowaniem patrzysz na to, co zostało z legendarnej Trebizondy? – odezwał się Adem Chalif. – Zdominowali ją obywatele byłego Związku Radzieckiego, którzy uważają się za ludzi interesu – wszyscy gonią za kapitałem. Na pewno ma to swój komiczny wydźwięk.

– Już rozumiem, dlaczego tak dobrze dogadywałeś się z moim ojcem – powiedział Bravo. – Zawsze miał słabość do filozofów.

Chalif parsknął cichym śmiechem.

– Może do podwórkowych filozofów.

– Ciekawi mnie, dlaczego nie skorzystał z twojej pomocy, żeby śledzić rycerzy świętego Klemensa.

– Ja tak nie powiedziałem, nie dokładnie. Dexter musiał bez przerwy mieć wyczulony słuch, wiedział, że nie tylko słoń może cię stratować.

– Co proszę?

– Zakon jest interesujący i na wiele sposobów użyteczny, ale jako ktoś z zewnątrz uważam, że jego członkowie są zbyt zaprzątnięci rycerzami świętego Klemensa. Twój ojciec taki nie był, zawsze patrzył na wszystko szerzej. Jego pożywką była nieustannie zmieniająca się natura świata – czy chodziło o politykę, ekonomię, czy religię. Żył w świecie o wiele większym niż pozostali.

Rozpadało się gwałtowniej, deszcz lał się z nieba lśniącymi srebrnymi kreskami i kropkami, jak alfabet Morse'a. Przemierzali ulice według klucza, który Bravo usiłował odgadnąć, ale labirynt bazaru udaremniał wszelkie jego wysiłki.

– W tym celu zaopatrzył mnie w ogromne ilości sprzętu – ciągnął Chalif. – Elektroniczne oczy i uszy, najwrażliwsze, najbardziej wyrafinowane, żebym mógł dla niego rejestrować wszystkie zakodowane sygnały, które dniem i nocą przepływają przez eter.

– Wszystkie?

Chalif przytaknął.

– Ogromne ilości, nawet sobie nie wyobrażasz. A on jakoś się w tym orientował. Wiedział, czego szuka, możesz być tego pewien.

– To nie było oficjalne zlecenie zakonu?

– Wyłącznie twojego ojca. – Chalif uniósł palec wskazujący. – Teraz prowadzę cię do oficjalnego reprezentanta zakonu, więc ani słowa. Jeśli istnieją jakieś informacje, które powinieneś poznać, to on ci je przekaże.

Dotarli do sklepu z dywanami. Młoda Gruzinka, najwyżej siedemnastoletnia, stała przed drzwiami i zachwalała towary. Była smukła, ciemnooka. Rzadkie włosy miała ściągnięte w kucyk.

– Irema.

Pocałowała Chalifa w oba policzki. Przedstawił jej Bravo.

– Ojciec jest w środku – powiedziała po turecku.

– Zajęty? – spytał Chalif.

– Jak zawsze – odparła, wzruszając ramionami.

Weszli w wąskie drzwi, do mrocznego wnętrza wypełnionego arabską muzyką i kurzem. Na ścianach wisiały kobierce, leżały także w schludnych stertach na podłodze, tak że trzeba było między nimi lawirować, żeby dotrzeć w głąb sklepu.

Chalif uśmiechnął się, błyskając złotymi zębami.

– Nazywa się Michaił Kartli. Polubisz go, jak już się przyzwyczaisz. – Położył ostrzegawczo rękę na ramieniu Bravo. – Pomimo jego sposobu bycia, jest to człowiek, który zasługuje na twój szacunek. Nadal walczy z terrorystami z Czeczenii i Azerbejdżanu. Rząd Azerbejdżanu chce zmienić nazwy całych krain gruzińskich na azerbejdżańskie. Także nazwiska. Terroryści natomiast ciągle usiłują założyć bazy na terenie Gruzji. Przez sześć lat rozbrajał czeczeńskie bomby. Zobaczysz, kiedy uściśniesz mu rękę.

Niełatwo było zbliżyć się do Michaiła Kartli. Z komórką przy uchu, otoczony tłumem kupców, gestykulował gwałtownie i mówił cicho, lecz natarczywie, zagłuszany muzyką, która miała służyć za parawan osłaniający jego interesy przed obcymi i przechodniami. W miarę jak się zbliżali, Bravo wychwytywał nie tylko gruziński, lecz także rosyjski, turecki, włoski i arabski. Wkrótce zdał sobie sprawę, że tu nie chodziło o handel dywanami, lecz ropą, gazem ziemnym, walutami, metalami szlachetnymi, diamentami, uranem, a także bronią i wszelkim sprzętem wojennym.

W powietrzu wisiała uderzająca do głowy woń pieniędzy, mieszanka potu i chciwości, brudu i krwi, potęgi i podstępu. To tutaj biło serce współczesnego Trabzonu, który – pomimo pozorów świadczących o czymś wręcz przeciwnym – był nadal punktem spotkania Wschodu z Zachodem. Pieniądze i towary rozpływały się jak żyły i tętnice na cztery strony świata, a nurt pieniędzy rwał z szybkością dźwięku, niezależnie od rasy, religii czy przekonań politycznych.

Bravo przyjrzał się dobrze ich gospodarzowi. Był krępy jak ogryzek ołówka, nieprzystępny jak kłąb drutu kolczastego. Miał postawę ulicznego zabijaki, a okrągłą jak piłka głowę trzymał wtuloną w szerokie bary, jakby z długoletniego nawyku bronienia siebie, rodziny, kraju. Gęste czarne włosy zarastały mu nisko czoło. Dlatego jasny kolor jego oczu, okolonych przez długie rzęsy, był tak uderzający.

W środku tego chaosu dostrzegł Adema Chalifa i skinął mu energicznie głową. Potem jego spojrzenie spoczęło na Bravo; oczy otwarły mu się na moment szerzej, tak że tylko Bravo mógł zauważyć tę reakcję.

W końcu muzyka się zmieniła i tłum przerzedził się na tyle, by Chalif mógł przyprowadzić Bravo do Gruzina i przedstawić ich sobie. Kartli wyciągnął prawą dłoń, z której został mu tylko kciuk i palec wskazujący. Bravo ujął je, poczuł nacisk zabliźnionych kikutów i pomyślał o tym człowieku rozbrajającym czeczeńskie bomby, o tej, która wybuchła mu w ręku.

– Twój ojciec był dobrym człowiekiem – powiedział Michaił Kartli po turecku i strzelił palcami, by podano alkohol. Chwycił butelkę, nalał przejrzystego płynu do trzech szklaneczek. Bravo nie pytał, co to. Był to płynny ogień, który pozostawił po sobie całkiem przyjemny posmak anyżku i kminku.

Kartli przeprosił ich i dokończył ostatnie interesy. Potem przekazał telefon swojej młodszej kopii – bez wątpienia najstarszemu synowi – i wyszedł z gośćmi przez tylne drzwi.

Wąski, zagracony korytarz nagle wyprowadził ich na nagi, betonowy taras. Nad głowami łopotała markiza. Deszcz bębnił o rozpadające się ruiny miasta. Kartli stanął na rozstawionych nogach, jak wojownik spoglądający na miejsce wielu zwycięstw. Drobni sprzedawcy malowanych lalek, pieczonych na węglach ryb i pirackich DVD z popularnymi amerykańskimi filmami spoglądali na niego z takim samym podziwem, z jakim handlarze karabinami spoglądaliby na kogoś sprzedającego bomby atomowe.

Kartli rozplótł ramiona i zapalił złotą zapalniczką cienkiego czarnego papierosa.

– To nie jest cywilizowane miejsce – odezwał się, najwyraźniej nie zwracając się do nikogo konkretnego. – Takie przekonanie okazało się poważnym błędem wielu stuleci, zwłaszcza jeśli chodzi o Greków, którzy pierwsi przybyli, by ujarzmić Trebizondę. Wenecjanie także, choć byli mądrzejsi od Greków, bo mniej ufni. Ale w końcu Trebizonda był własnością Osmanów, a oni nie byli cywilizowani... o nie. Patrzcie, kim się stali. Turkami! A potem, dość niedawno, zjawili się chciwi Rosjanie, którzy przy pełnych żaglach mknęli przez Morze Czarne. – Pokręcił głową ze smutkiem. Powietrze wokół niego trzaskało elektrycznością, jakby produkował ją we własnym ciele.

– Dziękuję, że chciał się pan ze mną spotkać – zaczął Bravo.

– Papież umiera – przerwał mu Michaił Kartli. – Nie ma już czasu.

– Dlatego przyszedłem. Moja sytuacja robi się coraz bardziej rozpaczliwa.

Kartli spojrzał na Bravo, cały czas trzymając brzydkiego czarnego papierosa między intensywnie czerwonymi wargami.

– To właśnie sytuacja, której zakon dawno temu postanowił się strzec. Czy Canesi chce ocalić życie papieża z przyczyn humanitarnych? Skąd. Chodzi o władzę, tylko o nią. Pragnie ocalić własną skórę. Nowy papież, inteligentny, silny, z pewnością nie zechce tolerować starej kliki, rozpędzi ich na cztery wiatry.

Pod ich stopami coś zgrzytało, jakby piasek pustyni, jak złoty pył, który czeka na zebranie i przeniesienie.

– Jak świeże są wieści o zdrowiu papieża?

– Za kogo mnie masz? Są sprzed godziny, ani sekundy dłużej. – Oczy Michaiła Kartlego wpatrywały się w Bravo. – Nawet się nie spodziewasz, w jak wielkim jesteś niebezpieczeństwie, mój przyjacielu. Ocknęły się żywioły – nowi informatorzy, watykańskie oczy i uszy – których nie potrafię zidentyfikować ani kontrolować.

Kartli nagle dostrzegł pochwę i rękojeść sztyletu za pasem Bravo i zmrużył oczy.

– Co to? Chyba nie sztylet Lorenzo Fornariniego?

– Owszem. – Bravo wyjął go i pokazał. – Byłem w jego sarkofagu w Wenecji.

– Mój Boże, sztylet Fornariniego! – Kartli zaciągnął się znowu papierosem. – Przez kapłanów Trebizondy Lorenzo zetknął się z zakonem, dał się nawrócić na jego misję i przysiągł mu wierność i ochronę. Przysięgi tej dotrzymał z odwagą i dyscypliną, która – jak sobie można wyobrazić – zrobiła na mnichach olbrzymie wrażenie. Parę lat później, kiedy zaatakowali ich rycerze świętego Klemensa, Lorenzo znalazł się przed klasztorem Sumela, w ostatniej chwili, by uratować brata Leoniego przed bratem Kentem, zdrajcą z Haute Cour. W owych czasach Leoni był Strażnikiem, dopiero potem został *magister regens*.

Podczas walki z Kentem brat Leoni został ranny. Zanim dotarł do skrzyni tajemnic, w jego ranę wdało się zakażenie, które bez wątpienia doprowadziło go na skraj śmierci. Dzięki wcześniejszym uzgodnieniom spotkał się z bratem Prospero, *magister regens* zakonu – w owych czasach klucze do skrzyni mieli Klucznik i m*agister regens*. Razem podjęli doniosłą decyzję – posłużyli się tajemnicą Testamentu Chrystusa. Zgodnie ze wskazówkami pozostawionymi przez Jezusa, *magister regens* namaścił brata Leoniego kwintesencją, świętym olejem, za pomocą którego Chrystus przywrócił życie Łazarzowi i, jak czytamy w Testamencie, innym.

Brat Leoni nie tylko wyzdrowiał, ale przeżył jeszcze trzysta pięćdziesiąt lat, by w końcu zostać *magister regens* i przeprowadzić zakon przez mroczne, trudne czasy. Niektórzy uważają, że umarł w tysiąc dziewięćset osiemnastym roku, podczas światowej epidemii grypy, ale oczywiście nie istnieją na to żadne dowody i w żaden sposób nie możemy tego stwierdzić z całą pewnością.

Rozległa się wrzaskliwa elektroniczna melodyjka. Kartli wyjął inny telefon, otworzył go. Przez chwilę słuchał, po czym rzucił:

– Wykonać. Natychmiast.

Zamknął telefon i powiedział do Bravo:

– Zjawił się ktoś ci znany. Mój człowiek zauważył Jennifer Logan, zdrajczynię... a tak, w zakonie wieści rozchodzą się szybko. Rozkazałem wykonać egzekucję. Mój człowiek ją zastrzeli.

24

– Nie – powiedział Bravo.

Michaił Kartli uśmiechnął się zimno.

– Jesteś w moim domu.

– Ale jeśli ją zabijesz, nigdy nie dowiesz się, czy tylko ona i Paolo Zorzi przeniknęli do zakonu. A jeśli jest ich więcej? Tylko z niej możemy wyciągnąć taką informację.

Kartli potrafił docenić dobry argument. Otworzył telefon, przycisnął klawisz szybkiego wybierania i rzucił:

– Zmiana rozkazu. Doprowadź ją żywą.

Jego uśmiech nabrał drapieżności.

– Mam tylko nadzieję, że starczy ci odwagi. Że potrafisz przesłuchiwać. Twój ojciec nie umiał.

– Są inne sposoby – powiedział Bravo.

– Na przykład? – spytał Gruzin, bez groźby, po prostu zaciekawiony.

– Ta kobieta ze wszystkich sił pragnie mi wmówić, że zdrajcą jest ktoś inny. Chce, żebym uwierzył, że ktoś ją wrobił w morderstwo ojca Mosto w Wenecji. Omal jej nie uwierzyłem – a potem zastrzeliła Anthony'ego Rule'a. – Nie zamierzał wspominać o nienawiści do Jenny za uwiedzenie ojca i jego. – Porozmawiam z nią, dogadamy się. Wysłucha mnie.

– W takiej sytuacji zachowałbym nadzwyczajną ostrożność. Zastanawiałeś się, jak tu za tobą trafiła?

Bravo wbił w niego spojrzenie.

– Powiedziałeś ojcu Damaskinosowi, że jedziesz do Trabzonu?

Ojciec Damaskinos spytał go o dalsze zamiary i Bravo mu je wyjawił.

– No tak, oczywiście – powiedział Karli, nie czekając na odpowiedź. – To ona musiała go przesłuchać i zamordować.

– Ojciec Damaskinos nie żyje?

– Nasz człowiek znalazł go wczoraj w nocy w jego mieszkaniu i natychmiast mnie powiadomił. – Gruzin znowu splunął, tym razem zaciekle, jakby rzucał klątwę. – Miał spaloną twarz. Potem w bardzo szczególny sposób poderżnięto mu gardło.

– Jak to?

– Szyletem. Skąd wiem? Sztylet jest stworzony do zadawania ran kłutych, nie ciętych, więc jego ślad jest charakterystyczny. – Kartli zamilkł na chwilę. – Znam kogoś, kto ma taki zwyczaj, jest zabójcą rycerzy świętego Klemensa. Pewnie ją nauczył. Czy ta dziewczyna ma przy sobie sztylet?

– Nigdy nie widziałem – powiedział Bravo – ale ta suka od początku ukrywała wiele niespodzianek.

– Myślisz, że to rozsądne? – spytał Damon Cornadoro, przyglądając się Jenny wędrującej wąskimi uliczkami Bazaru Europejskiego. – Pozwolić jej na spotkanie z Bravo sam na sam?

Camille przyjrzała się jego przystojnej twarzy z podziwem, jakby był rzeźbą Michała Anioła. Położyła mu na ustach smukły palec. Na jego chłodnej skórze wydawał się bardzo ciepły.

– O co chodzi, kochanie? Myślisz, że uwierzy w jej słowa, a nie w to bardziej prawdopodobne kłamstwo, które mu podsunęłam?

– Racjonalne argumenty nie mają z tym nic wspólnego. Między nimi jest jakaś chemia. Czułem to tej nocy, kiedy przybyli do Wenecji. Kiedy pomagałem jej wejść na pokład *motoscafo*, kiedy objąłem ją w talii i przytuliłem do siebie, omal mnie nie zabił.

Roześmiała się.

– *Mon Dieu*, cóż za wyobraźnia! Oni ze sobą sypiają, a ty widzisz fajerwerki.

Cornadoro wzruszył potężnymi ramionami.

– Teraz, skoro został sam, chciałbym, żeby tak pozostało.

– O, a czyj to był pomysł, twój czy mój? Nie przejmuj się; gdy chodzi o rozdzielanie ludzi, jestem mistrzynią. On jej nienawidzi, zabiła jego ukochanego „wujka Tony'ego", tak jak zaplanowałam.

Czuła jego żar, ten przelotny dygot jego pragnienia, obudzonego przez bliskość jej ciała. Udając, że nie chce spuszczać Jenny z oczu, oparła się na nim leciutko, musnęła go czubkami piersi, płaskim brzuchem, mocnymi udami.

– Nie wszyscy mężczyźni są tacy jak ty.

– Kobiety rzadko dostają to, czego chcą, choć nie mam pojęcia, co by to mogło być.

Uśmiechnął się w sposób, który zdradzał jego słabość każdemu na tyle inteligentnemu, by – jak ona – to dostrzec. Dobrze znała jego słabość i na jej widok zatęskniła za uderzającymi do głowy czasami Dextera, człowieka, który widział wszystko w szerszej perspektywie.

– Ale ty... jesteś inna... znasz mężczyzn lepiej niż inne kobiety.

– Lepiej, niż oni znają siebie – dodała od niechcenia. – O to chodzi, prawda?

– Jak ty to robisz? Chciałbym to wiedzieć.

Przesunęła paznokciem po zaroście na jego policzku, jakby szukała blizny.

– Biedactwo. Skoro musisz pytać, nigdy nie zrozumiesz.

Rozgniewała go, i taki był jej zamiar. Oczy mu błysnęły, ruchy stały się po zwierzęcemu szybkie. Chciał ją chwycić, lecz zwinnie mu się wymknęła. Ale nie śmiała się z niego. Wiedziała, na ile może sobie pozwolić z każdym mężczyzną i nigdy nie przekraczała tych granic. Na tym polegał jej sekret. Poniosła klęskę tylko raz, z Dexterem Shawem – choć Cornadoro się o tym nigdy nie dowie.

– *Alors*, masz husqvarnę – powiedziała, mając na myśli snajperski karabin. – Pora iść z nią na dach.

Stanęli naprzeciwko siebie: Bravo i Jenny, na gwarnej, hałaśliwej, anonimowej ulicy. Nikt w zasięgu wzroku nie zwracał na nich najmniejszej uwagi, ale byli inni, ukryci, bardzo zainteresowani ich słowami i działaniem.

– Powiedziałem: zabiję, jeśli cię znowu zobaczę – odezwał się Bravo.

Jenny rozłożyła ręce.

– Jestem.

Musiała zagryźć wargę, żeby nie krzyczeć. Jak, na litość boską, miała go przekonać?

– Masz broń?

Roześmiała się gorzko.

– Myślisz, że zacznę strzelać?

– Zastrzeliłaś wuja Tony'ego.

– Bo był kretem, zdrajcą...

– Poderżnęłaś gardło ojcu Damaskinosowi, a wcześniej spaliłaś mu twarz.

– Co? – Otworzyła szeroko oczy. – Co powiedziałeś?

Zbliżył się do niej; nienawidził tej kobiety, a jednocześnie podziwiał naturalność jej gry.

– Gdzie go masz?

– Jeśli ojciec Damaskinos nie żyje, możesz być pewien, że nie miałam z tym nic wspólnego – odparła z prawdziwym niepokojem.

– Nie jestem już pewien niczego. – Miał dość tej udawanej niewinności. – Gdzie masz sztylet?

– Co? Do diabła, o czym mówisz?

– Dawaj!

– Oszalałeś! Nie wiem...

Chwycił ją za przegub, zepchnął z pylistej, brudnej ulicy, w cień pod złachmanioną markizą. Wyglądali jak para kłócących się kochanków, nic specjalnego.

– Puszczaj – odezwała się cicho. Pomimo najszczerszego wysiłku, zaczynał ją ogarniać gniew na taką tępotę. Po co wyjaśniać, co ją spotkało? Wystarczy jedno spojrzenie na tę kamienną twarz i już wiadomo, że nigdy jej nie uwierzy. Bo nie chce. I ta świadomość zepchnęła ją w najgłębszą rozpacz.

– Słuchaj, ty... – powiedział Bravo. – Michaił Kartli... Na pewno go znasz... Chce cię zabić. Kazał swojemu człowiekowi zastrzelić cię za zdradę.

– Nie zdradziłam...

– Milcz! – obrócił ją gwałtownie; wpadła na tęgiego Turka, targującego się żarliwie o miedziany czajnik. Nie zwrócił uwagi na jego protesty ani na ciemne sińce pod oczami Jenny, na nienaturalną bladość jej policzków, jakby rozpadała się od środka, jakby coś ją zżerało od wewnątrz. A było to trudne, bo znaczyło, że musi zapomnieć o bolesnym ściśnięciu serca na jej widok – choć kłamała, zdradziła, choć była morderczynią, czuł... Boże, zmiłuj się. Jego serce znowu się ścisnęło i przez głowę przemknęło mu pytanie, czy kiedyś sobie wybaczy, że jeszcze ją kocha. – Żyjesz tylko dlatego, że chciałem z tobą porozmawiać... żeby wydobyć z ciebie, czy w zakonie są jeszcze jakieś krety.

– Nie mam pojęcia. Musiałbyś spytać Anthony'ego.

Imię Rule'a wykrzyczała. Powlókł ją w głąb ulicy. To ta miłość – zrozumiał to ze wstrząsem, który obudził w nim prawdziwe mdłości – zrodziła taką wściekłość. Nienawiść, którą do niej czuł, nie była nienawiścią profesjonalisty – zapomniał o radzie wujka Tony'ego, by się nie angażować, by trzymać głowę wysoko nad wzbierającą toksyczną falą ścieków Voire Dei. Kochał ją, a ona była podła. Jak to w ogóle możliwe?

– No to się zrobi nieprzyjemnie – powiedział z przesadną gwałtownością. – Zabiorę cię do Kartliego. Zna wszystkie metody przesłuchań, wyciągnie z ciebie informacje. – Spojrzała mu w oczy i to wszystko, co ją ciągle kochało, zaczęło się wycofywać, aż znikło. – Mam na myśli tortury.

Jenny stała jak porażona.

– Jak możesz... Boże miłościwy, jak mogłeś w ogóle pomyśleć o czymś tak potwornym. Będę z tobą walczyć na śmierć i życie, wiesz o tym.

Coś musnęło jej policzek, miękkie jak ćma; krzyknęła i odruchowo się cofnęła. Przysadzisty Turek obok niej wypuścił czajnik, rozrzucił ramiona i runął na sprzedawcę, trafiony kulą między łopatki.

Na rynku wybuchła panika. Ludzie rzucili się do ucieczki na oślep. Chaos rozdzielił Bravo i Jenny, która wykorzystała tę szansę i zniknęła w tłumie. Nie było sensu za nią biec, bo wkrótce zgubił ją z oczu, a fala ludzi poniosła go w przeciwnym kierunku.

– Obiecałeś...

– Jestem człowiekiem honoru – oznajmił twardo Michaił Kartli.

– A jednak twój człowiek usiłował ją zabić.

Gruzin stał z ramionami założonymi na piersi. Na wnętrzu jego przegubu widniał jastrząb z rozłożonymi skrzydłami.

– Poprawka. To nie mój człowiek.

– Więc kto?

– Nie wierzysz mi?

– Tylko pytam.

Brwi Kartliego zbiegły się ponuro, a jego głos stał się ochrypły.

– Nie, oskarżasz.

– To twoja interpretacja, niesłuszna.

Adem Chalif usiłował odciągnąć Bravo, zażegnać niebezpieczeństwo. Ale Bravo odtrącił go i nie ustąpił.

Wszyscy trzej ustawili się w trójkącie przy wejściu do sklepu Gruzina. Wokół nich znalazły się dzieci Michaiła Kartliego – czterej dorośli synowie, zbudowani podobnie jak ojciec i nie mniej muskularni – i córka, z którą Chalif rozmawiał przy wejściu. Pojawiło się inne napięcie niż to, które Bravo zaobserwował wcześniej. Klienci Kartliego odeszli, tych, co jeszcze domagali się, by załatwiono ich sprawy, wyprosił najstarszy syn, któremu Kartli oddał swój telefon.

– Irema, twoje miejsce jest w domu, przy matce – rzucił Kartli córce.

– Ale, ojcze…

Brat uderzył ją w skroń. Nie krzyknęła, tylko zagryzła wargę aż do krwi.

Kartli nie zganił syna. Powiedział do Iremy:

– Natychmiast odejdź. Czeka cię kara, ale będzie gorzej, jeśli wyślę z tobą brata.

Irema rzuciła wściekłe spojrzenie bratu, który ją uderzył, a potem z jawną ciekawością przez chwilę przypatrywała się Bravo. Wreszcie, unikając morderczego łypnięcia ojca, znikła w labiryncie bazaru.

Ulicę zaścielał czerwony pył. Pokrywał ich buty i nogawki spodni, wżerał się głęboko w linie dłoni, podobny do zaschniętej krwi. Wraz z tym pyłem i napięciem unosił się jakiś zwierzęcy odór, jak zapach dwóch górskich kozłów, które za moment wezmą się na rogi. W końcu zostanie tylko jeden – obaj to sobie uświadamiali. Tego właśnie Adem Chalif usiłował uniknąć.

– Nie zrozumieliście się, to pomyłka – odezwał się po gruzińsku. – Nie pora na kłótnie o takie drobnostki, a poza tym czy nie rozsądniej będzie dyskutować w domu?

Nikt nie zwrócił na niego uwagi.

– Mogłem ją zmusić do mówienia – oznajmił Bravo. – Przez ten zamach uciekła i straciliśmy ją… straciliśmy szanse. Nie uważam tego za drobnostkę.

– Straciliśmy ją przez twój brak doświadczenia – odparł władczo Kartli. – To ty się z nią spotkałeś.

Bravo uderzył go. Gruzin zablokował cios ramieniem, chwycił nadgarstek Bravo i próbował złamać.

Bravo uderzył go w żołądek, aż wszyscy obecni jęknęli. Cofnął rękę i nierozważnie zrobił krok do przodu, a wtedy dosięgnął go lewy hak Gruzina. Kartli przybrał przyczajoną postawę zapaśnika. Bravo, na poły oszołomiony, zwlekał jak najdłużej, by odzyskać dech. Potem wyciągnął sztylet Lorenzo Fornariniego.

Kartli zastygł w pół ruchu, ale jego czterej synowie ruszyli na Bravo. Wówczas Gruzin uniósł rękę. Nie spuszczał z oka przeciwnika.

– Ostrożnie – powiedział z dziwnym naciskiem. – Mówiłem ci, że musisz cholernie uważać, kiedy go używasz.

Bravo zacisnął rękę na rękojeści. Chalif znowu zainterweniował.

– Słuchajcie, jeśli w zakonie pojawi się rozłam, to rzeczywiście wszystko stracone.

Kartli parsknął.

– Przybywa do nas, ten... Amerykanin, z wyciągniętą ręką, prosząc o pomoc. A potem od razu rozkazuje mi warować jak psu i rzuca oskarżenia. Bije mnie jak psa i myśli, że będę się przed nim płaszczyć. – Splunął z furią. – Dlaczego się dziwię? Zbliża się dzień, gdy rogi bestii rozszarpią nawet najcnotliwszych. Tak robią Amerykanie, na całym świecie.

– To Voire Dei, Kartli, obaj jesteśmy...

Gruzin rzucił przekleństwo po gruzińsku i turecku.

– Co mam powiedzieć komuś, kogo rząd sprzymierzył się z moskiewskimi bandytami, którzy wciąż bezlitośnie prześladują mój lud?

– Na miłość boską...

– Musimy ustalić inną rzecz, Amerykaninie: do czyjego Boga się zwracasz, mojego czy swojego?

– Obaj jesteśmy ludźmi.

– Ale nie jesteśmy równi, prawda? Chcesz się mną posłużyć, tak jak twój rząd posługuje się Rosjanami do własnych celów.

Adem Chalif odezwał się cicho, lecz z naciskiem:

– Michaił... Przecież Bravo jest Klucznikiem, twoim obowiązkiem jest go chronić i mu pomagać.

– Bardzo arogancki Klucznik. A ty się z nim sprzymierzasz. – Kartli charknął i splunął.

Bravo, którego rozterka i frustracja znowu zmieniły się w gniew, ruszył na Kartliego, ale Chalif go chwycił i przytrzymał w żelaznym chwycie.

– Nie – szepnął mu do ucha. – Ostrzegałem cię, on jest bardzo niebezpieczny, łatwo go sprowokować. – A do Gruzina zwrócił się: – Od kiedy to uważasz, że biorę czyjąś stronę? Ja, który łamałem się z tobą chlebem, który zmieniałem pieluchy twoim dzieciom, który naradzałem się wraz z tobą. Jesteśmy przyjaciółmi, Michaił. Przyjaciółmi.

– Więc odsuń się od Amerykanina.

– Żeby patrzyć, jak go zabijasz?

– Wyciągnął broń w moim domu. Obraził mnie śmiertelnie.

– Byłeś przyjacielem jego ojca.

– Dexter Shaw nie żyje. Moje zobowiązania umarły wraz z nim.

– Ale zakon, przysięga…

– Dość mi krzywd wyrządzili. Wystarczy.

– Przynajmniej pozwól mu odejść. Śmierć syna Dextera Shawa to ciężkie brzemię.

– Zostaw go, cofnij się – rzucił Kartli krótko.

Chalif usłuchał, ale przedtem zdążył szepnąć Bravo do ucha:

– Schowaj sztylet i czekaj… czekaj.

Bravo schował więc sztylet i stanął, czekając na rozwój wydarzeń. Cisza była przytłaczająca, natarczywy gwar ulicy ucichł, jakby go nie było. Gruzin nie spuszczał wzroku z Bravo. Wydawało się, że toczy się walka charakterów, niewidzialna, śmiertelnie niebezpieczna.

Bravo, bardzo powoli, wyciągnął sztylet schowany w pochwie, uniósł go, jakby ofiarowywał Michaiłowi Kartli, albo może jego Bogu.

– Chcesz mnie przekupić – powiedział Gruzin. – Bardzo amerykańskie.

– Ten sztylet nie ma ceny – odparł Bravo. – Jest twój.

Kartli pokręcił głową, jakby nieskończenie zasmucony.

– Nie, Kluczniku. Tam, dokąd się udajesz, będzie ci potrzebny.

Bravo opuścił sztylet.

– Teraz odejdź – rozkazał Michaił Kartli.

Bravo odwrócił się. Chalif ruszył za nim. Synowie Gruzina rozstąpili się przed nimi.

Zanim wyszli z ich kręgu, na zawsze zostawiając królestwo Gruzina, zanim ruszyli ulicami Trabzonu, Michaił Kartli rzucił za nimi:

– Módlcie się do tego boga, który nad wami czuwa, bo bez niego jesteście straceni.

25

Bravo siedział w tej samej kafejce na wzgórzu w dzielnicy Ortahisar, gdzie po raz pierwszy spotkał się z Ademem Chalifem. Miał nadzieję, że Turek prędzej czy później się tu zjawi. Kawiarnia zalatywała papierosowym dymem i kocim moczem, ale kawa była mocna i aromatyczna. Miał doskonały widok na główną ulicę starego miasta, na chłonące światło wąwozy. Uświadomił sobie, że nie może znieść żadnej dzielnicy nowej części miasta, rozrosłego jak ohydna skorupa wokół klejnotu od dawna zaginionej Trebizondy. Chciał ponownie ujrzeć to sławne miasto, chciał chodzić jego ulicami, słuchać królewskich brzmień trebizondzkiej greki, przyglądać się okazałym statkom przybywającym z Florencji i Wenecji, Kadyksu, Brugii po czekające na nich w magazynach egzotyczne towary. A na horyzoncie dostrzec łopoczące czarne żagle seldżuckich piratów.

Wyjął komórkę. Zaczął wybierać numer Jordana i przerwał. Jordan był jego najbliższym przyjacielem. Bravo już poprosił go o pomoc i Jordan wspaniałomyślnie się zgodził, ale teraz sytuacja stała się zbyt niebezpieczna, żeby go w to wszystko wciągać. Bravo nie zamierzał narażać nikogo więcej, zwłaszcza przyjaciela.

Oparł głowę na dłoniach. Chciałby, żeby jego życie wyglądało inaczej albo chociaż żeby czas się cofnął. Wyobraził sobie, że stoi na tamtym rogu Szóstej Alei w Nowym Jorku i patrzy za odchodzącym ojcem. Gdyby za nim pobiegł! Ale właściwie co by mu z tego przyszło? Odwlókłby tylko to, co już się zbliżało; nic więcej. To go obezwładniało – owo poczucie bezradności, uwięzienia, świadomość, że jest kółeczkiem w ogromnej machinie, działającej z nieubłaganą precyzją.

– Pora, żebyś się spotkał z dziadkiem, Bravo.

Podniósł oczy i spojrzał w ogorzałą twarz ojca. Znajdowali się w domu w Greenwich Village. Miał dziewięć lat.

– Wiem, że nie chcesz jechać.

– Skąd możesz wiedzieć?

– Bo przed chwilą zaproponowałeś mamie, że powycierasz talerze.

Bravo odłożył ścierkę. Rozumiał, że to żart, ale wcale go nie śmieszył. Dexter położył mu rękę na ramieniu.

– Twój dziadek chce się z tobą zobaczyć, dziś rano pytał o ciebie.

– A nie chce zobaczyć Juniora? – spytał markotnie Bravo, bo nieszczęście lubi towarzystwo. Emma była zbyt mała, żeby jechać do domu opieki.

– Junior źle się czuje – rzekł Dexter.

Wcale tak nie było i Bravo dobrze o tym wiedział. Parę tygodni temu podsłuchał rodziców, którzy o tym rozmawiali. Uznali, że Junior jest za mały, co tylko spotęgowało urazę Bravo.

Podróż do domu opieki nie trwała krótko, ale jemu wydawało się, że najwyżej trzy minuty. Mijały ich ławice półciężarówek, fabryki ziały dymem, a on musiał zamknąć okno, żeby nie przesiąknąć smrodem chemicznych wyziewów, cuchnących paloną gumą i kocimi sikami. Dom opieki, położony gdzieś w nieznanych pustkowiach New Jersey, mieścił się w wielkim budynku z czerwonej cegły, jota w jotę jak te zdecydowanie ponure instytucje, które tak wyraziście opisał Dickens. Bravo siedział w samochodzie, słuchał silnika pulsującego jak mechaniczne serce, czekał, aż zwolnią i w końcu się zatrzymają. Siedział sztywno, zapatrzony przed siebie, nawet kiedy ojciec wysiadł. Mdliło go.

– Bravo... – Dexter otworzył drzwi i wyciągnął do niego rękę.

Bravo, zrezygnowany, ujął ją i razem weszli cementowymi schodkami. Zanim się otworzyły drzwi, Dexter spytał:

– Kochasz dziadka, prawda?

Bravo skinął głową.

– I tylko o tym musisz myśleć, tak?

Bravo znowu przytaknął. Nie ufał sobie na tyle, żeby odpowiedzieć. Smród panujący w domu opieki nie dawał się wyrazić słowami. Bravo usiłował wstrzymywać oddech, jak zawsze, ale na próżno. Odetchnął i przez chwilę się krztusił, zanim organizm się przyzwyczaił.

Conrad Shaw siedział w oranżerii, w jasnym słonecznym świetle i nienaturalnej wilgoci, wśród cieplarnianych kwiatów i roślin doniczkowych. Jak zwykle kazał się zawieźć jak najdalej od innych pacjentów. Całkiem wyłysiał, choć jeszcze dziesięć lat temu miał grzywę siwych włosów, którą się nieprzyzwoicie pysznił. Jego chude ciało, piegowate jak jajko drozda, wiek i choroba stoczyły tak okrutnie, że kości czaszki rysowały mu się wyraźnie pod skórą głowy, która także nabrała koloru kości. Kiedyś był to potężny mężczyzna, tryskający siłą i energią, skory do rubasznego śmiechu przy każdej okazji.

Najgorsze było to, że wszystko to utracił jednocześnie. Wylew, który go powalił, okazał się poważny. Jego serce zostało uszkodzone, działało dzięki rozrusznikowi. Twarz obwisła mu okropnie, jakby działała na nią wyjątkowo silna grawitacja.

Nigdy się nie pogodził z tą sytuacją. Nagle jakby pozbawiono go całej radości. Jeśli widok wnuka go ucieszył, Bravo nie potrafił tego rozpoznać. Dziadek łypnął na niego widzącym okiem, chwycił go zdrową ręką w morderczy chwyt, po którym zostawały siniaki.

– Jak się czujesz, dziadku? – spytał Bravo.

– Gdzie moja fajka? Co zrobiłeś z moją fajką?

– Dziadku, nie widziałem twojej fajki. – Bravo wytarł mu ślinę z łuszczącego się kącika ust.

– Przestań! Stłukłeś ją, tak? – Ścisnął ramię Bravo jak w stalowych kleszczach. – Umyślne nieposłuszeństwo, jak cię znam.

– Tato, Bravo nie zabrał ci fajki. Zgubiła się w zeszłym roku – powiedział Dexter, delikatnie uwalniając syna.

– Zgubiła się, i co jeszcze – warknął Conrad. – Wiem, kiedy się mnie okrada.

Dexter przymknął oczy; Bravo niemal słyszał, jak ojciec liczy w myślach do dziesięciu.

– Nieważne, tato, i tak nie wolno ci palić. – Dexter uśmiechnął się z wysiłkiem i najbardziej dyplomatycznym tonem dodał: – Wiem, że cieszysz się na widok Bravo, dziś rano chciałeś się z nim spotkać.

– Chciałem kawę z czymś mocniejszym – zrzędził staruszek. – I myślisz, że mi dali? Co za spelunka. Szambo, co udaje hotel.

Przy każdym spotkaniu Conrad błagał syna o śmierć. Dlatego Dexter zaczął przyjeżdżać z Bravo. Ojciec nie poprosiłby o coś takiego w obecności chłopca.

Na Bravo największe wrażenie robiła nie szybko postępująca psychiczna degrengolada dziadka, lecz jego przerażające, niewyrażone, lecz zrozumiałe dla każdego dziecka pragnienie śmierci. Z całego serca sprzeciwiał się tym wizytom, do których był zmuszany, przymusowej obserwacji tych spustoszeń, jakie choroba czyni nawet w najsilniejszych, najsprawniejszych ludziach, przebywaniu w pobliżu śmierci, skoro nawet nie rozumiał, czym ona jest.

– Nie chcę tam więcej wracać – powiedział w drodze do domu.

– Tak opowiadasz za każdym razem – rzucił Dexter od niechcenia, jakby się przekomarzali.

– Tym razem mówię serio – oznajmił Bravo z całą mocą.

– Twój dziadek nie wie, co mówi, Bravo. W głębi serca cieszy się na twój widok.

Bravo odwrócił wzrok.

– O co chodzi?

Znowu milczenie.

– No, już – nie ustąpił Dexter. – Możesz mi powiedzieć wszystko, przecież wiesz.

– Nie chcę umrzeć.

Dexter rzucił mu szybkie spojrzenie pełne ojcowskiej troski.

– Nie umrzesz. Jeszcze bardzo, bardzo długo.

– Ale dziadek umrze.

– I dlatego powinieneś się z nim spotykać, jak najczęściej. Żebyś zapamiętał...

– Co? – wybuchnął nagle Bravo. – Żywy szkielet, jakiś koszmar?

Dexter wrzucił kierunkowskaz i zjechał na pobocze, gdzie zatrzymał samochód. Odwrócił się do syna.

– Nieważne, jak dziadek teraz wygląda. W środku się nie zmienił, to człowiek, który dokonał wielkich rzeczy. Zasługuje na twoją uwagę i szacunek.

Bravo odpowiedział z właściwą dzieciom przenikliwością:

– Moim zdaniem w środku też się zmienił.

Dexter zaniemówił. Odwrócił głowę, oparł rękę na kierownicy, zapatrzył się w szeregi mijających ich samochodów osobowych i ciężarówek. Od ich pędu samochód się kołysał.

– Masz rację – odezwał się w końcu Dexter Shaw. – Nie chciałem tego przyznać, ale mój ojciec się zmienił. Upadł.

Wtedy po raz pierwszy Bravo zobaczył łzy ojca. Nie po raz ostatni.

Położył mu rękę na ramieniu.

– Będzie dobrze, tato.

– Nie, nie będzie. Nie powinienem cię tam wlec co tydzień. Byłem egoistą.

– Tato...

– Mój ojciec jest dla mnie wszystkim. Widzieć go w takim stanie... – Dexter pokręcił głową. – Ale takie są konsekwencje życia. Trzeba się z nimi pogodzić, przyjąć je po męsku.

– Więc tak zrobimy.

Dexter Shaw spojrzał na swego syna.

– Razem, tak? – Dziewięcioletni Bravo uśmiechnął się dzielnie. – Jesteśmy mężczyznami, prawda?

*

355

Bravo poczuł odejście ojca jak muśnięcie chłodnego oddechu na policzku i otworzył oczy. Światło przygasło, wydłużające się cienie nabrały koloru lapis-lazuli. Chalif nadal się nie pojawiał. Bravo zrozumiał, że nie przyjdzie. Kawa mu wystygła; zamówił następną i coś do jedzenia.

– Byle nie *pulpo* – powiedział kelnerowi. Ośmiornic miał po uszy. Popełnił błąd, wdając się w zwadę z Michaiłem Kartlim. Ciągle nie mógł uwierzyć we własną nierozwagę. Ale są takie chwile, kiedy zapomina się o opanowaniu i po prostu trzeba sobie radzić w trudnej sytuacji. Przyjmować konsekwencje po męsku.

Podano kawę; wypił trochę i oparzył się w język. Odstawił filiżankę ze szczękiem, zadzwonił do Emmy. Między Turcją a Nowym Jorkiem było osiem godzin różnicy. Prawdopodobnie obudził ją, ale odebrała natychmiast, bez śladu rozespania w głosie.

– O Boże, Bravo, gdzie jesteś? Usiłowałam cię złapać przez cały dzień.

– Pewnie nie było zasięgu. Słuchaj, znalazłem kreta.

– Tak? Kto to jest?

– Był. Paolo Zorzi. Nie żyje.

– Zorzi? – W słuchawce przez chwilę panowała cisza. – No, nie wiem.

– Jak to? Był na liście taty. Ojciec Mosto pokazał mi ją w Wenecji.

– Ach, Bravo... Ta lista to kolejny podstęp taty, dezinformacja, na wypadek gdyby jakoś wpadła w ręce rycerzy.

Wyprostował się.

– Żartujesz?

– Zastanów się. Tata właśnie o tym mówił. Naprawdę uważasz, że rozdawałby na prawo i lewo listy podejrzanych, zwłaszcza niezaszyfrowane?

Bravo poczuł tętnienie w skroniach.

– Ale Zorzi kazał mnie pobić, schwytać... Mówisz, że nie był zdrajcą?

– Nie. Mówię, że nie mamy pewności. Jedyną listę tata miał w głowie.

– Przecież zbierałaś dla niego informacje. Znasz wszystkich podejrzanych. Czy Zorzi był między nimi?

– Tak, na pewnym etapie.

356

W żołądku Bravo zaczęła się tworzyć zimna kula strachu.

– Co to znaczy?

– Na jakiś miesiąc przed śmiercią tata kazał mi przestać szukać informacji.

– Dlaczego?

– Też spytałam. Powiedział tylko, że dokonał przełomowego odkrycia i resztę musi zrobić sam. Błagałam, ale był nieugięty. Wiesz, jak potrafił się uprzeć.

Wiedział.

– Ale dlaczego nagle cię odsunął?

– Przyszło mi na myśl z tuzin teorii. Wszystkie bez sensu.

– A jeśli chodziło o nowego podejrzanego, bardzo bliskiego ojcu?

– Ale dlaczego...?

– Kogoś, o kim nie chciał myśleć... zwłaszcza jeśli była mu bardzo bliska.

– Była?

– Jenny Logan, ta Strażniczka. Nie dziwi mnie, że na Zorziego najpierw padło podejrzenie. Kret wywodził się spomiędzy jego ludzi. Pewnie zostawiła ślady, które doprowadziły tatę do niego. Ale się nie udało – przynajmniej nie na długo. Przydzielił Jenny mnie w nadziei, że w końcu powinie się jej noga i ja to odkryję. I tak się stało.

– No nie wiem, Bravo. Naraziłby cię na straszne niebezpieczeństwo.

– Przygotował mnie na takie sytuacje.

– Mimo to wiele by ryzykował, nie sądzisz?

– Gra idzie o wysoką stawkę, chyba nie muszę ci tłumaczyć. – Zastanawiał się przez chwilę. – Co robiłaś dla taty, kiedy kazał ci przerwać?

– Nic ważnego. Sprawdzałam dokumenty z londyńskich archiwów wywiadu zakonu. Szczerze mówiąc, nie wiem, dlaczego chciał je przejrzeć.

– Ani ja. Ale znasz ojca, musiał mieć powód. Mogłabyś jakoś...

– Chodzi ci o to, że nie widzę? Usiłowałam ci powiedzieć od początku, ale ciągle mnie bombardujesz nowymi sensacjami. Wraca mi wzrok.

Krzyknął z radości.

– Emma! Fantastycznie!

– Na razie w jednym oku, i niespecjalnie dobrze widzę, zwłaszcza na odległość. Może już tak zostanie, mówią lekarze. Ale widzę ekran komputera, zwłaszcza przy tych potężnych szkłach powiększających.

– Więc możesz dalej sprawdzać nagrania?

– Ale to straaaaasznie nudne – wyjęczała najbardziej teatralnym z tonów.

– Słuchaj, niedawno odkryłem, że tata rozpracowywał ruchy fundamentalistów na Środkowym Wschodzie. Jak wiesz, fundamentaliści od dawna prowadzą szkolenia i organizują ośrodki w Londynie, więc to może nudne, ale bardzo ważne.

– Dobra, dobra, przekonałeś mnie. Ale obiecaj, że będziesz się częściej odzywać. Nawiasem mówiąc, gdzie jesteś?

– Wolałbym nie mówić.

Parsknęła śmiechem.

– Jakbym słyszała tatę.

– Bierz się do roboty.

– Tak jest. A ty uważaj.

– Emma... kocham cię.

Rozłączył się, schował telefon. Danie już stało przed nim. Zaczął jeść, ale nie czuł smaku. Wiadomości o Emmie i Jenny wirowały mu w głowie. Nie wiedział, czy chce mu się śmiać, czy płakać.

Nadchodził zmierzch. Morze na horyzoncie było pasiaste jak zebra. Łodzie stały na kotwicach, kołysały się łagodnie jak dzieci w kołyskach. W samym sercu starego miasta Damon Cornadoro skręcił za róg i ruszył ku sklepowi Michaiła Kartliego. Otrzymał rozkaz i jak wszyscy lojalni żołnierze zamierzał go wypełnić za wszelką cenę. Wszystko się zmienia, ale ta zasada nie dotyczyła jego umiejętności i za to był wdzięczny. Miał do siebie zupełne zaufanie. Nie czuł strachu jak inni ludzie – kiedyś, sprowokowany, włożył rękę w płomienie ogniska na weneckiej ulicy. Miał wtedy szesnaście lat, ale na ulicy szybko się dorasta. Choć wywodził się z jednego z *Case Vecchie*, zawsze wolał slumsy. W obliczu wyzwania wiedział, jak postępować. Odwrócił się, zakasał rękawy, zatarł dłonie, jakby przygotowywał się do sądu bożego. I właśnie tak było, choć nie tego spodziewali się gapie. Nacierał ramię smarem.

I przez cały czas nieustannie się chełpił, wskutek czego ludzie zaczęli obstawiać zakłady przeciwko niemu. Klasyczny manewr, odwrócenie uwagi obecnych od faktu, że zabezpieczał rękę. Potem, tak szybko, że gapie aż westchnęli, włożył prawe ramię po łokieć w trzaskający ogień, wytrzymał pełne trzydzieści sekund. Następnie zaprezentował rękę, roześmiał się na widok ich zdumienia i wesoło zgarnął wygraną.

Zbliżał się do sklepu Gruzina bez niepokoju, pragnął tylko wypełnić zadanie. Camille ostrzegła go, że nie wolno mu lekceważyć Kartliego; Cornadoro nauczył się traktować jej ostrzeżenia poważnie.

Córka Gruzina, Irema, którą Kartli wysłał do domu podczas zwady z Bravermanem Shawem, nie usłuchała kochanego tatusia, lecz wmieszała się w tłum, ukryła między ludźmi, przyjrzała się objawom gniewu ojca. Cornadoro to zauważył i nie zapomniał. Teraz, kiedy w końcu uznała, że pora odejść, wyminął ją.

Jeden z jej braci zwijał małe kobierce, zanosił na rozchwiane drewniane stojaki przed sklepem, skąd następnie miał je przenieść na noc do schowka.

– Zamykamy – powiedział nie podnosząc wzroku i nie przerywając pracy. – Zapraszamy jutro rano.

– Muszę się wiedzieć z Michaiłem Kartlim – oznajmił Cornadoro. Młodzieniec podniósł wzrok.

– Tak?

– Przebyłem daleką drogę, żeby się z nim spotkać – nie ustępował Cornadoro. – Z Rodos.

Po ostatnim słowie młodzieniec przestał zwijać dywany. W oczach coś mu błysnęło – co to było? Strach, konsternacja, może wszystkiego po trosze. I tak być powinno, z Rodos pochodzili rycerze świętego Klemensa. Cornadoro ujrzał ten błysk i w duchu się ucieszył.

Młodzieniec odłożył kobierzec.

– Proszę tu zaczekać – powiedział, odwrócił się na pięcie i zniknął w sklepie. Światła, żółte jak kły kundla, zapalały się w całym mieście, zasnuwały wystawy bielmem.

Michaił Kartli stanął w drzwiach i przez chwilę nieufnie przyglądał się gościowi. W końcu wyszedł na ulicę.

– W czym mogę pomóc?

– To raczej ja mogę służyć pomocą.

Cornadoro ruszył szybkim krokiem, ale zatrzymał się, kiedy Gruzin uniósł rękę.

– Najpierw broń. Sztylet, jeśli łaska.

Cornadoro roześmiał się dobrotliwie.

– Muszę przyznać, masz doskonałych informatorów. – Wyjął sztylet, którym poderżnął gardło ojcu Damaskinosowi, i podał go rękojeścią naprzód. Kartli skinął głową; broń przejął syn.

– Na przechowanie – wyjaśnił Kartli. – Oddamy, kiedy będziesz wychodził.

Cornadoro skłonił się lekko, odrobinę ironicznie. Wyjął małą metalową puszkę, którą podał Gruzinowi.

– Co to jest?

– Podarunek. Od jednego znawcy dla drugiego.

– Otwórz – rozkazał Kartli.

– Ależ proszę. – Cornadoro uniósł haczyk i otworzył puszkę. W powietrze uniósł się delikatny aromat.

Kartlin otworzył szeroko oczy.

– Bai Ju Guan.

Cornadoro przytaknął.

– Grzebień Białego Koguta, herbata z pierwszego zbioru, jak wiesz, jedna z czterech odmian ulung hodowanych w górach Wu Yi.

– Bardzo rzadka, bardzo droga – dodał Kartli, przyjmując puszkę.

Cornadoro wzruszył ramionami.

– Jeśli przypadnie ci do gustu, jest tego więcej. – W duchu uśmiechał się szeroko, Camille znowu miała rację, trafili w dziesiątkę.

– Proszę za mną – rzekł Kartli i zaprowadził go do sklepu. Zapalono lampy oliwne, które rzuciły ciepły blask na wspaniałe wzory dywanów. Syn przyniósł kawę. Nie podał herbaty ani jedzenia. W ten tradycyjny sposób dał do zrozumienia, że jest to spotkanie wstępne, a gospodarz na razie zajmuje neutralne stanowisko.

Usiadł na stercie dywanów z Tabrizu, przyjął gorzką kawę. Wypił i odstawił filiżankę. Syn Kartlinego siedział w głębi pomieszczenia, wysyłając SMS-y.

– Znasz mnie?

Kartli skinął głową.

– Damon Cornadoro. Rycerz świętego Klemensa.

– Raczej nie. Nie złożyłem oficjalnych ślubów.

Kartli przechylił głowę.

– Więc się mylę, nie pracujesz dla rycerzy?

– Czasami pracuję – przyznał Cornadoro. – Jednak jestem niezależny.

– Czyli jesteśmy tacy sami, ty i ja. Na razie przeciąłem swoje związki z zakonem.

Ta uwaga podsyciła zainteresowanie Cornadora. Gdyby nie zobaczył na własne oczy konfliktu Gruzina z Bravermanem Shawem, tak gwałtowna zmiana frontu wydałaby mu się podejrzana.

– Zamyka się jedna droga – powiedział Kartli – otwierają inne. Podobno uczył cię Cherry Bateman.

Cornadoro przytaknął.

– Bateman był drogą, którą wybrałem... a może słuszniej będzie powiedzieć, że to on wybrał mnie.

– Bateman jest Amerykaninem.

– Ja jestem wenecjaninem, ty Gruzinem. Co z tego?

– Wszędzie na świecie odradza się nacjonalizm – odparł Michaił Kartli. – To źródło siły, której nic nie może dorównać. – Przyjrzał się przebiegle Cornadorowi. – Ale ty chyba o tym wiesz.

– Cherry Bateman jest Amerykaninem tylko z urodzenia. Przyjął obywatelstwo włoskie, wyrzekł się Ameryki. Wyrzekł się swego syna Donovana, który mieszka w Ameryce.

– To coś znaczy.

– Oczywiście. Trzeba widzieć rzeczy takie, jakie są, nie jakie się wydają. – Cornadoro rozłożył ręce. – Ty i Bateman. Oczywiście mogę się mylić. – Pozwolił sobie na uśmiech. – Nie po raz pierwszy. Ale jeśli się nie mylę, chciałbym móc poczynić pewne przygotowania. Może się okazać, że czas spędzony w Veneto okaże się nadzwyczaj budujący – a także pomocny sprawie Gruzji.

– A w zamian chciałbyś...

– Informacji. – Cornadoro przestał ukrywać uśmiech i odetchnął. Poczuł, że przynęta chwyciła. – Informacji na temat Bravemana Shawa.

26

Kiedy muzułmanin mówi „geometria jest manifestacją bożej obecności", rozumie to dosłownie. Żyjący w pierwszym wieku matematyk

Al-Biruni skodyfikował geometrię, nazwał ją „geodezją" i zaklasyfikował jako filozofię, wynikającą zarówno z zasad naukowych, jak i religijnych, zajmującą się formą i materią łączącymi się z czasem i przestrzenią.

We wnętrzu meczetu Zigana kopuła przypominająca plaster miodu, a złożona ze spiczastych łuków z kamienia, była zbudowana zgodnie z wymogami świętej geometrii Al-Biruniego. Znajdowały się w niej kręcone schody, prowadzące do *minbaru*, świętego pulpitu z czarnego drewna, być może hebanu, wypolerowanego na połysk.

Bravo przyglądał się mu przez jakiś czas. Ta wyjątkowa „geodezja" wnętrza sprawiała, że najcichszy szept przenosił się z jednego końca meczetu na drugi. Wszystkich miał w zasięgu wzroku. Wyglądało na to, że nic mu nie grozi; stopniowo, jakby płynął przez krystalicznie lazurowe wody, ogarnął go ogromny spokój.

Wewnątrz było niewiele osób. Nie wiadomo skąd dobiegło go melodyjne zawodzenie modlitwy, stłumione odległością, zniekształcone echem. Drzwi za jego plecami otworzyły się; lekko zesztywniał. Zbyt późno uświadomił sobie, że powinien się natychmiast przesunąć, żeby widzieć wchodzących i wychodzących. Minęło go dwóch poważnych mężczyzn, chudych, smagłych i brodatych. Poczuł od nich jakieś przyprawy. Ramię w ramię ruszyli środkiem rzędu, oddalili się. Nic mu nie grozi.

Odetchnął głęboko, przeszedł przez mroczny meczet, pod trzema identycznymi ostrymi łukami. Przy eleganckiej hebanowej spirali schodów stanął nieruchomo jak posąg, z pochyloną głową, jakby przygotowywał się do *salatu*. Myślał nad drugim słowem, jakie ojciec zapisał na odwrocie aksamitu. Purpura była barwą używaną w heraldyce. Jednak nie zawsze można było użyć koloru, więc na czarno-białych rycinach sygnalizowano ją liniami biegnącymi ukośnie z lewa na prawo. Następna zaszyfrowana wiadomość znajdowała się u stóp tej spirali.

Jordan obserwował swoją matkę. Podglądanie jej było interesującym doświadczeniem; zaczął się zastanawiać, czy i ona go czasem śledziła. W tej chwili był gotów się założyć, że tak. Przez silną polową lornetkę patrzył, jak przechodziła przez ulicę przed swoim hotelem. Była jak zawsze nieskazitelnie elegancka – dopasowana koszula w prążki, spódnica z żółtego płótna, eksponująca jej długie, piękne nogi. Wsiadła do odrapanej furgonetki. Za kierownicą siedział Damon Cornadoro, jej kochanek, współspiskowiec. Jordan poczuł morderczą chętkę, by wyszarpnąć broń któremuś ze swoich ludzi. Wyobrażał sobie, jak wysiada z furgonetki o zaciemnionych szybach i szybkim krokiem idzie przez ulicę. Zapukałbym do okna tamtych, a kiedy Cornadoro opuściłby szybę, padłby strzał. Krew i mózg na tej modnej bluzce i spódnicy, zepsuty makijaż. Ciekawe, czy zareagowałaby inaczej niż... Rozległ się dzwonek jego komórki.

– Ten Amerykanin chce się z panem zobaczyć – zabrzęczał mu w uchu głos Spagny.

– Tak sądzę.

– Jest wyjątkowo zdenerwowany.

– Nic dziwnego. – Jordan nie odrywał wzroku od tamtej pary. Obok niego siedział jeden z jego rycerzy, ze słuchawkami na uszach. – Powiedz mu, że wkrótce się z nim spotkam. Na razie chciałbym otrzymać dowód jego wierności.

– Coś, co ma dla niego znaczenie – dopowiedział Spagna, zmieniony w słuch.

– Jego córkę. – Jordan skinął do rycerza, który siedział obok niego. – Powiedz Amerykaninowi, że zajmę się jej rehabilitacją, zapewnię wszystko, co najlepsze, pokryję wszystkie koszty.

– Z pewnością zapyta, na jak długo.

– Powiedz, że pozostanie przy mnie tak długo, jak sobie tego zażyczę.

Spagna zachichotał.

– Będzie pomstować, na czym świat stoi.

– Mam całkowitą pewność, że to go unieszczęśliwi bardziej niż cokolwiek.

Rozłączył się. Na dany znak rycerz podał mu słuchawki. Włożył je i wsłuchał się w zdradziecką rozmowę matki z Cornadorem. Nieświadomie uaktualnili jego informacje. Mikrofon paraboliczny, który jego rycerz wymierzył w ich stronę, działał bez zarzutu.

Bravo popatrywał jednym okiem na drzwi, kiedy od czasu do czasu ktoś wchodził do meczetu lub wychodził z niego. Za każdym razem jego serce przyspieszało. Niepokoili go nie tylko rycerze, lecz także ludzie wierni Michaiłowi Kartliemu. Obraził go i choć Kartli pozwolił mu odejść bez szwanku, nie sposób było przewidzieć, czy – i kiedy – zmieni zdanie, każe odnaleźć i wyeliminować zuchwalca. Nie miał wątpliwości, że Kartli ma dość władzy i siły woli, żeby wydać taki rozkaz, i nie tylko synowie będą chcieli spełnić życzenie ojca – każdy z jego pracowników uzna to za kwestię honoru.

Klęcząc przed hebanową spiralą, z całą mocą uświadomił sobie, że jest całkiem sam we wrogim otoczeniu. Jeśli chodzi o rycerzy, zdołał chyba wykształcić coś w rodzaju szóstego zmysłu, ale teraz wszyscy, którzy mijali go odrobinę zbyt wolno, przyglądali mu się ciut za długo, poruszali się razem z nim albo odwracali wzrok, kiedy na nich spoglądał, wydawali się podejrzani. W tej sytuacji musiał bez przerwy być w ruchu. Jeśli zbyt długo pozostanie w miejscu, może się od razu uznać za trupa.

Czuł pod stopami rzymskie ruiny, jak korzenie biegnące w litej skale. Słyszał modlitwy kapłanów w trebizondzkiej grece, widział wejście cesarza w białym jedwabiu, wśród złotych imperialnych orłów, w wysadzanej klejnotami mitrze, w otoczeniu *kabasitai*, cesarskich wojowników unoszących w pozdrowieniu paradne złote miecze.

Jego uwagę zwrócił ruch z prawej strony. Nie odwracając głowy, dostrzegł dwóch brodaczy, tych z poważnymi minami, klęczących na małych dywanikach modlitewnych na mozaice podłogi. Znajdowali się po drugiej stronie meczetu, nieco za nim. Czołami dotykali dywaników, które w słońcu mieniły się bogactwem kolorów, lśniących jak wypolerowany metal. Coś się tu nie zgadzało, nie zauważał czegoś oczywistego... czego?

Na karku poczuł delikatne mrowienie, pełzające mu po plecach jak jadowity wąż. Nagle wyczuł pułapkę, zaciskające się na nim szczęki, ale kiedy się rozejrzał, nie dostrzegł wyraźnego zagrożenia.

Postanowił jednak odnaleźć następny szyfr ojca i uciekać jak najszybciej. Spojrzał w dół, na wzór mozaikowej posadzki u stóp kręconych schodów. Początkowo wydawała się taka sama jak wszędzie, ale kiedy ukłęknął, dostrzegł liczne różnice. Na przykład na miejscu zielonej płytki była niebieska, na miejscu ośmiu czerwonych płytek – cztery, a pomarańczowe płytki, które gdzie indziej występowały w różnych odstępach, tutaj były białe. Podążając za tymi drobnymi anomaliami, przekonał się, że kończą się prostymi liniami, a dalej odpowiadają dokładnie szerokości i długości malowidła Matki Boskiej, pokrytego złotem.

Spojrzał na zmiany kolorów – czerwony, biały, niebieski – wyjął emaliowaną plakietkę, jeden z przedmiotów, które ojciec zostawił mu na łodzi w Waszyngtonie. Już wcześniej dobrze się jej przyjrzał, odkrył, że amerykańska flaga ma niewłaściwą liczbę gwiazdek i pasów. Podniósł wzrok, zobaczył kapłana w szacie z kapturem i szerokim zaciśniętym pasem – imam? nie był pewien – rozmawiającego z dwoma brodaczami, którym przerwał modlitwę. Wszyscy trzej byli ponurzy jak żałobnicy. Ten duchowny miał w sobie coś znajomego, albo w twarzy, albo w postawie, pewnie i w jednym, i w drugim. Bravo odważył się zerknąć, ale kapłan był odwrócony plecami, a kaptur zasłaniał wszystko. Może jednak to pomyłka.

Jeszcze raz wrócił do pracy, choć jego niepokój nieustannie wzrastał. Określiwszy obszar zmienionej mozaiki, znalazł płytkę w samym jego środku. Odliczył od niej pięć, liczbę brakujących gwiazdek na fladze, potem trzy w prawo, liczbę brakujących pasków. Dotarł do ochrowej płytki. Nic. Odwrócił więc kolejność, pięć płytek w górę, trzy w lewo, gdzie natknął się na zieloną płytkę. Nic. Zatem pięć w dół, trzy w prawo. Czarna płytka. Pięć w dół, trzy w lewo: brązowa. Ani jednej czerwonej, białej lub niebieskiej, których się spodziewał. Co teraz? Poruszył się; cień poruszył się wraz z nim. Światło zalśniło na mozaice, przyciągnęło jego spojrzenie z powrotem ku czarnej płytce. Przesunął po niej palcem i przekonał się, że jest lekko wypukła, nie płaska jak pozostałe.

Niemal dotykając czołem podłogi, czym bardzo przypominał tamtych brodaczy na dywanikach, przyjrzał się dokładnie czarnej płytce. Okazało się, że jest z innego materiału niż pozostałe.

Wsunął paznokieć pomiędzy płytki; podważenie czarnej przyszło mu z zaskakującą łatwością. Kamień był lśniący, czarny jak noc. Przez parę sekund pocierał go kciukiem, potem zbliżył do podłogi i ujrzał, że przyciąga pyłki kurzu.

Ten test potwierdził jego podejrzenia. Nie był to fragment mozaiki, lecz kawałek gagatu, a dokładniej *oltu tasi*, kamienia używanego w jubilerstwie i zdobnictwie. Szlifowali je mnisi z klasztoru Sumela w górach w okolicach Trabzonu. Z wgłębienia pod kamieniem wyjął złożoną karteczkę.

W tej samej chwili zauważył jakiś ruch po prawej stronie. Kapłan zostawił brodaczy i zmierzał w jego stronę zdecydowanym krokiem.

Jednocześnie unosił rękę do kaptura, by go odciągnąć. Bravo uświadomił sobie, że w meczecie zapadło nienaturalna cisza; oprócz niego i tamtych trzech nie było tu chyba nikogo.

Kapłan przeszedł przez pasmo światła i Bravo rozpoznał Adema Chalifa. Dlaczego rozmawiał z tamtymi dwoma brodaczami? Po czyjej stał stronie – Michaiła Kartliego? Wyglądało na to, że w Trabzonie rządzi Kartli, choć to Chalif się tu urodził. Jakby na potwierdzenie tej hipotezy dwaj brodacze zwinęli dywaniki modlitewne. Światło znowu zagrało na powierzchni dywanika, ukazało jego lśnienie i bogactwo barw. I nagle Bravo zrozumiał, co nie dawało mu spokoju – dywaniki były jedwabne, zdecydowanie zbyt kosztowne, żeby ich używać na co dzień. Brodacze nie przybyli do meczetu, by się pomodlić, to byli wysłannicy Michaiła Kartliego, sprzedawcy dywanów. Adem Chalif dokonał jedynego praktycznego wyboru i sprzymierzył się z Gruzinem. Ziściła się jego obawa – sprzymierzeniec i wróg zjednoczeni przeciwko niemu.

Rzucił się do ucieczki. Chalif krzyknął za jego plecami, ale krzyk zaraz ucichł, a Bravo popędził pomiędzy kolumnami, ku drzwiom. Dwaj brodacze także zaczęli biec, usiłowali odciąć mu drogę, zanim dotrze do wyjścia z meczetu.

Skręcił w jedną, potem drugą stronę, usiłując ich zgubić, ale się zbliżali. Odważył się obejrzeć; Chalif w szatach imama zbliżał się z naprzeciwka. Znowu zawołał, ale Bravo nie słuchał, nie mógł sobie pozwolić na moment dekoncentracji. Najważniejsze było przetrwanie, a żeby przetrwać, musiał się wyrwać z pułapki.

Drewniana ława była coraz bliżej; przeskoczył ją, przy okazji uderzając się w palec u stopy. Wylądował na ziemi i potknął się, stracił parę bezcennych sekund. Jeden z brodaczy, wykorzystując swoją przewagę, skoczył w powietrze jak żywy pocisk. Uderzył Bravo w krzyż, rzucił go na kolana. Wyciągnął ręce, by szybko zakończyć potyczkę; Bravo walnął go łokciem w nos. Bryznęła krew, brodacz rozluźnił chwyt i Bravo znowu zerwał się na równe nogi.

Do tego czasu Adem Chalif zdążył go dogonić. Chciał krzyknąć, ale Bravo wbił mu pięść w splot słoneczny. Chalif stęknął i zgiął się wpół. Bravo przeskoczył go i puścił się pędem pomiędzy bliźniaczymi kolumnami przy drzwiach, wyskoczył na zewnątrz, zbiegł po schodkach i popędził byle jak najdalej.

Biegnąc przez wieczór szary niczym łupek, Bravo wmieszał się w tłum i niemal natychmiast stracił poczucie kierunku. Pozwolił się nieść jak na fali. Zupełnie nie obchodziło go, dokąd zmierza, byle tylko mógł oddalić się od wrogów. Niesiony na grzbiecie tego żywego nurtu chłonął rozbłyski kolorów, zapachy przypraw, mocnej kawy, niepokoju i przeczuć. Dzień miał się ku końcowi, a wraz z nim odchodziły w niepamięć i błogosławieństwa, i małe klęski, towarzyszące mijającym go ludziom. Rytm wielu języków i ulicznego slangu tętnił jak modlitewne bębenki.

Te bezcenne, krótkie chwile błogiej anonimowości przesypywały mu się między palcami jak piasek. Wkrótce znowu zauważył jednego z brodaczy, a tuż za nim drugiego, usiłującego zatamować zaplamionym rękawem koszuli krew lejącą się ze złamanego nosa.

Czy już go zauważyli? Nie wiedział, dostrzegł tylko, że idą w jego kierunku. Natychmiast skręcił w prawo, poza płynący tłum. Tak, na moment się odsłonił, ale uważał, że warto zaryzykować, by znaleźć bezpieczne schronienie.

Skręcił w boczną uliczkę. Starał się nie biec, utrzymać mniej więcej takie samo tempo jak otaczający go przechodnie, ale łomot serca i przypływ adrenaliny utrudniały to zadanie. A kiedy znowu obejrzał się z niepokojem, dostrzegł tamtych dwóch wyłaniających się z głównej ulicy jak rekiny. Sunęli tą samą uliczką, którą wybrał.

Rzucił się w mrok wąskiego zaułka, śmierdzącego śmieciami, naftą i odchodami. Psy obwieszczały szczekaniem jego obecność, jeden wystawił trójkątny pysk i szybko uciekł, wściekle ujadając.

Bravo szedł dalej, z wysiłkiem, choć zaczął się zastanawiać, czy nie popełnił błędu. Nie widział tu sklepów ani bram, w których mógłby znaleźć schronienie. Tlący się strach buchnął płomieniem, kiedy u wylotu zaułka dostrzegł jakieś sylwetki. Brodacze? Słyszał szybkie kroki. Brodacze, któż by inny?

Ruszył szybciej, potykając się, znowu skręcił w miejscu, gdzie zaułek był krzywy jak plecy staruszki. Ale zaledwie parę metrów dalej musiał się zatrzymać. Tuż przed nim stał Adem Chalif.

– Rozumiesz, że to się może nie udać – powiedziała Jenny, kiedy zbliżyli się do drzwi domu Michaiła Kartlego. – Kartli pewnie już usłyszał plotkę, że to ja zamordowałam ojca Mosto.

– W takim wypadku obciążysz księdza – odparła Camille spokojnie – a siebie uniewinnisz.

– Mam oczernić ojca Mosto?

– Masz odnaleźć Bravo – powiedziała cicho Camille. – Jeśli to znaczy, że w tym celu musisz zakwestionować cudzą moralność, nie sądzę, żebyś miała wielki wybór.

Była jednocześnie brutalna i spokojna. Oto żelazna wola, którą w pewien sposób przypominała Arcangelę.

– Zresztą ojcu Mosto to wszystko jedno – dodała Camille. – Nie żyje.

– Kartli może mi nie uwierzyć.

– Uwierzy, bo sprytnie mu to sprzedasz. – Camille przesunęła dłonią po włosach Jenny. – Dasz sobie radę. – Uśmiechnęła się. – Nie przejmuj się, potwierdzę twoją historię.

Jenny odwróciła się i zapukała rytmicznie do drzwi, jakby alfabetem Morse'a. Camille zrejestrowała to, mimo że jednocześnie myślała o tym, że bardzo ją bawi budzenie w sobie uczuć do kogoś, kim manipulowała.

Drzwi otworzyły się; spojrzała na nie pobrużdżona, surowa twarz Michaiła Kartliego. Wpuścił je do małego, dość ciemnego salonu, gdzie na oknach wisiały ciężkie zasłony. Płonące lampy oświetlały niski, belkowany sufit. Na ścianie wisiało parę małych, mistrzowsko tkanych ręcznie jedwabnych dywaników, zawieszonych rzędem jak obrazy w najlepszej galerii sztuki. Camille rozejrzała się, siadając w rozłożystym miękkim fotelu. Kartli podał im herbatę, ciemną, wonną i parującą, w starej i mocno zużytej zastawie na wspaniałej, ręcznie kutej miedzianej tacy. Podał także europejskie biszkopty, z których wzięły po jednym, bardziej z grzeczności niż głodu.

Camille umyślnie usiadła naprzeciwko gospodarza, żeby móc się mu dyskretnie przyglądać. Ten Gruzin bardzo ją interesował, ponieważ to on był głównym człowiekiem zakonu w Trabzonie, mieście od wielu lat lekceważonym przez rycerzy świętego Klemensa. Powiedział Cornadorowi, że od niedawna jest niezależny, że jest najemnikiem. Upiła łyk herbaty i przyglądała mu się, a Jenny mówiła.

Kartli poruszył ogólnikowe tematy: wilgoć, zabytki historyczne, jedzenie – polecił im parę restauracji. Oczywiście nie zapytał ich, po co przyszły i jak może im pomóc. Tacy ludzie tak się nie zachowują, uznała Camille. Są skryci, trzeba ich wywabiać z kryjówek. Muszą się dobrze przyjrzeć rozmówcy, niczym stworzeniu wyłowionemu z fal oceanu.

Z rosnącym zainteresowaniem obserwowała, że Jenny, pomimo obaw, doskonale sobie radzi podczas rozmów z Azjatami. Camille wiedziała, że Amerykanie z zasady nie potrafią porozumieć się z mieszkańcami Europy i Azji. Według nich wszyscy na świecie podzielają amerykańskie wartości i obyczaje – a jeśli nie, to przestawali być dla nich interesujący. Jenny nie zachowywała się typowo ani sztampowo. Camille musiała przewartościować swoje zdanie o jej umiejętnościach.

Kartli przyglądał się Jenny spod spuszczonych powiek. Nie poruszył się w trakcie całej prezentacji. Prawdę mówiąc, trudno było dostrzec nawet unoszenie się jego brzucha w rytmie oddechu.

– Powiem prawdę – mówiła Jenny. – W Wenecji wrobiono mnie w śmierć ojca Mosto. Zgrzeszyłam brakiem czujności, nie zdążyłam się obronić, a zaraz potem ojciec Mosto zginął.

Kartli podniósł dłoń, którą aż do tej chwili podpierał brodę.

– Mówisz, że to prawda. – Dłoń zakołysała się w powietrzu. – Nie znasz mnie. Czym sobie zasłużyłem na ten zaszczyt?

– Jesteś człowiekiem zakonu na Trabzon.

– A zatem jestem godny zaufania. Ale zdaje się, że w obecnych czasach nikt, czy z zakonu, czy spoza niego, nie zasługuje na zaufanie.

– Tylko do ciebie mogę się zwrócić. Nie mam nic do stracenia – powiedziała Jenny.

Zapadła chwila ciszy.

– A ten ojciec Mosto...?

– Nie udaję, że wiele o nim wiem. Nie jest ważny.

– Śmierć człowieka...

– najistotniejsze jest to – oznajmiła Jenny z naciskiem – że Anthony Rule był wtyczką rycerzy świętego Klemensa w zakonie – nie ja, nie Paolo Zorzi.

Mroczne oczy Kartliego bezustannie wpatrywały się w jej twarz.

– Paolo Zorzi był twoim mentorem. Trudno uwierzyć, że zwrócił się przeciwko tobie.

– Właściwie wcale nie trudno. Sytuacja była sprzyjająca.

– Rzeczywiście.

– Ale Rule stanowiłby lepszą kandydaturę – dodała. – Był najbliższym zaufanym Dextera Shawa.

Kartli nie skomentował. Wyraz jego twarzy nie zdradzał w najmniejszym stopniu, o czym myśli. Jenny, pozbawiona wskazówek, nie miała wyboru – postanowiła skoczyć na głęboką wodę.

– Trzeba znaleźć Bravo, nim znajdą go agenci rycerzy... i ochronić go.

– Nie wiem, jak mogę pomóc.

– Musisz się z nim spotkać. Tak jak ja, nie ma się dokąd udać w Trabzonie.

– Powtarzam: nie wiem, jak mogę pomóc. Nie pracuję już dla zakonu.

Jenny nabrała tchu, jakby zamierzała zanurkować jeszcze głębiej. Pochyliła się ku niemu; Camille natychmiast to zauważyła, bo w postawie jej ciała pojawiło się nowe, nieznane napięcie, a twarz przybrała wyraz najgłębszej koncentracji. Słowa Kartliego jej nie zniechęciły.

– Opowiem ci o Bravermanie Shaw – zaczęła, a Kartli – co dziwne – nie powstrzymał jej, choć może chciał.

Jenny opisała Bravo w najbardziej suchy i rzeczowy sposób, a Camille coś dostrzegła. Gruzin dał się złapać jak mucha w sieć. Tak jak Camille, przylgnął do prawdziwego uczucia, z jakim Jenny opowiadała o Bravemanie Shaw.

Camille uznała, że to nadzwyczaj interesujące. Jenny była ważną kartą przetargową, mogła doprowadzić do przeważenia szali i powrotu Bravo. Do tej pory Camille sądziła, że to jedynie pensjonarskie zauroczenie, romantyczna bzdurka zrodzona z bliskiego kontaktu, który połączył tych dwoje w bitwie – sama miewała takie ogniste, lecz krótkotrwałe romanse – teraz usłyszała z ust Jenny prawdę. Ku jej zaskoczeniu i konsternacji okazało się, że Cornadoro miał rację. Jenny była oddana Bravo, prawdziwie, głęboko, niezłomnie.

Camille nabrała tchu i wypuściła powoli powietrze. Ta informacja zmieniała wszystko.

Być może Michaił Kartli też tak uważał, bo powiedział:

– Nie wiem, gdzie jest Braverman Shaw.

W wyrazie twarzy Jenny zaszła jakaś zmiana. Minimalna, ale zwróciła wyczuloną uwagę Camille. Przyjaciel czy wróg – w ten sposób Jenny zaczęła osądzać wszystkie napotkane osoby. Jeśli nie mogły – lub nie chciały – pomóc, stawały się jej wrogami. To, co pomiędzy, znikło, straciło znaczenie w obliczu zdrady, która ją spotkała przy tym zadaniu. Rozsądnie będzie pamiętać o jej nowym spojrzeniu na Voire Dei, nagłym zwrocie, zdecydowała Camille.

– W takim razie – powiedziała Jenny – bardzo mi się przyda broń palna.

– Luger czy witness?

– Czy tanfoglio to witness? Lubię włoską robotę.

Kartli uśmiechnął się, jakby zdała egzamin.

– Tanfoglio witness będzie kosztować więcej.

– I naboje – dodała. – Takie, żeby były warte swojej ceny.

Bravo cofnął się, gotów do obrony. Adem Chalif uniósł obie ręce w pokojowym geście.

– Nie chcę cię skrzywdzić, Bravo. Naprawdę.

– A tamci dwaj?

– Oni także.

– Akurat. To ludzie Michaiła Kartliego.

– To prawda – przyznał Chalif. – Ale Kartli tak samo jak ja nie jest twoim wrogiem.

– Teraz wiem, że straciłeś rozum. – Do szału doprowadzało go zwracanie jednocześnie uwagi na Chalifa i brodaczy. – Nie muszę ci przypominać, że obraziłem Kartliego. Śmiertelnie. Pragnie mojej krwi.

Adem Chalif lekko przechylił głowę.

– Tak to wyglądało dla wszystkich, którzy obserwowali ten incydent.

Zapadła chwila ciszy. Bravo przyswajał sobie sens tego komentarza. Zjawił się zawzięty kundel, pewnie zwabiony nadzieją na świeże mięso. Jeden z brodaczy rzucił pustą butelką po piwie. Zatoczyła niski łuk nad głową Bravo i uderzyła kundla w bok. Zwierzę zaskomlało z bólu i uciekło.

– Ktoś nas obserwował? – spytał Bravo.

– Dlatego Michaił nie poszedł za moją radą i nie przeniósł się do sklepu. – Chalif odważył się na słaby uśmiech. – To mnie zastanowiło. Głupio jest załatwiać swoje sprawy publicznie, a Michaił Kartli na pewno nie jest głupi.

– To prawda. – Bravo skinął głową.

– Mam ci do powiedzenia coś jeszcze – dodał Chalif – ale błagam, w jakimś przyjemniejszym miejscu, dobrze?

– A co to za bracia syjamscy?

Chalif zerknął na brodaczy stojących za Bravo.

– Twoi ochroniarze. Wyraźny rozkaz Kartliego. Na twoim miejscu bym mu się nie sprzeciwiał. – Wzruszył ramionami. – Ale rób, co chcesz.

Bravo odczekał chwilę, zastanowił się.

– Mogę ich w każdej chwili odesłać.

– Oczywiście.

Brązowe oczy Chalifa patrzyły szczerze, bez śladu podstępu.

– Dobrze – zdecydował Bravo. – Prowadź.

Po dwudziestu minutach wędrówek przez labirynt bazaru dotarli do nieoznakowanych drzwi w nędznym budynku stojącym na ulicy lepkiej od piwa. Tu i tam leniwie przechadzały się drapieżnie uśmiechnięte „Natasze".

Drzwi, zgniłozielone i łuszczące się smętnie, otworzyły się natychmiast, gdy Chalif w nie zapukał. Wewnątrz ujrzeli hollywoodzkie wyobrażenie palarni opium z lat pięćdziesiątych – czerwona tapeta, żółte kanarki w bambusowych klatkach, ogromne mosiężne nargile przy pluszowych sofach, kobiety w długich, powłóczystych, wysoko rozciętych sukienkach z szantungu. Na jednej ścianie wisiał obraz przedstawiający nagą kobietę o bujnych kształtach, kusząco ułożoną na sofie i, nie wiadomo dlaczego, złośliwie uśmiechniętą.

Kobiety, których płynne ruchy nasunęły Bravo myśl o egzotycznych rybach w akwarium, nie zwróciły na nich najmniejszej uwagi. Chalif skinął głową najstarszej, która miała twarz pokrytą grubą warstwą makijażu. Zaprowadziła ich do prywatnego gabinetu i dokładnie zamknęła drzwi.

Na stole na środku pomieszczenia stała flasza raki, osiem butelek piwa, karafka z whisky i naręcze szklanek. Bravo i Chalif usiedli. „Bracia syjamscy" zostali na zewnątrz, prawdopodobnie stanęli przed drzwiami.

Chalif wskazał alkohol, ale Bravo pokręcił głową.

– Michaił podejrzewał, że ktoś cię śledzi – zaczął Chalif. – Uznał, że istnieje tylko jeden sposób – szybki i pewny – żeby to ustalić. Odegrał wielką scenę konfliktu. Ja też odegrałem swoją rolę – mimowolnie – mediatora. Podstęp się udał. Niespełna godzinę po twoim odejściu pojawił się pewien mężczyzna. Do tego czasu ja również odszedłem, choć

372

towarzyszył mi jeden z synów Michaiła, niewątpliwie po to, żebym się nie skontaktował z tobą.

Chalif wyjął komórkę, podał ją Bravo, żeby ten mógł zobaczyć kolorowe zdjęcie na ekranie.

– Zrobił je inny syn Michaiła. Znasz go?

– Tak. – Bravo zmarszczył brwi. – To niejaki Michael Berio. Poznaliśmy się w Wenecji, wynajął go mój przyjaciel.

– Niestety, twój przyjaciel dał się oszukać, podobnie jak ty. Naprawdę nazywa się Damon Cornadoro. Należy do jednego z weneckich *Case Vecchie*.

– Dwudziestu czterech rodów założycielskich. Tak jak Paolo Zorzi.

– A co ważniejsze dla mnie i dla ciebie, pracuje dla rycerzy świętego Klemensa. Jest ich najlepszym zabójcą.

– Chryste. I przybył tutaj.

– Wypytuje o ciebie. Tak mi powiedział Michaił, kiedy jego syn znowu sprowadził mnie do sklepu. – Chalif otworzył piwo, pociągnął duży łyk i odstawił butelkę. – Bravo, muszę ci powiedzieć, że to najgorsza z możliwych wiadomości, iż rycerze wysłali za tobą akurat jego. Ten człowiek jest silny, zdeterminowany, inteligentny i bardzo, bardzo podły. Ma te cechy we krwi.

– I wkradł się w łaski mojego najlepszego przyjaciela. – Bravo pokręcił głową i wyjął własną komórkę.

Chalif powstrzymał go natychmiast.

– Co robisz?

– Dzwonię do mojego przyjaciela, Jordana. Muszę go ostrzec...

– Zaraz potem Cornadoro dowie się, że o nim wiesz. Zastanów się, tego chcesz?

– Jeśli jest chociaż w połowie takim czarnym charakterem, jak twierdzisz, to tak.

– A co się wtedy twoim zdaniem stanie?

Bravo starał się odsunąć od siebie myśl, że Jordanowi coś grozi. Z trudem zmusił się do logicznego myślenia.

– Masz rację. No tak. Rycerze wyślą innego zabójcę, którego nie znamy i nie będziemy mogli kontrolować.

Chalif wyraźnie się zdumiał.

– Michaił i ja rozmawialiśmy o zabiciu Cornadora. Kontrolowanie go to...

– Straszna rzecz, tak. Zgadzam się. Ale jeśli teraz go zabijemy, osiągniemy tyle samo, co gdybym powiadomił Jordana. Rycerze chcą zdobyć to, czego strzegł mój ojciec. Śmierć Cornadora ich nie powstrzyma. – Najwyraźniej coś ci chodzi po głowie. – Chalif otworzył karafkę whisky i napełnił dwie szklanki. – Opowiedz mi. Sprawa dotyczy nas obu.

Damon Cornadoro znalazł Iremę, córkę Gruzina, w Trabzonspor Club w Ortahisarze. Lokal został nazwany na cześć jednej z najsłynniejszych tureckich drużyn piłkarskich i był obwieszony oprawionymi w ramki plakatami i fotografiami z autografami dawnych i obecnych gwiazd. Wszystkie kelnerki nosiły swetry drużyny, sięgające im do połowy gołych ud. Z wielkich czarnych głośników w kątach pomalowanego na czarno pomieszczenia buchało tureckie techno. Na ekranach telewizorów przewijały się najwspanialsze momenty archiwalnych meczów. Odór piwa i marihuany wisiał w powietrzu jak całun.

Cornadoro usiadł przy barze i zamówił piwo. Irema siedziała przy okrągłym stoliku w lewym rogu, razem z grupką koleżanek. Piły i co chwila śmiały się głośno. Jedna, krępa dziewczyna o płaskiej twarzy, wstała i zaczęła tańczyć, a one śmiały się, klaskały, a kiedy usiadła, zarumieniona, postawiły jej piwo. Wszystko to było bardzo niewinne, co go wyjątkowo pociągało.

Godzinę i trzy piwa później wstał, podszedł do Iremy i bardzo uprzejmie zaprosił ją do tańca. Spojrzała na niego wielkimi oczami, ciemnymi i sarnimi, niepewna, czy z niej nie żartuje – może podpuścili go kumple, może założyli się o to, jak zareaguje. Ale w jego twarzy dopatrzyła się tylko szczerości – a była to twarz przystojna, zmysłowa i wrażliwa zarazem, twarz, która zrobiła na niej wrażenie. Podpite koleżanki śmiały się i rzucały dla zachęty nieprzyzwoite komentarze. Sama także była trochę na rauszu; wyciągnęła rękę dziwnie formalnym gestem i pozwoliła zaprowadzić się na mikroskopijny parkiet.

Chciała z nim przetańczyć jedną piosenkę, ale z jednej nie wiadomo kiedy zrobiły się trzy, z trzech sześć, i tak tańczyli, ocierając się biodrami, brzuchami, udami.

– Nazywam się Michael – powiedział po gruzińsku.

Szeroko otworzyła oczy.

– Jak mój ojciec.

– Nie jestem twoim ojcem – mruknął i obrócił ją w tańcu.

Parsknęła śmiechem.

– No nie, o Boże. – Brakowało jej tchu, zarumieniła się.

Powiedziała, jak ma na imię, a on, że jest piękna, smukła i pełna gracji jak łania, której imieniem ją nazwano.

Znowu się roześmiała i przytuliła się do niego w tańcu; ramiona, którymi otaczała jego szyję, lekko drżały z emocji. Miała delikatne rysy twarzy swojej matki, chłodną porcelanową cerę i pociągającą świeżość. Długie czarne włosy ściągnęła w koński ogon, który śmigał przy każdym obrocie.

Odegranie zauroczenia nie sprawiło Cornadorowi kłopotu – naprawdę mu się podobała, tak jak dosłownie wszystkie kobiety: ich zwierzęcy zapach powodował, że krew zaczynała mu wrzeć. Nosił w sobie nienasycenie, które od czasu do czasu dawało o sobie znać. Chciał tego, co kobiety mają między nogami, po prostu. A Camille Muhlmann, choć wspaniała jako kochanka, wymagała od niego czegoś bardzo trudnego – monogamii. Nigdy mu się to nie udało. Początkowo próbował, ale szybko poniósł klęskę… kto to był, jakaś nastoletnia Amerykanka, myszowata blondynka na wakacjach, a może giętka Tajka młodsza od niego o pięć lat, a może jeszcze jakaś inna, nie pamiętał – i od tego czasu już się nie wysilał. Nauczył się lepiej kłamać – co przy Camille, będącej żywym wykrywaczem kłamstw, nie było łatwe – żeby dalej mieć wstęp do jej łóżka. Z wielu przyczyn, fizycznych i politycznych, nie chciał tracić swej wywalczonej pozycji.

Camille była oczywiście olśniewająca, ale podstawowy problem stanowił jej wiek. A on pożądał świeżego ciała, młodego, soczystego, rozkosznie niewinnego. Takiego jak Iremy. Ponadto nie lubił ojca Iremy, dzięki czemu uwiedzenie jej stanie się przyjemniejsze.

Czuł, że z każdym tańcem dziewczyna poddaje się jego czarowi. To był proces fizyczny, który czuł w gardle, ramionach i lędźwiach – jak seks, jak śmierć. Seksualną energię czerpał z jakiejś pierwotnej głębi, to dlatego była tak śmiercionośna, tak nieodparta.

Tańczył, a jednocześnie czuł pełznące po skórze to stare, znajome uczucie. Kochał Iremę i dawał jej to do zrozumienia, choć oczywiście przyczyna tej miłości pozostała dla niej nieznana. Kochał ją za informacje, których miała mu dostarczyć.

*

Sprowadził ją do mrocznego pokoju w hotelu. Przez zasłonięte żaluzjami okna łuna miasta wdzierała się bladymi poziomami pasami, oświetlała dziewczynę neonowym blaskiem. Kazał się jej rozebrać i zrobiła to, powoli, a on pożerał ją wzrokiem. Potem powiedział, co jeszcze ma zrobić. Nie sprzeciwiała się, nawet jej się to podobało. Przyzwyczaiła się do rozkazów, a to, co znane, uspokaja, ale kiedy się jej przyglądał, podejrzewał, że ona nie tego pragnie w głębi duszy. A postanowił, że dziś da jej to, czego naprawdę pragnęła. Nago wyglądała jak dziewczynka – małe piersi, szczupłe biodra, wąziutka talia. Ale nogi miała długie i przyjemnie zaokrąglone, a pupę... Kazał jej stanąć tyłem, z opuszczonymi rękami. Zupełnie nie wstydziła się nagości, nie bała się go. Zdobył jej zaufanie, a to rozpaliło go bardziej niż cokolwiek.

Zdzierając z siebie koszulę, wyrwał jeden guzik; dostał już takiej erekcji, że miał kłopoty ze zdjęciem spodni. Odwróciła się, słysząc jego wściekły pomruk, i sprawnymi palcami rozpięła mu pasek i suwak. Spodnie opadły na podłogę; ona także, na kolana. Zerwał gumkę z jej końskiego ogona, zaplątał palce w rozpuszczonych włosach.

Kiedy ją uniósł, rozchyliła nogi, jej uda ścisnęły mu biodra, jęknęła cicho. Skórę miała ciepłą, gładką jak kość słoniowa i jędrną. Już to jedno wystarczyłoby, żeby doprowadzić każdego mężczyznę do szaleństwa, ale on wytrwał, doprowadził ją na sam szczyt, aż zadygotała i jęknęła. Raz jej nie wystarczy, wiedział to od samego początku. Ogniste maleństwo. Jak gwiazda, która chce się spalić na popiół. Kazał jej czekać, miał w tym wprawę, to zwlekanie rozpaliło go do gorączki, której od dawna pragnął, którą musiał poczuć.

Ale chciał, żeby ona też ją poczuła. Nie miała jego wprawy, nie rozumiała, co się dzieje, dygotała jak w febrze, kiedy prowadził ją ku finałowi, a potem cofał się razem z nią, i tak bez końca. Przywarła do niego w desperacji, ze łzami, błagała, żeby już skończył.

Lecz dopiero kiedy powiedziała: „Dlaczego czekasz, to tortura, umieram...", posłuchał, a wtedy wczepiła się w niego, jakby chciała się wedrzeć do jego wnętrza, kiedy w niej eksplodował.

Potem tak szybko poprosiła o jeszcze, że omal nie parsknął śmiechem. Jeszcze nie ochłonęła po ostatnim orgazmie, była miękka i ciepła jak kaczuszka, czarne źrenice miała tak rozszerzone, jakby podał jej opium. Do tej chwili pracowicie dążył przez cały wieczór, to była właśnie ta chwila, kiedy mógł od niej zażądać wszystkiego, gdyż nie myślała jasno.

– Oczywiście, że ci pomogę. – Pokierowała go w siebie z głębokim westchnieniem. – Jeszcze nikt nie prosił mnie o pomoc.

– Nawet bracia?

– Tylko mi rozkazują. – Otoczyła go palcami, musnęła pieszczotliwie. – Można by pomyśleć, że mają więcej rozumu. – Usiadła na nim, rozchyliła maksymalnie uda. Lekki ból dodawał słodyczy rozkoszy. – O tym rozmawiałyśmy w barze, kiedy się zjawiłeś.

– Wszystkie twoje przyjaciółki tak uważają?

– O tak – wyjęczała, choć nie wiedział, czy w odpowiedzi na jego pytanie, bo znowu zadrżała od stóp do głów, a oczy wywróciły się jej białkami do góry.

Przytrzymał ją podczas tej gorączkowej eksplozji młodej dzikiej energii, która wypełniła go zastrzykiem adrenaliny.

W końcu miała dość albo prawie dość, ale nadal chciała słyszeć to zdanie, które powtarzał przez całą noc: „Co tylko zechcesz, co tylko zechcesz". Kiedy ostatnio słyszała je z ust mężczyzny? W potajemnych rozmowach z koleżankami, kiedy malowała usta przez lustrem, kiedy rzucała się w niespokojnym śnie. Ale nie w życiu, nie od mężczyzny z krwi i kości – tego, który teraz ją trzymał, całował, pieścił, wchodził w nią z taką czułością, że aż krzyczała, żeby zrobił to inaczej. Dopiero dziś, nigdy przedtem. Dopiero tej nocy.

Dlatego zrobiłaby wszystko, żeby mieć pewność, że to się nie skończy. Mogła nawet uwierzyć, że mówi jej prawdę, że to musi być prawda, bo czuła do niego to, co czuła, bo dał jej tyle z własnej woli i zrobi to zawsze, kiedy tylko będzie chciała.

– Twój ojciec i ja pracujemy dla zakonu. – Trzymał ją delikatnie, kołysał, tak jak lubiła. – Mamy tylko różne okręgi – on w Trabzonie, ja utknąłem w gabinecie w Rzymie. Na ogół. Od czasu do czasu muszę wyjechać w teren, żeby skontrolować pracowników. Ale anonimowo, rozumiesz. Twój ojciec nie może się dowiedzieć, że tu jestem i że pytam o jego działalność. Straciłbym pracę, nie mógłbym się z tego wytłumaczyć, rozumiesz?

Skinęła głową. Serce łomotało jej tak mocno, jakby nadal się z nią kochał. Docierało do niej, że ojciec nie jest zwykłym handlarzem.

Przede wszystkim ciągle przychodzili do niego ludzie... i żaden nie wychodził z dywanem. Poza tym ojciec był o wiele bogatszy niż jakikolwiek znany jej handlarz dywanów. No i wszyscy – Gruzini, Rosjanie, Turcy – kiedy przechodził ulicą, kłaniali mu się nisko. Budził szacunek. Toteż choć nigdy nie wpuścił jej do sklepu podczas godzin pracy, miała ciągle oczy i uszy otwarte, zbierała odpryski wiadomości, wiedziała o wiele więcej, niż ojciec się spodziewał.

– Jestem tu od trzech dni, rozmawiam z jego pracownikami – ciągnął Cornadoro – i wszystko jest w porządku, z wyjątkiem jednego.

Przestraszyła się. To łomotanie serca stało się bolesne – ojca nie mogło spotkać nic złego! Nie mogło!

– Jakiego jednego? – spytała cichutkim, ochrypłym głosem. Strach wysuszył jej gardło.

– Dziś twój ojciec wdał się w... nieporozumienie z członkiem zakonu. – Patrzył na nią surowo, co wystraszyło ją jeszcze bardziej. – To bardzo ważny pracownik zakonu, bardzo wysoko postawiony.

– Bardzo bardzo?

– Bardzo bardzo. Twój ojciec go odesłał, nie udzielił mu pomocy, o którą prosił tamten. Muszę przyznać, że to poważne złamanie zasad.

– Zasad?

– Moi szefowie się wściekli.

– Och! – Zasłoniła usta ręką i zachichotała z rozkoszą.

Odjął jej dłoń od warg.

– To nic śmiesznego, zapewniam cię.

– Ależ jest! – W końcu kamień spadł jej z serca. Ogarnęło ją uniesienie. Nie uwierzyłaby, ale nagle to dzięki niej ojciec mógł się uwolnić od fałszywych doniesień, które by go pogrążyły. Zdołała podsłuchać i poskładać razem tyle wiadomości, że utworzyły całość, i choć słyszała także, jak ojciec wiele razy powtarza jej braciom, żeby nikomu nie opowiadali o sprawach rodziny, wiedziała, że to co innego. Pomagała ojcu, chodziło o ludzi, którzy im płacili, dzięki nim ojciec miał pieniądze i szacunek, na który tak ciężko pracował. Czy to coś złego? Poza tym ten człowiek jest sprzymierzeńcem jej ojca. Powiedziała swojemu kochankowi to, co wiedziała:

– Ta sprzeczka to podstęp.

– Podstęp? – Podniósł się na łokciu. Ukryta w cieniu twarz była surowa, poważna. – Jak to?

– Ojciec nigdy by nie potraktował tak niegrzecznie nikogo z zakonu. Słyszałam, jak rozmawiał przez telefon z moim bratem. To wszystko było na niby, na wypadek gdyby ktoś ich obserwował.

– Na niby... – Jej kochanek osunął się na plecy, położył rękę na jej mięciutkim brzuszku. – Ach, Iremo, kochanie... Na niby...

A kiedy zaczął się śmiać, po prostu nie mógł przestać.

27

Bravo dostrzegł Jenny na parterowym tarasie Cafe Sumela. U ich stóp migotał srebrny talerz Morza Czarnego. Adem Chalif przyprowadził go tu na późną kolację. Bravo powinien być wykończony, ale nie był. Czytywał o adrenalinowym szczycie, który występuje u żołnierzy po bitwach, ale do tej pory nie doświadczył go na własnej skórze.

Zobaczył jej skąpany w smutnym księżycowym świetle profil i przypomniał sobie, jak bardzo była wstrząśnięta podczas tego krótkiego spotkania na bazarze. Odwróciła się i ujrzał jej kark, łabędzi, jasny, łagodnie prowadzący ku głowie, z delikatnym puchem włosów, idealny łuk. Na chwilę opuściły go gniew, wściekłość, pragnienie zemsty; stał bezbronny jak ona.

Najwyraźniej było to widoczne, bo stojący obok niego Chalif spytał:

– Bravo, co się dzieje? Znasz tę kobietę? – Wyciągnął broń. – To jedna z nich?

Brodaci „bracia syjamscy" przy stoliku nieopodal podnieśli głowy. Odrobinę unieśli się z miejsc, lekko się przechylili, jak sprinterzy w bloczkach.

– Zostaw – mruknął Bravo, nie patrząc na Chalifa, bo Jenny odsunęła się nieco i dostrzegł, że towarzyszy jej inna kobieta: Camille, jego Camille. Co tu się dzieje?

Ruszył do stołu, przy którym siedziały obie kobiety, gawędzące jak przyjaciółki – nie, coś w ich mowie ciała przekonało go, że ten związek stał się bliższy.

– Bravo, czy to rozsądne? – spytał Chalif.

– Ubezpieczaj mnie – rzucił Bravo. – Trzymaj rękę na broni, jeśli musisz, ale nie powstrzymuj mnie.

Chalif nie zamierzał tego robić i choć miał złe przeczucia, dał znak ludziom Michaiła, żeby siedzieli. Słyszał już ten ton – u Dextera Shawa – i wiedział, że lepiej się nie przeciwstawiać.

Camille urwała w pół zdania. Jej spojrzenie skupiło się w jakimś punkcie za plecami Jenny, trochę na prawo. Jenny obejrzała się. Na widok Bravo jej serce mocno zabiło. Od nagłego uderzenia krwi do głowy poczuła się słabo. Miała ochotę wstać, uderzyć go, tak jak zrobiłaby to na bazarze, gdyby pocisk z broni zabójcy nie trafił kupca obok niej. Poczuła w ustach smak krwi i zdała sobie sprawę, że przegryzła wargę.

– Chcę z tobą porozmawiać – powiedział Bravo. – Natychmiast.

Zacisnęła pięści, ale zdała sobie sprawę, że powiedział to do Camille – to jej rzucił to polecenie. Nie patrzył na nią, ignorował ją, jakby była duchem żyjącym w innym świecie.

Camille wstała.

– Oczywiście, kochanie – powiedziała i zostawiła Jenny, nawet nie obdarzywszy jej jednym spojrzeniem.

Bravo stanął z Camille na skraju tarasu. Na niebie od północy wisiały niskie chmury. Wysoko stał księżyc w bladej aureoli. W głębi tarasu, pod girlandami żarówek, siedział Adem Chalif. Popijał raki, obserwował ich, a niepokój buchał od niego jak zapach piżma. W czarnych, czujnych oczach „braci syjamskich" odbijał się jego obraz; palili się do działania.

– Co tu robisz, do cholery? – rzucił ostro.

– A jak sądzisz? Pilnuję cię, dbam o twoje bezpieczeństwo.

– A ja się martwię o ciebie – odparł gniewnie. – W ogóle nie powinnaś się tu pojawiać. Zwłaszcza z nią.

– Z kim? Jenny?

– Tak, Jenny. Zamordowała trzy osoby, dwóch duchownych i wujka Tony'ego. Oszalałaś?

– Kochanie, posłuchaj. Nie uważaj mnie za bezbronną kobietę. – Wyciągnęła papierosa, zapaliła, przyjrzała mu się przez zasłonę aromatycznego dymu. – Nie przyjechałabym, gdybym nie potrafiła o siebie doskonale zadbać. – Wydmuchnęła kółko dymu. – Co do Jenny, jak napisał Sun Tzu: „Przyjaciół miej blisko, wrogów jeszcze bliżej". – Obejrzała się na Jenny, posłała jej pokrzepiający uśmiech.

– Sun Tzu powiedział o sztuce wojny coś innego. „Każda walka jest przegrana lub wygrana, zanim się zacznie".

– Co to znaczy?

– Jeśli nie wiesz, nie jesteś we właściwym miejscu.

– Ach, Bravo... – Roześmiała się cicho. – Jak zwykle mnie sprawdzasz.

Lekki wietrzyk dmuchnął znad chłodnej wody, przesunął jej włosy po policzku. Na taras wdarła się muzyka, tętniąca energią i miłosną czułością. Przypomniała im, jak daleko oddalili się od reszty świata.

– Byłam gotowa na tę chwilę od czasu, gdy wyjechałam z Paryża. – Przyjrzała mu się z namysłem. – Nie sądzisz?

– Sądzę, że to cholernie dziwne.

– Podejrzewasz mnie? O co? – Rzuciła papierosa i zdeptała go obcasem. – Bravo, do cholery, gdybym cię tak nie kochała, dostałbyś w twarz. Jesteś dla mnie jak syn. Ja cię chronię, Jenny tylko udaje.

Bravo potarł skroń. Był wyczerpany, fizycznie i psychicznie. W głowie tętniło mu milion różnych włókienek, widział tyle różnych ścieżek, które mógł – powinien – wybrać. Możliwości znajdujące się na końcu każdej z tych ścieżek dręczyły go dniem i nocą.

– Słuchaj, zaprzyjaźniłam się z nią – odezwała się Camille łagodniej. – Jesteśmy sobie bliskie i stajemy się coraz bliższe. Umiem zaskarbić jej zaufanie, tak po babsku. Zwierza mi się.

– Oczywiście. Że jest niewinna.

– To naturalne, ale co z tego?

– Jest winna jak sto diabłów... i niebezpieczna.

– Myśli, że jej wierzę. Traci czujność. Może nawet jutro poznam choć część jej planu.

– Nigdy ci nie powie, co zamierza. Wie, że się dobrze znamy.

– Utraciła dostęp do wszystkich dotychczasowych źródeł, więc z wolna zacznie polegać na mojej radzie. Bo dlaczego nie? Będę przy niej, będę twoją wtyczką w obozie wroga. – Położyła mu rękę na ramieniu, uścisnęła je. – Pozwól mi to zrobić... dla ciebie. – Pocałowała go w policzek z uśmiechem. – *Alors*, nie przejmuj się aż tak. Ona mi nic nie zrobi.

– Nie tylko jej powinnaś się wystrzegać – powiedział ciszej. – Ten człowiek, którego wynajął Jordan, Michael Berio... ta naprawdę nazywał się Damon Cornadoro. To zawodowy zabójca.

– *Mon Dieu, non!* – Jaki rozkoszny dreszcz ją przejął, kiedy tak go okłamywała; to wrażenie było niemal tak silne jak wtedy, gdy oszukiwała Dextera. – Na pewno?

– Tak. Wysłali go wrogowie mojego ojca. Ma za mną chodzić, aż znajdę to, co ojciec polecił mi znaleźć. Potem ma mnie zabić, a tamto zabrać.

– Ale co to jest, kochanie? Co jest tak strasznie cenne?

– Nieważne. Liczy się to, żebyś się trzymała jak najdalej od Cornadora.

– Daję słowo.

– Camille, na miłość boską, nie lekceważ tego. Mam już dość na głowie, nie chcę się martwić o ciebie.

– Więc się nie martw – powiedziała twardo. – Już mówiłam, potrafię o siebie zadbać. – Roześmiała się cicho i położyła mu rękę na policzku. – Daję ci słowo, nie zmienię się w omdlewającą niewiastę.

Spojrzał jej w oczy i zrozumiał, że już podjęła decyzję i jej nie zmieni. Skinął głową, ustąpił, wyjął komórkę.

– Obiecaj, że pozostaniemy w kontakcie, dobrze?

Wyjęła swoją komórkę, skinęła głową.

– Obiecuję.

A kiedy miał już odejść, dodała z wielką troską:

– Bravo, czy chociaż wiesz, dokąd cię zaniesie?

– Nie – skłamał. Bez względu na jej obietnice nie zamierzał jej ułatwić narażania się w jakikolwiek sposób.

Północ. Irema była w domu, bezpieczna w łóżku, z przyjemnie obolałymi wargami i piersiami, upojona seksem i miłością. Spała twardo i śniła o Michaelu. Ale ojciec Iremy był daleko od domu, daleko od łóżka ogrzewanego bujnym ciałem jego żony. Jak upiór sunął po ulicach Trabzonu. Muzyka, którą słyszał, nie poruszała go, pijane pary przetaczały się obok, nie dostrzegając go. Jakiś rowerzysta przeciął mu drogę niczym czarny kot. Michaił, paląc papierosa, minął dwa kościoły, już dawno zamienione w meczety. Te wspaniałe bizantyjskie fasady były czarne jak sadza, zniszczone, jak niemal wszystko w Trabzonie. Wszędzie widać było pęknięcia i ruiny. Gdyby wsłuchał się uważnie, usłyszałby, że budynki jęczą jak weterani dawnych wojen.

Zabrzęczała komórka; odebrał. Głos Adema Chalifa zjawił się w jego uchu jak dżinn, przedstawił mu opowieść o planie schwytania Damona Cornadoro w pułapkę. Ten plan Bravermana Shawa zrobił na nim wrażenie. Miał pewien sens. Wysłuchał do końca, choć jego umysł już zaczął działać wielotorowo, i wyraził zgodę.

– Jaką trasą chcecie wyruszyć? Dobrze, przed świtem wyślę paru ludzi.

Rozłączył się, zadzwonił do najstarszego syna i powiedział, czego mu potrzeba. Potem, ponieważ zbliżał się do celu, schował telefon.

W połowie małej, zaniedbanej bocznej uliczki stał stary, lecz mocny budynek, który Kartli kupił wiele lat temu. Nie różnił się od swoich przygarbionych sąsiadów, na łuszczącym się froncie nie nosił żadnej tablicy, można go było bez trudu wziąć za mieszkanie prywatne. Jednak mieścił się w nim kościół Dziewięciu Małych Męczenników.

Kartli nazwał tak swój maleńki przyczółek gruzińskiego prawosławia na cześć pogańskich dzieci z Kola, które z własnej woli przyjęły Jezusa Chrystusa. Miejscowy kapłan ochrzcił je i wysłał do rodzin chrześcijańskich, by dorastały w wierze Zbawiciela. Rodzice odnaleźli dzieci i siłą zawlekli do domu, ale kiedy nie chciały przyjąć pogańskiego jedzenia ani napojów, i mówiły słowami Jezusa Chrystusa, rodzice wpadli w taką wściekłość, że okrutnie pobili kapłana i wygnali go z Kola. Po raz ostatni poprosili synów i córki, z których wielu nie skończyło nawet siedmiu lat, żeby powrócili do pogańskiego życia. Gdy odmówili, rodzice ukamienowali je ku przestrodze innych dzieci z Kola.

Michaił Kartli zatrzymał się i rozejrzał. Był niezmiernie dumny z tego kościoła, cieszył się, że wybrał takie wezwanie, bo przypominało mu, jaki naprawdę jest świat, jak straszne uprzedzenia zatruwają ludzkość. On nawet w Trabzonie, tak daleko od ojczyzny, nie potrzebował żadnych przypomnień, lecz inni – także jego dzieci, zwłaszcza dzika Irema – z pewnością.

Wszystko wyglądało inaczej niż za dnia. Cienie zmieniały kształty przedmiotów. Były tu dwa źródła światła: bizantyjska lampa naftowa i goła żarówka. Jak wszędzie w tym mieście, stare występowało obok nowego. Wnętrze było skromnie urządzone, niemal puste, jeśli nie liczyć wielkiego obrazu Matki Boskiej, ikonostasu, kazalnicy, paru drewnianych ławek i, oczywiście, konfesjonału. To właśnie do tej budowli z ciemnego drewna Michaił Kartli przybywał regularnie dwa razy w tygodniu, by się wyspowiadać. Ponieważ księża kościoła pod wezwaniem Dziewięciu Małych Męczenników mieszkali na koszt Kartliego, z radością sprzyjali jego zwyczajom, zwłaszcza że tak wyraźnie świadczyły o pobożności.

Siedem minut po północy otworzył drzwi konfesjonału i usiadł na wąskiej ławce. Przez drewniany, ażurowy ekran widział profil księdza. Rozpoznał ojca Shotę, jednego ze swoich ulubieńców. Ucieszył się. Razem z ojcem strawił wiele godzin na rozmowach o historii ich religii.

Apostoł Andrzej, brat świętego Piotra, przybył do Gruzji, by głosić Słowo Boże i przyniósł ze sobą ikonę Matki Boskiej, której nie stworzyła ręka ludzka, ikonę boskiego pochodzenia. Od tej chwili Maria stała się opiekunką Gruzji. W miarę upływu stuleci gruzińskie prawosławie zaczęło przyjmować silne wpływy chrześcijaństwa z Cesarstwa Bizantyjskiego, więc Michaił Kartli, pilny student historii, uznał za sprawiedliwe, iż przywiódł tę religię do miejsca jej powstania, zamknął krąg, koniec powrócił do początku.

– Wybacz mi, ojcze, bo zgrzeszyłem – zaczął.

A ojciec Shota odparł:

– Spójrz oto, moje dziecko, Chrystus stoi tu niewidzialny i przyjmuje twoją spowiedź. Nie wstydź się i nie lękaj, nie zatajaj niczego przede mną, ale bez wahania wyznaj, co uczyniłeś, a uzyskasz przebaczenie Jezusa Chrystusa, Pana naszego. Oto Jego święty wizerunek...

Ażurowa krata niespodziewanie rozprysnęła się jak od wybuchu. Kartli odruchowo osłonił się przed drzazgami; ksiądz wpadł mu w objęcia.

– Ojcze! – krzyknął Kartli.

Ksiądz usiłował odpowiedzieć, jego powieki drżały konwulsyjnie, a w ustach pojawiły się różowe bańki. Kartli ujrzał powolną strużkę krwi, ciepłej, śluzowatej, wydzielającej mdlący odór. Przytulił głowę i ramiona księdza, zaczął szukać w nim oznak życia – nie spodziewał się, że drzwi po jego stronie konfesjonału raptem się otworzą.

Kartli nie zdążył nawet odwrócić głowy. Wydawało mu się tylko, że dostrzegł zamazaną, niewyraźną, uśmiechniętą twarz. Szybki, brutalny cios przyszpilił jego prawą dłoń do konfesjonału – tkwił w niej nóż. Kartli, nie zważając na ból, usiłował lewą ręką uderzyć napastnika, ale przygniatało go ciało ojca Shoty.

Damon Cornadoro wyjął sztylet i chwycił ojca Shotę za włosy.
– Nie! – krzyknął Kartli. – Na miłość boską, oszczędź go!
– Oszczędzić? Dlaczego? To on cię zdradził. Powiedział, gdzie cię
dziś znajdę. – Z obrzydliwą precyzją chirurga Cornadoro przeciął gardło duchownego. Przygniótł kolanem trupa spoczywającego na Kartlim. Głowa duchownego opadła pod nienaturalnym kątem; na jego
twarzy malowało się zdumienie pełne zgrozy.
– Kłamstwo tak łatwo przychodzi wam, Gruzinom. – Cornadoro
pochylił się nad nim. – Myślałeś, że się nie dowiem?
Kartli patrzył na niego z kamienną twarzą, w milczeniu. Pierwszy
szok minął – okrucieństwo nie robiło na nim wrażenia, swego czasu
widywał gorsze rzeczy, ale wiedział, że gorycz utraty zostanie z nim
długo.
– Chcesz wiedzieć, jak się dowiedziałem?
Kartli splunął w znienawidzoną twarz. Wiedział, jak postępować
z tymi wielbicielami śmierci. Na Boga, miał duże doświadczenie. Wystarczy okazać strach, a rozedmą go jak balon. Usta Cornadora zadrgały w parodii uśmiechu.
W tym uśmiechu było coś wyjątkowo niesmacznego. Kartli zrozu-
miał – to lubieżność.
– Irema. Tak, tak, twoja piękna córka, twój skarb. – Cornadoro zaj-
rzał mu w twarz z bardzo bliska. Jego cichy ton najlepiej podkreślał
grozę słów: – Te jej małe, wysoko osadzone piersi, te ciemne sutki...
Kartli wzdrygnął się, szarpnął.
– Kłamiesz, ty śmieciu!
– To owalne znamię tuż nad lewym biodrem... jak tatuaż, albo le-
piej! Bardzo seksowne.
Kartli wybuchnął z twarzą nalaną krwią.
– Zabiję cię!
– A jak ona się rżnie! Fantastycznie!
Cornadoro prawie że się oblizywał. Kartli, nieprzytomny, czuł jego
żądzę, czuł niepodważalną prawdę tych słów, ich śmiercionośną moc.
– Jak zwierzę. Oplatała mnie nogami, ciągle jej było mało. Wykoń-
czyłaby buhaja.
Kartli ryknął, pewnie tak, jak jego przodkowie ryczeli na polu bitwy.
Lewą ręką wyszarpnął nóż z dłoni. Bluznęła krew, ale już go to nie ob-
chodziło, przestał cokolwiek czuć. Sam zmienił się w zwierzę, nieprzy-

tomne z wściekłości. Słyszał słaby ostrzegawczy głos, zalecający mu rozwagę, ale szybko zagłuszyło go tętnienie krwi.

– Tak – szepnął Cornadoro, widząc skierowane w siebie ostrze. – O tak, tak...

Ostrze przebiło ramię Cornadora. Ten Gruzin był silny, Cornadoro nie spodziewał się, że aż tak. Zdołał przekręcić nóż, wbić go głębiej, rozerwać mięsień. Cornadoro trzasnął go pięścią w ucho tak mocno, że odskoczyła mu głowa. Taki cios oszołomiłby nawet najsilniejszego. Oczy Kartliego zasnuły się bielmem; kiedy usiłował odzyskać przytomność, Cornadoro spróbował wyrwać ostrze z rany.

Gruzin, działający instynktownie, wyszarpnął kolano spomiędzy nóg trupa, wbił je w krocze Cornadora. Pchnął nóż głębiej. Zabójca uderzył go kantem dłoni w tętnicę szyjną. Wyszarpnął ostrze i wbił je w pierś Gruzina tuż pod mostkiem. Kartli wytrzeszczył oczy, ale ani pisnął, choć musiał czuć nieludzki ból. Jego wola życia była nadzwyczajna, zadziwiła nawet Cornadora. Ostatni dar polegał na rozwianiu tajemnicy.

– Wiem, o czym myślisz – powiedział Cornadoro. – Ale nie chodzi mi o politykę ani nacjonalizm.

– Jesteś niczym, mniej niż niczym, bo nie wierzysz, nie masz duszy. – Głos Michaiła Kartliego brzmiał jak ochrypły szept. – Chodzi ci tylko o zysk.

Cornadoro roześmiał się, nagle zadowolony.

– Przeciwnie. Jak ci powiedziałem przy naszym spotkaniu, chodzi o informację. O tajemnice, o wyjawienie tego, co niewiadome. Wówczas wszyscy staną się bezbronni.

Kartli chwycił go za szyję w ostatnim, rozpaczliwym wysiłku, w walce o życie, niemal z nadludzką mocą zdołał prawie pozbawić Cornadora przytomności. Ale nagłe uderzenie w tętnicę osłabiło go i pchnęło za próg życia, odcinając mu dopływ krwi i tlenu do mózgu w takim stopniu, że utracił precyzję ruchów i szybkość reakcji. Cornadoro stęknął i wyzwolił się.

– Pokonałem cię. – Zacisnął rękę na karku Kartliego. – Skalałem twoją córkę. Nie żyjesz już od dwóch godzin.

Jak zwykle, z precyzją chirurga zakreślił sztyletem krótki łuk, który rozpłatał gardło Gruzina. Przyglądał się jego twarzy, jakby w jakiś sposób mógł wchłonąć iskierki życia ulatujące z oczu ofiary. Potem wytarł sztylet o spodnie Kartliego i odwrócił się. Zanim wyszedł z konfesjonału, nie pamiętał już o żadnej z dwóch ofiar.

28

Kiedy papież oddychał z wysiłkiem na łożu boleści, a kardynał Canesi krążył po szpitalnym korytarzu, nieustannie zasypując przez komórkę groźbami i fałszywymi obietnicami każdego tureckiego duchownego, do jakiego się zdołał dodzwonić, Bravo i Adem Chalif wyruszyli do klasztoru Sumela. Świt, niedawno obiecujący zaczątek różu na wschodzie, wsiąkł bez śladu w chmury nad Morzem Czarnym, wiszące nad górami jak ciężka kurtyna. Powietrze było ciężkie, jakby tłuste, niemrawy wietrzyk z trudem je poruszał. Morze, ku któremu schodzili, z każdym krokiem wydawało się mniej prawdziwe, jak pomarszczony, twardy arkusz aluminium.

Niegdyś wspinaliby się ku przełęczy Zigana na grzbietach zwinnych koni lub krzepkich osłów, obładowanych towarami wysyłanymi do Anatolii. Gdyby byli bardziej przedsiębiorczy, wielbłądy pokonywałyby długą i zdradziecką trasą aż do Tabrizu w północnej Persji. Im musiał wystarczyć gruchot Chalifa, parskający chmurą spalin przy każdej zmianie biegów. Samochód pękał w szwach: na tylnym siedzeniu „bracia syjamscy", uzbrojeni po zęby, zasięgali rady przez telefony komórkowe, jakby rozmawiali z wyrocznią delficką. Telefony, połączone satelitarnie z GPS-em, dawały im spojrzenie na trasę z lotu ptaka. Byli w kontakcie ze swymi braćmi, ludźmi Kartliego, rozmieszczonymi w strategicznych punktach i obserwującymi przez potężne lornetki polowe ruch na ich trasie.

Komórka Bravo zaburczała, ale kiedy odebrał, nie było sygnału ani numeru dzwoniącego. Pomyślał o Emmie, pracowicie sprawdzającej londyńskie wiadomości, zgodnie z zadaniem przydzielonym jej przez Dextera. Nagle uświadomił sobie, że bardzo chce z nią porozmawiać, jakby jej głos mógł mu przywrócić równowagę, która stawała się coraz bardziej zachwiana z każdą nową zdradą, z kolejną śmiercią.

Trzymał karteczkę, którą ojciec ukrył pod kafelkiem z *oltu tasi* w meczecie Zigana, a także notes. Szyfr był długi, wyjątkowo trudny, i Bravo solidnie się nad nim pocił. Częściowo problem wynikał z tego, że szyfr wyglądał na niekompletny, choć to było niemożliwe.

Siedzący obok Chalif snuł nieprzerwane historie z przeszłości zakonu, głównie o bracie Leonim.

– Brat Leoni był zarazem geniuszem i świętym, a oto przyczyna. Słyszałeś o Leonie Albertim?

Bravo zerknął na niego przelotnie.

– Oczywiście. Stworzył szyfr Vigenère'a, największy kryptologiczny przełom od ponad tysiąca lat. Był także filozofem, malarzem, kompozytorem, poetą i architektem. To on zaprojektował pierwszą rzymską Fontannę di Trevi i to jego książka, pierwszy opublikowany podręcznik architektury, rozpoczęła przejście od stylu gotyckiego do renesansowego.

– A jak sądzisz, kto doprowadził do opublikowania jego książki? – spytał Chalif.

– Nie mam pojęcia. – Część uwagi nadal poświęcał zagadkowemu szyfrowi.

– Jego przyjaciel i powiernik, człowiek uczący go filozofii kryptografii, na której opiera się szyfr Vigenère'a. Brat Leoni.

To go zainteresowało.

– Więc brat Leoni był ojcem chrzestnym szyfru?

– Właśnie tak. Wkrótce po objęciu stanowiska *magister regens* Leoni odkrył, że rycerze przejęli i rozkodowali wiele tajnych szyfrów zakonu. Zrozumiał, że należy niezwłocznie opracować niedający się złamać system szyfrowania i opracował jego podstawy. Zamiast szyfru podstawieniowego chciał mieć dwa alfabety używane jednocześnie – pierwsza litera wiadomości byłaby zakodowana przy użyciu pierwszego alfabetu, druga – przy użyciu drugiego, trzecia – pierwszego i tak dalej. Uznał, całkiem słusznie, że użycie dwóch alfabetów zamiast jednego całkowicie zbije z tropu tych, którzy będą chcieli złamać szyfr. Dlatego zatrudnił Albertiego. Było to około tysiąc czterysta dwudziestego piątego roku, ale Alberti zmarł, nie zdążywszy dokończyć metody szyfrowania. W miarę upływu lat brat Leoni zwracał się do innych członków zakonu: niemieckiego opata, włoskiego naukowca i w końcu francuskiego dyplomaty, Blaise'a de Vigenère'a, którego wysłał do Rzymu. Był rok tysiąc pięćset dwudziesty dziewiąty. Leoni pokazał mu oryginalną pracę Albertiego oraz notatki innych członków zakonu.

Vigenère i brat Leoni pracowali jeszcze dziesięć lat, zanim szyfr osiągnął doskonałość.

– I przez następne dwieście czy więcej lat nikt nie mógł go złamać, więc dobrze musiał się przysłużyć zakonowi – uzupełnił Bravo. – Szyfr Vigenère'a złamał w tysiąc osiemset pięćdziesiątym czwartym roku angielski kryptograf Charles Babbage.

– Tak, ale nie doczekał się publikacji tego odkrycia za swego życia. – Chalif zjechał na moment z drogi, by wyminąć stadko kóz, przyglądających się im zmrużonymi diabelskimi oczami. – Dopiero w latach siedemdziesiątych dwudziestego wieku...

– Zaraz – przerwał Bravo. – Chyba nie chcesz powiedzieć, że zakon miał coś wspólnego z utajnieniem odkrycia Babbage'a.

– Charles Babbage należał do zakonu.

– Co? Wyjaśnij.

– Nic z tego. – Chalif niczym straceniec zjechał na przeciwny pas ruchu, by wyminąć furgonetkę bliską wyzionięcia ostatniego tchu na jezdni. – W tej kwestii jestem tego samego zdania co twój ojciec. Masz dość informacji, żeby samemu znaleźć odpowiedź.

W lusterku wstecznym widać było „braci syjamskich", pogrążonych w ożywionej rozmowie. Wszystko szło dobrze. Bravo usiłował powstrzymać to niedorzeczne rozradowanie, ale nie mógł się opanować. W końcu sprawy zaczęły się układać po jego myśli. Z wyjątkiem tego przeklętego szyfru, do którego nadal nie mógł znaleźć klucza.

Zastanowił się nad tym, co powiedział Chalif.

– Na miejscu brata Leoniego, gdybym tak wiele czasu i energii poświęcił stworzeniu polialfabetycznego szyfru, gdyby od niego miały zależeć wszystkie tajne informacje zakonu, stanąłbym na głowie, żeby nikt go nie mógł złamać.

– Jak byś to osiągnął?

– Tą samą metodą, której użyłem do stworzenia szyfru – do złamania go potrzebny byłby zespół.

Błysk oczu Adema Chalifa podniósł go na duchu; był na właściwej drodze.

– A kiedy by go złamali?

– Cholernie bym się starał, żeby nikt się o tym nie dowiedział, dopóki nie opracuję nowego, bezpieczniejszego szyfru. Co zapewne nastąpiło w latach siedemdziesiątych.

– Otóż to.

Bravo pokręcił głową z podziwem.

– A wkrótce potem odkrycie Babbage'a zostało opublikowane.

– Dzięki twojemu ojcu. – Chalif zerknął na niego przelotnie. – Wiesz, że to twój ojciec wynalazł nowy szyfr – Strunę Anioła. Brat Leoni zmarł kilkadziesiąt lat wcześniej. Twój twój ojciec przejął jego misję. Wydawało mi się, że łączyła go z Leonim niemal mistyczna więź. – Wzruszył ramionami. – Być może... nie mam pewności, rozumiesz... twój ojciec zdołał spotkać się z Leonim. Nie patrz tak, to zupełnie możliwe. Kiedy twój ojciec postawił na swoim, prawie zawsze mu się udawało.

Struna Anioła była dziełem jego ojca – powinien o tym wiedzieć, bo ojciec rozmawiał z nim o złamaniu kodu Vigenère'a: zrobiono to za pomocą metody określającej długość słowa kluczowego. Szyfr dzielono na sekcje odpowiadające tej liczbie liter. Te bardziej poręczne fragmenty analizowano pod kątem częstotliwości występowania liter. Cała idea szyfru następnego pokolenia, powiedział ojciec, musi skończyć ze słowem-kluczem. Ale wówczas deszyfrant ugrzęźnie w dżungli licznych alfabetów, nie będzie wiedział, skąd rozpocząć proces deszyfrowania.

Potem coś nagle zaskoczyło. Wyjął zapalniczkę ojca, otworzył, wysunął zdjęcie Juniora. Dziwne, że ojciec wybrał zdjęcie czarno-białe, ręcznie pokolorowane czerwienią, błękitem, zielenią... Właściwie po bliższych oględzinach okazało się, że twarz Juniora jest żółta, nie cielista.

Odwrócił notes ojca na pustej stronie i zanotował kolory światła widzialnego. Listę zaczynała czerwień, a kończył fiolet. Przyporządkował numer każdemu kolorowi i otrzymał 1543. Miał więc użyć pierwszego, piątego, czwartego i trzeciego alfabetu, w takim właśnie porządku. Wrócił do tablicy Vigenère'a i przystąpił do deszyfracji.

Za jego plecami „bracia syjamscy" rozmawiali z coraz większym zaangażowaniem. Nie zwracał na nich uwagi, dopóki mógł – a ich podekscytowana gadanina wypełniła wnętrze samochodu. Do tego czasu odczytał zaszyfrowany tekst do połowy, a to, czego się dowiedział, głęboko go zaniepokoiło.

Oderwał się od pracy i odwrócił lekko.

– Coś nowego? – spytał.

– Tu jesteśmy – odezwał się jeden, Bebur, wskazując ekran jarzący się jak reaktor atomowy.

– A to jest Damon Cornadoro – dodał drugi, Dżura, którego zabandażowany nos był siny i spuchnięty. Pamiątka po starciu z Bravo w meczecie Zigana. – Jego furgonetka jest pół kilometra za nami.

– Doskonale. Plan się powiódł.

– Nie całkiem – odparł Bebur. – Michaił rozkazał natychmiast go zastrzelić. Jakoś udało mu się uniknąć zasadzki. Nadal jest za nami.

– Co powiedział?

– Mówiłam ci wczoraj – odparła Camille, prowadząc wynajęty samochód przez zatłoczoną ulicę.

– Zastanawiałam się całą noc – powiedziała Jenny. – Nie wierzę ci.

Camille zerknęła na nią ostrożnie. Usiłowała ocenić natężenie gniewu dziewczyny. Należało skierować go przeciwko Bravo, nie mógł działać destrukcyjnie na Jenny.

– Dlaczego miałabym cię okłamywać? – Przycisnęła klakson i wyminęła dwa stareńkie auta, których kierowcy pomstowali na siebie.

– Sama to powiedziałaś. Bravo jest dla ciebie jak syn. Poświęciłabyś mnie, żeby go chronić. – Jenny odwróciła się do niej. – Ciągle nie rozumiesz, że ja także chcę go bronić.

– Po tym, co ci zrobił? Oskarżył o morderstwo, o zdradę. Nawet po tym, jak zagroził, że cię zabije?

– Ja go kocham, Camille.

– Rzucił cię. Wczoraj to powiedział.

– To nieważne.

Camille pokręciła głową. Była autentycznie zaskoczona.

– Nie rozumiem cię.

– Czy nie miłość jest najważniejsza? Uczucie, które pokonuje trudności, nieporozumienia, rozczarowania, rzekome zdrady?

Po raz pierwszy w życiu Camille oniemiała. To oszołomienie wzięło się ze wspomnień o Dexterze. Gniew na niego – za zdradę – był olbrzymi, pochłonął wszystko. Teraz, na widok niezmiennego uczucia Jenny, musiała porównać je z własnym. Kochała Dextera, tak. Chwyciła ją gorączka tak wielka, że omal jej nie zawróciła z wybranej drogi. A to przeraziło ją tak strasznie, że przeciwstawiła się temu uczuciu, zacisnęła zęby, zabrała się do zwracania go przeciwko tym, których kochał najbardziej. Ale się nie udało. Poniosła klęskę, a to było okropne. Ale o wiele gorsza była ta chwila, kiedy zrozumiała, że sama może się zwrócić przeciwko tym, których kocha najbardziej. Dla niego. Uderzyła pięściami w kierownicę.

– Co się stało? – spytała Jenny.

– Nic – warknęła. – Zupełnie nic. Kłamstwa. Kłamstwa, kłamstwa i jeszcze raz kłamstwa. To na Dexterze jej zależało, tylko na nim. A Jordan? Miała szansę go pokochać, a tymczasem zaczęła go karmić żółcią i nienawiścią. Wychowała go w jednym celu – na narzędzie zemsty na rycerzach i zakonie. Chciała ich wszystkich pokonać. A teraz za późno. Za bardzo się od niej oddalił, tak jak Księżyc od Ziemi. A ona nic do niego nie czuła.

– Nie wierzę ci. – Jenny przyjrzała się jej uważnie. I znowu usłyszała pomruk głosu Arcangeli, echo odwagi, czujności, wyzwania, wytrwałości. Właśnie te cechy chciał jej zaszczepić Paolo Zorzi z każdym ciosem, który zadawał uczennicy. Nagle poczuła nowy przypływ energii ze źródła, z którego istnienia nawet nie zdawała sobie sprawy. Zobaczyła Ronniego Kavanaugha, a także Dextera, tam gdzie było ich miejsce. Razem z Paolo Zorzim i, oczywiście, jej ojcem, stanowili część jej rytuału przejścia, elementy ważne w procesie kształtowania tej osoby, którą się stała. Ból i rozpacz w rezultacie dodały jej sił. Teraz to zrozumiała.

– Czego mi nie mówisz?

Camille, czujna jak pies myśliwski, spojrzała na nią. Znowu przeszył ją dreszcz. Coś się wydarzyło w chwili, kiedy odwróciła wzrok. Jenny nie była już zagubiona, obolała, zdradzona. Camille poczuła niepokój. Na karku zjeżyły się jej jedwabiste włosy. Jenny nie będzie już brać jej kłamstw za dobrą monetę. Musiała zrobić coś, co stało w całkowitej sprzeczności z jej charakterem – powiedzieć prawdę.

– Zazdroszczę ci uczucia do Bravo – rzekła i opanowała skurcz żołądka. Od prawdy zawsze ją mdliło. – Bo ja tak nie potrafię. W środku jestem martwa. Martwa.

– Co ty mówisz? Wiem, że kochasz Bravo... i to samo musisz czuć do syna.

Camille wbiła wzrok w samochody pełznące coraz bardziej stromą jezdnią. Poczuła się zagubiona, samotna. I co z tego? Miała misję, ten liczący dziesiątki lat plan, miała się czym ogrzać. Zemsta jest ciepłą przytulanką. A najlepsze jest to, że zemsta nie może zdradzić.

– Słuchaj, rozmawiałam wczoraj z Bravo... zaproponowałam, że będę jego wtyczką, że będę go informować o twoich poczynaniach.

– Nie broniłaś mnie, nie powiedziałaś prawdy?

– Nie miał ochoty słuchać, zaufaj mi.

– Ale dlaczego podsycasz te jego straszne wyobrażenia?

– Tylko tak mogłam z niego wydusić, dokąd chce pojechać.

Kłamstwo miało dobry smak. Prawdę mówiąc, to za Cornadorem jechała, ale o tym oczywiście nie zamierzała informować Jenny. Mogła powiedzieć prawdę, żeby uwiarygodnić swoją rolę, ale tylko wtedy.

Damon Cornadoro przyssał się do nich jak pijawka i nie chciał odpaść – chyba że, pomyślał Bravo, sami cię oderwiemy. To przewrotne rozwiązanie miało pewien urok. „Nie ma sensu uciekać przed nim ani się chować. Ja tak zrobiłem i obróciło się to przeciwko mnie", powiedział Chalifowi poprzedniej nocy.

Chalif zaproponował, żeby podróżowali w przebraniu. Bravo pokręcił głową. „To niewłaściwe myślenie. Musimy sprawić, żeby jego nadzwyczajne doświadczenie działało na naszą korzyść".

Dlatego przedstawił własny plan, a Chalif przekazał go Michaiłowi Kartliemu, który go zaaprobował. Albo tak wydawało się Bravo i Chalifowi. Najwyraźniej Kartli miał własny pogląd na tę sprawę. Jego ludzie mieli zemścić się na Cornadorze, ale zasadzka się nie powiodła. Co gorsza, Cornadoro już wiedział, że jest celem. Nastawanie na niego byłoby teraz jak zaglądanie do gniazda os.

A jakby tego było mało, „bracia syjamscy" nie mogli usiedzieć spokojnie, ich narastający niepokój stawał się tak gęsty, że można go było kroić nożem.

– Najważniejsze to trzymać się pierwotnego planu. – Bravo mówił niby do Chalifa, ale wszyscy wiedzieli, że zwraca się do „braci syjamskich". – Obgadaliśmy, jak go dostaniemy, i tak musimy postępować.

– Mamy lepszy pomysł – odezwali się bracia niemal w idealnym unisono.

Dżura otworzył podłużną płócienną podłogę, leżącą mu na stopach, i wyjął dwa karabiny McMillan Tac-50 wraz z lunetą snajperską Leupold. Do karabinu pasowały potężne naboje kalibru 12,7 milimetra, które nawet przy niezbyt celnym strzale mogły rozerwać człowieka na strzępy. Bravo dostał mdłości na myśl, że Michaił Kartli rozkazał zastrzelić Jenny na bazarze.

– Skoczymy ze sto metrów do przodu – powiedzieli. Nie było wątpliwości, co zamierzają.

– Wasi ludzie już raz zawiedli, dlaczego myślicie...

Zanim zdążył skończyć, komórka zadygotała mu na biodrze.

– Emma.

– Dzięki Bogu, dodzwoniłam się. – Miała zduszony i bardzo przestraszony głos.

– Co się stało?

– Dobrze, że kazałeś mi dalej wykonywać zadanie taty. To nie była robota dla zabicia czasu.

Przełknęła ślinę tak głośno, że to usłyszał.

– Okazało się, że miałam mu pomóc odnaleźć zdrajcę.

– Czekaj. – Kazał Chalifowi zjechać na pobocze. – Nie pozwalaj im na nic głupiego – dodał, wysiadając. Odszedł parę kroków i odwrócił się do nich plecami. Spojrzał na upiorne widmo słońca za zasłoną mglistych chmur. – Dobrze, już możesz mówić.

– Pewnie wiesz, że wujek Tony od paru lat pracował poza Londynem.

– Jasne – warknął. – Mów, czego się dowiedziałaś?

– Wszystko wyglądało normalnie, dopóki nie zabrałam się do cotygodniowych raportów wujka. Straszna nuda, rutyna.

– Nikt by dwa razy na to nie spojrzał.

– Właśnie. Z wyjątkiem taty. – Słychać było jej oddech. Była tak daleko, a jednak wydawało się, że jest w samochodzie z Chalifem i „braćmi syjamskimi", każdy najdrobniejszy dźwięk był wyraźnie słyszalny, a słowa bolały jak wbijane gwoździe. – Wygląda na to, że w zakodowanych raportach, które wujek Tony wysyłał co tydzień do Waszyngtonu, znajduje się ukryty szyfr. Nie jest nasz, to pewne. Chyba tata się dowiedział i właśnie zaczął go deszyfrować, kiedy zginął.

Bravo aż zatkało. Przeszedł, utykając, parę kroków i oparł się o topolę. Jeszcze raz usłyszał ten straszny dźwięk pękającego lodu, poczuł ból kolejnej straty. Wujek Tony był zdrajcą. Ktoś tak bliski, że świat Dextera musiał się przewrócić do góry nogami. Tak jak świat Bravo.

Tak jak jego ojciec, poczuł, że cała rzeczywistość staje na głowie, nie wiadomo, co jest dobre, a co złe. Miłość, jaką okazywał mu wujek Tony, wspólne zabawy, jego rady – wszystko to było odgrywaną rolą? Wkradł się do serca Bravo, wykorzystał go jako przykrywkę, żeby wgryźć się w głąb zakonu. Trudno mu było w to uwierzyć, a jednak musiał, bo tak wyglądała prawda.

A potem ogłuszyło go kolejne olśnienie.

– Bravo? – spytała Emma. – Jesteś tam?

Przyłożył rękę do czoła. Czuł, że za chwilę oszaleje.

– Byłem tak przekonany, że Paolo Zorzi i Jenny zdradzili... – Źle potraktował Jenny, oskarżył ją, odtrącił, groził jej. Nie chciał wysłuchać argumentów, nie wierzył jej, choć mówiła prawdę. W ustach poczuł gorycz wstydu.

– Jak mogłem się tak pomylić? Jenny jest niewinna.

– Zorzi mógł zdradzić.

– Nie sądzę. To wujek Tony wrobił Jenny. Umyślnie mnie wprowadzał w błąd. Miałem uwierzyć, że Jenny zdradziła, bo to odwracało uwagę od niego. – Przed oczami stanęła mu krwawa scena w kościele San Georgio dei Greci. – O Chryste, teraz wszystko rozumiem. Kiedy wujek Tony zastrzelił Zorziego, Jenny musiała zrozumieć, że to on jest zdrajcą.

Znowu zobaczył Jenny na tarasie restauracji w Trabzonie, z odsłoniętą szlachetną szyją, mającą w świetle księżyca kolor alabastru. Przypomniał sobie z poczuciem winy, że umyślnie nie zwrócił na nią uwagi, kiedy ostrzegał Camille przed nią i Damonem Cornadoro. Usłyszał własną haniebną groźbę: „Jeśli znowu cię zobaczę, zabiję”.

– Oczywiście dlatego zastrzeliła wujka Tony'ego – powiedział. – Wiedziała, że to zdrajca. Gdybym zobaczył, jak ktoś morduje mojego mentora, zrobiłbym to samo. – Ale co z ojcem Mosto i Damaskinosem? – pomyślał. Czy ich zabiła, czy ją wrobiono?

– Tata dowiedział się, że wujek Tony zdradził i to była ta przełomowa wiadomość, o której mówił. – Emma jakby myślała na głos. – Brakowało mu tylko niezbitych dowodów, i tu zaczynała się moja rola.

– Tony świetnie to obmyślił, prawda? Nie trzeba było tajnych skrytek na wiadomości, niewytłumaczalnych podróży, żadnej zmiany codziennych czynności. – Zastanawiał się przez chwilę. – Dowiedziałaś się, dokąd wysyłano szyfr drogą elektroniczną?

– Musiałabym mieć kopie transmisji w czasie rzeczywistym – powiedziała. – Po przesianiu ton takich nudziarstw, że nie sposób było się w nie wgryźć, zdołałam tylko porównać wiadomości w punkcie wyjścia i przeznaczenia. Tak odkryłam tę różnicę.

– Możesz mi przesłać ten szyfr na komórkę?

– Mogę.

– I częstotliwość, na której wujek przesyłał wiadomości.

– Częstotliwości zmieniały się co tydzień, ale wyślę ci listę.

– Dobrze. Natychmiast.

– Masz jakiś pomysł?

Chalif wysiadł z samochodu. Miał zaniepokojoną minę. Gestami wskazywał samochód; niewątpliwie „bracia syjamscy" palili się do wojenki.

– Chyba tak.

– Mówisz jak tata.

Dlaczego wszyscy mu to powtarzali?

– Słuchaj, muszę kończyć.

– Czekaj, Bravo... dowiedziałam się czegoś jeszcze, powinieneś o tym wiedzieć. Tata był blisko z Jenny.

Bravo zamknął oczy. Nie chciał usłyszeć potwierdzenia podejrzeń ojca Mosto, a jednak usłyszał własny głos:

– Jak blisko?

– Właściwie... nie wiem. Ale na pewno wynajął jej mieszkanie w Londynie.

– Jak długo ją utrzymywał?

– Bravo, uspokój się. Nie ma niezbitych dowodów na to, że miał z nią romans.

Bravo przycisnął powieki, żeby powstrzymać ten paskudny ból głowy, który eksplodował za oczami.

– Jak długo?

– Jedenaście miesięcy.

– Jezu. Naprawdę była jego utrzymanką.

Chwilę milczał.

– Podaj mi inne wytłumaczenie.

Znowu przez moment nic nie mówił. Chalif ruszył w jego stronę.

– Naprawdę muszę lecieć.

– Wiem. Uważaj na siebie.

– Ty też.

– Informuj mnie. – W jej głosie zabrzmiała paląca, ironiczna nutka. – Nie lubię się błąkać po omacku.

– Ja też nie. – Czy miał w oczach łzy? – Dzięki za wysiłek, w imieniu własnym i taty.

Ruszył do samochodu. Spotkał się z Ademem Chalifem w połowie drogi.

– Powiedziałeś, że mój ojciec lubił nasłuchiwać, co w trawie piszczy, że byłeś jego oczami i uszami na Środkowym Wschodzie. – Przyjrzał się SMS-owi, który pojawił się na ekranie jego komórki, i pokazał Chalifowi listę numerów. – Czy sprawdzasz i rejestrujesz ruch na tych częstotliwościach?

Chalif wytężył wzrok i wpatrzył się w mały ekranik.

– Strasznie tego dużo. Będziemy musieli pójść do mojego gabinetu, żeby sprawdzić.

– Wbrew temu, co sobie myślą tamci dwaj – oznajmił Bravo z przekonaniem – musimy iść już teraz.

– Bravo, muszę powtórzyć twoje własne słowa: niedobrze jest się oddalać od pierwotnego planu.

– Za późno – mruknął Bravo. – Twój przyjaciel Kartli już spaprał cały plan, że aż miło.

Biuro Chalifa znajdowało się w dwóch trzecich drogi na stromym trebizondzkim wzgórzu, w wysokościowcu, jednej z pięciu identycznych budowli otoczonych balkonami, znanym jako Blok Sinop A. Do głównego wejścia prowadził zawiły podjazd. Strzyżone cyprysy po obu stronach czarnego asfaltu prężyły się jak salutujący radzieccy milicjanci. Różowe krokusy, posadzone z rzadka, jakby po namyśle albo niechętnie, gięły się w omdlewającym powitaniu. Bravo i Chalif siedzieli niespokojnie w samochodzie, a „bracia syjamscy" sprawdzali okolicę, krążąc w długich jak noże cieniach szeleszczących drzew. Szczególnie zainteresowali ich robotnicy na ruchomym rusztowaniu, czyszczący elewację budynku.

– Nie wiem, jak ktoś tu może mieszkać – zauważył Chalif. – Budynek stawiano według radzieckich standardów, jest tak tandetny, że ciągle trzeba łatać fasadę albo wymieniać całe galerie.

Wytrząsnął z paczki papierosa, zapalił. Wypuścił kłąb dymu.

– Spokojnie, tym dwóm możesz powierzyć własne życie.

– Nawet temu, któremu złamałem nos?

– Myślisz jak Amerykanin. – Chalif zdrapał z języka płatek tytoniu. – Zaskoczyłeś Dżurę. Zanim go zaatakowałeś, miał cię za tchórza. Ból nie ma dla niego znaczenia, twoje zdecydowanie – tak.

Pojawił się Bebur z komórką w jednej ręce i mauzerem w drugiej. Miał szarą twarz.

– Coś znaleźliście? – spytał Chalif. – Co się stało?

– Michaił... – Bebur mówił upiornym, monotonnym głosem. – Został zamordowany zeszłej nocy w kościele, on i jeden ksiądz. – Twarz miał kamienną, skupioną, plecy wyprostowane, stał na rozstawionych nogach, rozkładając ręce. Krótko mówiąc, był jak żołnierz, który dostał awans. – Jego żona obudziła się i odkryła, że w ogóle nie wrócił do domu na noc. Samo w sobie to nic takiego, ale kiedy nie zjawił się w sklepie i nie odebrał telefonu, jego synowie zaczęli dzwonić po ludziach i poszli do kościoła. Oczywiście wpadli w szał.

Bravo wysiadł z samochodu.

– Kto to zrobił? – Stanął przed Beburem i spojrzał na niego, jakby go dopiero teraz zobaczył, jak żołnierz na żołnierza. – Kto zabił Kartliego?

– Damon Cornadoro.

Chalif wyrzucił papierosa przez okno, wysiadł i stanął obok Bravo.

– To pewne?

Bebur przytaknął.

– Obaj zginęli od sztyletu. Podpis Cornadora.

Odwrócił się do nadbiegającego Dżury.

– Czysto – powiedział Dżura. – Na razie.

Bravo drgnął.

– Powiedziałeś: sztylet?

Bebur skinął głową.

– Tak, to można poznać...

– Wiem, sztylet jest do zadawania ran kłutych, więc rana cięta wygląda charakterystycznie. – Kartli mu to wyjaśnił, opowiadając o śmierci ojca Damaskinosa. „Znam kogoś, kto tak zabija, jest zabójcą rycerzy świętego Klemensa".

Ostatni kawałek tej wariackiej układanki gładko wskoczył na swoje miejsce.

– Damon Cornadoro – powiedział Bravo.

Wszyscy trzej wbili w niego wzrok.

– Co? – spytał Chalif.

– To nie Jenny zabiła w Wenecji ojca Damaskinosa, to Cornadoro. – Wreszcie miał dowód, od początku mówiła prawdę. Przypomniał sobie, jak śmierć przyjęła Damaskinosa. Był tak wściekły, że automatycznie uznał, iż to gra. Teraz już wiedział, że jej reakcja była autentyczna. A ojciec Mosto? Jenny twierdziła, że ją wrobiono. Cornadoro był aż nadto zdolny do takiego spisku, a w chwili śmierci ojca Mosto przebywał w Wenecji.

– Syn Michaiła chce natychmiastowej zemsty – odezwał się Bebur.

– Mamy wrócić do sklepu po instrukcje. – Dżura spojrzał Bravo w oczy. – Zrobimy to, co musimy, i nie możesz nam przeszkodzić.

– Cornadoro jest mądry, bardzo mądry, wiecie o tym – ostrzegł Bravo. – Nigdy nie byłoby łatwo go zabić, a teraz, skoro wie o naszych zamiarach, głupotą jest otwarta walka.

Dżura skoczył na Bravo gotowy do bójki, ale Bebur stanął mu na drodze.

Chalif uniósł ręce.

– Czy teraz mamy stać się prawdziwymi wrogami? – krzyknął.

– Nie jesteśmy wrogami. – Bebur odsunął Dżurę i zmierzył ich wzrokiem. – Ale wiecie, komu jesteśmy winni lojalność. Nie będziemy wypełniać twoich rozkazów.

– Nawet jeśli są sensowne?

– Nie będziemy czekać. – Dżura wskazał budynek. – Tam znajdziemy doskonały punkt.

Chalif skinął głową, a Bravo miał dość rozumu, żeby nie protestować. Podjęli już decyzję; dobra czy zła, kości zostały rzucone.

Chalif przyjrzał się im, kiedy wyjmowali karabiny z tylnego siedzenia, splunął na beton.

– Nie wolno ich nie doceniać.

– Nie podoba mi się ta decyzja podjęta pod wpływem emocji.

– Nie, przyjacielu, to decyzja handlowa. Zabijając Michaiła, Cornadoro złamał zasady. Synowie nie mają wyboru. By bronić siebie i własnych interesów, muszą się zemścić szybko i bezlitośnie. W przeciwnym razie sępy wyczują słabość, zlecą się i w końcu synowie stracą wszystko, co Michaił budował z takim trudem.

Na jedenastym piętrze Bebur uparł się, żeby otworzyć drzwi wejściowe. Dżura odepchnął Bravo z drogi, bez śladu wrogości czy urazy; jego agresywne zachowanie było wyłącznie wymogiem chwili. Kiedy upewnili się, że w mieszkaniu jest bezpiecznie, wpuścili Chalifa i Bravo, który przyglądał się, jak idą ostrożnie na balkon wychodzący na frontowy podjazd, a dalej na błękitny przestwór morza. Pomimo brawury ta nieustanna odpowiedzialność za ich bezpieczeństwo była wzruszająca.

Naradzili się i Dżura wrócił, wyszedł z mieszkania, zapewne by sprawdzić tylne schody. Bebur zastygł na balkonie i wpatrzony w celownik teleskopowy, czekał na Cornadora.

Bravo zawołał; Dżura odwrócił się, przeszedł przez pokój.

– Dziękuję za wszystko, co zrobiliście. – Wyciągnął rękę. – Cieszę się, że czuwaliście.

Dżura spojrzał mu prosto w oczy i ani trochę nie zmieniając wyrazu twarzy, ujął mocno przedramię Bravo. Bravo zrobił to samo. Było to pozdrowienie, jakie starożytni Rzymianie wymieniali na mających wkrótce spłynąć krwią polach bitwy Erzurum czy Tabrizu.

Chalif zaprowadził Bravo do kuchni.

– Strzelimy po piwku? – spytał z ręką na uchwycie lodówki.

– Chyba żartujesz.

Chalif parsknął śmiechem. Nacisnął ukrytą dźwignię, pociągnął i cała lodówka otworzyła się, ukazując ukryty pokój. Wchodząc do środka, Bravo dostrzegł, że lodówka wisi na dwóch kompletach ukrytych zawieszeń kardanowych.

W gabinecie Chalifa panował chłód jak w lodówce, przez którą weszli. Było to hermetyczne pomieszczenie z filtrami powietrza, całkowicie odizolowane. W oknach wisiały ciężkie draperie, tak grube, że nie przedzierał się przez nie nawet najsłabszy promyk słońca. Całe dwie ściany, od podłogi do sufitu, zajmował sprzęt elektroniczny, którego przeznaczenia Bravo na ogół nie znał. Przypominało to bibliotekę dwudziestego pierwszego wieku: bez książek, w ogóle bez materiałów piśmienniczych, lecz pękającą w szwach od informacji, przybywających w niewidzialny sposób, jakby za pomocą czarów, jak napełniające się wodą wiadra ucznia czarnoksiężnika.

Chalif usiadł przed tym całym sprzętem. Bravo zajął miejsce obok niego. Odczytał nadesłaną przez Emmę listę częstotliwości. Okazało się, że Chalif ma ich elektroniczne kopie. Raczej nie było to zaskakujące, biorąc pod uwagę to, co Bravo niedawno dowiedział się o metodzie, jaką ojciec szukał zdrajcy w łonie zakonu.

Następnym krokiem było wyizolowanie szyfru wujka Tony'ego, pasożyta głęboko ukrytego we wnętrznościach raportu-nosiciela. Na razie nie było sensu zastanawiać się nad szyfrem, na to przyjdzie czas później. Teraz chciał tylko ustalić, kto przejmował zaszyfrowane wiadomości w drodze z Londynu do Waszyngtonu.

Okazało się to prostsze, niż sądził, bo Chalif szybko odkrył elektroniczny katalog – opracowany przez Dextera Shawa – wszystkich odzyskanych szyfrów. Najwyraźniej Dexter pracował nad ich złamaniem. Nie znaleźli zapisu informacji, choć Chalif starannie przeszukał bazę danych.

– Daj spojrzeć – rzucił niecierpliwie Bravo.

Chalif odsunął się na bok. Bravo, którego palce zatańczyły na klawiaturze, wrócił do pierwotnych raportów-nosicieli, w takiej postaci, w jakiej opuszczały londyńskie mieszkanie wujka Tony'ego. Najpierw zastosował analizator widma dźwięku, by ustalić moment, w którym szyfr był wyłuskiwany z głównego testu, ale kiedy okazało się, że to niemożliwe, popadł w namysł.

Ojciec na pewno postąpiłby w ten sposób. Użyłby analizatora widma i wszelkich innych elektronicznych narzędzi, by znaleźć dokładny moment pobrania szyfru-pasożyta. I nie udało mu się. Bravo usiadł wygodniej, wpatrzony w ścianę pełną sprzętu, która przypominała pulpit sterowniczy statku kosmicznego, migający na niego jak jakieś głupie zwierzę. A on musiał się cofnąć do punktu wyjścia i znaleźć inny sposób rozumowania, nie tak oczywisty – coś, co nie przyszło do głowy ojcu. Musiał skłonić to głupie zwierzę, żeby zaryczało.

Istnieje inny sposób, jak zawsze. Siedział nieruchomo jak posąg, zatopiony w myślach. Zapomnij o znalezieniu dokładnego momentu pobrania, to ślepy zaułek. Przyszło mu do głowy, że nie ma potrzeby trzymać się częstotliwości zakonu, że tu właśnie tkwi błąd. Musiał naprawdę wrócić do punktu wyjścia, musiał zacząć nasłuchiwać poza częstotliwością.

Poprosił Chalifa, żeby zanalizował pobliskie częstotliwości z początku raportu wujka Tony'ego. Chalif zrobił to, ale odczyty nie odbiegały od normy. Cholerne głupie zwierzę ciągle nie chciało ryczeć.

Dżura ostrożnie lawirował w betonowych jelitach budynku, ściskając doskonale wyważony karabin; był w świetnym nastroju. Z ramion spadło mu niechciane brzemię. Drażniło go to przykucie do Amerykanina. Bravo mógł być wojownikiem, ale nie z jego rodu, z jego krwi, mógł zdradzić w każdej chwili jak wszyscy Amerykanie, kiedy skuszą ich pieniądze, władza, potęga kultury. Byli zepsuci do szpiku kości, po dno duszy. Ewidentna chciwość, bezkresna żądza pieniędzy w końcu doprowadzi ich do upadku, tego Dżura był absolutnie pewny. Ale zanim zagłada Amerykanów nadejdzie z gwałtownością apokaliptycznej nawałnicy, ich łakomstwem można się zarazić – a tego należało unikać za wszelką cenę.

To, że Michaił i jego synowie byli kapitalistami, wcale go nie niepokoiło. Zarabiali pieniądze, tak, masę pieniędzy, ale podobnie jak on byli wierzący i z tego powodu wykorzystywali swoje bogactwo, by pomóc ludowi Gruzji, a nie na utrzymywanie gromady młodych kobiet, na zakupy u Tiffany'ego czy w salonie Rolls-Royce'a.

Wiedział, jaka bezwstydne zepsucie szerzy się wraz z amerykańskim stylem życia. Jakże mógł tego nie dostrzec? To było wszędzie, jakby się pływało w morzu zakażonym reklamówkami z iPodami z amerykańską muzyką, płytami DVD z amerykańskimi filmami, kasetami z amerykańskimi programami telewizyjnymi, bez wyjątku głośno i radośnie sławiącymi konsumpcję. Nie żeby Dżura nie oglądał różowych stron internetowych z Paris Hilton czy Pamelą Anderson, zastygłymi w zdumiewająco wyuzdanych pozach. Te zakazane filmy dostarczały dreszczu, którego nie potrafiłby nawet opisać, a co dopiero zrozumieć. Ale o to właśnie chodziło. Ujrzawszy te ochłapy zepsutej amerykańskiej kultury, nie miał ochoty na więcej. W przeciwieństwie do swego brata Gigo, który połknął to wszystko w całości i teraz importował narkotyki i „rosyjskie żony" ze swojego trójpoziomowego mieszkania o pięciu sypialniach, skąpanego w wiecznym słonecznym blasku Miami Beach.

Gigo miał także nałóg kokainowy, wielki jak lincoln navigator. Dżura, który właśnie wymijał rząd kublów na śmieci przy wejściu, otrząsnął się. Nie podobało mu się, że w ogóle wie, co to jest lincoln navigator. Ta wiedza, niechciana, sama wsączyła mu się do mózgu. Dowód świadczący przeciwko rzekomej czystości jego życia. A to mu przywiodło na myśl Damona Cornadoro, szerzącego zepsucie na wielką skalę. Dżura bez sprzeciwu stawiał Amerykanina nad Cornadorem, choć pewnie w końcu zabiłby obu. Byli niewierni. Czy aż tak różnią się między sobą pod tą pozłotą z wierzchu?

Upewnił się, że Tac-50 jest odbezpieczony, i powoli pchnął metalowe drzwi, prowadzące na dwór. Ranek był gorący i lepki. Ptaki śpiewały, owady brzęczały, po jezdni na wzgórzu śmigały samochody. Jeden zwolnił; wysiadła z niego kobieta z dzieckiem – ubrana w zachodnim stylu, choć według Dżury była muzułmanką. Niosła mnóstwo reklamówek. Dziecko – chłopczyk – lizało z zapamiętaniem lody. Samochód odjechał, a kobieta z dzieckiem ruszyli do budynku. Pojawił się jakiś mężczyzna, smagły, w średnim wieku, z papierosem. Rozmawiał przez komórkę. Podszedł na zakręt podjazdu i stanął w plamie słońca. Po chwili podjechał samochód, do którego mężczyzna wsiadł. Samochód ruszył, a jego warkot odbił się od górskiego zbocza.

Upał trochę się zmniejszył. Wiatr od morza, aż z Sewastopola, jeszcze śmierdzący rosyjskimi atomowymi okrętami podwodnymi, szarpał koronami strzyżonych cyprysów jak turbanami pochylonych imamów. A skoro o imamach mowa, właśnie się jakiś pojawił, z długą brodą, spieszący ścieżką ku Dżurze. Za nim dreptała niezgrabna kobieta, otulona, jak przystoi, od czubka głowy po stopy w sandałach ayabą i tradycyjną muzułmańską chustą. Cornadoro byłby zdolny przebrać się za imama, pomyślał Dżura. To wręcz w jego stylu.

Dżura zmrużył oczy w bladym słonecznym świetle i spróbował się lepiej przyjrzeć imamowi. Utrudniała mu to kobieta, zasłaniająca twarz duchownego.

Skulił się w drzwiach, już bardzo podejrzliwy, uniósł karabin do strzału. Imam był potężny jak Cornadoro. I miał mniej więcej taką samą sylwetkę. To, uznał Dżura, jego cel, ale nie zamierzał strzelić, dopóki nie zyska całkowitej pewności. Zamordowanie muzułmańskiego duchownego to czyn nie do pomyślenia, katastrofa, z którą synowie Michaiła nie byli gotowi się zmierzyć. I tak, napięty i niespokojny, czekał z palcem na spuście. Już teraz słyszał ten upajający dźwięk, to wilgotne, ciężkie plop! plop! plop! kul oddzierających ciało Cornadora od kości. A najlepsze było to, że nie musi się do niego zbliżać – w przeciwieństwie do Michaiła może uniknąć śmiercionośnego ciosu sztyletu. Imam znalazł się w zasięgu strzału. Rzucił coś ostro kobiecie, która potulnie skinęła głową i cofnęła się parę kroków, ze spuszczoną głową. Dobrze się złożyło, bo Dżura zyskał dobry widok na twarz imama. Wypuścił wstrzymywany oddech, cofnął palec. To nie Cornadoro.

Duchowny ledwie spojrzał na Dżurę, władczo przechodząc przez drzwi. Dżura prawie nie zwracał uwagi na kobietę za imamem, więc nie dostrzegł ruchu jej prawej ręki, która wyłoniła się z fałdów obszernej ayaby, z ostrzem sztyletu wystającym między drugim i trzecim palcem – palcami zbyt potężnymi i stwardniałymi, by mogły należeć do kobiety.

Dżura zauważył ruch zbyt późno, usiłował odskoczyć. Ktoś sprawnie przytrzymał mu ręce za plecami. Ten potężny imam! Sztylet zanurzył się w jego podbrzuszu. Dżura krzyknął cicho. Kobieta w ayabie zdjęła chustę. Spojrzały na niego płonące oczy Damona Cornadoro.

– Gdzie oni są? – spytał Cornadoro i jednym ruchem nadgarstka sprawił Dżurze straszny ból. – Mów, bo twoja droga do raju będzie wyboista.

29

Bravo, wpatrzony w białe zygzaki na zielonym tle, potarł skronie. Zbyt dobrze uświadamiał sobie upływ czasu, który on i Chalif powinni spędzić w klasztorze Sumela. Czy się pomylił, zabrnął w następny ślepy zaułek? Czy robił to samo, o co oskarżył „braci syjamskich”? Czy podejmował decyzje pod wpływem emocji? Nie, nie mógł odpuścić. U jego boku siedział ojciec, to jego energia przygważdżała Bravo do tego miejsca. Tu jest odpowiedź. Wykorzystaj swoją wiedzę, synu, szeptał w jego głowie Dexter Shaw.

– Puść jeszcze raz częstotliwości, obie jednocześnie – polecił Chalifowi. – Ale tym razem wyłącz odczyty.

– Co?

– Chcę posłuchać, tylko posłuchać. Rozumiesz?

Chalif włączył jednocześnie dwie częstotliwości. W pomieszczeniu rozległa się skomplikowana symfonia pikania, syków i pisków. Początkowo ta kakofonia brzmiała jak długo wyczekiwana odpowiedź na sygnał SETI – reakcja cywilizacji pozaziemskiej – albo akustyczny odpowiednik niezrozumiałych gryzmołów autystycznego dziecka. Oba zawierają wiadomość, choć głęboko ukrytą.

Bravo zamknął oczy. Jeśli elektroniczne zwierzę uparło się być głupie, to ludzkie zmysły muszą odgadnąć, gdzie ukrywa się szyfr. Ucho codziennie filtruje dźwięki i hałasy. Jest stworzone do odszyfrowywania ważnych dźwięków w szumie świata.

Moment, kiedy warstwy hałasów odpadną i wyłoni się melodia, stanowi tylko kwestię czasu. Tym się zajmował, a przynajmniej ta jego część, która się wyróżniała. Potrafił wywabić zmysłami to, co ukryte – w rękopisach, ludzkiej mowie, w fałszywkach udających autentyczne znaleziska archeologiczne, w zapachu wieku, rozumie, rozpaczy i rezygnacji.

I tak w postmodernistycznym bunkrze Chalifa rozpoczął się proces odsiewania ziarna od plew. Wyszukał melodię, a potem wsłuchał się w nią, skupił się na jej matematycznym wzorze, na sinusoidalnym wznoszeniu i opadaniu, wychwycił anomalię.

– Stop! – krzyknął. – Tutaj.

Otworzył oczy, kazał Chalifowi włączyć wszystkie odczyty, choć nawet i to wydawało się już nieistotne. I stało się, głupie zwierzę w końcu ryknęło.

– Dlaczego śledzimy Michaela Berio? – spytała Jenny siedząca obok Camille w małym, czerwonym sportowym samochodzie. Pojazd był produkcji radzieckiej, dlatego tylko udawał prawdziwy samochód sportowy. – To twój człowiek.

– Naprawdę nazywa się Damon Cornadoro. Wiesz, prawda?

– Mój Boże. – Twarz Jenny poszarzała. – Zabójca rycerzy? Widziałam ponad tuzin fotografii, na których rzekomo był on, każda przedstawiała inną osobę. Skąd miałam wiedzieć?

– Nie rób sobie wyrzutów – powiedziała Camille. – Mnie też oszukał.

Oczywiście nie była to prawda, nikt nie mógłby oszukać Camille, ale od chwili kiedy odkryła więź między Jenny i Bravo, zrozumiała, że musi zmienić plan. Poróżnienie jej z Bravo nie wchodziło już w grę, chodziło o skaptowanie go. Dlatego potrzebowała pomocy Jenny, a to oznaczało uprzędzenie całkiem nowej pajęczyny kłamstw.

Potrząsnęła głową.

– Ty się na tym znasz, powiedz… jak bardzo niebezpieczny jest ten Cornadoro?

Jenny zerknęła na nią nerwowo.

– Powiedzmy: jedenaście punktów w skali od jednego do dziesięciu.

– Aż tak?

– Słyszałaś ten pisk opon, ten strzał z gaźnika? A potem, trochę dalej…

– Ten wypadek, przez który się spóźniłyśmy?

– Dobrze się przyjrzałam. To nie był wypadek – mruknęła Jenny ponuro. – I wątpię, żeby to strzelał gaźnik.

– Co ty mówisz?

– Chyba ludzie Kartliego próbowali zaatakować Cornadora – może z zasadzki. Założę się o wszystko, że słyszałyśmy strzały z karabinu, a ten pisk opon to samochód ściganego taranujący samochód ścigających. Czytałam akta Cornadora, to do niego podobne.

Camille zastanowiła się. Jenny musi jej zaufać, a to mogła osiągnąć poprzez życzliwość. Jeśli ona się na nią nie zdobędzie, to Jenny też nie.

– Jeśli, jak mówisz, ścigają Cornadora, to można założyć, że Bravo ma coś wspólnego z tą zasadzką – powiedziała. Miała czas zastanowić się nad dalszym postępowaniem, gdyż utkwiła w korku, który doprowadził je do policjantów rojących się jak mrówki wokół straszliwie zgruchotanych samochodów. Wypatrywała krwi, bez rezultatu. – Musi wiedzieć, że Cornadoro uciekł i nadal siedzi mu na karku. – Podała telefon Jenny. – Zadzwoń i powiedz mu.

Jenny nie drgnęła.

– Ja?

– Czemu nie?

– Wiesz czemu. Nadal uważa, że to ja zabiłam jego wujka, nadal myśli, że pracuję dla rycerzy.

– Zatem pora pokazać, że jesteś po jego stronie. – Uśmiechnęła się słabo. – Moja droga, posłuchaj, nie uwierzył w ani jedno twoje słowo. Sam mi to powiedział. – Skinęła głową. – Patrz, tam jest furgonetka Cornadora. Nie mamy ani chwili do stracenia, on już wysiadł. Odwagi. Klawisz trzy.

– Dobrze. – Skinęła głową, wzięła komórkę. Z łomoczącym sercem wcisnęła klawisz szybkiego wybierania.

– Camille…

Jego głos był jak fizyczny cios.

– Bravo, tu Jenny.

– Jenny, nie…

– Nie, nie odkładaj słuchawki. – Na myśl, że zaprzepaści tę jedyną szansę, ogarnęło ją autentyczne przerażenie. – Słuchaj, słuchaj, jestem z Camille – rzuciła jednym tchem. – Jedziemy za Cornadorem.

– Co?

Skrzywiła się, słysząc ten ton, ale ciągnęła dalej z determinacją. Odwagi.

– Była zasadzka, dwa samochody, nie wiem, ile osób zginęło, choć pewnie ty wiesz.

– Kompletna klapa, to pomysł Kartliego, nie mój, ale on nie żyje, zabił go Cornadoro, tak jak ojca Mosto i Damaskinosa.

Zdołała tylko gwałtownie złapać powietrze. W głowie się jej kręciło.

– Wiem, że wujek Tony zdradził.

– Bravo… – Zgięła się wpół. Z ulgi zrobiło się jej prawie niedobrze. – Ale skąd…

– Jenny, muszę kończyć. Naprawdę.

– Czekaj, czekaj! Cornadoro tam zaraz będzie!

– Gdzie jesteście?

– Przy jakimś wielkim blokowisku.

Blok Sinop A.

– To numer – powiedział Chalif, wpatrzony w odczyty. – Numer telefonu.

Bravo, nadal trzymając komórkę, odparł:

– Cornadoro tu jest.

Chalif wskazał ekran.

– Przyjrzyj się. Ja powiadomię Bebura.

Wyszedł przez drzwi lodówki. Bravo spojrzał na numer. Nie był londyński, nawet nie angielski. Miał dwa prefiksy: kierunkowy kraju i miasta. Rozpoznał oba: Monachium, Niemcy. W głowie rozdzwonił mu się ostrzegawczy dzwonek, zaczęło w nim narastać mdlące poczucie martwoty, sygnalizujące nową, potworną rzeczywistość.

Chalif wrócił i zamknął za sobą drzwi.

– Nie zauważył nic podejrzanego – powiedział, siadając. – Ma zadzwonić do Dżury i ostrzec go.

Bravo ledwie go słyszał.

– Daj mi europejski kierunkowy Monachium w Niemczech – rzucił, bo wiedział, że tu numery są inne niż w Anglii.

Wybrał numer, a kiedy w słuchawce rozległ się głęboki męski głos, wydało mu się, że podłoga rozstępuje się pod jego stopami. Koszmar opadł na niego jak upiór.

To był głos Karla Wassersturma. Wujek Tony musiał przesyłać szyfry braciom Wassersturm. Przypomniał sobie rozmowę z Camille w drodze do Saint-Malo:

– Wassersturmowie wściekli się, kiedy ich kontrakt został zerwany – odezwał się głos Camille w jego głowie. – Jordan martwi się, że będą chcieli się na tobie zemścić. A najbardziej go zdenerwowało, że przez trzy dni pracował z nimi w Monachium nad innym kontraktem tylko po to, żeby ich uspokoić.

– Nie powinien, nie ma powodu im ufać.

Camille parsknęła śmiechem.

– Znasz Jordana. Jeśli nie dostanie takich warunków, jak chce, zacznie robić interesy z samym diabłem.

Z tych wspomnień, których sensu nie potrafił wychwycić, wynikało, iż Jordan w ogóle nie powinien robić interesów z Wassersturmami, choćby mu dawali nie wiadomo jakie warunki. Wassersturmowie to kłopoty – mieli związki z nielegalnym handlem bronią i być może terroryzmem, byli zepsuci do szpiku kości.

– Karl, tu Jordan – odezwał się po niemiecku, przybrał intonację Jordana, z francuskimi naleciałościami.

– Dlaczego dzwonisz pod ten numer? – rzucił Wassersturm opryskliwie. – Uzgodniliśmy, że będzie służyć wyłącznie do… informowania.

Oto przyczyna, związek Wassersturmów z Jordanem, ujawniona w całej swej upiornej glorii.

– W tym miesiącu odpuściłeś, tak? – powiedział Bravo.

– Przecież wiesz, zawsze jak w zegarku. – Niepokój Karla Wassermana było wyraźnie słychać. – Dostajesz informacje, gdy tylko odbiorę przekaz, prawie bez chwili zwłoki, tak jak to urządziłeś. To nie moja wina, przysięgam. W tym miesiącu nie było przekazu.

– Jeśli coś ukrywasz…

– Nie, Jordan, skąd. W ogóle do głowy by mi nie przyszło. Przecież mi powiedziałeś, nie? To twój szyfr. Nie rozumiem, mówiłeś, że nie można go złamać, co by mi z niego przyszło?

– Nic – odparł Bravo najsurowszym z tonów Jordana Muhlmanna. – Widzę, że o tym nie zapomniałeś. Będziemy w kontakcie.

Rzucił komórką przez cały pokój. Ta straszna rzecz, ta niewyobrażalna zdrada go przytłoczyła. Schował twarz w dłoniach.

Kiedy Jenny i Camille zatrzymały się przy furgonetce Cornadora, w środku nikogo nie było. Jenny, z witnessem od Michaiła Kartliego w dłoni, przeszukała ją dokładnie. Kiedy Camille stanęła obok niej, Jenny znalazła już coś interesującego.

Wyciągnęła odrapaną metalową skrzynkę z wnęki pod przednim fotelem.

– Patrz – powiedziała, unosząc wieko. W środku znajdowały się kosmetyki do charakteryzacji, pasma różnokolorowych włosów do brwi, wąsów, brody, plastikowe kapsułki z kolorowymi szkłami kontaktowymi.

Camille przesunęła palcami wśród sztucznych nosów, podbródków, policzków i uszu.

– Co to znaczy?

Jenny już chwyciła telefon, przycisnęła klawisz szybkiego wybierania, raz i drugi, bez rezultatu.

– Cholera, nie odbiera. – Ruszyła sprintem w stronę wieżowca.

Camille doskonała wiedziała, co oznacza zawartość skrzynki – widziała Damona w licznych przebraniach i wiedziała, że jest wirtuozem charakteryzacji. Dlatego zakon nigdy nie zdołał zrobić mu wiarygodnego zdjęcia. Biegnąc za Jenny, zaczęła rozważać możliwości. Oczywiście mogła zatrzymać Jenny, tak jak w korytarzu kościoła l'Angelo Nicolò, zanim zamordowała ojca Mosto. Ale to by było szaleństwo. Jenny była jej potrzebna do zwabienia Bravo, natomiast Damon, zabijający ludzi na prawo i lewo – nie. Do tego momentu był użyteczny, to prawda, ale sytuacja zmieniła się drastycznie, a generał niezdolny do zmiany planów bitwy w jej trakcie musi ponieść klęskę.

– Mój przyjaciel jest aktorem, widziałam już takie zestawy – powiedziała, zjawiając się przy Jenny. – Wiem, czego brakuje, chyba się domyślam, jak będzie wyglądać.

*

Camille miała rację, pomyślał Bravo, choć sama sobie nie zdawała z tego sprawy. Jordan rzeczywiście zawarł przymierze z diabłem. Damon Cornadoro go nie oszukał, on sam go wezwał. Jordan, jego najlepszy przyjaciel, był rycerzem świętego Klemensa – i nie tylko rycerzem, ale przywódcą, to on stał za wszystkim: śmiercią Dextera, atakiem na Haute Cour, poszukiwaniem skrzyni tajemnic.

Jęknął. W dodatku pracowałem w Lusignan et Cie dla Jordana, od lat trudziłem się dla korporacji wroga, pomyślał. A jeśli Jordan powierzał mu zadania, które potajemnie niweczyły wysiłki zakonu? O Boże, czy sam przyłożył ręki do diabelskiego dzieła?

Nie chciał w to wierzyć, nie mógł, jeszcze nie – to było zbyt przerażające, właściwie nie do pomyślenia. A jednak dowody były niezbite. To się nie mogło wydarzyć, nie jemu! Ale w tej chwili zaprzeczanie faktom prowadziło do klęski. Bravo to wiedział, otrząsnął się, z wysiłkiem pogodził się z prawdą, która by mu nigdy nie przyszła do głowy.

Jak zrozumieć naturę człowieka tak fałszywego, tak dwulicowego, najlepszego przyjaciela i najbardziej nieprzejednanego wroga? Tak jakby słońce nagle zaczęło wschodzić na zachodzie, jakby oceany zmieniły się w kamień. Ale kiedy cofnął się we wspomnieniach, mimo woli musiał podziwiać geniusz Jordana Muhlmanna – czy mógł znaleźć lepsze miejsce na rozbicie obozu niż pod drzwiami wroga, czy istnieje lepszy punkt obserwacyjny?

I gdy to zrozumiał, zaczął się godzić ze zdradą, choć smutek był tak wielki, że aż odczuwał ból w piersi.

Podniósł głowę, uderzyła go straszna myśl: a jeśli Camille wie o wszystkim, jeśli bierze udział w spisku Jordana? Dlaczego nie? Byli sobie bliscy, pracowała w Lusignan et Cie, zrobiłaby dla syna wszystko, sama mu to powiedziała. Czy nawet zawarłaby pakt z diabłem? Nie wiedział. Wydawało mu się, że odkrycie prawdziwej tożsamości Cornadora naprawdę nią strząsnęło, ale pewności mieć nie można.

Ogarnęła go paranoja. Usłyszał głos ojca, jakby z daleka, choć zbliżający się z każdym uderzeniem serca. „Paranoja to umiejętność, którą w pewnych zawodach należy opanować. Najbardziej praktyczną cechą paranoika jest ta, że porażka nigdy nim nie wstrząśnie".

O jakim zawodzie mówił ojciec? – zastanawiał się Bravo w dzieciństwie. Teraz już wiedział. Musi bacznie obserwować Camille, dopóki jej lojalność nie znajdzie potwierdzenia.

Ściany i sprzęt elektroniczny na stalowych półkach zatrzęsły się od uderzenia. Jakby bomba wybuchła w mieszkaniu za ukrytymi drzwiami. Bravo zerwał się z miejsca, Chalif także. Potem rozległy się trzy złowrogie strzały – bez wątpienia z pistoletu. Po chwili coś mocno uderzyło o drzwi lodówki.

Chalif rzucił się ku sprzętowi elektronicznemu i kiedy uderzenia zaczęły się rytmicznie ponawiać, szybko i metodycznie wcisnął kilka klawiszy.

– Kasuję twarde dyski – powiedział ni to do siebie, ni to do Bravo. – Ważne dane mam skopiowane gdzie indziej. – Potem odciągnął jedną z masywnych zasłon. Szarpnął dwie metalowe dźwignie, które obluzowały dyktę na oknie. Razem ją zdjęli.

Chalif otworzył okno, rozległ się jazgot i uderzyło w nich minitornado betonowego pyłu z piaszczarki. Poniżej znajdował się pochyły gzyms, zwykły dekoracyjny element bloku. Był tak wąski, że nie mogli sobie pozwolić na najmniejszy błąd. Jeden niewłaściwy krok zakończyłby się śmiertelnym upadkiem.

Łomot w drzwi lodówki stał się głośniejszy, groźniejszy.

Bravo wahał się tylko przez chwilę, zanim wyszedł w ślad za Chalifem na gzyms. Chalif już przesuwał się na prawo, ku kantowi budynku. Wydawało się, że to bardzo daleko, choć było co najwyżej sto metrów. Dokąd zmierza Chalif? Do okna innego mieszkania w bloku? To tylko odwlecze nieuniknione.

Bravo wpatrywał się w Chalifa; tak jak on nie spoglądał w dół. Skupił się na ręce spoczywającej na betonowej płycie fasady, na stawianiu jednej nogi za drugą, w jak najprostszej linii. Nagły podmuch wiatru uderzył w ścianę, szarpnął jego lewy bok, zmusił do zatrzymania się, odzyskania równowagi.

Chalif dotarł do rogu i zniknął za nim. Bravo zebrał całą odwagę, ruszył dalej, chwycił dłonią krawędź budynku i prześliznął się na drugą ścianę.

W dole ujrzał bambusowy balkonik robotników. Zasłaniała go plastikowa płachta, mająca w zamierzeniu przynajmniej ograniczać rozprzestrzenianie się betonowego pyłu. Przez folię widać było dwie postaci w kombinezonach i maskach chroniących płuca przed pyłem. Jeden robotnik, tuż za nim, przechylał się przez sznurkową balustradę rusztowania, być może wołając do innych. Obaj wyglądali jak starcy, włosy mieli siwe od pyłu. Chalif dotarł do rusztowania. Odsunął plastikową zasłonę. Kiedy przechodził przez sznurkową balustradę, najbliżej stojący robotnik odwrócił się, zamachał niezdarnie i ostrzegawczo. Chalif nie zareagował; robotnik wyłączył piaszczarkę.

Chalif usiłował wyjaśnić sytuację, ale generator zasilający piaszczarkę nadal tętnił ogłuszającym hałasem i stało się jasne, że robotnik nie słyszy. Do tego czasu Bravo także przeskoczył na rusztowanie. Obaj byli tak blisko, że Bravo nie widział robotnika zza szerokich pleców Chalifa. Odruchowo spojrzał na drugiego robotnika. Ciągle przechylał się przez balustradę, ale teraz, kiedy znikła plastikowa zasłona, Bravo zobaczył jego krwawiące ręce, krwawiące usta, krwawiące, rozpłatane od ucha do ucha gardło.

Bravo skoczył. Pierwszy robotnik zdejmował maskę, co nie wzbudziło podejrzeń Chalifa. Ale Bravo zrozumiał, że ten ruch ma na celu odciągnięcie uwagi, bo gdy Chalif spoglądał na twarz, drugi zdejmujący maskę robotnik już wyciągał sztylet z kieszeni kombinezonu.

– Uważaj! – krzyknął Bravo. – To Cornadoro!

Chalif odskoczył, ale Cornadoro błyskawicznie zamachnął się sztyletem i ostrze przejechało po piersi Turka. Chalif obrócił się, oparł ciężko na sznurkowej barierce; ostrze rozdarło cienkie płótno koszuli, obnażyło ciało. Ale nie znieruchomiało, sunęło dalej, aż stało się jasne, ku czemu zmierza.

Stal przecięła sznurkową barierkę, na którą Chalif wpadł całym ciężarem. Zamachał rękoma, próbując odzyskać równowagę. Bravo rzucił się naprzód, sięgnął po dłoń Chalifa. Za późno, jego palce złapały pustkę. Wyjrzał na zewnątrz; Turek zawisł na przeciętym sznurze, kołysał się pod rusztowaniem. Jedenaście pięter niżej dostrzegł biegnące ku budynkowi Jenny i Camille.

Bravo sięgnął po linę; miał nadzieję, że wciągnie Chalifa, ale Cornadoro machnął sztyletem, zmuszając Bravo do odsunięcia się od krawędzi balkonika, jedynego miejsca, w którym mógł uratować Turka przed śmiertelnym upadkiem.

Cornadoro wyprowadził cios prawą stopą, który rzucił Bravo pod sznurkową balustradę na wewnętrznym skraju balkonika, przy ścianie budynku. Rusztowanie zakołysało się, uderzyło o betonową fasadę. Bravo szarpnął się, żeby nie wypaść przez powstałą szparę. Kiedy przyklęknął na jedno kolano, Cornadoro uderzył go, potem chwycił i powalił. Bravo czuł jego zwierzęcy odór, żądzę krwi i coś jeszcze, coś zimnego, obcego – kompletny brak strachu.

– Gdzie skrzynia tajemnic? – Głos Cornadora był jak pilnik szorujący po skórze Bravo. – Chcę ją mieć. Gdzie jest? – Rzucił Bravo o ścianę budynku. – Mów, bo rozedrę cię na strzępy. Przestaniesz być mężczyzną, albo jeszcze gorzej. Kiedy z tobą skończę, nie będziesz już nawet człowiekiem, będziesz błagał, żebym cię dobił.

Początkowo Bravo usiłował sięgnąć po sztylet Lorenzo Fornariniego, ale kiedy wpadł na betonową ścianę, nóż obsunął się i teraz nie mógł go dosięgnąć. W każdym razie w tej chwili nie było na to czasu, bo Cornadoro, machając sztyletem jak kosą, był na najlepszej drodze do zrealizowania groźby.

Czubek sztyletu musnął Bravo, który mocno przydepnął śródstopie Cornadora, a kiedy tamten skrzywił się z bólu, złapał go za nadgarstek i wbił palce w splot nerwów i ścięgien. Sztylet upadł na bambusową podłogę.

Cornadoro, stęknąwszy jak zwierzę, uderzył Bravo w nerkę, potem wbił kolano w jego podbródek. Bravo wylądował na czworakach. Cornadoro walnął go w kręgosłup, Bravo osunął się na piaszczarkę.

To wibracje maszyny nie dały mu osunąć się w niebyt. Cornadoro pochylił się, żeby zadać paraliżujący cios; Bravo chwycił piaszczarkę, przetoczył się na plecy, wycelował ją w napastnika i włączył.

Cornadoro ryknął, zatoczył się do tyłu; Bravo wstał i ruszył do ataku. Cornadoro pozwolił mu się zbliżyć, a potem wytrącił mu piaszczarkę z rąk. Wówczas chwycił go potężną łapą za szyję i przycisnął tętnicę.

Bravo szarpnął się, usiłował zaczerpnąć powietrza, ale otoczyła go czerń, powoli gasząca zmysły, po kolei, jeden po drugim.

Jenny i Camille widziały, co się dzieje jedenaście pięter wyżej. Najgorsze lęki Jenny właśnie się urzeczywistniały – Bravo umrze, a ona nie zdąży go uratować. Camille także poczuła nietypowe ukłucie strachu. Zgodnie z przewidywaniami Jordana, Damon przekroczył swoje uprawnienia. Jakim prawem zaatakował Bravo? Chyba że chciał zagarnąć skrzynię tajemnic, chyba że przypuszczał, iż torturami wydobędzie z Bravo miejsce jej ukrycia. To dureń!

I tak obie kobiety rzuciły się biegiem, choć każda miała inny powód do obaw. Nic dziwnego, że żadna nie zauważyła mężczyzny, który wyskoczył spomiędzy drzew, gdzie się ukrywał. Rzucił się na Jenny, bo to ona miała broń. Runął wraz z nią na ziemię. Dłoń Jenny uderzyła o betonowy krawężnik i broń poleciała daleko.

Camille znajdowała się niespełna osiem metrów dalej. Znała go – to Albańczyk, jeden z dobieranych osobiście przez Jordana rycerzy. Fakt, że szpiegował Damona – i ją – oznaczał, że Jordan jej nie ufał, chciał przejąć skrzynię tajemnic. Camille przeżyła moment rozterki, nietypowej dla niej. Albo pomoże Jenny w walce z Albańczykiem, albo ruszy ratować Bravo. Nie mogła zrobić obu tych rzeczy. Chwyciła witnessa, odwróciła się i pobiegła.

Ostatkiem sił Bravo wbił kolano w krocze Cornadora, który akurat tak się odchylił, że jego genitalia były najbardziej odsłonięte. Cios wymierzony z odpowiednią siłą może w takiej sytuacji wyrządzić poważne szkody.

Potężny przeciwnik ryknął i puścił Bravo. Prymitywna część mózgu, która dochodzi do głosu w chwilach zagrożenia życia, podpowiadała Bravo, że nie zdoła przeżyć, pozostawiony na balkoniku sam na sam z Damonem Cornadoro, więc zdecydował się na co innego. Bez wahania skoczył w dół.

Spadał.

Ale niedaleko; chwycił Chalifa, otoczył go w pasie obiema rękami, razem zatoczyli niebezpieczny łuk. Chalif stękał z wysiłku, całe ciało miał napięte. Cornadoro wychylał się na czworakach nad nimi. Oczy mu łzawiły, kołysał głową jak ranny byk. Potem, nie zważając na ból, zamachnął się sztyletem i zaczął piłować linę – na której zawisło życie Bravo i Chalifa.

– Mam wybite ramię, nie mogę go dosięgnąć – powiedział Chalif. – Ale ty masz szansę. Kiedy puszczę, chwyć linę i podciągnij się.

– Zwariowałeś? Nie poświęcisz dla mnie życia.

– Dlaczego nie? Jest moje – odparł Chalif. – Poza tym ty zrobiłbyś to samo dla mnie.

*

Camille biegła, dopóki przez fałdy plastikowej płachty nie ujrzała wyraźnie balkoniku na jedenastym piętrze. Uklękła, podniosła witnessa, objęła jedną dłoń drugą, stabilizując ją. Wycelowała w Damona, zrobiła wdech, wydech. Nacisnęła spust.

Bravo, usiłujący nie dopuścić, żeby Chalif puścił linę, przepełzł po Turku, chwycił linę, objął nogami Chalifa w pasie i ścisnął z całej siły.

– I na co ci to bohaterstwo – rzucił Chalif, szarpiąc się w chwycie Bravo. Ale w tej samej chwili w dole rozległy się dwa strzały, bryznęła na nich krew, gorący, mocny strumień, i Cornadoro upadł na wznak. Zerknęli w dół i dostrzegli Camille w pozie strzelca. Potem obok niej znalazła się Jenny i obie ruszyły biegiem ku mechanizmowi ściągającemu pomost na dół.

– Jezu Chryste – szepnął Bravo, kiedy balkonik zaczął zjeżdżać.

– Bóg jest miłosierny – szepnął Chalif.

Po tych słowach przeleciało obok nich ciało, obryzgując im twarze i piersi krwią – Damon Cornadoro w długiej podróży do piekła.

30

Pierwszą osobą, którą Bravo ujrzał, gdy otworzył oczy, była Jenny.

– Gdzie jestem?

– W furgonetce Damona Cornadoro. – Jenny przyłożyła mu do czoła zimny ręcznik.

– Co się stało?

– Cornadoro nie żyje. Camille go zastrzeliła, spadł z pomostu.

– Widziałem. – Poruszył się; każdy mięsień odpowiedział rozdzierającym bólem. – Gdzie byłyście?

– Mnie zatrzymał ktoś, kto zdaniem Camille pracuje dla Jordana, ale to przecież bez sensu, prawda? Uparła się, żebyśmy stąd uciekli, zanim tamten się zorientuje, co się dzieje. Dlatego ukradłam furgonetkę. – Rzuciła mu uśmiech. – Spięłam na krótko.

Camille wzięła ostry zakręt; pęd rzucił ich na siebie.

– Ale jeśli chodzi o Jordana – dodała Jenny – Camille musi być zdruzgotana. Nie wiem, jak to przeżyje. Lepiej z nią porozmawiaj, gdy tylko odzyskasz siły. No więc zemdlałeś, kiedy cię zniosłyśmy. Chalifa przed chwilą odstawiłyśmy do szpitala – na pewno ma wybite ramię, ale może mieć też pęknięty łokieć.

– Camille prowadzi?

Uśmiechnęła się blado.

– Jak zawsze.

– Dokąd?

– Do klasztoru Sumela. Chalif powiedział, że tam się kierowaliście, prawda?

Zamknął oczy. Wszystko działo się tak, jak przewidział ojciec w ostatnim szyfrze: nie wybierze się samotnie do Sumeli. Nagle poczuł, że rozwiązywanie zagadki ojca go wyczerpało. Zapragnął przestać pędzić, dać wytchnąć mózgowi. A przede wszystkim chciał spać, nie wstawać przez tydzień albo dwa.

Opanował to nienaturalne rozleniwienie, pozbył się senności, z trudem zebrał myśli. Był pewien, że może zaufać Camille. Gdyby współdziałała z Jordanem, nigdy by nie zastrzeliła Cornadora. Poza tym wyglądało na to, że Jordan wysłał kogoś, żeby szpiegował ją i tego człowieka, z którym walczyła Jenny. A to znaczyło, że Jordan zyskuje coraz większą władzę, ma coraz większą skłonność do podejmowania ryzyka. Papież umierał, tylko kwintesencja mogła go uratować. Tymczasem Bravo czuł zaciskające się kleszcze rycerzy i Watykanu. Zbliżał się do końca tej podróży i nie miał już złudzeń. Jordan zrobiłby wszystko, rzuciłby wszystko na szalę, żeby położyć rękę na skrzyni tajemnic i kwintesencji. Splątane pnącza Voire Dei ułożyły się w niemal zrozumiały wzór. Niemal.

Zamknął na chwilę oczy; kołysanie furgonetki poniosło go w stronę snu.

– Bravo, Bravo – odezwała się Jenny natarczywie. – Camille zadzwoniła do Chalifa. Powiedział, że w Macka jest nowoczesna klinika dla turystów, którzy wspinają się w Górach Czarnych o każdej porze roku, nawet w zimie. Mają tam urazówkę, możemy się zatrzymać...

– Nie – powiedział natychmiast, gwałtownie otwierając oczy. – Musimy jechać do Sumeli.

Spojrzeli sobie w oczy i w końcu skinęła głową, ale widział, że bez przekonania.

Wolałby, żeby był z nim Chalif, ale teraz czekało go coś, co musiał zrobić sam.

- Jenny...

Powstrzymała go, kładąc mu rękę na policzku.

- Porozmawiamy później.

- Nie, muszę ci powiedzieć. Nie ufałem ci, nie wierzyłem, kiedy Cornadoro wrobił cię w morderstwo ojca Mosto, nie rozumiałem, kiedy zastrzeliłaś wujka Tony'ego. Wtedy nie mógłbym uwierzyć...

- Anthony oszukał wszystkich, Bravo. Prawie mu się udało wyprowadzić w pole twojego ojca.

Dopiero teraz zauważył ciemne podkowy pod jej oczami, zapadnięte policzki, błękitne żyłki na skroniach, jakby jej skóra wyschła niczym pergamin. Ale te oznaki wyczerpania i cierpienia duszy nie zniszczyły jej urody. Podczas ich rozłąki Jenny nabyła pewnej niezłomności. Już wkrótce będzie musiał spytać, co się z nią działo, co doprowadziło do tej zmiany.

- To nie wszystko.

Musnęła palcem jego wargi.

- Czy to nie może poczekać?

- Już za długo czekało. Ojciec Mosto powiedział, że miałaś romans z moim ojcem. Tak się wściekłem, że przestałem myśleć. Nie mogłem ocenić sytuacji, ciebie...

- Ale, Bravo, ja nie miałam romansu z Dexterem.

W głowie Bravo zaczął narastać jakiś ryk.

- Nie rozumiem. Przecież wynajął ci mieszkanie w Londynie...

- Ach, wiesz o tym... - Wyprostowała się, jej oczy przybrały taki wyraz, jakby spoglądały w głąb.

Ujął jej rękę.

- Nie okłamuj mnie, Jenny. Tylko prawda, sama prawda.

Jej oczy wpatrywały się w przeszłość.

- Prawda, dobrze. - Skinęła głową, ale nie mogła się zmusić do mówienia. Więc zaczerpnęła powietrza w płuca, odetchnęła głęboko. - Miałam romans, ale nie z twoim ojcem.

- Więc z kim?

- Z Ronniem Kavanaugh. Zaszłam z nim w ciążę, a on zmusił mnie, żebym... się tym zajęła. Zastraszył mnie, powiedział, że jeśli tego nie zrobię, to nie ma dla mnie przyszłości w zakonie. Byłam młoda, zdruzgotana, pogubiona. Zrobiłam, co mi kazał. Twój ojciec się mną zaopiekował - był taki dobry, miał dla mnie tyle zrozumienia - a ja się bałam, że wyda mnie przed Haute Cour i, jak powiedział Ronnie, znajdę się na bruku. Ale dochował tajemnicy. Rozmawiał ze mną o dziecku, co to znaczy je stracić, ale nic nie podejrzewałam. Dopiero od ciebie dowiedziałam się o Juniorze.

– Sam nigdy by ci nie powiedział, zwłaszcza w twoim stanie ducha.

– No tak, oczywiście. W zamian opowiadał mi urocze historie o elfach i rusałkach.

– A tę o elfie, który umiał zamienić wodę w ogień?

Oczy Jenny błysnęły.

– Tak, i o tym, którego nie zaproszono na ucztę świętojańską...

– A on z zemsty rzucił zaklęcie na świetliki, które miały oświetlać zabawę, i zmienił je w osy...

Oboje roześmieli się cicho.

Jenny westchnęła; wspomnienia poruszyły bolesną strunę.

– Czasami, kiedy bywało ze mną bardzo źle, opowiadał mi żarty o zwierzętach mówiących ludzkim głosem – inteligentnych, niebezpiecznych, kochających – i śmiałam się wbrew samej sobie.

– O zebrze, która zdjęła i zgubiła swoje paski...

– O papudze, która była kapitanem statku pirackiego...

– O chciwym terierze, który zrujnował swoją firmę.

Znowu się roześmiała, rozradowana jak dziecko, a Bravo zrozumiał, kim stała się dla jego ojca – zastępczym dzieckiem, kojącym rozpacz po śmierci Juniora.

– No i te książki, które razem czytaliśmy – ciągnęła – powieści historyczne o niewyobrażalnie trudnych czasach, o tragediach i triumfach. Wiedziałam, do czego zmierza, i udawało mu się. Był taki wyczulony, od razu się orientował, kiedy mam depresję lub zły humor, że powinnam się zorientować, albo chociaż nabrać podejrzeń, że sam przeżył tragedię. Przez ten rok, kiedy się mną opiekował, zaczęłam go kochać. Chyba to nic dziwnego. Ale kochałam go jak ojca, a on nigdy nie miał wobec mnie żadnych planów. Przeciwnie, tylko przy nim czułam się bezpiecznie... dopóki nie poznałam ciebie.

– A jeśli ja mam jakieś plany? – spytał Bravo.

Jenny spojrzała na niego. Policzki jej płonęły.

– Zmieniłam się. Teraz na to liczę.

*

Klasztor Sumela, osadzony w litej skale, wznosił się na tle kobalto-
wego nieba jak ufortyfikowana brama rzymskiej cytadeli. Tym złotym
budynkom, obrońcom wiary, brakowało delikatności i finezji; zbudowano je z myślą o wojnie.

– Ta wojna trwa – powiedziała Camille.

– Nie ma innej drogi? – spytał Bravo.

– Niestety. Mój syn dokonał wyboru. Przy takiej presji, gdy gra toczy się o tak wysoką stawkę, raczej nie mógłby zmienić zdania, nawet
gdyby chciał.

Wszyscy troje stali w półkolistym cieniu starożytnego akweduktu,
którym dawno temu dostarczano wodę klasztorowi. Furgonetkę Cornadora Camille zaparkowała na wąskiej, krętej uliczce w pewnym oddaleniu od autokarów turystycznych, z których wysypywali się ludzie
oklejeni identyfikatorami, obładowani butelkami z wodą i aparatami
fotograficznymi. Nikt nie zwracał na nich uwagi, ale przyglądali się tu-
rystycznemu najazdowi z obsesyjnym zainteresowaniem.

Bravo spojrzał na Camille.

– Uważałem Jordana za przyjaciela. – Wyjaśnił, jak najzwięźlej, historię rycerzy świętego Klemensa i rolę Jordana. – Jak mógł mnie tak
zdradzić?

– To utalentowany aktor, za co muszę wziąć winę na siebie. – Camille wpatrywała się w szereg łuków, dźwigających akwedukt na swoich potężnych ramionach po stromym zboczu góry. – Nie znał swojego ojca, ale dopiero teraz widzę, jak bardzo stał się rozgoryczony.
Myślę, że to dlatego otoczył się pancerzem, zamknął się w sobie. Ale
nie mogłam mu powiedzieć, to by mu nie przyniosło nic dobrego,
tylko daremne, rozczarowujące poszukiwanie. – Zagryzła wargę. –
Biedny Jordan. Nie możemy odzyskać minionego czasu, choćbyśmy
bardzo chcieli.

– Nie ma sensu się oskarżać.

– Tak, co się stało, to się nie odstanie, *n'est-ce pas*? – rzuciła gorzko.
I nagle padła mu w ramiona. – Ach, Bravo, moje jedyne dziecko zdradziło mnie równie niewybaczalnie, jak ciebie.

– Powinniśmy już wejść – odezwała się Jenny i zaczęła ich wyganiać
z cienia furgonetki. – Jak najszybciej.

– Tak, tak. – Camille opanowała się. – Powiedz, co mamy zrobić.
Obie chcemy ci pomóc.

Jordan Muhlman przesiadł się z furgonetki do samochodu z klimatyzacją, który miał go zawieźć w góry. I dobrze, ponieważ podróż oznaczała trzy godziny jazdy po wertepach drogą pełną zakrętów, na których widok krew ścinała się w żyłach. Tuż za Macka, kiedy skręcili w lewo, droga stała się jeszcze bardziej stroma i zarośnięta. Zabrał ze sobą trzech rycerzy, akurat tylu, żeby nie rzucać się w oczy, ale żeby wykonać zadanie.

Już tu kiedyś był – co za ironia – z Bravo. Trzy lata temu, podczas wakacji. Mieli spędzić dwa tygodnie na Ibizie, ale po sześciu dniach hedonistycznej błogości postanowili zostawić dwie piękne blondynki, które jak drapieżne ryby rzucały się na parne lokale, modne kluby, grząskie hotelowe łóżka, mokre piaszczyste wydmy. Zostawili je bez słowa i uciekli z tej drapieżnej wyspy na koniec świata, czyli do niemodnego Trabzonu, przygnębiającej mieściny, której jedyną atrakcją był klasztor Sumela.

I znowu tu jestem, pomyślał Jordan, znowu w Sumeli, z moim starym przyjacielem, którego poszukiwania skrzyni tajemnic dobiegają końca. Rany boskie, więc była tutaj przez cały czas. W rzeczy samej, ironia losu. Ale Jordan dobrze się znał na ironii. Czasami wydawało mu się, że całe jego życie to ironiczna groteska. Na przykład jego znajomość z Bravo – czy istnieje większa ironia? Przyjaciele – bo byli przyjaciółmi: zwierzali się sobie z tajemnic, dzielili intymnymi szczegółami życia, podrywali dziewczyny na Ibizie, w Paryżu, Sztokholmie, Kolonii i gdzie indziej. Ale wszystko, co łączyło go z Bravo, było kłamstwem, nawet kobiety. Jordan lubił seks z dwiema naraz, czego ktoś tak prostolinijny jak Bravo nie potrafił zrozumieć ani zaakceptować. Poza tym jego misją było maksymalne zbliżenie się do Bravo. Jak powtarzała jego matka? Musisz zakraść się do jego serca, by go poznać, a musisz go poznać, by móc nim manipulować.

Ta niebezpieczna podróż przyniosła rezultat, choć Jordan miał wrażenie, że stąpa po polu minowym. Wszystko, co sobie mówili, niosło zalążek katastrofy. Wszystko należało ukrywać przed Bravo. Wszystko...

Jego komórka zaczęła brzęczeć. Wiedział, kto dzwoni, zanim jeszcze spojrzał na ekran.

– Mamo – powiedział z szyderczym uśmieszkiem. Z zadowoleniem pomyślał, że tego nie widzi.

– Co robisz, kochanie, kazałeś mnie śledzić? – Głos miała płynny jak miód. – Twój człowiek omal wszystkiego nie zepsuł.

– Sądziłem, że to raczej Damon Cornadoro mało tego nie zrobił.

Po drugiej stronie zapadła cisza; nieczęsto mu się zdarzało doprowadzić matkę do osłupienia.

– Przyznaj – ciągnął – że dobrze oceniłem Cornadora. W końcu nie potrafił się opanować.

– To kwintesencja go zdeprawowała.

Powiedziała to ostrzegawczo – nie miała na myśli Cornadora, tylko jego. Zrozumiał, a to go jeszcze bardziej zirytowało.

– Ty i Cornadoro... – Ledwo wydobywał z siebie głos.

– Co ja i Cornadoro? – spytała słodko matka.

– Wiem, że był twoim kochankiem. Co tam sobie szeptaliście w łóżku?

– Moje łóżkowe szepty mają tylko jeden cel i wiesz o tym, kochanie. – Ale w jej głosie słychać było metaliczne brzmienie. – Chyba nie zacząłeś mnie podejrzewać? Bo to by była strata twojego cennego czasu...

– Mój człowiek was obserwował, bo podejrzewałem Cornadora. – Właściwie była to prawda... do pewnego stopnia. Już opanował emocje, koniec głupich wybuchów, które zdradziłyby jego obecny stan umysłu. – Chyba mi tego nie masz za złe.

– Ależ skąd. Przeciwnie, pochwalam twoją rozwagę.

– A ja pochwalam twoją zdolność do zastrzelenia kochanka.

– To nic trudnego, tu nie było uczuć. Cornadoro służył pewnemu celowi, a kiedy stał się zbędny, zginął. – Zapadła chwila ciszy. – Ale nie znoszę być obserwowana, zwłaszcza przez tego ohydnego Albańczyka.

Jordan zerknął na kierowcę.

– Ohydny Albańczyk siedzi obok mnie.

– Co mówisz, Jordanie, jesteś w Trabzonie?

– Nie, w Sumeli. – Wraz z trzema rycerzami: Afgańczykiem, Niemcem i Rosjaninem, dawnym pracownikiem Federalnej Służby Bezpieczeństwa, choć tego nie zamierzał jej mówić. Dodał zimno: – Zamierzam naprawić szkody, wnieść poprawki, do których nie byłaś zdolna.

– Idioto! – rozległo się w jego uchu. – Wszystko poszło zgodnie z planem. Bravo ufa mi bez zastrzeżeń, podobnie jak Jenny. To ja będę przy nim, kiedy otworzy skrzynię.

– Nie, mamo, ten zaszczyt przypadnie mnie. – Dał znak rycerzom i wysiadł z samochodu.

– Jeśli teraz się pokażesz, diabli wezmą cały plan. W chwili kiedy cię zobaczy, zrozumie wszystko.

Jordan dał znak rycerzom, żeby ruszyli tyralierą.

– Nie martw się, mamo. Pojawię się w odpowiedniej chwili. – Jego rycerze ruszyli do klasztoru. – Taktyka wstrząsu, sam ją opracowałem. – Ruszył po stromych kamiennych schodkach prowadzących do budynków klasztoru.

– Sam twój przyjazd jest błędem.

– O to już ja się będę martwić.

– Do diabła, pracowałam nad tym dziesiątki lat...

– Przez ostatnie cztery lata to ja trząsłem się nad Bravo, bo tak mi kazałaś i z powodu tego, czego nigdy nie miałem, a co mi obiecałaś.

– Kochanie, nie bądź dzieckiem.

Jakby go uderzyła batem. Ze zwierzęcym warknięciem popędził po schodach.

– Muszę się zemścić. – Stalowe brzmienie jej głosu pojawiło się nagle, jak pazury wysuwające się z kocich łapek. – Nie zepsuj mi tego.

– Czy to groźba? Mam serdeczną nadzieję, że nie, bo to ja trzymam najważniejszą kartę – informację, którą zataiłaś przed Bravo. Tę, która...

Ostro wciągnęła powietrze; ten dźwięk obudził w nim słodki dreszczyk.

– Wystarczy tego jazgotu – dodał. – Zejdź mi z drogi, mamo, natychmiast.

31

Klasztor powstał w czwartym wieku. Założony pod wezwaniem Matki Boskiej przez dwóch ateńskich kapłanów, nosił nazwę Sumela, od greckiego *melas* – czarny. Czy założyciele mieli na myśli Doğu Karadeniz Dağlar – Góry Czarne, w których zbudowali klasztor, czy też kolor ikony Maryi Dziewicy, do dziś pozostało pytaniem bez odpowiedzi.

Bravo miał powody, żeby zastanawiać się nad tą zagadką, kiedy szedł wraz z kobietami przez kompleks zabudowań, w których znajdował się Kościół Skalny, kilka kaplic, kuchnie, pokoje kleryków, domek gościnny i biblioteka. Po remontach w trzynastym i dziewiętnastym wieku klasztor opustoszał w 1923 roku po trzyletniej radzieckiej okupacji Trabzonu.

Teraz był już tylko atrakcją turystyczną. Ale dzięki Chalifowi Bravo wiedział, że przebywał w nim zakon. W dwunastym wieku król Aleksy III i jego syn Manuel III przyczynili się do bogactwa Sumeli, wykorzystując mnichów jako swoje oczy i uszy w Lewancie.

Tajemnica nazwy Sumeli stanowiła odbicie tajemnicy ostatniego szyfru ojca: długi ciąg instrukcji, klarownych, a jednak zagadkowych, z których najbardziej enigmatyczne raczej rodziły pytania, niż na nie odpowiadały.

Camille szła w milczeniu, niezmordowanie. Gdyby Bravo nie wiedział, że jest tak sprawna fizycznie, teraz byłby zdumiony. Ich śladem podążała Jenny, pomiędzy drzewami, wśród zarośli, ku szczytowi góry, jak najdalej od turystów.

Za szczególnie skalistym odcinkiem drogi przywołała ich do małej kępy sosen.

– Coś zauważyłam – powiedziała cicho. – To chyba ten sam człowiek, który się na mnie rzucił przy wieżowcu.

Bravo, nieustannie pamiętając o ostatniej wiadomości ojca, nie zdziwił się.

– Spróbuj go zajść od tyłu – polecił Jenny.

– To człowiek Jordana – odezwała się Camille. – Pójdę z tobą.

– To chyba nierozważne – odparła Jenny.

– Dlaczego? Myślisz, że nie mogę pomóc?

– Nie o to chodzi.

– A o co? Raczej nie jest sam. Znam Jordana lepiej niż wy oboje.

– Ona ma rację. – Bravo spojrzał prosto na Jenny. – Teraz obie musicie mnie ubezpieczać, dobrze?

Skinęła głową.

– A ja idę dalej – dodał. – Według mojego ojca jaskinia ze skrzynią jest jakiś kilometr stąd na północny wschód. Dołączcie do mnie jak najszybciej.

Albańczyk potrafił przypomnieć sobie każdego, kto go kiedykolwiek zaatakował, każdego zabitego lub okaleczonego przez siebie. Było ich więcej niż mało, mniej niż od cholery, jak lubił po paru kolejkach żartować z innymi rycerzami. Ale jeszcze nigdy nie stanął przeciwko kobiecie, a tym bardziej nie został przez nią pokonany – dopóki nie zaatakował Jenny. Był wściekły, żądny krwi – jej krwi. Zanim ten dzień się dokona, będzie trzymał w rękach jej zakrwawioną głowę, to sobie poprzysiągł.

Szedł przez las bezszelestnie, tak jak go nauczono. Pachniało żywicą sosnową, gnijącymi liśćmi, grzybami, słodyczą paproci i dzikich kwiatów. Nasłuchiwał, automatycznie eliminując szmer swojego oddechu, wewnętrzne pulsowanie krwi w uszach. Węszył za Jenny jak ogar za ciałem, martwym czy żywym, dla ogara nieważne, dla Albańczyka – bardzo. Zapach jego zwierzyny nie opuszczał go, drażnił mu nozdrza, jakby naigrawał się, że tak go zaskoczyła. Jej zapach stał się wonią jego porażki.

Zobaczył ją, mignęła mu, jakby z leśnego poszycia zerwał się szybkoskrzydły ptak, ale wiatr wiał w jego stronę i przyniósł mu jej zapach. Wyszczerzył zęby w uśmiechu i ruszył za nią przyczajony, szybki i zwinny. Szedł najłatwiejszą z tras. Im szybciej dopadnie Jenny, tym lepiej. Pięści same mu się zacisnęły, rozwarł stwardniałe palce. Znowu ją zobaczył, skorygował trasę, trochę skręcił w lewo. Ujrzała coś lub kogoś – może Rosjanina, który biegł sprintem – i ruszyła za nim z zapamiętaniem, które dało mu przewagę. Puścił się pędem przez otwartą przestrzeń. Miał zamiar się przyłożyć, odpłacić jej, powalić ją i pobić do nieprzytomności. Nie mógł jej poświęcić dużo czasu, musiał myśleć o Rosjaninie. Nie chciał mu oddać całej chwały, zamierzał być obecny przy otwieraniu skrzyni tajemnic.

Z tą myślą ruszył biegiem. Jenny usłyszała go w ostatnim momencie, zaczęła się odwracać w chwili, gdy wbił jej pięść w nerkę. Otworzyła szeroko oczy, zachłysnęła się, upadła i potoczyła się po ziemi, usiłując złapać dech.

Albańczyk roześmiał się, nie mógł się powstrzymać, krótkie szczeknięcie, bardzo stosowne u psa myśliwskiego, którym przecież był – kudłaty, muskularny, rozsmakowany w czerwonym mięsie, wierny. Skoczył na Jenny, chcąc ją uderzyć ramieniem w nos – i wtedy się poderwała, trafiła go czołem w brodę. Głowa mu odskoczyła w tył, zęby szczęknęły. Krew z przygryzionego języka wypełniła mu usta.

Wyciągnął rękę, ale odtrąciła ją niezwykle silnym ciosem i unosząc biodro, usiłowała go zrzucić, by odzyskać punkt oparcia. Nie pozwolił, przygniatał Jenny potężnym ciałem. Uderzył ją jedną ręką, drugą chwycił za gardło. Zwarł palce.

Potem rozległ się jakiś perkusyjny rytm – wystrzały z broni. Po piersi pociekła mu krew. Ale nic nie czuł – nie czuł bólu, nie czuł niczego. Jakby dostał zastrzyk z środka przeciwbólowego. Nie rozluźnił chwytu na gardle Strażniczki. Jej twarz poczerwieniała, oczy wyszły z orbit. I wtedy usłyszał szept kogoś stojącego za jego plecami, czekającego, gdy świat z wolna wpływał do jego pracującego z wysiłkiem serca, przebitych płuc. I ciągle nic nie czuł, aż do ostatniej chwili, kiedy przechylił się na bok. Wtedy pojawił się ból, przeszywający, oślepiający, ale nie zwrócił na niego uwagi, wolną ręką wytrącił broń z ręki Camille Muhlmann, chwycił ją, poderwał z ziemi. Uśmiechnął się szeroko – dwa ptaszki za jednym strzałem. Puścił gardło Jenny, zacisnął pięść, uniósł rękę. I wtedy rozległ się szelest wysuwającego się ostrza, słońce zalśniło na nierdzewnej stali. Camille wbiła mu nóż w gardło, a on zaczął się miotać jak ryba wyjęta z wody.

Na Jenny, z oczami pełnymi łez, dławiącą się własnym oddechem, spadł deszcz krwi Albańczyka. Niemal nieprzytomna, nie zrozumiała od razu, co się stało. Dopiero potem zobaczyła Camille z bronią w ręku. Przede wszystkim pomyślała, że bardzo się cieszy, iż nie poprosiła o jej zwrot. Potem, z rosnącą zgrozą, uświadomiła sobie, że pomimo rany Albańczyk nie traci sił ani determinacji. W ustach poczuła smak własnej śmierci. Jednak gdy napastnik ją puścił, natychmiast podniosła się na łokciach. Odwrócił się od niej, by zaatakować Camille. Zamierzała go uderzyć we wrażliwe miejsce na karku, gdzie znajduje się splot nerwów, ale Camille wbiła mu coś w szyję. Nóż znalazł się tuż przed jej nosem, zobaczyła go i nie było wątpliwości – dokładna kopia jej sprężynowca, którym podcięto gardło ojcu Mosto. W tej samej chwili wiele klocków wskoczyło na miejsce: dlaczego tak ją zaniepokoił brak odpowiedzi Rule'a, kiedy powiedziała, że rycerze muszą wyśledzić Bravo inną metodą. A przede wszystkim – kto ją ogłuszył w kościele l'Angelo Nicolò, a potem poderżnął gardło ojcu Mosto.

Camille spojrzała na nią i w jej oczach błysnęło zrozumienie. Wiedziała, o czym myśli Jenny.

– Camille…

Ale było za późno, Camille już się na nią rzuciła z nożem.

Bravo wspinał się, słysząc cichy plusk Kotła, źródła uważanego przez wyznawców prawosławia za święte. Wśród drzew i kęp krokusów, zawilców i śnieżyczek widać było kamienne ruiny i pozostałości rzeźbionych marmurowych kolumn z innej epoki.

Teren stał się stromy, zbiegał ku małej dolinie wśród niebosiężnych Gór Czarnych, na której końcu znajdowała się grota. Ptaki fruwały, szczebiocząc, a pszczoły unosiły się nad polnymi kwiatami, brzęcząc niestrudzenie. Nastąpiła chwila największego upału tego długiego popołudnia, nawet tak wysoko w górach. Bezlitosne słońce prażyło, nie mając przeszkody w postaci chmur ani mgły, niebo miało tę szczególną barwę bezdennego błękitu, typową dla dużych wysokości. Wydawało się kruche jak skorupka jajka.

Gdy szedł doliną, usłyszał za sobą jeden strzał, odbijający się echem od skalnych ścian. Zatrzymał się, niemal zawrócił, ale przypomniał sobie wyraźne instrukcje ojca, przypomniał sobie misję, własną przysięgę i z ciężkim sercem zapomniał o Jenny i Camille. Przyspieszył kroku.

Przed nim majaczyło wejście do jaskini, po obu stronach rosły cyprysy. Wszedł w jej cień, natychmiast odwrócił się i przykucnąwszy, popatrzył na małą zieloną dolinę. Początkowo nie widział nic prócz ptaków i owadów, ale czas płynął i w wydłużających się cieniach zauważył ruch. Jakieś ramię, potężne jak udziec jeleni, wyłoniło się zza pnia drzewa. Potem pojawił się fragment głowy jak piłka, jedno czarne oko i wreszcie twarz. To był Rosjanin. Wtedy Bravo ruszył się, wstał, a spojrzenie Rosjanina skupiło się na wejściu do jaskini. Dostrzegł ruch, niewielką zmianę w mroku. Bravo cofnął się; Rosjanin bezgłośnie zaczął się zbliżać; ukazał się tylko na chwilę, zanim znalazł następną naturalną kryjówkę.

Zbliżał się i Bravo nie mógł mu przeszkodzić.

Jenny otworzyła oczy, spojrzała w słońce przeświecające przez warstwę liści. Obok śmignął jerzyk, jego ostry krzyk przywrócił jej przytomność. Przez chwilę ogarnęła ją amnezja; poddała się lodowatej panice, ale usiadła – ból przeszył jej bok – i wszystko wróciło: walka z Albańczykiem, strzał Camille, pchnięcie nożem, sprężynowcem o rękojeści wykładanej macicą perłową, takim samym jak jej, cios Camille wymierzony w nią. Położyła rękę na ciele i poczuła wyciekającą z niej lepką wilgoć. Ostrze otarło się o żebra; rana była płytka, na pewno nie śmiertelna. Jednak utrata krwi odebrała Jenny sprawność. Oderwała dolną część bluzki i owinęła nią klatkę piersiową, kryjąc ranę, następnie zawiązała na tyle mocno, by ból jej nie paraliżował.

Gdzie Camille? Rozejrzała się; była sama, mając za towarzystwo tylko zwłoki.

– Chryste!

Podniosła się, przytrzymując drzewa, o które się opierała. W głowie się jej kręciło, a zawartość żołądka podchodziła do gardła. Krew łomotała w skroniach; zmusiła się do kilku głębokich oddechów.

Oderwała się od drzewa i zaczęła szukać witnessa, ale nigdzie nie mogła go znaleźć. Kiepska wiadomość – to znaczy, że Camille go zabrała. Pożałowała, że nie ma przy sobie telefonu komórkowego, żeby powiadomić Bravo o zdradzie przyjaciółki.

Ale przecież mogła jeszcze zdobyć broń – spod Albańczyka wystawała lufa – trzeba tylko przewrócić zwłoki. Buchał z nich straszliwy smród – z bliska, gdy przy nim uklękła, stał się nie do zniesienia. Zawahała się z rękami nad ciałem Albańczyka, zbierając siły.

– Dobrze – odezwał się głos mówiący po angielsku z silnym niemieckim akcentem. – Teraz się odsuń.

Odruchowo obejrzała się przez ramię; to Kreist, rycerz, którego twarz i dossier dobrze znała.

– Jestem ranna – powiedziała, wskazując prowizoryczny opatrunek, przez który już przesączała się krew. – Nie mogę się ruszać.

– Nie słuchasz – warknął Kreist. – Powiedziałem: odsuń się. Ale już! Jenny wciągnęła powietrze, dość teatralnie.

– Daj mi chwilę, dobrze? – Ujęła broń. – W głowie mi się kręci. Kreist zrobił krok w jej stronę.

– Więcej nie poproszę.

Zmówiła bezgłośnie modlitwę i rzuciła:

– Dobrze, dobrze, już! Tylko nie strzelaj.

– Ty mała suko. – Kreist splunął. – Co tam kombinujesz? Zaczęła się podnosić, umyślnie błyskając prowokacyjnie gołym brzuchem. To odwróciło na moment jego uwagę. W tej samej chwili z całej siły wyszarpnęła broń spod zwłok i odwracając się, pociągnęła za spust. Kreist, zdezorientowany, zatoczył się do tyłu. Jenny, która doskonale pamiętała, jak to było z pierwszym napastnikiem, wpakowała w niego cztery pociski. Niemiec znieruchomiał, leżąc na wznak, wpatrzony w pustkę.

Odwróciła się i pobiegła, nie oglądając się za siebie. Starała się nie zwracać uwagi na przeszywający ból w boku, na krew sączącą się z rany. Raz upadła na kolana, bez tchu, wyczerpana, ale usłyszała w głowie głos Bravo i z wysiłkiem dźwignęła się na równe nogi, zrobiła krok, drugi i ruszyła przed siebie.

Jaskinia jest kilometr stąd na północny wschód, powiedział.

Skrzynia była ukryta pod półkolistym ołtarzem Afrodyty. Kamienny ołtarz nie miał żadnych ozdób – złupiono je dawno temu. Gdyby nie precyzyjne wskazówki ojca, Bravo nigdy nie odgadłby, co to jest. Miał latarkę, ale tu nie była potrzebna. Ten fragment groty stanowił łańcuch małych jaskiń, korytarzyków i kominów; niektóre sięgały aż na zbocze góry. W rezultacie światło słoneczne, zabarwione na zielonkawy kolor z powodu minerałów zawartych w skale, dawało upiorne oświetlenie. Wraz ze światłem pojawił się dźwięk, wiatr jęczący żałośnie, jakby grał na gigantycznej fletni Pana.

Bravo stanął przed ołtarzem z ciemnego kamienia, na którym prawdopodobnie starożytni Grecy składali ofiary ze zwierząt, zanim na tym brzegu pojawiła się Matka Boska, a może nawet i wtedy, bo bogini miłości zajmuje wyjątkowe miejsce w sercach Greków. Przecież wszyscy potrzebują jej pomocy.

Dobiegł go jakiś szelest, nie głośniejszy od szmeru wiatru wpadającego przez kominy. Zjeżyły mu się włosy na karku. Nie był sam – to prawdopodobnie Rosjanin, a z nim z pewnością Jordan. Co się stało z Jenny i Camille? Kto strzelał? Czy nic im się nie stało?

Znowu dobiegł go ten dźwięk, tym razem bliżej; przystąpił do wprowadzaniu swego planu w życie: skoczył na prawo, wyciągając przed siebie ramiona, i rzucił się w jeden z otworów w jaskini.

Skrzywił się na huk wystrzału; echo potoczyło się korytarzem, w którym się znalazł. Odwrócił się i zobaczył Rosjanina, sunącego za nim na czworakach. Mężczyzna zatrzymał się, podniósł makarowa. Zanim znowu zdążył strzelić, Bravo skoczył w komin. Wczołgał się w pierwszy napotkany korytarzyk. Przykucnął, wyczekując, przygotowując się na nieuniknione.

Zaatakował natychmiast, gdy ujrzał czubek głowy Rosjanina. Trzasnął go kantem dłoni w ucho. Wychylił się i kopniakiem wytrącił mu broń. To było konieczne – w ten sposób go rozbroił i wyrównał szanse – ale także dał mu czas na dojście do siebie.

Rosjanin skoczył, uderzył go głową w mostek. Bravo upadł na wznak, napastnik wczołgał się w komin. W poziomym korytarzyku było bardzo mało miejsca. Po trzech ciosach Bravo wiedział już wszystko, co trzeba. Rosjanin przeszedł szkolenie wojskowe w wywiadzie albo Specnazie. W dzisiejszych czasach żołnierze ci mieli niewiele okazji do walki wręcz, dlatego trenowano ich wyłącznie w zadawaniu śmiercionośnych ciosów, które można wymierzyć w ciągu pierwszych trzydziestu sekund starcia.

Po trzech ciosach Rosjanina, które trafiły w kość i mięśnie, Bravo przebił się przez obronę tamtego, złamał mu nos kantem jednej dłoni, pięścią strzaskał kość policzkową.

Ale jeśli sądził, że powali Rosjanina, to się pomylił. Przeciwnik jakby nabrał nowych sił. Rzucił się na Bravo, zapędził go pod ścianę korytarza, przygniótł swoim potężnym ciałem i zaczął go zasypywać szybkimi jak błyskawica ciosami w ciało i głowę. Chciał, by przeciwnikowi zdrętwiały duże partie mięśni tułowia. Wtedy Bravo nie mógłby się bronić, nie mówiąc już o kontratakowaniu. Za chwilę będzie bezradny.

Oczy Bravo zaszły mgłą. Usiłował wyjąć sztylet Lorenzo Fornariniego, ale bok miał wciśnięty w skałę. Wolną rękę wsunął w kieszeń. Włączył latarkę i zaświecił nią Rosjaninowi w oczy.

Ten zamrugał, drgnął, zatoczył się na przeciwległą ścianę. Bravo sięgnął pod jego uniesione ręce, wbił mu kolano w krocze. Kiedy Rosjanin zgiął się wpół, Bravo tym samym kolanem uderzył go w brodę. A potem zadał cios w skroń, od którego głowa rycerza aż odskoczyła. Rosjanin osunął się na kolana, łzy płynęły mu strumieniem po twarzy, ale i tak zdołał chwycić przeciwnika i potrząsnąć nim z całych sił. Otworzył usta, chciał ugryźć Bravo, wyszarpać kawał jego ciała; Bravo uderzył go latarką w twarz, bił raz po raz, krew płynęła, pękała skóra, aż w końcu Rosjanin stracił równowagę.

Krew była wszędzie. Bravo upadł tam, gdzie stał. Głowę objął rękami, ale tak się trzęsły, że natychmiast je odjął. Rosjanin nie oddychał, skonał.

Obolały Bravo doczołgał się na skraj komina, z wolna się nim osunął, przyciskając kolana do skalnych ścian, aż w końcu opadł na podłoże groty. Dostrzegł broń, którą wykopał z ręki Rosjanina, i schylił się po nią.

W tej samej chwili poczuł w głowie okropny ból i runął na twarz.

32

– Muszę ci to przyznać, Bravo, razem ze swoim ojcem stanęliście do niezłego wyścigu. – Jordan znalazł się w polu widzenia Bravo. – Ale w rezultacie wszystkie wasze plany, wszystkie machinacje nie mają znaczenia, bo jest tak, jak jest i... – między kciukiem i palcem wskazującym prawej ręki trzymał coś błyszczącego – i mam to, co mam – klucz do skrzyni zakonu, klucz do nieśmiertelności.

Przykucnął przy Bravo, który leżał na podłodze jaskini z rękami związanymi na plecach. Nogi też miał mocno związane.

– Nawiasem mówiąc, możesz się nie krępować, rób, co chcesz, żeby się wyzwolić. Nic ci z tego nie przyjdzie.

– Dlaczego to robisz? Co ci się stało?

Jordan parsknął śmiechem.

– Mówisz, jakbym dostał w głowę. Biedny Bravo. Nigdy nie byłem takim życzliwym, szczerym chłopaczkiem, tylko go udawałem. Nieźle mi poszło, nie sądzisz? Nie, nie odpowiadaj. To, co myślisz, już nie ma znaczenia.

Pogłaskał Bravo po głowie, jak starego psa, który w nieunikniony, lecz smutny sposób dotarł do kresu swego żywota.

– Na szczęście ten etap już się skończył, podobnie jak udawanie grzecznego synka. Podczas gdy matka pilnowała ciebie, ja zorganizowałem coś w rodzaju zamachu stanu. Rycerze związani z tą obrzydliwie zwyrodniałą kliką z Watykanu, rycerze, nad którymi moja matka tak rozpaczliwie chciała przejąć władzę, nie są już rycerzami świętego Klemensa. Teraz należą do mnie – to rycerze Muhlmanna.

– Starczy tego.

Jordan odwrócił się gwałtownie, a Bravo wytężył wzrok, choć głos był mu doskonale znajomy.

Camille mierzyła do swego syna z witnessa.

– Rozwiąż go.

Jordan parsknął śmiechem.

– Mamo, nie mówisz poważnie.

– Ależ tak, kochanie, jak najpoważniej.

– Nadal udajesz jego przyjaciółkę? Już mu powiedziałem. Jesteś jego wrogiem, tak jak ja.

– Na szczęście nie jestem całkowicie taka, jak ty. Nawiasem mówiąc, zabiłam twojego Albańczyka, a sądząc po tej krwi skapującej z komina, podejrzewam, że Bravo zlikwidował twojego Rosjanina... jak mu tam było, a tak, pamiętam – Oberowa.

– Co, z nim też spałaś? – rzucił gorzko Jordan. – Przespałaś się ze wszystkimi rycerzami?

– Chyba nie jesteś zazdrosny, kochanie? – Camille pokiwała lufą broni. – A teraz bądź grzeczny. Rozwiąż go.

– Mamo, to zbędne, bo już...

– Już, ty głupi szczeniaku! Ani słowa więcej!

Krew, która napłynęła Jordanowi do twarzy, wyciekła chyba wprost z serca. Gdy automatycznie rozsupływał węzły, które tak pracowicie wiązał, odniósł wrażenie, że serce przestało mu bić. Jeszcze oddychał, poruszał się, myślał, ale to, co zostało z jego serca, znikło pod skorupą równie twardą i niewzruszoną jak ta czarna skalna ściana. W organizacji rycerzy zawsze czuł się jak otoczony kokonem, oddzielony od reszty ludzkości – i bardzo się z tego cieszył. Teraz, po raz pierwszy, poczuł chłód tej swojej niszy, jakby samotność nabrała innej, bardziej żałosnej jakości, jakby do tej pory źle ją pojmował, jakby aż do tej chwili nie zdawał sobie sprawy, że znajduje się w próżni, która żarłocznie pochłania światło, bliskość, uczucia.

– Proszę. – Cofnął się. – Gotowe. – Odwrócił się do matki, kobiety, której nienawidził jak nikogo innego. – Ale po co? – Pokazał jej klucz. – Już mu go zabrałem. Zrobiłem to, o czym ty tylko śniłaś.

– Nie, Jordanie. Jestem twoją matką, będziesz mi posłuszny.

– Czas usługiwania ci dobiegł końca. A wiesz dlaczego? Już nie dam się krępować twojej tajemnicy.

Piękną twarz Camille oszpeciła zgroza.

– Nie! Nie możesz!

– Mogę i chcę. – Odwrócił się do Bravo. – Oto zwięzły skrót, mój przyjacielu... mój dobry, wierny przyjacielu... kłamstwa, w którym upływało twoje życie. Moja matka była kochanką twojego ojca. Tak, kiedy byłeś dzieckiem, łajdaczył się z nią całymi latami. Twoja matka niczego nie podejrzewała, a wyście byli zbyt mali. Poza tym nieźle mu szło dochowywanie tajemnicy, prawda? A potem, kiedy skończyłeś pięć lat, zaszła z nim w ciążę.

– Czekaj – odezwał się Bravo.

Jordan parsknął ostrym śmiechem.

– O mamo, patrz, jaką ma minę, czy to nie tego spojrzenia tak się okropnie bałaś? Tak, tak, chyba tak! Ja także jestem synem twojego ojca, więc jesteśmy... chyba braćmi, prawda? No, przyrodnimi, ściśle mówiąc. Nie martw się, wszystko jest względne. – Znowu się roześmiał.

– Czekaj – powtórzył Bravo. W głowie czuł bolesne pulsowanie, jakby mózg miał mu lada chwila eksplodować. Odwrócił się do Camille. – To prawda?

Jordan ciągnął bez litości:

– Zdradził twoją matkę, zdradził ciebie i twoją siostrę, tak sądzi Camille. Twierdzi, że zgodził się was porzucić – swoją rodzinę – i żyć z nią, z nami. Ale wtedy umarł Junior i twój ojciec nie mógł się zdobyć na zerwanie.

Bravo spojrzał Camille w twarz i po raz pierwszy zobaczył prawdziwe uczucie. Było tak nagie, tak wstrząsające, że miał ochotę odwrócić wzrok, jak na widok strasznej rany. I tak prawda wybuchła mu w twarz jak granat.

Jordan wzruszył ramionami.

– Ja tam nie wierzę w te bajki. Twój ojciec nigdy by nie porzucił rodziny. Nie chciał mojej matki, mnie też. Dowiódł tego bez żadnych wątpliwości, kiedy usiłowałem się z nim skontaktować.

Camille odwróciła się gwałtownie, szeroko otwierając oczy.

– Co? Wyraźnie zabroniłam ci się z nim spotykać.

– Naprawdę uważałaś, że posłucham? Jezu Chryste, przecież to mój ojciec. Oczywiście, że chciałem się spotkać. Ale mnie nie przyjął, nie chciał ze mną nawet porozmawiać. Widzisz, mamo, skoro nie chciał mieć ze mną nic do czynienia, dlaczego miałby zostawić dla ciebie rodzinę? – Roześmiał się. – Dexter Shaw bawił się tobą dokładnie tak, jak ty bawiłaś się nim.

– Oszalałeś. Dexter o niczym nie wiedział.

– Masz rację, nie mam dowodu, oprócz tego, co kiedyś było w moim sercu, a teraz gdzieś znikło. *C'est la guerre.* – Wzruszył ramionami. – Teraz to już nieważne, prawda? Zaplanowaliśmy, że Dexter Shaw umrze i umarł. Koniec tematu. Liczy się to, że nam się udało. Kiedy nic nie wydobyliśmy torturami z Molka, zrozumieliśmy, że i Dexter nic nie powie, niezależnie od tego, jak go potraktujemy, więc musieliśmy znaleźć inną drogę do skrzyni. I tu zjawiłeś się ty. Wiedzieliśmy od naszego człowieka w zakonie, że Dexter szkoli cię na swego następcę. Zrozumieliśmy, co trzeba zrobić, żeby wyeliminować Dextera. Było to trudne, prawie niemożliwe, ale w końcu nam się udało. Założyliśmy, że doprowadzisz nas do skrzyni; wiedzieliśmy, że możemy nad tobą panować, mieliśmy w tym tyle doświadczenia...

I nie pomyliliśmy się. Złamałeś wszystkie szyfry ojca. Ponieważ to on cię uczył, znałeś go lepiej niż ktokolwiek. Przekazał ci swoją wiedzę. Widzisz, Bravo, nigdy nie przestałeś dla mnie pracować. Nie uważasz, że to ironia losu?

Bravo miał ochotę zapaść się pod ziemię, umrzeć, uderzyć kogoś. W jego głowie rodził się wrzask tak wielki, że odbierał mu mowę, zdolność myślenia. Mógł tylko słuchać tych okropności, padających z ich ust, tych kłamstw o swoim życiu.

Jordan drgnął lekko z niecierpliwości.

– No, pora wreszcie otworzyć skrzynię; jej zawartość należy do mnie.

– *Alors*, więc tego pragnąłeś od zawsze, tak? – Camille niemal wypluła te słowa. Jeszcze było jej słabo od podejrzenia, że Dexter mógł przejrzeć jej kłamstwa. Nikt inny tego nie potrafił, więc dlaczego akurat on... – Nie chodziło ci o moją zemstę, o zniszczenie zakonu. Chciałeś zagarnąć ich tajemnice dla siebie.

– O tak. Zwłaszcza kwintesencję. Z nią będę rządził światem.

– Nie. – Jenny stanęła w kręgu słonecznego światła, z wycelowaną w nich bronią Albańczyka. – Nie będziesz miał okazji.

I nagle wybuchł chaos. Wszystko zaczęło się dziać jednocześnie, w mgnieniu oka. Camille odwróciła się, wycelowała witnessa w Jenny, Jordan chwycił Bravo, który zdołał się dźwignąć na kolana, Jenny strzeliła dwa razy, trafiając w pierś Camille, która upadła, a siła strzału rzuciła ją aż pod przeciwległą skalną ścianę. Ale ona nie poczuła samego uderzenia, zginęła na miejscu. Zanim Jenny wycelowała broń w Jordana, ten stał już za Bravo, trzymając przy jego gardle sztylet Lorenzo Fornariniego.

– Jego życie jest w twoich rękach – powiedział. – Ciekawe, co zrobisz?

Bravo krzyknął do niej, ale już odłożyła broń.

– Grzeczna dziewczynka. – Jordan rzucił jej klucz. – Weź. – A kiedy posłuchała, wskazał ołtarz, gdzie Bravo zaczął już kopać. – Tam. No, już. Wiesz, co robić.

Jenny ruszyła w stronę ołtarza.

– Nie tak blisko – rzucił Jordan. – Nie licz na to.

Posłusznie zmieniła trasę. Kiedy znalazła się w innym miejscu, Jordan obrócił się, trzymając Bravo pomiędzy sobą i Jenny. Uklękła i zaczęła kopać rękami. Po dziesięciu minutach dotarła do twardej powierzchni. Starła z niej ziemię, spod której wyłoniło się wieko.

– Dalej – rozkazał Jordan, który podszedł, popychając przed sobą Bravo. – Szybciej.

Skrzynka, którą wykopała Jenny, miała jakieś czterdzieści pięć centymetrów długości i mniej więcej dwadzieścia szerokości i głębokości.

– Teraz ją wyjmij.

– Ale...

– Natychmiast! – krzyknął.

Zacisnęła zęby z bólu, sięgnęła do wykopanej dziury i z jękiem wydźwignęła skrzynkę. Ten wysiłek przypłaciła dużą utratą sił. Czuła, że jest u kresu wytrzymałości, że powinna trafić jak najszybciej do lekarza, w przeciwnym razie rana może się okazać śmiertelna. A w najlepszym wypadku groziło jej omdlenie z powodu utraty krwi.

– Teraz włóż klucz – rozkazał podekscytowany Jordan. – Otwórz skrzynię!

Jenny usłuchała. Włożyła klucz w staroświecki zamek i przekręciła go w lewo. Rozległo się kliknięcie. Nagle ogarnęła ją fala rozpaczy. To nie może się dziać naprawdę, pomyślała. Miałam bronić skrzyni, a nie pomagać rycerzowi w kradzieży.

Odrętwiałymi rękami uniosła wieko. Zajrzała do środka, czując, że Jordan przechyla się, żeby po raz pierwszy ujrzeć to, czego pożądał niemal całe życie.

Ale w środku nic nie było. Zupełnie nic.

Jenny zaczęła się śmiać, Jordan krzyknął z wściekłości i zgrozy, i właśnie wtedy Bravo wkroczył do akcji. Okręcił się i z całych sił dźgnął łokciem w nerkę Jordana, a kiedy ten stracił równowagę, cisnął nim o kamienną ścianę. Jordan zamachnął się na oślep sztyletem; Bravo uderzył kantem dłoni. Sztylet wypadł ze zdrętwiałych palców Jordana. Jordan zamachnął się drugą ręką, rzucił się na Bravo. Znowu potoczyli się na ścianę, a potem, sczepieni, wpadli tyłem w szczelinę. Bravo uderzył Jordana pięścią, ale nie włożył w ten cios całej siły. Nadal usiłował pojąć tę nową rzeczywistość – Jordan był jego bratem. Ale Jordan go nie oszczędzał. Młócił pięściami, idąc za nim korytarzem ku strumieniowi światła słonecznego. Ciosy padały jeden za drugim, na głowę i korpus. Bravo odskoczył w tył, przyczaili się, wpatrzeni w siebie, zdyszani, nagle zamarli w bezruchu.

– Czemu to robisz? – wydyszał Bravo. – Bo ojciec się odtrącił, o to chodzi? Powinieneś przyjść do mnie.

Jordan obnażył zęby jak zwierzę czujące zapach ofiary.

– I co potem? Znienawidziłbyś mnie tak, jak twój ojciec. Stanąłbyś po jego stronie?

– Po jego stronie?

– Byłem jego błędem, żenującą plamą na bohaterskiej reputacji. Byłem dowodem na to, co zrobił, na jego zdradę. Jak myślisz, dlaczego nie chciał mieć ze mną nic wspólnego?

– Nie wiem – odparł Bravo szczerze. – Ale gdybyś do mnie przyszedł, gdybyś powiedział prawdę, coś byśmy wymyślili. Byliśmy przyjaciółmi, jesteśmy braćmi.

– Nie jestem twoim przyjacielem ani bratem. Jestem twoim wrogiem.

– Nie musi tak być.

– Ale jest. Nie ma dla nas innego wyjścia, tylko walka.

– Dlaczego? Sam powiedziałeś: rycerze się odrodzili. Stara wrogość między nimi i zakonem może przejść do historii. Pomyśl, ile moglibyśmy osiągnąć, gdybyśmy połączyli siły, ile dobrego moglibyśmy zdziałać.

– A tak, jasne... aż się palę, żeby być twoim zastępcą.

– Jordan, na Boga, nie to miałem na myśli.

– Ależ miałeś. Jesteś jak twój ojciec; arogancki, najmądrzejszy na świecie, uważasz się za lepszego od innych. Nie, dziękuję, mam swoich ludzi, przez całe lata poświęcałem się, szedłem na kompromisy, płaszczyłem się przed tą gorgoną, moją matką, a wszystko po to, żeby zjednoczyć moją organizację. Pieprz się, nie zamierzam się dzielić ani z tobą, ani z nikim.

Bravo usiłował nie słuchać Jordana, jego oskarżeń, które raniły mu serce. Łatwo byłoby przylepić Jordanowi etykietkę wariata opętanego obsesją, ale on naprawdę znał Bravo, znał jego słabe strony, tak samo jak Bravo znał słabe strony Jordana. Jednak jakaś dobroć popychała Shawa do działań, z których bezcelowości doskonale zdawał sobie sprawę.

– Wbrew temu, co myślisz, mamy szansę, gdybyś tylko...

– Zaczął cię słuchać? Prędzej podetnę sobie żyły.

– Proponuję, żebyśmy byli rodziną. Dlaczego tego nie rozumiesz?

– A dlaczego ty nie rozumiesz, że znowu chcesz mną rządzić? Nigdy więcej, Bravo, to się już nie powtórzy, daję ci słowo. Ty masz przeszłość, jakąś historię, rodzinę. Mamy być rodziną? Nie, chcesz się nade mną użalać, właściwie już to robisz. Powiedziałeś to z litości. Biedny Jordan, myślisz, mogę mu pomóc. Ale nie możesz, Bravo, chcesz tylko mi narzucić swoje zdanie, podejmować za mnie decyzje, mówić mi, co jest dobre, a co złe. Zawsze uważałeś, że wiesz, jak odróżnić dobro od zła, a okazało się, że nic nie wiesz. Masz to, czego chcę, i czego nigdy mieć nie będę. Możesz mi to dać? Czy dałbyś, gdybyś miał okazję? Ty parszywy...

Skoczył na Bravo, uderzył na oślep, nieprzytomny z wściekłości, chcąc okaleczyć, zabić tego, którego nienawidził najbardziej. Bravo bronił się, lecz zbyt szybko tracił siły pod naporem wściekłości Jordana. Ciągle się cofał, coraz bliżej strumienia słońca, aż w końcu Jordan zapędził go w komin, a wtedy Bravo, z jedną nogą nad szczeliną, zorientował się, że korytarz biegnie nie tylko w górę, ale i w dół.

Zablokował następny cios i usiłował się cofnąć znad krawędzi, ale Jordan zatarasował mu drogę całym ciałem, zapędził go na skraj skalnego podłoża. Bravo czuł na plecach powiew świeżego powietrza. Jego stopa ześliznęła się z krawędzi. Jak głęboko sięga ten komin?

Jordan wykorzystał chwilową dekoncentrację Bravo, doskoczył i walnął go w żebra. Bravo upadł na kolana. Jordan kopnął, ale Bravo chwycił jego stopę i przewrócił przyrodniego brata. Uderzył go pięścią w twarz. Razem przesunęli się jeszcze bliżej krawędzi.

Bravo uderzył jeszcze raz, ale Jordan był już gotowy, zablokował cios tak, jak Bravo zablokował kopnięcie. Wykręcił rękę Bravo, teraz to on znalazł się na górze. Bravo bardzo szybko odgadł jego zamiary. Jordan napierał na niego, popychał go ku krawędzi, by wrzucić do komina, pozbyć się go raz na zawsze. Bravo już wisiał ramionami i głową nad ziejącą dziurą. Za chwilę znajdzie się zbyt daleko, żeby się uratować. Teraz albo nigdy. Zrozumiał, że musi zapomnieć o uczuciach, pragnieniu uratowania Jordana przed samym sobą, o włączeniu go wbrew woli do rodziny, by jakoś wymazać gorzki smak zdrady ojca. Jak powiedział Jordan, to była czysta arogancja. Nie mógł tego zrobić; poniósłby klęskę, a gdyby się upierał, pewnie by zginął z tego powodu.

Spojrzał swojemu wrogowi w twarz, przyjął jego bolesny cios, wypatrzył wrażliwe miejsce i gdy Jordan się zamachnął, by znowu uderzyć, końcami zdrętwiałych palców uderzył go pomiędzy mostkiem i przeponą. Włożył w ten cios całą siłę i przerwał ważny splot nerwów.

Jordan wyprostował się gwałtownie; Bravo odepchnął go tak mocno, że tamten uderzył głową o ścianę, a następnie upadł do przodu i runął w otchłań.

Bravo przetoczył się w bok, odruchowo wyciągnął rękę, żeby złapać Jordana, ale nie było szansy, od samego początku. Jordan zniknął.

Kiedy się wyczołgał z korytarza, Jenny chwyciła go w objęcia.

– Jordan? – spytała.

Pokręcił głową. Miał zawroty głowy, ręce pozbawione czucia. Wyciągnął je do niej, tak jak tonący sięga po rzucone z pokładu koło ratunkowe. Skrzywiła się, zagryzła wargę, żeby nie krzyknąć, i przez mgłę bólu i rozpaczy zrozumiał, że ona także jest ranna.

– Jenny, co się stało? – Dopiero teraz zobaczył opatrunek wokół jej brzucha. – Jesteś ranna.

– Powierzchownie, nic takiego. Nie ma się czym martwić.

Ale przemoczona krwią koszula świadczyła o czym innym.

– Musimy cię odstawić do szpitala, a przynajmniej do lekarza.

Skinęła głową.

– Ale najpierw muszę ci coś pokazać. – Zaprowadziła go do ciała Camille, pochyliła się ostrożnie, przykucnęła, i przeszukała zwłoki, aż znalazła to, o co jej chodziło, i zaprezentowała na otwartej dłoni.

Bravo ukląkł obok niej.

– Twój nóż.

– Nie całkiem. – Jenny wyciągnęła własny mały sprężynowiec.

– Są identyczne. – Spojrzał na nią. – Kazała zrobić duplikat. To znaczy...

– Że znalazła mój nóż.

– W hotelu na Mont Saint-Michele, kiedy byłaś nieprzytomna. Poszedłem do łazienki, zostawiłem ją z tobą. Nie chciałem cię zostawiać, ale zapewniła, że cię przypilnuje.

– I przypilnowała, tyle że przeszukała moje rzeczy.

Spojrzał na twarz Camille, jasną, nieskazitelną jak porcelana nawet po śmierci.

– To ona poderżnęła gardło ojcu Mosto, nie Cornadoro.

– Zastanawiam się, czy jej to sprawiło przyjemność – rzuciła Jenny gorzko.

– Jenny...

– Pewnie się dobrze bawiła, kiedy nas poróżniła.

Bravo pokiwał głową.

– Od początku to planowała. Teraz to zrozumiem.

Jenny wstała z cichym jękiem.

– Suka pierwszej klasy.

Gorgona, nazwał ją Jordan. Tu także się nie pomylił, pomyślał Bravo. Ale była kimś więcej. W końcu wstał, otoczył Jenny ramieniem i spojrzał w twarz diabła, którego zobaczył i rozpoznał ojciec Damaskinos.

33

Zachodzące słońce otoczyło ich chłodnymi objęciami. Niebo stało w ogniu, prążkowane pasmami różowych chmur. Ucieczka z groty, od potworności, które ich tam spotkały, sprawiła im ulgę.

– Skrzynia... – odezwała się Jenny. – O co chodzi, Bravo? Ojciec wyprowadził cię w pole?

– Przeciwnie. Nie odczytałem ostatniego szyfru Camille ani tobie, bo mnie przed tym ostrzegł.

– Jak to? Zaraz... wiedział, że nie będziesz sam, prawda?

– To był domysł, całkiem sensowny, jeśli się zastanowić. Widzisz, w chwili kiedy rozpoczął się atak rycerzy, ojciec na wszelki wypadek przeniósł zawartość skrzyni. Ale zapowiedział kategorycznie, że jeśli będzie mi towarzyszyć ktoś jeszcze – ktokolwiek – mam iść na miejsce pierwszej kryjówki. W ten sposób mogłem wywabić z ukrycia przeciwnika. Na przestrzeni wieków moc kwintesencji miała zdolność korumpowania nawet tych, którzy uważali się za niezłomnych. Ktoś mu powiedział, że to ona jest przyczyną wszystkich zdrad w łonie zakonu.

Jenny spojrzała na niego rozpromieniona.

– Ktoś mu powiedział? Kto?

– Brat Leoni.

Zerwał się wczesny wieczorny wietrzyk. Wokół nich kołysały się polne kwiaty, pochylały głowy jakby w ukłonach.

– On żyje – szepnęła Jenny.

– Wbrew wszelkiej logice.

– Logika nie ma z tym nic wspólnego. Chodzi o wiarę.

Skinął głową.

– Teraz to już rozumiem.

– To tutaj – powiedział, klęcząc przy Kotle, świętym źródle wyznawców prawosławia. Z czerwonawej ziemi wyłaniał się popękana, starożytna kolumna. Jenny wsparła się na ramieniu Bravo, klękając obok niego. Odsunął warstwę sosnowych igieł i zbutwiałych liści. Żuki i stonogi rozbiegły się na wszystkie strony. Zapach rozkładu, początku nowego życia, uniósł się ku nim jak aromat chłodnego poranka.

– Trzymasz się? – spytał Bravo. – Dasz radę?

Uśmiechnęła się i bolesny grymas zniknął z jej twarzy.

– Pewnie. Muszę.

Razem zaczęli kopać, wygarniać pełne dłonie ziemi, usypywać z niej coraz wyższą piramidę, aż pod zwietrzałym kamieniem ukazała się mała drewniana skrzynka. Pomalowana w jaskrawe łódki, rybki i ptaki, stanowiła szokujący kontrast z pierwotną skrzynią, którą Jenny wykopała w jaskini.

Bravo przysiadł na piętach i parsknął śmiechem.

– To moja skrzynia na zabawki.

– O, Bravo... – Jenny położyła mu rękę na ramieniu.

Cicho, z szacunkiem wrócili do pracy, strzepnęli ostatnie grudki ziemi z wieka, okopali jej boki. W końcu skrzynia wyłoniła się w całości; wyjęli ją.

Bravo wyciągnął rękę, żeby ją otworzyć.

– Ja chyba... – odezwała się Jenny. Raptem jej oczy wywróciły się białkami do góry i zemdlała. Natychmiast ułożył ją wygodnie, sprawdził oddech i puls. Żyła, ale jego ręka unurzała się we krwi. Szybko zdjął własną koszulę i podarł na pasy. Z niepokojem rozwinął opatrunek, który zrobiła z własnej koszuli. Z przerażeniem obejrzał ranę. Wytarł sączącą się z niej krew. Rana była o wiele poważniejsza, niż twierdziła Jenny. Znowu ją opatrzył, z dwóch pasów koszuli zrobił podwójny bandaż, zawiązał go mocniej, żeby zatamować krwotok. Rozejrzał się. Oczywiście w zasięgu wzroku nie było żywej duszy. Do klasztoru Sumela był najmarniej kilometr, a dalej, do kliniki w Macka, dwadzieścia minut jazdy. Znowu zbadał jej puls i z niepokojem stwierdził, że jest wolniejszy niż przed chwilą. Jeśli zacznie zanikać... A nawet jeśli nie, może nie dowieźć Jenny na czas do lekarza.

Wytarł pot z twarzy, spojrzał na swoją skrzynię na zabawki. Wiedział, co się w niej znajduje. Drżącą ręką uniósł wieko. Oto tajemnice, które zakon gromadził od stuleci – dokumenty, tajne traktaty, potajemne historie, nieopublikowane wspomnienia, obciążające dowody finansowe. A między nimi znajdował się Testament Jezusa Chrystusa. Dotknął go, ale nie podniósł. Śmieszne, teraz, kiedy go znalazł, nie miał czasu go czytać. Szukał czegoś innego – małej glinianej buteleczki ze szklanym korkiem.

Kwintesencji.

Musiał ją tylko otworzyć, nanieść odrobinkę na ranę Jenny. Wtedy wyzdrowieje, ocali życie. Jakżeby mógł tego nie zrobić? Ujął buteleczkę w dwa palce. Była niemal nieważka, jakby jej zawartość była lżejsza od powietrza, jak anielskie skrzydła.

Otworzyć, nanieść odrobinę na ranę. Jenny ocaleje – bez wątpienia, z całkowitą pewnością. Jeśli tego nie zrobi, zostanie mu tylko wiara, że zdąży ją dowieźć do kliniki, że ją uratuje.

Zacisnął palce na szklanym koreczku.

A potem co? Co będzie z nią później? Czy dożyje stu pięćdziesięciu lat? Dwustu? Czterystu, jak brat Leoni? Czy tego by chciała? Czy ma prawo jej to zrobić, zakłócić naturalny porządek? Oczywiście ojciec musiał podjąć tę samą straszną decyzję, kiedy Steffi była śmiertelnie chora...

I nagle ojciec pojawił się obok niego.

– Tato, co mam zrobić?

– Teraz ty decydujesz.

– Kocham ją, nie chcę, żeby umarła.

– A ja kochałem Steffi i nie chciałem jej śmierci.

– Ale ją zdradziłeś, spałeś z Camille.

– Jestem człowiekiem, jak wszyscy.

– Nie byłeś jak wszyscy!

Dexter uśmiechnął się.

– Kiedy byłeś mały, cieszyło mnie, że tak na mnie patrzysz, to ci dawało poczucie bezpieczeństwa i komfortu, i tak być powinno. Ale teraz jesteś dorosły, musisz mnie przyjąć takiego, jaki jestem naprawdę, musisz sam o siebie zadbać.

Bravo otarł łzy, znowu został sam przy wrzącym Kotle. Jenny leżała obok. Słyszał jej słaby oddech, znowu spojrzał na buteleczkę z kwintesencją.

Wiara. Czy jego wiara jest wystarczająco silna?

Ostrożnie odstawił kwintesencję na miejsce. Ale buteleczka była jakby żywa, trudno mu było oderwać od niej dłoń. Zrobił to z największym wysiłkiem, zamknął wieko, na nowo opuścił skrzynię w jamę, którą wykopał ojciec.

Kwintesencja biła pod ziemią jak żywe serce, kiedy zasypywał ją, przyklepywał ziemię, maskował to miejsce igliwiem i liśćmi. Potem, modląc się żarliwie do Maryi Dziewicy, chwycił Jenny w ramiona i ruszył do Sumeli.

Osiem godzin później, w środku nocy, Jenny obudziła się wśród strasznego bólu. Krzyknęła. Bravo chwycił jej rękę, pochylił się nad nią. Widziała jego twarz w łagodnym blasku lampy.

– Gdzie jestem?

– W Macka. Za ścianą jest sala operacyjna.

– A skrzynia?

– Tam, gdzie zakopał ją ojciec. Możesz odetchnąć, jest bezpieczna.

– Chcę stąd wyjść. – Usiłowała się podnieść, jęknęła. Osunęła się na szorstką poduszkę; przewody, którymi do jej ciała biegły krew i sól fizjologiczna, zaklekotały.

– Jutro lub pojutrze – powiedział Bravo – kiedy gorączka spadnie, przewieziemy cię do Trabzonu.

– My?

– Zadzwoniłem do Chalifa. Wyszedł ze szpitala i bardzo chętnie przyjedzie po nas karetką. Nie zamierzam cię wieźć samochodem osobowym trzy godziny po górskich wertepach.

Podał jej wodę i odczekał chwilę.

– Zaśnij, potrzebujesz wypoczynku.

– A ty nie?

Roześmiał się, ale ona zdobyła się tylko na słaby uśmiech. W tych okolicznościach i to wystarczyło.

– Bravo, co teraz będzie?

– Chcesz powiedzieć: teraz, kiedy położyłem rękę na skrzyni tajemnic? – Spojrzał jej w oczy, wielkie i poważne. Minęła pora żartów, zrozumiał. Czekała na odpowiedzi, nie mniej niż on, i to dlatego od chwili, kiedy przywiózł ją do kliniki w Macka, nie zmrużył nawet oka. Zbyt pochłaniało go myślenie, a potem dzwonienie do różnych osób.

– Rozmawiałem z moją siostrą, Emmą – powiedział. – Jest łączniczką, ma kontakt ze wszystkimi członkami zakonu, na każdym poziomie. Odbyło się głosowanie. Zostałem nowym *magister regens*.

Otworzyła szeroko oczy.

– A co z Haute Cour?

– Będzie mi doradzać, tak jak to robi od stuleci. Oczywiście trzeba wybrać nowych członków. Pierwszym będziesz ty.

– Ja?

Znowu się roześmiał, trochę czulej.

– Zatem musisz także wybrać wenecką zakonnicę Arcangelę.

– Anachoretkę… tak, wiem o niej. – Skinął głową. – Najwyższa pora, żeby docenić kobiety liczące się w zakonie, ich pomysły, plany i uwagi.

– A co będzie potem?

– Teraz zaśnij. Już jutro…

– To za późno. Nie zasnę, dopóki mi nie powiesz.

442

Usiadł w półmroku, zamyślony. Pytanie było dobre, jedyne naprawdę ważne, a tej nocy zastanawiał się długo i poważnie, co należy zrobić.

– Po pierwsze razem przeniesiemy skrzynię w bezpieczniejsze miejsce. Muszę mieć czas na oszacowanie jej zawartości, żeby zrozumieć, jaką naprawdę mamy władzę. Zakon musi kontynuować dzieło mojego ojca. Świat zmienia się przez cały czas, i to niestety nie na lepsze. Nadchodzi nowa wojna. Prawdę mówiąc, już się zaczęła. Ojciec o tym wiedział, teraz wiem i ja. Wojna religijna, która wstrząśnie wszystkimi państwami, jeśli się jej nie położy kresu. Fundamentaliści po obu stronach – chrześcijańskiej i muzułmańskiej – zamierzają się nawzajem wymordować i nikogo nie obchodzi, kto przy okazji zginie. Nie możemy do tego dopuścić, prawda?

– Tak – powiedziała. – Nie możemy.

– Więc mi pomożesz. – Ożywienie buchało z niego jak iskry z ogniska. – Pierwszą sprawą jest nawiązanie kontaktu ze wszystkimi nićmi starej religijnej sieci zakonu, którą mój ojciec utrzymywał przy życiu i w dobrym stanie.

Jenny uśmiechnęła się. To najbardziej chciała usłyszeć. Ale już zaczął ją ogarniać sen i tylko przyśniło się jej, że mu odpowiedziała.

Chalif nie przybył sam. Wraz z nim w karetce siedziało dwóch sanitariuszy, którzy natychmiast wyskoczyli z noszami i poszli po Jenny. Bravo wskazał im drogę i ruszył powitać przyjaciela. Chalif miał obandażowane ramię i rękę w gipsie, ale poza tym wyglądał zdumiewająco rześko.

– Twój telefon był jak manna z nieba. Dobrze jest wrócić do gry.

Objęli się jak bracia po długim rozstaniu.

Chalif spoważniał.

– Co z nią?

– Wyzdrowieje, jest twarda.

Dopiero wtedy zauważył postać czekającą w cieniu po drugiej stronie ulicy. Początkowo wydała mu się nieznajoma. Potem rozpoznał starego księdza, któremu dał monetę w kościele l'Angelo Nicolò w Wenecji. Przypomniał sobie, jak Jenny spytała, czy może zaufać temu staruszkowi. Był tego pewien, sam nie wiedział dlaczego.

Czarne jak węgle oczy przyglądały mu się tak samo, jak wtedy w kościele, z mieszanką zaciekawienia i rozbawienia. Ale teraz było w nich coś jeszcze; już nie odnosił wrażenia, że ksiądz uważa go za młodego człowieka.

Sanitariusze przynieśli Jenny. Zatrzymali się na tyle, by Bravo mógł się pochylić, dotknąć ustami jej warg.

– Będę jechać tuż za wami – powiedział – aż do domu.

Sanitariusze wnieśli ją do karetki; Chalif wsiadł za nimi. Kierowca czekał, obgryzając paznokcie. Gdzieś na buchającej żarem ulicy zaszczekał pies. Poza tym panowała cisza. W zasięgu wzroku nie było żywej duszy.

Stary ksiądz przeszedł przez ulicę.

– Znam cię – powiedział Bravo z szacunkiem. – Dałem ci złotą monetę w kościele l'Angelo Nicolò w Wenecji.

– Nie użyłeś kwintesencji, prawda?

Bravo odczuł ciężar poważnego spojrzenia księdza. Przemówił w trebizondzkiej grece, ale Bravo pomyślał, że równie dobrze mógłby mówić po łacinie, po grecku czy w innym dowolnym języku starożytnym.

– Nie – odpowiedział.

– Dlaczego? – spytał stary ksiądz. – Miałeś powód.

– Ale niewystarczający.

Stary ksiądz miał na sobie czarną sutannę, jego długie, rozczochrane włosy były zupełnie białe. Na szyi na krótkim łańcuszku wisiał klucz – klucz, co Bravo dostrzegł, bliźniaczo podobny do tego, który zostawił mu ojciec, klucz otwierający starą skrzynię, od stuleci kryjącą tajemnice. To ten klucz przechowywał Jon Molko, współpracownik Dextera Shawa. Dexter musiał oddać go staremu księdzu na przechowanie.

Starzec lekko skłonił głowę.

– Długo czekałem na tę chwilę.

Bravo zaczerpnął głęboki oddech. Zdawał sobie sprawę, że patrzy na żywą historię.

– A gdybym otworzył buteleczkę z kwintesencją?

Stary ksiądz uśmiechnął się lekko.

– Jest zapieczętowana woskiem, ale z czasem pieczęć pękła, a kiedy twój ojciec otworzył skrzynię, przekonał się, że zawartość butelki wyparowała.

Bravo czekał oszołomiony. W sercu odezwało mu się znajome tętnienie.

– Więc chciał uratować moją matkę.

– Choć mu odradzałem. – Stary ksiądz splótł palce. – Pragnął zostać *magister regens*. Miał słuszne poglądy, ale nie on był wybrańcem. Teraz już wiesz dlaczego.

Bravo przez chwilę stał ze spuszczoną głową, usiłując się opanować. Potem powiedział:

– Co trzeba zrobić z Testamentem?

Stary ksiądz patrzył mu prosto w oczy. Nie mrugnął ani razu pomimo rażącego słońca.

– Będziesz musiał sam zdecydować.

– Decyzja nie należy tylko do mnie. Proszę o twoją radę.

Stary ksiądz przez chwilę gładził brodę.

– Już rozumiesz, jak wyjątkowe niebezpieczeństwo łączy się z kwintesencją; sam to odczułeś. Testament Chrystusa jest równie niebezpieczny. Jego zawartość – słowa Jezusa – może postawić cały świat chrześcijański na głowie. Czy tego chcesz?

– Ale to słowa prawdy.

– A tak, prawda... – Stary ksiądz zrobił krok w jego stronę. – W trakcie swej długiej historii zakon nieustannie walczył z prawdą. Jakież debaty wybuchały w Haute Cour! Teraz muszę ci zadać to samo pytanie, które zadawaliśmy sobie nawzajem: co bardziej sprzyja naturalnemu porządkowi rzeczy, prawda czy percepcja? Kiedy odpowiesz, będziesz wiedział, co zrobić z Testamentem.

Ruszył przez ulicę, w stronę Sumeli.

– Zaczekaj! – odezwał się Bravo. – Czy jeszcze cię zobaczę?

Staruszek stanął.

– O tak.

– Jak mam cię wtedy nazywać? Chyba nie brat...

– To staroświeckie imię, już nie na te czasy – powiedział bez namysłu ksiądz. – Nazywaj mnie raczej imieniem, które dostałem na chrzcie. Nazywaj mnie Braventino.